Contemporánea

Saul Bellow (1915-2005) nació en Lachine (Quebec). Estudió en la Universidad de Northwestern y fue profesor de la de Chicago. El análisis de la humanidad frente a la amenaza de la modernidad es tema central de sus novelas, entre las que destacan *Hombre en suspenso* (1944), *La víctima* (1947), *Las aventuras de Augie March* (1953), *Carpe Diem* (1956) y *Henderson, el rey de la lluvia* (1959). También ha reflexionado acerca del intelectual judío frente al mundo que lo rodea, en libros como *Herzog* (1964) o *El planeta de Mr. Sammler* (1970), ambas novelas galardonadas con el National Book Award. En 1975 obtuvo el premio Pulitzer por su libro *El legado de Humboldt*, y al año siguiente se le otorgó el premio Nobel de Literatura.

PREMIO NOBEL DE LITERATURA

Saul Bellow

Herzog

Traducción de
Rafael Vázquez Zamora

DEBOLS!LLO

El papel utilizado para la impresión de este libro ha sido fabricado a partir de madera procedente de bosques y plantaciones gestionados con los más altos estándares ambientales, garantizando una explotación de los recursos sostenible con el medio ambiente y beneficiosa para las personas. Por este motivo, Greenpeace acredita que este libro cumple los requisitos ambientales y sociales necesarios para ser considerado un libro «amigo de los bosques». El proyecto «Libros amigos de los bosques» promueve la conservación y el uso sostenible de los bosques, en especial de los Bosques Primarios, los últimos bosques vírgenes del planeta.

Título original: *Herzog*

Segunda edición con esta portada: mayo, 2012

© 1964, Saul Bellow
© 2004 de la edición en castellano para todo el mundo:
  Random House Mondadori, S. A.
© Rafael Vázquez Zamora, por la traducción
  Traducción cedida por Editorial Destino, S. A.

Printed in Spain – Impreso en España

ISBN: 978-84-9793-332-2
Depósito legal: B-14277-2012

Fotocomposición: Zero pre impresión, S. L.

Impreso en blackprint
A CPI COMPANY

Dedico este libro afectuosamente a Pat Covici, un gran editor y, mejor todavía, un amigo generoso

Si estoy chalado, tanto mejor, pensó Moses Herzog. Algunos lo creían majareta, y durante algún tiempo él mismo había llegado a pensar que le faltaba un tornillo. Pero ahora, aunque seguía portándose de modo extraño, sentíase seguro de sí mismo, alegre, clarividente y fuerte. Había caído bajo una especie de hechizo y escribía cartas a todo bicho viviente. Estas cartas le apasionaban tanto que, desde fines de junio, iba por ahí con una maleta llena de papeles. Había llevado esta maleta de Nueva York a Martha's Vineyard, pero regresó enseguida de allí, y dos días después fue en avión a Chicago, y desde Chicago a un pueblo al oeste de Massachusetts. Escondido en el campo, escribió incesante y fanáticamente a los periódicos, a la gente que desempeñaba cargos públicos, a los amigos y parientes, después, a los muertos, sus propios muertos sin importancia y, por último, a los muertos famosos.

Era el rigor del verano en los Berkshires. Herzog estaba solo en la casa grande y vieja. Aunque solía ser muy exigente para la comida, tomaba ahora pan Silvercup que venía envuelto en papel, guisantes de lata y queso americano. De vez en cuando cogía frambuesas en la exuberante huerta y, para dormir, utilizaba un colchón sin sábanas —era su abandonada cama de matrimonio— o la hamaca cubriéndose con su abrigo. En el patio, le rodeaban la abundante hierba, los algarrobos y los arces. Cuando abría los ojos por la noche, veía cerca a las estrellas, como cuerpos espirituales. Como fuegos, desde luego; eran gases, minerales, calor, átomos, pero resultaban muy elocuentes hacia las cinco de la mañana para un hombre que yacía en una hamaca envuelto en su abrigo.

Cuando tenía algún pensamiento nuevo, iba a la cocina —su cuartel general— y lo escribía. La pintura blanca se caía de las paredes de ladrillo y a veces quitaba Herzog de la mesa, con su manga, las cagaditas de ratón, preguntándose con calma por qué les gustaría tanto a los ratones campesinos la cera y la parafina. Agujereaban las tapaderas cerradas con parafina que protegían a las conservas, y roían las velitas de cumpleaños hasta el pabilo. Una rata había roído un paquete de pan y dejó la forma de su cuerpo en las rebanadas. Herzog se comió la otra mitad del pan después de untarle mermelada. Podía compartir el alimento con las ratas.

Incesantemente, mantenía abierto hacia el mundo exterior un rincón de su mente. Oía los cantos de los gallos mañaneros. Su áspera llamada resultaba deliciosa. Al anochecer, Herzog escuchaba los cantos de los tordos. Por la noche, se oía a una lechuza en el granero. Cuando, excitado por una de sus cartas mentales, se paseaba Herzog por el jardín, veía los rosales que se enroscaban por el tubo de desagüe o los pájaros que gorjeaban en la morera. Los días eran cálidos, y a última hora se ponían enrojecidos y polvorientos. Herzog lo miraba todo con gran atención pero le parecía estar medio ciego.

Su amigo, su ex amigo, Valentín, y su esposa, su ex esposa, Madeleine, habían hecho correr el rumor de que se había trastornado. ¿Era esto cierto?

Dando una vuelta en torno a la casa vacía, vio el reflejo de su cara en una ventana gris y con telarañas. Parecía sobrenaturalmente tranquilo. Una línea radiante descendía desde la mitad de su frente por su nariz recta hasta sus labios gruesos y silenciosos.

A finales de primavera, Herzog había sentido la necesidad de explicar, de soltarlo todo, de justificarse, de ponerlo todo en perspectiva, aclararse y enmendarse.

Por entonces, daba clases a los adultos en una escuela nocturna de Nueva York. En abril, se expresaba aún con bastante claridad pero, hacia fines de mayo, empezó a divagar. Los estudiantes tenían el convencimiento de que nunca aprenderían mucho sobre las raíces del Romanticismo, pero estaban seguros de que, teniéndolo a él de profesor, verían y oirían muchas cosas raras. Uno tras otro, fueron desapareciendo los formalismos académicos. El profesor Herzog manifestaba la inconsciente franqueza de un hombre profundamente preocupado. Y hacia fines del trimestre, se produjeron largas pausas en sus clases. Por ejemplo, se quedaba callado de pronto, decía «Perdonen», y se buscaba en los bolsillos la pluma. Sobre aquella mesa que crujía, Herzog escribía algo en unos pedazos de papel presionando mucho con la mano; estaba absorto y se le formaban unas grandes ojeras. Su rostro, que se le ponía muy pálido, lo reflejaba todo, absolutamente todo lo que ocurría en su mente. Razonaba, argumentaba consigo mismo, sufría, y pensaba en un brillante dilema: se veía a sí mismo como un hombre de mentalidad estrecha y, a la vez, como un espíritu muy abierto; sus ojos y su boca revelaban con absoluta claridad sus anhelos, su mojigatería, su amarga ira. Todo resultaba evidente. La clase esperaba tres minutos, cinco minutos, en el mayor silencio.

Al principio, las notas que escribía no tenían ilación. Eran fragmentos, sílabas sueltas, exclamaciones, proverbios y citas deformados o, en el idioma *yiddish* de su madre, muerta hacía mucho tiempo, *Trepwerter*, réplicas que llegaban demasiado tarde, cuando ya iba uno escaleras abajo.

Por ejemplo, escribía *Muerte... morir... vivir otra vez... morir de nuevo... vivir.*

Nadie; no hay muerte.

Y, *¿Con tu alma de rodillas? Más te valdría ser útil. Friega el suelo.*

Y luego, *Responde a un loco según su locura, a no ser que tenga la sabiduría de su propio orgullo.*

No respondas a un loco según su locura, para que no seas como él.

Elige a uno.

También anotó: *Leo en Walter Winchell que J. S. Bach se puso guantes negros para componer una misa de réquiem.*

Herzog apenas sabía qué pensar de estas notas. Se dejaba llevar por la excitación que las inspiraba y a veces sospechaba que pudieran ser un síntoma de desintegración. Y esto no le asustaba. Tendido en el sofá del pisito que había alquilado en la calle Diecisiete, se imaginaba a veces ser una industria que fabricaba historia personal, y se veía a sí mismo desde el nacimiento hasta la muerte. En un trozo de papel, reconoció: *No puedo justificarme.*

Repasando toda su vida, llegó a la conclusión de que lo había hecho todo mal, todo. Su vida, como suele decirse, estaba arruinada. Pero como en realidad esta vida no había sido gran cosa, no tenía mucho de qué lamentarse. Tendido en el maloliente sofá, pensaba en los siglos pasados, el XIX, el XVI, el XVIII, y de este último sacó una frase que le gustaba:

La pena, Señor, es una especie de pereza.

Boca abajo en el sofá, siguió su repaso. ¿Era él un hombre listo o un idiota? La verdad era que en aquellos momentos no podía considerarse listo. Pudo haber tenido en tiempos las características de un ser inteligente, pero se había dejado llevar por los ensueños. Y, ¿qué más? Estaba perdiendo el cabello. Leía los anuncios de los especialistas de la casa Thomas Scalp con el escepticismo exagerado de un hombre cuyo deseo de creer era profundo y desesperado. ¡Técnicos del cuero cabelludo! Y él había sido guapo. Pero en la cara se le notaba lo mal que lo había pasado. Y él mismo se había buscado que lo maltratasen y había animado a sus propios atacantes. Esto le llevó a pensar en su carácter. ¿Cómo era su manera de ser? Según el vocabulario de nuestro tiempo, era narcisista; era masoquista; era anacrónico. Su cuadro clínico resultaba depresivo, aunque no del tipo más grave; no era un maníaco-depresivo. Por ahí había casos más graves. Si estaba usted convencido, como todos parecían estarlo hoy, de que el hombre era un animal enfermo, ¿podía considerársele a él espectacularmente enfermo, excepcionalmente ciego y extraordinariamente degradado? No. ¿Era inteligente? Su intelecto habría sido más efectivo si él hubiera sido un tipo paranoicamente agresivo, ansioso por lograr el poder. Era celoso pero no excepcionalmente, no un verdadero paranoico. Y de su cultura, ¿qué había que decir? En cuanto a esto, se veía obligado a reconocer que no era un verdadero profesor. Desde luego, era un hombre serio y tenía una gran sinceridad, aunque inmatura, pero no lograba ser sistemático. Había comenzado con brillantez, gracias a su tesis de Filosofía *El estado de naturaleza en los siglos XVII y XVIII de la filosofía política inglesa y francesa*. También tenía a su favor varios artículos y un libro, *Romanticismo y Cristianismo*. Pero sus demás proyectos ambiciosos se habían ido deshaciendo uno tras otro. Con sus primeros buenos éxitos, nunca le había sido difícil encontrar excelentes colocaciones y ganar pensiones para la investigación. La Narragansett Corporation le había pagado quince mil dólares durante varios años para que perfeccionase sus estudios sobre el Romanticismo. Los resultados de estas investigaciones los guardaba en el cajón, mejor dicho, en una vieja maleta: ochocientas páginas de caóticos estudios que nunca habían podido concretarse. Era doloroso pensar en aquello.

Junto a él, en el suelo, había unos pedazos de papel, y de vez en cuando se agachaba para coger uno de ellos y escribir en él.

Ahora apuntó: *No ha sido esa larga enfermedad —mi vida— sino esa larga convalecencia, también mi vida. La revisión liberal-burguesa, la ilusión del perfeccionamiento, el veneno de la esperanza.*

Pensó durante unos momentos en Mitrídates, cuyo sistema le enseñaba a uno a alimentarse de veneno. Engañó a sus asesinos, que cometieron el error de emplear pequeñas dosis y fue molestado pero no asesinado.

Tutto fa brodo.

Al hacer un resumen de sí mismo, reconoció que había sido —por dos veces— un mal esposo. A Daisy, su primera esposa, la había tratado miserablemente. Madeleine, su segunda mujer, había intentado manejarlo. Para su hijo y su hija era un padre cariñoso pero malo. Y para sus propios padres, fue un hijo desagradecido. Para su país, era un ciudadano indiferente. A sus hermanos y a su hermana los trataba con afecto pero se mantenía muy apartado de ellos. Para sus amigos, era un egoísta. En cuanto al amor, era un perezoso. En cuanto a la brillantez, era un hombre apagado. Ante el poder, pasivo. Y respecto a su propia alma, tomaba una actitud evasiva.

Satisfecho con su propia severidad, disfrutando con la dureza y el rigor de su juicio, yacía en el sofá, con los brazos levantados por detrás y las piernas extendidas sin finalidad.

Y, sin embargo, qué encantadores somos.

Papá, el pobre hombre, podía fascinar a los pájaros en los árboles y a los cocodrilos en el fango. Madeleine también poseía un gran encanto y belleza en su persona, además de una mentalidad brillante. Valentín Gersbach, el amante de Madeleine, era también un hombre encantador, aunque en un estilo más pesado y brutal. Tenía una barbilla gruesa y su cabellera cobriza flameante, que materialmente le brotaba de la cabeza como un manantial (él no necesitaba de los especialistas de Thomas Scalp contra la calvicie) y tenía una pierna de madera, inclinándose grácilmente, y poniéndose derecho, como un gondolero. Tampoco a Herzog le faltaban atractivos. Pero Madeleine le había disminuido su potencia sexual. Y, careciendo ya de la facultad de atraer a las mujeres, ¿cómo iba a recuperarse? En este aspecto era donde más se sentía como un convaleciente.

¡Qué mezquindad la de estas luchas sexuales!

Hacía varios años, Herzog había iniciado un nuevo comienzo en su vida gracias a Madeleine. Herzog se la ganó a la Iglesia, pues cuando la conoció, acababa de convertirse. Contando con los veinte mil dólares que heredó de su amable padre, Herzog, para agradar a su nueva esposa, renunció a una posición académica perfectamente respetable y compró una casa vieja y grande en Ludeyville, Massachusetts. En los pacíficos Berkshires, donde tenía amigos (Valentín Gersbach y la esposa de este), había de serle fácil escribir el segundo volumen sobre las ideas sociales de los románticos.

Herzog no abandonó la vida universitaria porque lo estuviera haciendo mal. Al contrario, tenía buena reputación. Su tesis había ejercido influencia y fue traducida al francés y al alemán. Su primer libro, que no despertó gran interés al ser publicado, figuraba ahora en muchas listas de obras a consultar y la generación más joven de historiadores lo aceptó como el modelo del nuevo estilo de historia, «la historia que nos interesa *a nosotros*» —un libro personal, *engagé*—, la historia que mira al pasado con una intensa necesidad de significado contemporáneo. Mientras Moses estuvo casado con Daisy, llevó la vida perfectamente vulgar del ayudante de profesor, respetado y estable. Su primera obra demostró, mediante una investigación objetiva, lo que el Cristianismo había sido para el Romanticismo. En la segunda resultaba más duro, más afirmativo, más ambicioso. Y en realidad había ahora una gran tosquedad en su carácter. Tenía una voluntad enérgica y buenas facultades para la polémica, así como una afición a la filosofía de la historia.

Al casarse con Madeleine y renunciar a su puesto en la universidad (porque ella creía que debía dejarlo), Herzog demostró poseer inclinación y también talento para el peligro, el extremismo y la heterodoxia y una fatal inclinación a la «Ciudad de la Destrucción». Herzog se proponía escribir una Historia que realmente tomase en consideración las revoluciones y los movimientos de masas del siglo XX, aceptando, con De Tocqueville, el desarrollo universal y duradero de la igualdad de condiciones, el progreso de la democracia.

Pero no podía engañarse acerca de su trabajo. Empezaba a renegar de él seriamente. Sus ambiciones recibieron un duro golpe. Hegel le daba mucho quehacer. Diez años antes había tenido la seguridad de comprender sus ideas sobre el consensus y la civilidad, pero algo se había estropeado. Se volvía impaciente e irritado. Al mismo tiempo, su mujer y él se comportaban muy peculiarmente. Ella estaba insatisfecha. Al principio, no había querido Madeleine que su esposo fuese un profesor ordinario, pero un año de estancia en el campo le hizo cambiar de idea. Madeleine se consideraba demasiado joven, demasiado inteligente, demasiado vital y sociable para enterrarse en los remotos Berkshires. Decidió acabar sus estudios de lenguas eslavas. Herzog escribió a Chicago solicitando trabajo. Además, tenía que encontrar ocupación para Valentín Gersbach. Valentín era locutor de radio y *disc-jockey* en Pittsfield. No se puede dejar a personas como Valentín y Phoebe en aquel tétrico campo, solos, según decía Madeleine. Eligieron Chicago porque Herzog se había criado allí y tenía en esa ciudad buenas relaciones. De modo que Herzog logró que le encargasen unos cursos en el Colegio Downtown, y Gersbach fue director de educación en una emisora. Cerraron la casa de Ludeyville, una casa que valía veinte mil dólares, con libros y porcelana china y nuevos aparatos, todo ello abandonado a las arañas, los topos y los ratones del campo. ¡El dinero que papá había ganado con tanto trabajo!

Los Herzog se mudaron al Medio Oeste. Pero al año de su nueva vida en Chicago, Madeleine decidió que ella y Moses no podían seguir casados. Quería divorciarse. Herzog tuvo que acceder; ¿qué podía hacer? Y el divorcio fue doloroso para él. Quería a Madeleine. Además, no podía soportar la idea de separarse de su hijita. Pero Madeleine no quería estar casada con él, y los deseos de la gente deben ser respetados. La esclavitud ha desaparecido de este mundo.

La violenta experiencia del segundo divorcio fue demasiado para Herzog. Tuvo la sensación de que lo despedazaban, y el doctor Edvig, el psiquiatra de Chicago que trataba a ella y a él, opinaba que lo mejor para Moses sería salir de la ciudad. Este llegó a un acuerdo con el deán del Colegio Downtown para volver a la enseñanza cuando se sintiera mejor y, con dinero que le prestó su hermano Shura, se fue a Europa. No todos los que se ven amenazados por un trastorno nervioso pueden arreglárselas para irse a Europa a cambiar de ambiente. La mayoría de la gente tiene que seguir trabajando lo mismo que antes. Seguirán tomando el metro como antes. O bien se darán a la bebida e irán al cine, donde se pasarán las horas royendo su pena. Herzog debería haber estado agradecido. A no ser que estalle uno del todo, siempre hay algo que agradecerle a la vida. Y, en realidad, Herzog estaba agradecido a su sino. Podía haber sido peor.

Tampoco estuvo ocioso en Europa. Realizó una gira cultural para la organización Narragansett dando conferencias en Copenhague, Varsovia, Cracovia, Berlín, Belgrado, Estambul y Jerusalén. Pero en marzo, cuando volvió a Chicago, estaba peor que en noviembre. Le dijo al decano que sería mejor para él, probablemente, quedarse en Nueva York. No vio a Madeleine durante su visita a Chicago. Su conducta era tan extraña y a ella le pareció tan amenazadora, que le advirtió por medio de Gersbach que no se acercase a la casa de la avenida Harper. La policía tenía un retrato de Herzog y lo detendría si lo veía rondando la manzana.

Ya se daba cuenta Herzog —incapaz de hacer planes— de lo bien que lo había preparado todo Madeleine para librarse de él. Seis semanas antes de despedirlo, hizo que le arrendase un piso cerca del Midway a doscientos dólares al mes. Cuando se mudaron allí, Herzog hizo unas estanterías, limpió el jardín y reparó la puerta del garaje. También instaló las contraventanas. Solo hacía una semana que Madeleine había pedido el divorcio; hizo lavar y planchar la ropa de él, y cuando Herzog abandonó la casa, se la tiró toda en una gran caja de cartón escaleras abajo. Necesitaba espacio en los armarios.

Y también ocurrieron otras cosas, tristes, cómicas o crueles, según el punto de vista desde el cual se mirasen. Hasta el último día, el tono de las relaciones de Herzog con Madeleine fue de lo más serio; es decir, discutieron con la mayor seriedad sobre ideas, personas y acontecimientos. Y cuando ella le dio la noticia de que estaba tramitando el divorcio, se expresó con dignidad, con aquel estilo adorable y magistral que la caracterizaba. Le dijo que lo había pensado mucho y que había acabado aceptando la derrota. No podían seguir juntos. Incluso estaba dispuesta a reconocer que también ella tenía parte de culpa. Por supuesto, Herzog no dejaba de estar algo preparado. Pero, en verdad, creía que las cosas habían mejorado.

Todo esto ocurrió en un día radiante de otoño. Herzog había estado en el patio trasero arreglando las contraventanas. La primera helada había afectado ya a las tomateras. La hierba estaba densa y suave, con esa especial belleza que le dan los primeros días fríos; las sutiles telarañas la cubrían al amanecer y el rocío era denso y duradero. Las tomateras se habían oscurecido y los rojos globos estallaban.

Herzog había visto a Madeleine asomada a la ventana de arriba, una de las que daban atrás, y luego oyó que preparaba el baño ocupándose de June, que dormiría pronto una de sus siestas. Ahora estaba llamándole desde la puerta de la cocina. Una racha de viento procedente del lago, hizo temblar el cristal que Herzog tenía entre los brazos. Lo dejó apoyado contra el porche cuidadosamente y se quitó los guantes pero no la boina, como si tuviera la impresión de que pronto había de salir de excursión.

Madeleine odiaba a su padre violentamente, pero no dejaba de influir en ello el que el viejo fuese un famoso empresario a quien a veces llamaban el Stanislavsky americano. Por eso, no era de extrañar que Madeleine preparase el acontecimiento con un cierto talento teatral. Llevaba medias negras, tacones altos y un vestido de lavanda con brocado indio de Centroamérica. Tenía puestos sus pendientes de ópalo y sus pulseras, e iba muy perfumada. Había cuidado mucho su peinado, y en sus párpados brillaba un cosmético azulado. Tenía los ojos azules pero resultaba curioso cómo afectaba a la profundidad del color el matiz variable de los blancos. Cuando estaba muy agitada se le movía de un modo muy curioso la nariz, cuya línea descendía elegante del entrecejo. Incluso ese tic nervioso le parecía a Herzog un detalle más de belleza. Había una cierta sumisión en su amor por Madeleine. Como quiera que ella era muy dominante y que él la amaba, la aceptaba por completo. Cuando se reunieron los dos en la desordenada salita, se enfrentaron dos clases de egoísmo: el de ella, triunfal, y el de Herzog, sentado en el sofá, dominado, todo pasividad. Ella había preparado el gran momento y se disponía a hacer lo que más le gustaba: descargar un golpe. Herzog se merecía lo que iba a sufrir; había pecado mucho e intensamente. Se lo tenía ganado. No había que darle vueltas.

En una vitrina había una colección ornamental de botellitas de cristal, venecianas y suecas. Las habían recibido con el piso. Daba en ellas el sol y la luz las atravesaba. Herzog vio las ondas luminosas, los hilos de color, las barras espectrales que se intersectaban y, sobre todo, una gran mancha de blanco flameante en el centro de la pared por encima de Madeleine, que estaba diciendo:

—Ya no podemos vivir juntos más tiempo.

Siguió hablando durante varios minutos. Sus frases estaban bien formadas. Esta actuación había sido bien ensayada y parecía como si Herzog hubiera estado esperando que la representación comenzase.

El matrimonio de ellos dos no podía haber durado. Madeleine nunca lo había querido. Se lo estaba diciendo:

—Es doloroso tener que decirte que nunca te he querido. Y nunca podré llegar a quererte. De modo que no tiene sentido continuar.

Herzog dijo:

—Te amo, Madeleine.

Poco a poco, Madeleine iba adquiriendo más distinción, brillantez y agudeza. El color de su piel se hizo más vivo, y sus cejas, así como su bizantina nariz, se movían expresivamente, y sus azules ojos se enriquecieron con el rubor de la piel, que le subía del pecho y de la garganta. Estaba como en un éxtasis de la conciencia. Herzog pensó que Madeleine le había tratado tan mal y su orgullo estaba tan satisfecho que todo esto fortalecía su inteligencia. Comprendió que estaba presenciando uno de los grandes momentos de la vida de Madeleine.

—Me parece bien que te aferres a ese sentimiento —dijo ella—. Creo que es verdad que me quieres. Pero comprenderás también la humillación que es para mí reconocer mi derrota en nuestro matrimonio. Puse en él cuanto tenía. Por eso me siento deshecha al haber fracasado.

¿Deshecha? Nunca había tenido un aspecto más brillante. Desde luego, había en ella un elemento de teatralidad, pero mucho más de pasión.

Y Herzog parecía un hombre de una vez, aunque pálido y dolorido, tumbado en el sofá aquella alargada tarde de primavera en Nueva York, teniendo al fondo la temblorosa energía de la ciudad, la sensación y el sabor del agua del río, una franja de embellecedora y dramática porquería con que New Jersey contribuía al ocaso. Herzog, metido en el tonel de su intimidad y aún fuerte de cuerpo (en realidad, su salud era una especie de milagro; había hecho todo lo posible para enfermar) se imaginaba lo que habría ocurrido si en vez de escuchar tan intensa y meditativamente, hubiera golpeado a Madeleine en la cara. ¿Qué habría pasado si la hubiera tirado al suelo, si la hubiese agarrado por el cabello arrastrándola, gritando y debatiéndose, por la habitación y la hubiese azotado hasta que le sangrasen las nalgas? ¿Qué habría pasado? Le habría desgarrado la ropa, arrancado el collar y golpeado con los puños en la cabeza. Suspirando, rechazó esta violencia mental. Temía que, en secreto, le atrajesen estas tendencias brutales. Pero, por lo menos, ¿por qué no suponer que le hubiera dicho a Madeleine que debía abandonar la casa? Después de todo, era la casa de él. Si no podía vivir con él, ¿por qué no se marchaba? ¿El escándalo? No había que asustarse por un pequeño escándalo. Hubiera sido penoso, grotesco, pero un escándalo era, después de todo, un servicio que se prestaba a la comunidad. No había entrado en la mente de Herzog, en aquella salita llena de botellas ornamentales, tan relucientes, el propósito de defenderse. Quizá pensara que podía ganar aún basándose en la pasividad, en su personalidad; en el hecho de que después de todo, él —Moses Elkanah Herzog— era un hombre bueno y el benefactor de Madeleine. Lo había hecho todo por ella... ¡Todo!

—¿Has hablado de esto con el doctor Edvig? —dijo—. ¿Cuál es su opinión?

—¿Qué puede importarme su opinión? —exclamó Madeleine—. No me va a decir Edvig lo que he de hacer. Solo puede ayudarme a comprender... Al que he consultado es a un abogado.

—¿Qué abogado?

—Pues, Sandor Himmelstein. Precisamente, porque es íntimo amigo tuyo. Dice que puedes vivir con él hasta que decidas algo.

La conversación había terminado, y Herzog volvió a ocuparse de las contraventanas en la sombra y la humedad del patio trasero. Volvió a su oscura idiosincrasia. Como persona de tendencias irregulares, practicaba el arte de describir círculos sobre los hechos aislados para dejarse caer luego sobre las cosas esenciales. Con frecuencia esperaba tomar lo esencial por sorpresa, mediante una divertida estratagema. Pero nada de esto ocurrió mientras manejaba el vibrante cristal, de pie entre las tomateras cubiertas por la escarcha y atadas a las estacas con unas tiras de trapo. El aroma de estas plantas era intenso. Siguió trabajando en las ventanas porque no podía permitirse a sí mismo inmovilizarse por las emociones. Temía a la intensidad de los sentimientos, con la que habría de enfrentarse cuando ya no pudiese contar con sus excentricidades para olvidar.

En su postura inmovilizada en el sofá, con los brazos cruzados sobre la cabeza y las piernas estiradas, tumbado sin más gracia que un chimpancé, sus ojos, con mayor brillantez que de costumbre, contemplaban con despego lo que acababa de hacer en el jardín como si estuviese viendo, por un telescopio al revés, una diminuta y clara imagen. *Ese bufón dolorido.*

Por tanto, dos puntos: Sabía que su manía de escribir cartas a todo el mundo era una ridiculez. De esto no era responsable él. Sus excentricidades le tenían en su poder.

Hay alguien dentro de mí. Me tiene cogido. Cuando hablo de él, lo siento en la cabeza, dando golpes para imponer el orden. Acabará conmigo.

Se ha dicho —escribió— que varios equipos de astronautas rusos se han perdido; hemos de suponer que se han desintegrado. A uno de ellos se le oyó gritar: «SOS... SOS a todo el mundo». No se tiene aún la confirmación soviética de esta noticia.

Querida mamá: Respecto a por qué no he visitado tu tumba desde hace tanto tiempo... Querida Wanda, querida Zinka, querida Libbie, querida Ramona, querida Sono, necesito ayuda urgentísima. Tengo miedo de hacerme pedazos. Querido Edvig, la verdad es que también me ha sido negada la locura. Después de todo, no sé por qué tengo que escribirle. Querido presidente, las regulaciones de la Renta nos convertirán en una nación de tenedores de libros. La vida de cada ciudadano se está convirtiendo en un negocio. A mi juicio, esta es una de las peores interpretaciones del sentido de la vida humana que hallamos en la historia. La vida humana no es un negocio.

Y, ¿cómo firmaré esto?, se preguntó Moses. ¿Acaso «Ciudadano indignado»? La indignación es tan agotadora que debe uno reservarla para la injusticia principal.

Querida Daisy, escribió a su primera esposa, *sé que ahora me toca a mí visitar a Marco en su campamento el día de los Padres, pero temo que este año le fastidiase mi presencia. Le he escrito varias veces y he estado al tanto de sus actividades.*

Pero es desgraciadamente cierto que me culpa por haber roto con Madeleine y tiene la impresión de que he abandonado a su pequeña hermanastra. Es demasiado pequeño para comprender la diferencia entre los dos divorcios. Al llegar aquí se preguntó Herzog si estaba bien que siguiera comentando este asunto con Daisy e, imaginándose el bello e irritado rostro de ella al leer esta carta aún no escrita, decidió no referirse a aquello. Y continuó: *Creo que sería preferible que Marco no me viese. He estado enfermo; me ha estado tratando un médico.* Notó con disgusto que estaba reincidiendo en su afán de que lo compadeciesen. Cada personalidad tiene su estilo. Y una mente podía observarlo y no aprobarlo; eso es inevitable. A Herzog no le importaba su propia personalidad y, por lo pronto, nada podía hacer para reprimir sus impulsos. *Rehacer mi salud y fuerza paulatinamente.* Como persona de sólidos y positivos principios, moderna y liberal, las noticias de la mejoría de él (si eran ciertas) tendrían que agradarle a Daisy. Porque ella, que fue víctima de sus impulsos, estaría mirando en los periódicos por si publicaban su nota necrológica.

La fuerte constitución de Herzog actuaba obstinadamente contra su hipocondría. A principios de junio, cuando la agudización de los trastornos vitales molesta a mucha gente, y las nuevas rosas, incluso las de los escaparates de las floristerías, les recuerdan sus fracasos, la esterilidad y la muerte, Herzog visitó a un médico para que lo revisara. Acudió a un viejo refugiado, el doctor Emmerich, en el West Side, frente al Central Park. Un conserje helado, que olía a viejo y llevaba una gorra de una campaña balcánica de hace medio siglo, le hizo pasar bajo la decrépita bóveda del vestíbulo. En la consulta, Herzog se desvistió. Era una habitación de un tétrico color verde. Las sombrías paredes padecían la enfermedad que hincha los viejos edificios de Nueva York. Herzog no era muy grande pero de buen cuerpo, con los músculos desarrollados por el duro trabajo que había realizado en el campo. Se sentía orgulloso de sus manos, anchas y fuertes, así como de la suavidad de su piel pero temía estar interpretando el papel del hombre orgulloso de su buen aspecto físico al envejecer. Se llamó a sí mismo «viejo tonto» apartando la mirada del pequeño espejo donde se veía el cabello entrecano y sus arrugas de hombre divertido y amargado. Miró por las rendijas de la persiana medio subida y vio las oscuras rocas del parque, salpicadas de mica, y el optimista verde de junio. Pronto se desluciría, en cuanto se cayesen las hojas y Nueva York depositase su hollín del verano. Sin embargo, ahora estaba muy hermoso con todos sus detalles muy vivos: las ramitas, las agujas, los matices del verde... La belleza no es un invento humano. El doctor Emmerich, encorvado pero fuerte, lo reconoció dándole golpecitos en el pecho y la espalda, le pasó una linterna eléctrica ante los ojos, le tomó la tensión, le tocó la glándula de la próstata y luego lo preparó con alambres para el electrocardiógrafo.

—Bueno, es usted un hombre saludable... No como un chico de veintiún años pero fuerte.

Herzog oyó esto con satisfacción, claro es, pero no acababa de estar contento. Había esperado padecer alguna enfermedad concreta que le hubiese enviado a un hospital por algún tiempo. Sus hermanos le habrían prestado su apoyo y su hermana Helen podría haberlo cuidado. La familia habría sufragado los gastos y habría atendido también a las necesidades de Marco y June. Ahora ya no le cabía esa esperanza. Aparte de la leve infección que había cogido en Polonia, gozaba de una excelente salud e incluso aquella infección no había sido específica. Quizá se hubiese debido a su estado mental, a la depresión y al cansancio, y no a Wanda. Durante un día terrible, creyó que era gonorrea. Tenía que escribirle a Wanda, pensó mientras se metía en los pantalones los faldones de la camisa y se abotonaba las mangas. *Chère Wanda*, comenzó, *bonnes nouvelles. Tu en seras contente.* Había sido otro de sus turbios amores en Francia. ¿Para qué otra finalidad podía haber estudiado su Frazer and Squair en el Instituto, y leído a Rousseau y a De Maistre en la universidad? Sus triunfos no habían sido solo académicos sino sexuales. Y ¿fueron en verdad triunfos? Su orgullo era lo que debía ser satisfecho. Para su carne quedaba lo que sobraba.

—Entonces —dijo Emmerich—, ¿qué le pasa a usted?

—Un viejo, con el cabello canoso como el suyo, y con la cara estrecha y vivaz, le miraba a los ojos. Herzog creyó entender el mensaje. El doctor le quería decir que en aquella sala de consulta, de aspecto tan deprimente, él examinaba a los hombres realmente enfermos, los desesperadamente enfermos, las mujeres condenadas, los hombres desahuciados. Entonces, ¿para qué necesitaba Herzog de él?

—Parece usted muy excitado —le dijo Emmerich.

—Sí, eso es. Estoy muy excitado.

—¿Quiere que le recete Miltown? ¿O Snakeroot? ¿Padece usted de insomnio?

—No lo que se llama de verdad insomnio. Lo que me pasa es que mis pensamientos se dispersan.

—¿Quiere que le recomiende un psiquiatra?

—No; he tenido ya toda la psiquiatría que puedo soportar.

—Entonces, ¿qué tal unas vacaciones? Llévese una joven al campo o a la playa. ¿Sigue usted poseyendo aquella finca en Massachusetts?

—Solo tengo que abrir otra vez la casa.

—¿Sigue viviendo allí su amigo? Me refiero al locutor de radio. ¿Cómo se llama aquel tipo grande, pelirrojo, con la pata de palo?

—Se llama Valentín Gersbach. No; se mudó a Chicago cuando yo... cuando nosotros lo hicimos.

—Es un hombre muy divertido.

—Sí; es muy gracioso.

—Me enteré de que se había divorciado usted. No me acuerdo quién me lo dijo. Lo siento.

En busca de la felicidad... Tendría que estar preparado para unos malos resultados.

Emmerich se puso sus gafas estilo Ben Franklin y escribió unas palabras en una cartulina de su archivo.

—Supongo que el niño seguirá con Madeleine en Chicago, ¿no? —dijo el doctor.

—Sí...

Herzog intentó sacarle a Emmerich su opinión sobre Madeleine. También ella había sido paciente suya. Pero Emmerich nada diría. Claro que no. Un médico no debe hacer comentarios acerca de sus pacientes con otras personas. Sin embargo, de las miradas que el médico dirigió a Moses, podía deducirse algo.

—Es una mujer violenta, histérica —empezó Herzog a decirle a Emmerich. Y vio que los labios del médico empezaban a moverse como si fuera a decir algo; pero enseguida fue evidente, por el gesto de Emmerich, que había decidido callarse. Y Moses, que tenía la extraña costumbre de completar las frases que empezaba a decir la gente, hizo una nota mental acerca de su propia y confusa personalidad.

Un corazón raro. Ni siquiera yo puedo explicármelo.

Ahora comprendía que había acudido a la consulta de Emmerich para acusar a Madeleine o sencillamente para hablar de ella con alguien que la conocía y que podía juzgarla desde un punto de vista realista.

—Pero debe usted tener otras mujeres —dijo Emmerich—. ¿No hay alguien? ¿Cena usted solo esta noche?

Herzog tenía a Ramona. Era una mujer encantadora pero también con ella había problemas; siempre tenía que haber problemas. Ramona era una mujer de negocios. Tenía una tienda de flores en la avenida de Lexington. No era joven; probablemente iba por sus treinta y tantos; nunca le dijo a Moses su edad exacta, pero resultaba muy atractiva, tenía un cierto aire extranjero y era una mujer culta. Cuando heredó la tienda de flores, estudiaba en la Universidad de Columbia para el título de M. A. en la especialidad de historia del Arte. Estaba matriculada en el curso nocturno que daba Herzog. Este, en principio, se oponía a las relaciones amorosas entre estudiantes, incluso cuando la mujer estudiante era como Ramona, evidentemente hecha para el amor.

Hacer todo lo que suele hacer un hombre alocado, anotó, *sin dejar de ser en lo demás una persona seria; terriblemente seria.*

Desde luego, fue precisamente su seriedad lo que atrajo a Ramona. Las ideas la excitaban. La encantaba hablar. Además, era una excelente cocinera y sabía preparar los camarones a la Arnaud, que servía con Pouilly Fuissé. Herzog cenaba con ella varias noches a la semana... Una vez, cuando iban en el taxi que los llevaba desde el aula sombría hasta el amplio piso de Ramona en el West Side, le había dicho ella que le pusiera una mano sobre el corazón para que notase cómo este latía. Luego, él quiso tomarle el pulso pero ella le hizo soltarle la muñeca, diciéndole:

—Ya no somos niños, profesor.

A los pocos días, Ramona decía que lo de ellos no era un asunto vulgar. Reconocía que Moses se hallaba en una situación especial pero que había en él algo tan amable y saludable, tan básicamente firme como si, después de haber pasado por tantos horrores, estuviera ya purgado de todas las tonterías neuróticas y quizá todo su problema no hubiera sido más que no contar, durante su vida anterior de adulto, con la mujer que le convenía. Su interés por él se fue haciendo cada vez más serio, lo cual hizo que Herzog empezara a preocuparse por ella. Pocos días después de su visita a Emmerich, le contó a Ramona que el médico le había aconsejado tomarse unas vacaciones. Entonces le dijo ella:

—Claro que necesitas unas vacaciones. ¿Por qué no te vas a Montauk? Tengo una casa allí y podría ir yo también los fines de semana. Quizá pudiésemos estar juntos todo el mes de julio.

—No sabía que tuvieras una casa —dijo Herzog.

—La vendían hace unos cuantos años y aunque resultaba demasiado grande para mí sola, acababa de divorciarme de Harold y necesitaba una diversión.

Le enseñó a Herzog unas vistas en color de la finca. Con un ojo pegado al visor, dijo él:

—Es muy bonita. Con tantas flores... —Pero se sentía triste y fastidiado.

—Allí se puede pasar maravillosamente. Deberías hacerte ropa de verano alegre. ¿Por qué llevas siempre unas prendas tan tristes? Aún tienes tipo de joven.

—Es que adelgacé el invierno pasado, en Polonia y en Italia.

—¡Qué tontería! Lo que pasa es que aún estás muy bien. Y la verdad es que lo sabes perfectamente. En la Argentina te llamarían *macho*. Pero te gusta hacerte el hombre apagado y gris y tapar así el diablo que llevas dentro. ¿Por qué ocultas al diablillo que se te mueve por dentro? ¿Por qué no le dejas actuar, di, por qué no?

En vez de responder, Herzog «escribió» mentalmente: *Querida Ramona. Queridísima Ramona. Me gustas mucho... te quiero como a una verdadera amiga. Y esto quizá pudiera llegar a ser más hondo. Pero no sé por qué, yo, que soy un conferenciante, no soporto que me sermoneen. Creo que me harta tu sabiduría. Porque tú posees completa sabiduría. Quizá te pases de la medida. No quiero negarme a que me corrijan. Tengo muchísimo que corregir en mí. Casi todo. Y debo alegrarme de tener la oportunidad de...* Todo esto era la verdad absoluta. Le gustaba Ramona.

Procedía de Buenos Aires. Tenía un «fondo» internacional: español, ruso, polaco, francés y judío. Había ido a la escuela en Suiza y aún le quedaba un poco de acento, lo que daba a su habla un gran encanto. Era baja pero su figura resultaba muy atractiva. Era lo que se llama «llenita», con un trasero redondo y pechos firmes. (Todo esto importaba mucho a Herzog; aunque se creía un moralista, en una mujer le importaba mucho la forma de sus pechos.) Ramona no estaba muy segura de que su barbilla estuviera bien pero confiaba en su adorable cuello y por eso llevaba siempre la cabeza erguida. Caminaba con pasos rápidos y firmes, taconeando con el enérgico estilo castellano. A Herzog le chiflaba ese taconeo. Ramona, cuando entraba en una habitación, lo hacía provocativamente, contoneándose levemente, tocándose un muslo como si llevase una navaja en la liga. Esa manera de andar parecía ser la de las mujeres madrileñas. A Ramona le divertía hacer el papel de una maja española y le había enseñado a Herzog la expresión *una navaja en la liga* aunque advirtiéndole que eso no existía en España. Pero cuando Herzog la veía en ropa interior, pensaba en esa imaginaria navaja. Y Ramona llevaba unas prendas interiores extravagantes y negras, una combinación corta sin tirantes llamada la Viuda Alegre con unas cintas rojas colgándole. Tenía los muslos cortos, carnosos y blancos. La piel se le oscurecía donde le apretaban las ligas. Y por encima pendían los ligueros libres, pues no necesitaban sujetar las medias. Ramona tenía los ojos oscuros, sensitivos y penetrantes, eróticos y calculadores. Sabía muy bien lo que tenía para atraer. El cálido olor, los brazos cubiertos de pelusa, el hermoso busto, la admirable y blanca dentadura y las piernas levemente arqueadas... todo ello contribuía a su atractivo. Era cierto que Moses sufría, pero sufría con elegancia. Y nunca dejaba de tener algo de buena suerte. Quizá fuese más afortunado de lo que él creía. Ramona trataba de convencerlo: «Esa fulana te ha hecho un buen favor». Ahora te irá mejor.

¡Moses!, escribía Herzog, *gana mientras llora, y llora mientras gana. Es evidente que no puedo creer en las victorias.*

Cuelga de una estrella tu agonía.

Pero, mientras se hallaba en silencio junto a Ramona, escribía, incapaz de contestar si no era mediante una carta mental: *Eres un gran consuelo para mí. Manejamos elementos más o menos estables, más o menos controlables, más o menos locos. Es cierto. Aunque parezco suave y tierno, hay en mí un espíritu alocado. Parece como si el placer sexual fuese todo lo que desea este espíritu y, en vista de que le estamos dando ese placer sexual, ¿por qué no marcha todo bien?*

Entonces se dio cuenta de pronto de que Ramona se había convertido en una especie de profesional (o sacerdotisa) de la sexualidad. En los últimos tiempos, Herzog trató con viles aficionadas. *Yo no sabía que podía encontrar una verdadera artista a la medida.*

Pero ¿acaso es esta la auténtica finalidad de mi vaga peregrinación? ¿Puedo considerarme, después de tantos errores, como un hijo no reconocido de Sodoma y Dionisio, un tipo órfico? (A Ramona le encantaba hablar de los tipos órficos.) ¿Acaso soy un pequeñoburgués dionisíaco?

Anotó: *¡Malditas sean todas esas categorías!*

—Me convendría comprarme alguna ropa de verano —respondió a Ramona.

Me gusta la buena ropa —siguió «escribiendo» mentalmente—. *En mi infancia solía sacarle brillo a los zapatos con mantequilla. Oía a mi madre, que era rusa, llamarme «Krasavitz». Y cuando me convertí en un estudiante tristón, de cara guapa pero con facciones blandas, y perdía el tiempo dándome importancia y tomando actitudes arrogantes, pensaba mucho en los pantalones y las camisas. Fue solo mucho más tarde, ya profesor, cuando me descuidé en el vestir. El invierno pasado compré una chaqueta de colores chillones en Burlington Arcade y un par de botas suizas del tipo que ahora, según veo, han adoptado los niños bonitos del Village. ¿Me duele la añoranza? Sí, lo reconozco, siguió escribiendo, y además la cultivo. Pero mi vanidad no me dará ya mucho quehacer y, si he de decir la verdad, mi corazón torturado no me impresiona ya gran cosa. Esas lamentaciones empiezan a parecerme una pérdida de tiempo.*

Después de pensarlo mucho y con calma, Herzog decidió que era preferible no aceptar el ofrecimiento de Ramona. Esta tenía treinta y siete o treinta y ocho años —calculó con fría calma— y eso significaba que Ramona andaba buscando marido. Lo cual no era censurable, por supuesto, ni siquiera divertido. Las circunstancias humanas, simples y generales, prevalecían siempre sobre las que parecían más complicadas. Ramona no había aprendido en un manual todas esas monadas eróticas en las que era diestra sino en la confusión y la aventura y, a veces, probablemente asqueada, en brutales abrazos en los que nada suyo habría puesto. Por eso, era muy natural que ahora anhelase la estabilidad. Querría entregar su corazón para siempre y nivelar su vida con la de algún hombre bueno. Concretamente, querría convertirse en la esposa de Herzog y dejar de ser una fácil tumbona. La mirada de Ramona revelaba ahora con frecuencia la sobriedad. Sus ojos conmovían a Herzog profundamente.

La mente, que nunca está quieta, veía a Montauk —playas blancas, arenas deslumbrantes, cangrejos que morían dentro de sus caparazones, y peces relucientes—. Herzog estaba deseando verse allí tumbado en la playa con sus *shorts* de baño, calentándose sobre la arena su fastidiada barriga. Pero ¿qué consecuencias podría tener esto? Era peligroso aceptar demasiados favores de Ramona. Podría costarle muy caro: nada menos que su libertad. Desde luego, no necesitaba por ahora esa libertad; lo que necesitaba era descansar. Pero, después de haber descansado, querría aspirar a la libertad de nuevo. Aunque, tampoco estaba muy seguro de ello. Pero, de todos modos, era una posibilidad que debía tener en cuenta.

Unas vacaciones darán más fuerza a mi neurótica vida.

Sin embargo, Herzog pensó que tenía un aspecto terrible; estaba perdiendo mucho cabello y consideraba este rápido deterioro como una rendición a Madeleine y a Gersbach, el amante de ella, y a todos sus enemigos. Ni siquiera su preocupada expresión dejaba adivinar el gran número de enemigos que tenía y de odios que le cercaban.

El curso de la academia nocturna estaba terminando y Herzog se convenció a sí mismo de que lo más sensato que podía hacer era apartarse de Ramona. Decidió irse a Vineyard, pensando que sería para él un mal asunto estar completamente solo. Escribió una carta urgente a una mujer de allí, una antigua amiga. (Habían llegado a pensar en la posibilidad de hacerse amantes pero no pasaron de tratarse con gran afecto y consideración.) Le explicó la situación y su amiga, Libbie Vane (Libbie Vane-Erikson-Sissler, que se había casado por tercera vez y la casa en que vivía el matrimonio, pertenecía a su esposo que era químico industrial) le telefoneó enseguida y, con gran emoción y sinceridad, le invitó a quedarse en su casa todo el tiempo que quisiera.

—Resérvame una habitación en algún sitio cerca de la playa —le pidió Herzog.

—Quédate con nosotros.

—No, no. Eso no puedo hacerlo. Estás casada.

—¡Por favor, Moses, no seas romántico a estas alturas! Sissler y yo llevábamos viviendo juntos tres años.

—Bueno, pero estáis en luna de miel, ¿no?

—Deja de decir tonterías. Me ofenderé si no vives en mi casa. Tenemos seis dormitorios. Y ven enseguida, pues ya sé lo mal que lo has pasado últimamente.

Al final —era inevitable— aceptó. Sin embargo, tenía la sensación de que se estaba portando mal. La había obligado a invitarlo al telegrafiarle. Diez años antes, Herzog había ayudado mucho a Libbie y se habría sentido más satisfecho consigo mismo si no la hubiera obligado a devolverle el favor. Precisamente él era un hombre que sabía arreglárselas sin acudir a la gente. Se estaba portando como un pesado; estaba haciéndose compadecer, y provocaba la compasión de la gente.

Pero, por lo menos, no debo empeorar aún más las cosas. No fastidiaré a Libbie con mis preocupaciones, ni pasaré la semana llorando sobre su pecho. Llevaré a comer a algún restaurante a su esposo y a ella. Tengo que luchar por mi vida ya que esta es la condición principal para tener derecho a ella. Entonces, ¿por qué estar desanimado? Ramona tiene razón. Lo primero es alegrar mi aspecto con alguna ropa nueva. Solo tengo que pedirle algún dinero prestado a mi hermano Shura. A él le agradará que se lo pida y sabe que se lo devolveré. Eso es lo que se llama vivir quedando bien: hay que pagar las deudas.

De modo que fue a comprarse ropa nueva. Repasó los anuncios de *The New Yorker* y del *Esquire*. En ellos se veía a hombres mayores con rostros arrugados pero simpáticos y animados así como a jóvenes jefes de empresa y atletas. Después de apurarse más el afeitado que de costumbre y de cepillarse bien el cabello (tenía que estar bien para poderse mirar con satisfacción en el triple espejo de unos buenos almacenes de ropa hecha), tomó el autobús hacia el centro de la ciudad. Partiendo de la calle Cincuenta y nueve, bajó por la avenida Madison hasta los cuarentas y luego volvió atrás hasta el Plaza, en la Quinta. Entonces se abrieron las nubes grises ante el sol taladrante. Relucían los escaparates y Herzog los estuvo mirando, avergonzado y excitado. Los nuevos estilos le parecían audaces y chillones: chaquetas de madrás, *shorts* con manchas de colores a lo Kandinsky, que parecían estarse derritiendo y con los que estarían ridículos los hombres de mediana edad o los viejos barrigudos. Era preferible la prudencia puritana que la exhibición de rodillas lamentablemente salientes y venas varicosas, vientres de pelícano y la indecencia de caras macilentas bajo las gorras deportivas. Sin duda, Valentín Gersbach, que le había vencido con Madeleine, superando el *handicap* de una pierna de madera, podría llevar esas rayas brillantes y llamativas, como de caramelo. Valentín era un dandi. Tenía una cara basta y mandíbulas salientes. Moses le encontraba cierto parecido con Putzi Hanfstaengl, el pianista particular de Hitler. Pero Gersbach tenía unos ojos extraordinarios para un pelirrojo, unos ojos castaños, profundos, cálidos, llenos de vida. Además, también sus pestañas resultaban vitales, eran largas, rojizas e infantiles. Y su pelo era espeso y áspero. Además, Valentín tenía una firme fe en su aspecto físico. Eso se notaba. Sabía que era un hombre terriblemente guapo. Daba por cierto que las mujeres —todas las mujeres— se volverían locas por él. Y la verdad era que muchas lo estaban. Incluida la segunda señora Herzog.

—¿Yo voy a llevar eso? ¿Yo? —dijo Herzog al dependiente de la tienda de la Quinta Avenida donde había entrado. Pero se compró una chaqueta a rayas coloradas y blancas.

Luego le dijo al dependiente, volviendo la cabeza sobre su hombro, que allá en su tierra los hombres de su familia habían llevado gabardinas que llegaban hasta el suelo.

El dependiente tenía la piel estropeada por el acné juvenil. Su cara era roja como un clavel y el aliento le olía a carne, como el de un perro. Estuvo un poco impertinente con Moses, pues, cuando le preguntó su número de cintura y él le respondió que el treinta y cuatro, el vendedor dijo: «No se tire usted faroles» o algo por el estilo. Se le había escapado y Herzog tuvo la gentileza de no guardarle rencor por eso. Su corazón latía al compás de la penosa satisfacción de la prudencia. Con los ojos bajos, anduvo con pasos lentos y dignos por la alfombra gris hasta la salita de pruebas y allí, poniéndose los pantalones que iba a comprar, sin quitarse los zapatos, le «escribió» al vendedor una de sus notas mentales. *Querido Mack. Te pasas todo el día tratando con pobres imbéciles. Orgullo masculino. Descaro. Vanidad. Y uno tiene que aguantarse y ser agradable, simpático. Lo cual se hace muy duro si uno es un tipo gruñón e irritable. ¡Qué candidez tiene esta gente de Nueva York! Haces muy bien en no ser agradable pero te pone en una situación tan falsa como todos nosotros. A fuerza de ser bien educado acaba doliéndome el estómago, pero tenemos que esforzarnos por serlo aunque, si nos hallamos en una situación verdadera, a la larga no la aguantaremos. En cuanto a las gabardinas, ten en cuenta que las podemos tener a montones en cualquier parte. ¡Oh, Dios mío!*, concluyó, *perdona todas estas faltas.*

Vestido con pantalones italianos, con doblez abajo, y una chaqueta de solapas estrechas, roja y blanca, evitó reflejarse en el espejo triple e iluminado. Parecía como si sus molestias no afectasen a su cuerpo y pudiera sobrevivir a todos los fastidiosos golpes que recibía. Pero su cara estaba muy alterada, sobre todo en las orejas y por eso se ponía pálido si no podía evitar verse en el espejo.

Preocupado, el joven vendedor, silencioso entre las filas de prendas, no oía los pasos de Herzog. Estaba fastidiado porque la venta iba mal. Se notaba en el mercado otra pequeña recesión. Hoy solo Moses gastaba mucho. No se preocupaba porque pensaba pedirle dinero, cuando se le acabase, a su hermano el rico. Shura no era agarrado. Bueno, tampoco lo era su hermano Willie. Pero a Moses se le hacía más fácil pedirle el dinero a Shura, que también era, en cierto modo, un pecador, que a Willie, que era más respetable.

—¿Está bien por la espalda? —preguntó Herzog.

—Como hecha por el sastre —dijo el dependiente.

Estaba muy claro que al vendedor le traía sin cuidado que la prenda le estuviese bien o mal. No puedo interesarlo, pensó Herzog. Pero, al fin y al cabo, esto es asunto mío y al final seré yo quien decida. Fortalecido con esta idea, se colocó ya ante el espejo observando solo la chaqueta. Estaba bien.

—Envuélvala —dijo—. También me llevaré los pantalones, pero necesito las dos cosas hoy. Ahora mismo.

—Hoy no puede ser. El sastre está ocupado.

—Hoy, o no los compro.

—Veré si me lo pueden tener enseguida —dijo el dependiente.

Había que dar algunos toques a las prendas, después de todo. Siempre tienen algo.

El vendedor salió y Herzog se quitó los pantalones que había comprado. Observó que habían empleado la cabeza de un emperador romano para lucir una chaqueta de última moda. Una vez solo, Herzog se sacó la lengua a sí mismo ante el triple espejo y luego se apartó de él. Recordó lo que disfrutaba Madeleine probándose vestidos en las tiendas y con cuánto entusiasmo y orgullo se contemplaba a sí misma, tocándose y ajustándose las prendas y cómo se le iluminaba mientras la cara, aunque estuviese todo el tiempo severa, con sus grandes ojos azules y su perfil de medallón. Hallaba en sí misma una satisfacción de emperatriz guapa. Y un día que se había estado admirando a sí misma en el espejo de su físico: «Aún estoy joven, guapa y llena de vida. ¿Por qué he de desperdiciar todo esto contigo?».

¡Por qué, vaya una ocurrencia! Herzog buscó algo para

escribir una nota, pero se había dejado el papel y el lápiz en el tocador. Por fin, encontró un pedazo de papel donde apuntó: *Una zorra siempre acaba engendrando desprecio.*

Vio unas pilas de artículos de playa y mientras se reía silenciosamente de sí mismo, como si su corazón nadase hacia arriba, Herzog compró un par de pantalones de baño para Vineyard y luego le llamó la atención una fila de sombreros de paja anticuados y decidió comprar también uno de estos.

Pero ¿estaba comprando todas estas cosas, realmente, porque Emmerich le había recetado descanso? ¿O se estaba preparando para nuevos líos con mujeres? ¿Con quién? ¿Y cómo iba a saberlo por adelantado? Hay mujeres por todas partes.

En casa se probó sus compras. Los pantalones de baño le estaban demasiado estrechos. Pero el sombrero de paja ovalado le gustaba, flotando sobre el pelo que aún le crecía en abundancia a los lados de la cabeza. Con él puesto se parecía al primo de su padre Elías Herzog, el comerciante de harinas que había cubierto el territorio de Indiana septentrional para la General Mills en los años veinte. Elías, con su rostro serio, bien afeitado y ya americanizado, comía huevos duros y bebía cerveza durante la Prohibición: *piva* polaca hecha en casa. Descascarillaba los huevos dándoles golpecitos en la baranda del porche y los dejaba completamente pelados. Llevaba en las mangas de la camisa unos gemelos de vivos colores, y un sombrero como este que ahora tenía Herzog en su cabeza de cabello abundante, como asimismo lo tenía el padre de Elías, el rabí Sandor-Alexander Herzog, que también lucía una hermosa barba, una ancha y radiante barba que le ocultaba el perfil de su barbilla y también el cuello de terciopelo de su chaqueta. La madre de Herzog había tenido una debilidad por los judíos con hermosas barbas. En la familia de ella, los mayores tenían barbas abundantes y hermosas, que rezumaban religión. Ella había tenido la ilusión de que Moses se hiciera rabí, y nada más distinto a un rabí que este hombre que ahora se probaba el breve bañador y el sombrero de paja, este hombre con el rostro cargado de pena, henchido de unos deseos de los que podría haberle purgado una vida religiosa. ¡Aquella boca! Llena de deseo y de ira irreconciliable, la nariz recta que revelaba seriedad, y los ojos oscuros. ¡Y su tipo! Las largas venas que se enroscaban en los brazos y que llenaban las manos colgantes. Todo en su cuerpo parecía de aún más antigüedad que los propios judíos. El vistoso sombrero tenía una cinta roja y blanca que hacía juego con la chaqueta. Se la puso después de quitarle el papel que aún llevaba en las mangas, de modo que las rayas se hincharon. Con las piernas desnudas, parecía un hindú.

Piensa en los lirios del campo, recordó; *no se afanan ni se retuercen; y, sin embargo, Salomón con toda su gloria no pudo ataviarse...*

Tenía él ocho años, en el departamento reservado a los niños del Hospital Real Victoria, de Montreal, cuando aprendió esas palabras. Una señora cristiana los visitaba una vez a la semana y le hacía leer de la Biblia en voz alta. Y él leyó: *Dad y os será dado...*

Del techo del hospital colgaban unos canalones como dientes de peces, con unas claras gotas colgando de sus puntas. Junto a la camita de Herzog, la goyesca señora se sentaba con sus largas faldas y calada con los abotonados zapatos y el alfiler de su sombrero se proyectaba como el trole de un viejo tranvía. Su ropa despedía un olor a pasta. Y le hacía leer. *Dejad que los niños se acerquen a mí*. Parecía una mujer buena. Sin embargo, su rostro era sombrío y dolorido.

—¿Dónde vives, pequeño?

—En la calle Napoleón.

Allí viven los judíos.

—¿Qué hace tu padre?

Mi padre es un contrabandista, un fabricante ilegal de bebidas alcohólicas. Tiene una destilería en Point-St. Charles. Los policías lo andan buscando. No tiene dinero.

Claro que esto nunca se lo habría dicho Moses. Incluso a los cinco años sabía el peligro que había en eso. Su madre se lo había enseñado. «Nunca debes decirlo.»

Le divertía burlarse de sí mismo. Ahora, por ejemplo, estaba guardando la ropa de verano que no iba a utilizar y preparaba su huida de Ramona. Sabía muy bien cómo le saldrían las cosas si fuese a Montauk con ella. Le llevaría por ahí como un oso amaestrado, de cóctel en cóctel. Podía imaginárselo: Ramona riéndose, charlando, con los hombros descubiertos en cualquiera de sus blusas campesinas (tenía unos hombros maravillosos, muy femeninos, había que reconocerlo), con el cabello negro en rizos muy bonitos y la boca pintada. A Herzog le parecía estar oliendo su perfume. En lo más hondo de él, había algo que vibraba, que hacía ¡cuak!, como los patos, solo al pensar en ese perfume. ¡Cuak! Un reflejo sexual que nada tenía que ver con la edad, ni con la sutileza, la sabiduría, la experiencia ni la historia, *Wissenschaft, Bildung, Wahrheit*. En la salud o en la enfermedad, surgía de lo más hondo de la experiencia humana ancestral ese cuak-cuak ante la fragancia de una perfumada piel femenina. Sí, Ramona le habría llevado por ahí para que luciera sus pantalones y su chaqueta a rayas nuevos, y beberían martinis mientras lo exhibía. Los martinis eran puro veneno para Herzog y, además, no podía soportar la charla de las reuniones en sociedad. Además, a él le fastidiaría el estómago y le dolerían los pies de pasar tanto tiempo sin sentarse... Él, un profesor cautivo, y ella, la mujer madura, triunfante, risueña, sexual... ¡Cuak, cuak!

Tenía hecha la maleta. Cerró las ventanas cuidando de echar las persianas. Sabía que, cuando regresara de estas vacaciones de soltero, su piso olería a más rancio que nunca. Dos matrimonios, un niño, una niña, y se marchaba ahora para disfrutar de unas vacaciones de *absoluto* descanso. Era esto un poco absurdo. Resultaba penoso para sus sentimientos familiares judíos el que sus hijos tuvieran que criarse separados de él. Pero no podía remediarlo. ¡Al mar! ¡Al mar! Iba a una bahía; porque aquello entre East Chop y West Chop no era propiamente el mar; el agua estaba en calma. El verdadero mar es otra cosa.

Salía por fin, y encima llevaba la tristeza de su vida solitaria. Respiró a fondo pero tuvo que contener su aliento. «¡Por amor de Dios, no llores, idiota! Vive o muérete, pero no lo estropees todo.»

Ignoraba por qué necesitaba esta puerta un cerrojo de seguridad. Había cada vez más crímenes, pero él nada tenía digno de robarse. Solo algún chico exaltado podría pensar que Herzog guardaba algo de gran valor que mereciera la pena esperarlo para saltar sobre él y asestarle un golpe en la cabeza. Herzog apretó el pie metálico del cerrojo que se metía en el suelo y cerró con llave. Luego se buscó en los bolsillos para asegurarse de que no había olvidado las gafas. No; las tenía en el bolsillo de pecho. Llevaba también sus plumas, su librito de notas, sus cheques, un trozo de un paño de cocina, que había roto para usarlo como pañuelo, y el tubo de plástico de las tabletas de Furadantin. Estas tabletas eran para la infección que había cogido en Polonia. Ya se había curado de esto pero tomaba aún alguna que otra tableta para más seguridad. Había sido un momento de gran susto en Cracovia, en la habitación del hotel, cuando se le presentó el síntoma. Entonces pensó: ¡Ya lo cogí después de tantos años, ya tan mayor...! Se le encogió el corazón.

Acudió a un médico inglés, que le riñó severamente.

—¿Qué ha estado usted haciendo? ¿Está usted casado?

—No.

—Bueno, no son purgaciones. Súbase los pantalones. Supongo que de todos modos querrá usted ponerse penicilina como todos los americanos. Pues bien, no se la voy a recetar. Tómese estas sulfamidas. Y sobre todo nada de beber alcohol. Si quiere beber, conténtese con té.

Son intransigentes con las faltas sexuales. Aquel tipo era un médico molesto, irritado y tremendo. Y yo tan vulnerable con el peso de la culpa encima.

Debería haber sabido que una mujer como Wanda no me habría pegado la gonorrea. Es una mujer sincera, leal, devota para todo lo que afecta al cuerpo, a la carne. Profesa la religión de la gente civilizada, que es el placer, un placer creador y polifacético. La piel de Wanda es sutil, blanca, sedosa y viva.

Querida Wanda, escribió Herzog. Pero ella no sabía inglés de modo que Herzog pasó al francés. *Chère princesse. Je me souviens assez souvent... Je pense â la Marszalkowska, au brouillard...* De todos los hombres del mundo, el tres, cuatro o diez por ciento saben cómo cortejar a una mujer en francés, y también Herzog, por supuesto. Aunque, precisamente a él no le iba bien porque los sentimientos que deseaba expresar eran auténticos. Wanda había sido amabilísima con él cuando estuvo enfermo y tan preocupado, y lo que hacía más significativa su amabilidad era precisamente la belleza radiante de la exuberante polaca. Su cabello era espeso y de un notable color dorado-rojizo, y su nariz, aunque levemente torcida, era de fino dibujo, con su punta asombrosamente delicada y bien formada para una persona tan carnosa. El color de su carne era muy blanco pero de una blancura saludable y atractiva. Como la mayoría de las mujeres de Varsovia, llevaba medias negras y zapatos italianos de tacón muy esbelto, pero su abrigo de piel estaba muy gastado.

¿Acaso sabía yo, con la angustia que tenía, lo que estaba haciendo?, anotó Herzog en una página aparte de la agenda, mientras esperaba el ascensor. *La Providencia*, añadió, *se cuida de los fieles. Tenía la sensación de que encontraría una persona como ella. He tenido una suerte fantástica.* Subrayó la palabra «suerte» varias veces.

Herzog había visto al marido de Wanda. Era un pobre hombre, con aire de tener muchos reproches que hacer y que padecía del corazón. El único defecto que Herzog le había encontrado a Wanda era su insistencia en que él conociese a Zygmunt. Moses no se había dado aún cuenta de lo que esto significaba. Wanda había rechazado la posibilidad de un divorcio. Estaba completamente satisfecha con su matrimonio. Solía decir que el suyo era lo más que un matrimonio puede ser.

Ici tout est gâché.

Une dizaine de jours à Varsovie... pas longtemps. Parecía que habían metido al sol en una botella fría. Se me cerró el alma. Las enormes cortinas de fieltro protegían de las corrientes al vestíbulo del hotel. Las mesas de madera estaban manchadas, quemadas por el té.

Wanda tenía blanca la piel y esta seguía blanca en los cambios emotivos. Sus ojos verdes parecían engarzados en su rostro polaco. Era una mujer llena, de pecho blando, y demasiado pesada para los estilizados zapatos italianos que llevaba. Cuando se quitaba las zapatos y, ya sin tacones, apoyaba en el suelo las plantas de los pies en sus negras medias, su figura resultaba muy sólida, Herzog la echaba de menos. Cuando él la cogía de la mano, decía Wanda: «*Ah, ne tusché pas. C'est dangeré*». Pero no lo decía en serio. (¡Cómo le turbaban estos recuerdos! ¡Qué pájaro sensual tan divertido era! Acaso tenía la aberración de los recuerdos. Mas ¿para qué emplear palabras duras? Él era como era y nada más.)

Sin embargo, siempre había tenido presente aquella Polonia gris, helada, cuyas piedras olían a crímenes de guerra. Le pareció oler todavía la sangre. Visitó varias veces las ruinas del gueto. Wanda fue su guía.

Meneó la cabeza. Pero ¿qué podía hacer él? Volvió a darle al botón del ascensor, esta vez con un pico de su maleta Gladstone. Oyó el ruido del suave movimiento del ascensor: carriles engrasados, potencia, maquinaria negra eficiente.

Guéri de cette maladie. No debía habérselo contado a Wanda, porque a ella le hizo muy mal efecto y se sintió herida. *Pas grave du tout*, anotó. La había hecho llorar.

El ascensor se paró y Herzog terminó sus notas: *J'embrasse ces petites mains, amie*.

¿Cómo se dice en francés nudillos blandos, pequeños y claros?

En el taxi, cruzando las calles calientes con edificios atestados, construidos con ladrillo y piedra oscura, Herzog, cogido a la correa colgante, tenía sus grandes ojos fijos en las vistas de Nueva York que desfilaban ante ellos. Las formas cuadradas eran vívidas, no inertes, y le daban la sensación de un movimiento fatal, casi íntimo. En cierto modo, sentíase formando parte de todo ello —las habitaciones vistas por las ventanas abiertas, las tiendas, los sótanos adivinados— y al mismo tiempo se daba cuenta del peligro que implicaban estas múltiples excitaciones. Pero aquello acabaría bien cuando pasara este exceso de estímulo. Tenía que calmar sus nervios galopantes, apagar su fuego interior. Anhelaba llegar al Atlántico: la arena, el sabor salobre, la terapia del agua fría. Sabía que después de bañarse en el mar, pensaría mejor y más claro. Su madre creía en la buena influencia de los baños. Pero había muerto tan joven... *Él* no podía permitirse morir todavía. Sus hijos lo necesitaban. Tenía el deber de vivir. Estar sano, vivir, y ocuparse de los chicos. Por eso escapaba ahora de la ciudad recalentada. Escapaba de todas las cargas, de todas las cuestiones prácticas, y también de Ramona. A veces necesitaba uno esconderse en algún rincón lejano, como un animal. Aunque ignoraba qué le esperaba, aparte del tren que le impondría el reposo (no se puede correr en un tren) a través de Connecticut, Rhode Island, Massachusetts, hasta Woods Hole, su razonamiento era sensato. Las playas sientan bien a los locos con tal de que no estén demasiado locos. Él se hallaba en el punto medio. En la maleta que tenía bajo sus pies llevaba las alegres prendas que había comprado. Y ¿dónde estaba el sombrero de paja con la cinta rojiblanca? Lo llevaba puesto.

Pero, enseguida, mientras el asiento del taxi se calentaba con el sol, se dio cuenta de que su irritado espíritu funcionaba de nuevo y que iba a escribir nuevas cartas. *Querido Smithers*, comenzó. *El otro día almorzando* —esos almuerzos burocráticos me horrorizan, se me paraliza el trasero y la sangre se me llena de adrenalina; ¡este corazón mío! Por más que trato de guardar la compostura, se me paraliza la cara de puro aburrimiento, mi fantasía salpica de sopa y de salsa a todos los comensales, y siento ganas de chillar o desmayarme— *nos pidieron que sugiriésemos ideas para nuevos cursos de conferencias y yo dije qué tal resultaría una serie de ellas sobre el matrimonio. Lo mismo podía haber dicho «sobre las pasas o las grosellas».* Smithers ha tenido mucha suerte con lo que le ha correspondido. Se parece a Thomas E. Dewey. El mismo hueco entre los dientes delanteros, y los bigotes bien dibujados. *Escucha, Smithers, tengo una buena idea para un nuevo curso. Vosotros, los hombres organizadores, tenéis que depender de gente como yo. Los que acuden a las clases nocturnas solo buscan, ostensiblemente, la cultura. Su gran necesidad, su hambre espiritual, es de sentido común, de claridad, de verdad, aunque solo sea un átomo de todo esto. La gente se muere —y no es metáfora— de la falta de algo real que llevarse a casa cuando termina la jornada. Solo tienes que pensar en lo dispuestos que están a aceptar el mayor disparate.* ¡Oh Smithers, mi patilludo compañero! ¡Qué responsabilidad ha caído sobre nosotros en este basto país nuestro! Piensa en lo que América podría significar para el mundo. Y luego mira lo que realmente representa. ¡Qué generaciones podría haber producido! Pero fíjate en nosotros... En ti, en mí... Lee el periódico si puedes resistirlo.

Pero el taxi pasó toda la calle Treinta, y había en la esquina un estanco en el que Herzog había entrado hacía un año a comprar un cartón de Virginia Rounds para su suegra, Tennie, que vivía una manzana más allá. Recordó que debía entrar en una cabina telefónica para decirle que se marchaba. Estaba oscuro en la cabina. *Querida Tennie. Quizá podamos charlar cuando vuelva de la playa. El mensaje que me mandaste por el abogado Simkin diciéndome que no comprendías por qué no iba ya a visitarte, es, por no decir más, un poco desconcertante. Es que tu vida ha sido dura. No tienes marido.* Tennie y Pontritter estaban divorciados. El viejo empresario vivía en la calle Cincuenta y siete, donde tenía una escuela para actores, y Tennie ocupaba dos habitaciones en la Treinta y uno, que parecían un escenario y estaban llenas de recuerdos de los triunfos de su ex esposo. Todos los carteles estaban dominados por su nombre:

PONTRITTER DIRIGE OBRAS
DE EUGENE O'NEILL Y CHEJOV

Aunque ya no eran marido y mujer, mantenían sus relaciones. Pontritter sacaba a Tennie de paseo en su Thunderbird. Asistían a los estrenos e iban a cenar juntos. Ella, mujer menuda de cincuenta y cinco años, era algo más alta que Pon. Pero él era de aspecto fuerte y dominante y en su rostro moreno había una cierta fuerza e inteligencia. Le gustaban los trajes españoles y la última vez que lo vio Herzog llevaba unos pantalones de torero y alpargatas. En su tostada calva había aún unos ásperos pelos blancos aislados. Madeleine había heredado sus ojos.

Sin marido. Sin hija, escribió Herzog. Y empezó de nuevo: *Querida Tennie. Fui a ver a Simkin para cierto asunto y me dijo: «Su suegra se siente herida en sus sentimientos».*

Simkin, sentado en su despacho, ocupaba una enorme silla Sykes bajo enormes filas de libros jurídicos. Todo hombre nace para ser huérfano y para dejar huérfanos después de su muerte, pero de todos modos es un gran consuelo poder sentarse en una silla como aquella si se lo puede uno permitir. Simkin no estaba propiamente sentado allí, sino tumbado. Con su voluminoso trasero y sus pequeños muslos, la peluda y agresiva cabeza y las manos pequeñas y tímidas sujetándose la barriga, le habló a Herzog en un tono apagado y casi avergonzado. Le llamó «profesor», pero no en broma. Aunque Simkin era un abogado muy listo y muy rico, respetaba a Herzog. Sentía una debilidad por la gente de confuso talento, por las personas de impulsos morales como Moses. No tenía remedio. Era muy probable que viese en Moses un hombre aniñado y quejicoso que se esforzaba por mantener su dignidad. Se fijó en el libro que apoyaba Herzog en sus rodillas, ya que siempre llevaba un libro para leer en el metro o en el autobús. ¿De qué trataría el de aquel día? ¿De Simmel o de la religión? ¿De Teilhard de Chardin? ¿O acaso de Whitehead? Llevaba muchos años sin poder concentrarse verdaderamente. Sin embargo, allí estaba Simkin, bajo pero fornido, con sus cejas hirsutas enmarcándole los ojos, que le miraba con atención. La voz de este era débil en la conversación, como apagada, pero cuando atendió la señal de su secretaria y puso en marcha el intercom, subió de volumen repentinamente. Dijo con voz alta y seria:

—¿Diga?

—Le llama a usted el señor Dienstag.

—¿Quién? ¿Ese tío tonto? Estoy esperando esa prueba. Dígale que el demandante le dará una patada en el culo si no se la proporciona. ¡Más le valdrá traerla esta misma tarde! —Amplificado por el aparato, el tono de su voz resultaba oceánico. Luego cortó y dijo, con la suavidad de antes, a Moses—: ¡Ve, ve!, estos divorcios me tienen harto. ¡Qué situación! Cada vez se corrompen más estos asuntos. Hace diez años me creía capaz de hacerles frente a todos estos líos; me creía lo bastante mundano para llevarlos bien. Me las daba de realista y de cínico. Pero estaba equivocado. Son demasiados líos para mí. Este cretino del pedicuro, ¡qué ocurrencia casarse con ese demonio de mujer! Primero dijo ella que no quería hijos, luego los quiso tener y, enseguida, se volvió atrás. Y después, otra vez con que deseaba tener hijos. Al final, le tiró a la cara al marido el preservativo. Luego, fue al banco y sacó treinta de los grandes del dinero que tenían en la cuenta indistinta del matrimonio. Acusó a su marido de haberla querido empujar ante un coche. Se peleó con su madre por un anillo, unas pieles, un pollo... Sabe Dios por cuántas cosas. Y al final, el marido le encontró unas cartas de otro tipo. —Simkin se frotó su astuta e imponente cabeza con sus pequeñas manos. Luego, enseñó sus dientes pequeños y regulares, duros como el hierro, como si fuese a sonreír, pero ese gesto solo era preliminar para el suspiro que siguió de compasión por sí mismo. Y dijo—: Quiero que sepa usted, profesor, que Tennie está ofendida con el silencio de usted.

—Ya lo supongo. Pero aún no puedo decidirme a ir a verla.

—Es una mujer muy simpática. Pero ¡qué familia del demonio! Tennie me ha advertido que la avise cuando hable con usted.

—Ya.

—Tennie es muy buena persona...

—Lo sé. Me hizo una bufanda de punto. Tardó un año. La recibí por correo hace un mes. Tengo que darle las gracias.

—Sí, buena idea. Ella no es enemiga suya.

Herzog estaba seguro de que Simkin le tenía aprecio. Pero como quiera que un hombre práctico y realista como Simkin tenía que practicar, siempre daba muestras de un poco de malicia para mantenerse en forma. Un tipo como Moses E. Herzog, un hombre mentalmente ambicioso pero nada práctico, y bastante arrogante, un individuo muy poca cosa al que le habían quitado la mujer en circunstancias muy divertidas (mucho más divertidas que en el caso del pedicuro, que parecía escandalizar a Simkin), este hombre resultaba irresistible para un Simkin a quien le gustaba compadecer a la gente y, a la vez, burlarse de ella. Era un realista como Himmelstein. Hay muchos así y, por lo visto, yo los saco a la superficie. Pero lo que me revienta es su crueldad, no su realismo. Desde luego, Simkin estaba al tanto de todo lo referente al asunto de Madeleine y Gersbach, y lo que no supiera, se lo contarían sus amigos Pontritter y Tennie.

Tennie había llevado una vida bohemia durante treinta y cinco años, siempre detrás de su marido como si se hubiera casado con un tendero y no con un genio teatral. Y aún ahora seguía siendo una mujer que actuaba como una hermana mayor muy cariñosa; y tenía largas piernas. Pero las piernas se le estropearon y el cabello teñido se le puso áspero y feo. Llevaba unas gafas en forma de mariposa y joyas «abstractas».

¿Y si fuera a verte?, se preguntó Herzog. *Me sentaría en tu salita portándome como un buen chico y te soltaría todo lo malo que me ha hecho tu hija. Las mismas maldades que te ha hecho a ti Pontritter, y que le has perdonado.* Le lleva toda la contabilidad, guarda sus discos y le lava los calcetines. La última vez que estuve allí, vi puestos a secar los calcetines sobre el radiador, en el cuarto de baño. Y me estuvo contando lo feliz que era ahora que estaba divorciada, libre para hacer todo lo que quería y desarrollar su personalidad. *Lo siento por ti, Tennie.*

Pero esa dominantona hija tuya, fue a tu piso con Valentín y te envió al parque zoológico con tu nietecita mientras ellos se revolcaban en la cama, en tu cama. Él con su cabello rojizo, revuelto, y ella, debajo, con sus ojos azules. ¿Y qué se supone que debo yo hacer ahora: ir a verte y hablar contigo de comedias y restaurantes? Tennie le hablaría de aquel sitio griego en la Décima Avenida. Ya le había hablado de él media docena de veces. «Un amigo» (el propio Pontritter, su ex marido, aunque no lo nombrase) «me llevó a comer al Marathon. Era algo completamente distinto. Ya sabes que los griegos preparan la carne muy bien, con especias muy ricas. Los griegos se dan muy buena vida. Es una cosa digna de verse esos hombres tan gordos quitándose los zapatos y poniéndose a bailar delante de todo el mundo». Tennie hablaba con una dulzura juvenil y afectuosamente, pues en el fondo le tenía una oscura afición. Sus dientes eran como los nuevos que le salen a un niño de siete años.

Sí, sí, se dijo Herzog. Tennie está en peor situación que yo. Divorciada a los cincuenta y cinco años, con ganas aún de enseñar las piernas, sin darse cuenta de que ya no las tiene como antes. Y diabética. Además, la menopausia. Para colmo, su hija la maneja a su antojo. Si, como medio defensivo, Tennie da muestras de un poquito de maldad de vez en cuando, de hipocresía y de astucia, ¿cómo puede uno reprochárselo? Por ejemplo, nos dio aquellos cubiertos de plata mexicana, o nos los prestó, pues a veces era un préstamo y, otras, un regalo de boda. Lo cierto es que ahora los reclama. Por eso mandó el recado, por medio de Simkin, sobre sus sentimientos heridos. Quería recuperar la plata. Si la gente se divorcia, allá ellos, pero ella no quiere perder su plata. No es que sea una cínica. Desea seguir manteniendo las relaciones afectuosas pero no quiere perder la plata. No es que sea una cínica, no. *Tenemos aún la vajilla en el sótano de Pittsburg. Demasiado pesada para llevársela a Chicago. La devolveré, por supuesto.* Nunca sé conservar las cosas de valor, la plata y el oro. Para mí, el dinero no es un medio. Pasa a través de mí. Soy yo el medio a través del cual circula el dinero: los impuestos, los seguros, el mantenimiento de los niños, los alquileres, lo que pago a los abogados... Todas estas estupideces tan dignas que hacemos, cuestan mucho dinero. Si me casara con Ramona, quizá viviera mejor.

El taxi estaba detenido por los camiones en el barrio de la ropa hecha. Los aparatos eléctricos hacían temblar toda la calle. Era como si estuviesen rasgando las telas, no cosiéndolas. La calle estaba como sumergida en esas oleadas de ruidos de motores. Por ella empujaba un negro un carro cargado con prendas de señora. Tenía una hermosa barba y tocaba una trompeta de juguete. Pero no se le podía oír.

El taxi se puso en marcha de nuevo pues el tráfico se había reanudado. «Por amor de Dios», dijo el taxista, «a ver si nos dejan de una vez.» Dieron la vuelta en Park Avenue y Herzog agarró la rota manecilla de la portezuela. Pero no se abría. Mejor; si se hubiera abierto habría dejado entrar el polvo de los edificios que estaban echando abajo o construyendo. La avenida estaba llena de camiones cargados de cemento y arena húmeda como polvo gris. Se oía un tremendo estruendo de volquetes y ruidos varios abajo; y arriba, el acero estructural, que subía interminablemente hacia la zona más fría y más delicadamente azul. Salían rayos anaranjados, como pajas de color, de las inmensas grúas. Pero abajo, en la calle, donde los autobuses vomitaban sus venenosos gases baratos y los automóviles se apretaban unos contra otros, no se podía respirar con tanto polvo y humazo, y el estruendo de la maquinaria... ¡Horrible! Herzog ansió hallarse en la playa, donde pudiera respirar. Debía de haber tomado el avión. Pero el último invierno se quedó harto de aviación, sobre todo de la línea polaca. Los aparatos eran viejos. Partió del aeropuerto de Varsovia en el asiento delantero de un viejo bimotor lot, sujetándose el sombrero y apretando los pies delante. No había correas en los asientos para abrochárselas al despegar y al aterrizar. Las alas estaban dentadas. Además, había baches en el aeródromo. Volaron por entre amenazadoras nubes sobre los blancos bosques polacos, los campos, las fábricas, los ríos y un terreno que formaba diagramas blancos y marrones.

Además, unas buenas vacaciones deben comenzar con un recorrido en tren, como cuando él era niño, en Montreal. Toda la familia tomaba el tranvía hasta la Grand Trunk Station, con una cesta (de una madera frágil y astillada) llena de peras demasiado maduras, una ganga comprada por Jonah Herzog en el mercado de la calle Rachel, una fruta ya a punto para las abejas, medio pasada pero maravillosamente fragante. Y, ya en el tren, sobre la verde y gastada cubierta de los asientos, Herzog padre pelaba la fruta con su cuchillo ruso que tenía perlas engarzadas en el mango. La pelaba con eficacia europea, girando el cuchillo con maestría. Mientras, la locomotora chillaba y los vagones decrépitos empezaban a moverse. El sol y las traviesas dividían geométricamente la porquería. En los muros de la fábrica crecía la maleza. De las fábricas de cerveza llegaba el olor a malta.

El tren cruzaba el San Lorenzo. Moses pisaba el pedal y

por el manchado tubo del váter veía la espuma del río. Después se asomaba a la ventanilla. Brillaba el agua del río, que rodeaba con sus curvas a las grandes rocas para producir luego grandes cantidades de espuma en las cataratas de Lachine. En la otra playa estaba Caughnawaga, donde vivían los indios en cabañas elevadas sobre soportes. Luego venían los quemados campos del verano. Las ventanillas iban abiertas. El eco del tren era devuelto por la paja como una voz que saliera a través de una barba. La locomotora esparcía humo y hollín sobre las encendidas flores y los peludos capullos de la maleza.

Pero esto había sido cuarenta años antes. Ahora el tren estaba preparado para las grandes velocidades y era un tubo segmentado de brillante acero. No había ya peras, ni Willie, ni Shara, ni Helen, ni mamá. Al salir del taxi pensó en que su madre habría humedecido su pañuelo con saliva y le habría limpiado la cara. Pero de nada servían estos recuerdos tiernos; y se dirigió hacia la Grand Central llevando puesto su llamativo sombrero de paja. Ahora pertenecía a la generación madura, y disponía de su vida para hacer algo con ella, si es que podía. Pero no había olvidado el olor de la saliva de su madre, en el pañuelo, aquella mañana de verano en la rechoncha estación canadiense, con su negro hierro y su latón sublime. Todos los niños tienen mejillas sucias y todas las madres emplean su saliva para limpiárselas tiernamente. Estas cosas, o importan o bien no importan en absoluto. Dependerá del universo, de lo que este sea en determinadas épocas. Y esos recuerdos tan intensos, son probablemente síntomas de desorden mental. Para Herzog, pensar continuamente en la muerte era un pecado. Conducid vuestro carro y vuestro arado sobre los huesos de los muertos.

Entre las multitudes de la Gran Estación Central, Herzog, a pesar de todos sus esfuerzos por hacer lo que había de hacerse, no acababa de portarse como un ser racional. Sentía que todo resbalaba con el subterráneo ruido de las locomotoras, el arrastrar de pies y los pasillos con luces como gotas de grasa en un caldo amarillo y la intensa fragancia sofocante del Nueva York subterráneo. Se le humedeció el cuello, y el sudor le bajaba de las axilas por las costillas mientras compraba el billete. Luego compró un ejemplar del *Times* y estuvo a punto de comprar una barra del Cadbury's Caramello, pero se negó a sí mismo esta satisfacción porque pensó en el dinero que había gastado en la ropa nueva, la cual no le sentaría ya bien si engordaba por tomar caramelos. Si engordaba, sería como conceder la victoria al otro bando, que le vería rezumando grasa, con anchas caderas, saliente barriga y una respiración entrecortada. Tampoco le gustaría entonces a Ramona, y lo que a esta le agradaba, le importaba muchísimo a él. Pensaba en serio casarse con ella, a pesar de que ahora, cuando compraba el billete, parecía estarlo haciendo todo para huir de ella. Pero esto lo hacía precisamente pensando en lo que le convendría más a Ramona, pues no había que olvidar que él no estaba para agradar a una mujer tal como se encontraba ahora: febril, estropeado, irritado, y ninguna moneda de diez centavos. Tendría que cambiar y no quería comprar caramelos ni chicle. Luego se propuso ponerle un telegrama, pero enseguida comprendió que daría la impresión de un hombre débil si lo hacía.

En el cargado andén de la estación, abrió el voluminoso *Times* —con sus hilachas de papel en los bordes— después de haber dejado la maleta a sus pies. Las carretillas eléctricas, de ruido apagado, circulaban por los andenes con sacas de correo, y Herzog se entretuvo leyendo los titulares de las noticias con un notable esfuerzo. Era como un caldo hostil de tinta negra *Carrera espacial Kruschev en Berlín advierte: Comité rayos X galácticos Phoumas*. Vio a unos veinte pasos el suave rostro blanco de una mujer de aspecto independiente que llevaba un brillante sombrero de paja negro que daba a su cabeza profundidad, y sus ojos, incluso en aquella semioscuridad tachonada de señales luminosas, le llegaban con una fuerza que él nunca habría sospechado. Aquellos ojos podían ser azules, o verdes, o quizá grises... nunca lo sabría. Pero eran ojos de bruja, de eso estaba seguro. Expresaban una especie de arrogancia femenina que ejerció un inmediato poder sexual sobre él. Volvió a experimentarlo en aquel mismo momento: un rostro redondo, la clara mirada de unos pálidos ojos de corza, y un par de orgullosas piernas.

Tengo que escribir a la tía Zelda, decidió repentinamente. No deben creer que pueden prescindir de mí así como así y tomarme el pelo. Dobló el voluminoso periódico y se apresuró a subir al tren. La muchacha de los ojos de corza estaba en el otro andén, de modo que ¡si te he visto no me acuerdo! Él había subido al coche que iba a New Haven, y la puerta rojiza se cerró tras él con su sistema neumático, rígida y silbante. Dentro del coche, el aire estaba acondicionado, muy fresco. Era el primer pasajero, de modo que tenía todos los asientos a su disposición.

Se sentó en una posición encogida, y apretó la maleta contra su pecho. Era su mesa-despacho de viaje y escribió rápidamente en el bloc de notas encuadernado con un fino alambre en espiral. *Querida Zelda: naturalmente, tienes que ser leal a tu sobrina. Yo no soy más que uno de fuera, aunque tú y Herman dijisteis que era uno de la familia. Sí, a mi edad, era yo lo bastante blando para que me afectasen estas debilidades familiares, pues me había merecido lo que tenía. Me halagaba el afecto de Herman, debido a sus anteriores relaciones con los bajos fondos. Me invadía un feliz orgullo de que me consideraran uno de ellos. Eso significaba que mi turbia vida intelectual, de pobre soldado de la cultura, no había estropeado mi simpatía humana. No importaba que hubiera escrito un libro sobre los románticos. Un político de la organización democrática del condado de Cook que conocía a la gente de los sindicatos, a los hombres importantes de la justicia y la policía, a la Cosa Nostra, y a todos los maleantes, me seguía considerando como un hombre tratable,* heimish, *y se complacía en llevarme a las carreras y a los partidos de hockey.* Pero la verdad es que Herman es aún más marginal para el Sindicato que el pobre Herzog respecto al mundo práctico y los dos se encuentran muy a gusto en un agradable ambiente *heimish* y les encantan los baños y el té rusos y tomar luego pescado ahumado y arenques. Y mientras, tener en casa a las mujeres conspirando.

Mientras fui el buen esposo de Mady, era una persona deliciosa. De pronto, porque a Madeleine se le antojó buscar por ahí su satisfacción, me convertí en un lunático. Previnieron a la policía contra mí e incluso llegaron a hablar de encerrarme en algún sitio de esos. Sé que mi amigo y abogado de Mady, Sandor Himmelstein, llamó al doctor Edvig para preguntarle si creía que yo estaba lo bastante loco para que me encerraran en Manteno o en Elgin. Tú, Zelda, le hiciste caso a Madeleine en cuanto a mi estado mental y lo mismo la creyeron otros.

Pero ya sabías lo que mi mujer se proponía, sabías por qué se marchó de Ludeyville y fue a Chicago, donde quería encontrar una colocación para Valentín Gersbach, y sabías que tuve un trabajo tremendo para encontrarle un piso al matrimonio Gersbach e incluso busqué el colegio que le convenía al pequeño Efraim Gersbach. El sentimiento que la gente —las mujeres— experimentan por un esposo engañado, debe de ser muy profundo y primitivo y ahora sé que ayudaste a tu sobrina para que Herman me llevara al partido de hockey.

Herzog no estaba enfadado con Herman; no creía que formase parte de la conspiración. *Los Blackhawks contra los Maple-Leafs.* El tío Herman, suave, decente, listo, y siempre limpio, con *loafers* negros y *slacks*, sin cinturón, llevaba su alto sombrero como un casco de bombero y, sobre el bolsillo de pecho de la camisa, una gárgola pequeñita bordada. Los jugadores se mezclaban en el campo de juego como un enjambre de avispas, veloces, forrados, amarillos, negros, rojos, chocando, alejándose raudos, girando como locos sobre el hielo. Sobre la pista se adensaba el humo del tabaco como una nube explosiva, de pólvora. Por los altavoces, la dirección rogaba a los espectadores que no arrojasen a la pista monedas que obstaculizasen a los patines. Herzog, que tenía ojeras, trataba de relajarse en compañía de Herman. Incluso ganó una de las apuestas deportivas y le invitó a Frizl's para tomar tarta. Allí estaban todos los grandes apellidos de Chicago. Y, ¿qué estaría pensando el tío Herman? Supongamos que también sabía que Madeleine y Gersbach estaban juntos. A pesar del frío que hacía por el aire acondicionado, en el interior del vagón de New Haven, Herzog notó que le caía el sudor por la cara.

En el pasado marzo, cuando volví de Europa, me puse mal de los nervios y llegué a Chicago para ver si le ponía remedio y arreglaba un poco mis asuntos. Me hallaba, realmente, en un estado de atontamiento. En parte, debía de ser por el tiempo, que andaba revuelto. En Italia estaban en plena primavera. Las palmeras de Turquía. En Galilea, las anémonas rojas por entre las piedras. Pero en Chicago, en marzo, hacía muy mal tiempo. Me esperaba Gersbach, que, por entonces, era aún buen amigo mío y me miraba compasivamente. Llevaba un chaquetón impermeable y chanclos negros, una gran bufanda, y tenía en brazos a Junie. Me abrazó. Junie me besó en la cara. Fuimos a la sala de espera y saqué los juguetes y vestiditos que había comprado y una cartera florentina para Valentín, así como cuentas de ámbar polacas para Phoebe Gersbach. Como era ya tarde y Junie tenía que acostarse, y nevaba cada vez más, Gersbach me llevó al motel Surf. Decía que no había podido encontrarme habitación en el Windermere, más cerca de la casa, a unos diez minutos andando. Por la mañana había caído una nevada de unos veinticinco centímetros. El lago estaba muy cargado y lo iluminaba la blancura de la nieve en un horizonte cercano de gris oscuro tormentoso. Telefoneé a Madeleine, pero me colgó; llamé a Gersbach, que no estaba ya en su despacho de la radio, y al doctor Edvig, pero este no podía recibirme hasta el día siguiente. Herzog no quiso ver a su propia familia: su hermana, su madrastra... Fue a visitar a la tía Zelda.

Aquel día no se encontraba ni un taxi. Fue en autobús, helado, porque se había cambiado de ropa y los chanclos tenían una suela muy fina. Los Umschands vivían en un nuevo suburbio, allá en el quinto pino, aún más allá, pasado el Parque de Palos, al borde de las Reservas Forestales. Había dejado de nevar cuando él llegó allí, pero el viento era cortante y caían de las ramas unos copos que se habían quedado en ellas. La escarcha bordeaba los escaparates de las tiendas. En una de estas, Herzog, que no era bebedor, compró una botella de Guckenheimer. Era temprano, pero él tenía ya la sangre fría. Y cuando habló con la tía Zelda, el aliento le olía a whisky.

—Te calentaré café. Debes de estar helado —dijo Zelda.

En la cocina de cobre esmaltado, las formas blancas y redondeadas de Zelda se movían por todos lados. El refrigerador parecía tener corazón, y el círculo de llamas de color genciana calentaba el cacharro con el café. Zelda se había arreglado la cara; llevaba unos pantalones dorados y unas zapatillas con tacones de plástico, transparentes. Se sentaron. Mirando a través de la mesa de cristal, Herzog pudo ver que la tía Zelda tenía las manos apretadas entre las rodillas. Era rubia pero sus pestañas eran más oscuras y cálidas, con una gruesa línea azul dibujada con un lápiz cosmético. Moses tomó al principio la mirada baja de ella como señal de acuerdo o simpatía; pero se dio cuenta de lo equivocado que estaba cuando le observó la nariz. En esta se notaba la desconfianza. Por su manera de moverla comprendió que rechazaba cuanto él decía. Pero sabía muy bien que Zelda era una mujer descentrada; peor aún, temporalmente trastornada. Procuró reaccionar de su impresión. Mal abotonado, sin afeitar y con los ojos enrojecidos, tenía mal aspecto. Casi indecente. Le estaba contando a Zelda lo de su mujer pero enfocándolo exclusivamente desde su punto de vista.

—Sé que te ha puesto contra mí. Sí, Zelda, te ha envenenado el juicio.

—No, la verdad es que ella te respeta. Dejó de quererte, eso es todo. Ya se sabe: las mujeres se enamoran y luego dejan de estarlo.

—¿Amor? ¿Crees que Madeleine ha estado alguna vez

enamorada de mí? Sabes muy bien que todo eso de los enamoramientos son historias burguesas.

—Estaba loca por ti. Sé muy bien que antes te adoraba, Moses.

—¡No, no! No me hagas ahora creer en semejante disparate. Sabes que no es verdad. Madeleine está enferma. Es una mujer que necesita cuidarse y por eso la cuidé yo.

—Reconozco que la has atendido bien —dijo Zelda—. Lo que es verdad, es verdad. Pero qué enfermedad...

—¡Ah! —dijo Herzog con dureza—. Veo que quieres poner los puntos sobre las íes.

Vio en esto la influencia de Madeleine, que siempre estaba hablando de la verdad. No podía soportar una mentira, suya o de los demás. Nada podía sacar de quicio a Madeleine mejor que una mentira. Y ahora veía que Zelda la imitaba; Zelda, con el cabello teñido y las líneas púrpuras de sus párpados, esa especie de orugas... ¡Oh!, pensó Herzog en el tren, las cosas que se ponen sobre sus carnes las mujeres. Y nosotros tenemos que mirarlas, escucharlas, prestarles mucha atención y hasta respirarlas. Y ahora Zelda, con su cara surcada por algunas arrugas, las suaves y poderosas aletas de su nariz dilatadas por la suspicacia, y fascinada por el aspecto que tenía Herzog —que era el suyo verdadero y no el que presentaba cuando estaba afable— le soltó su verdad.

—¿Acaso no he procurado siempre ponerme a tu nivel? —le dijo—. No soy una de esas mujeres suburbanas incomprensivas.

—¿Te refieres a que Herman dice que conoce a Luigi Boscolla, el maleante?

—No finjas que no me comprendes...

Herzog no quería ofenderla. De pronto comprendió por qué hablaba así la tía Zelda. Madeleine la había convencido de que también ella era una mujer excepcional. Todo lo que se relacionaba con Madeleine, todo lo que entraba en el drama de su vida, se convertía en excepcional, en superdotado, en algo muy brillante. A él también le había ocurrido. Pero al ser despedido de la vida de Madeleine y enviado de nuevo a las tinieblas, se convirtió otra vez en un espectador. Comprendió que la tía Zelda hablaba como inspirada por una nueva visión de sí misma. Herzog le envidió esta relación con Madeleine.

—Mujer, ya sé que tú no eres como las demás de por aquí...

Tu cocina es diferente, tus lámparas italianas, tus alfombras, tus muebles provincianos franceses, tu Westinghouse, tu abrigo de visón, tu Club de Campo, tus actividades benéficas para la parálisis cerebral... todo en ti es diferente.

Estoy seguro de que fuiste sincera. Sí, no hubo en ti insinceridad. La verdadera insinceridad es difícil de encontrar.

—Madeleine y yo hemos sido siempre como hermanas —dijo Zelda—. La querría, hiciera lo que hiciese. Pero me alegra poder decir que ha estado tremenda, se ha portado como una persona verdaderamente seria.

—¡Bah, qué tontería!

—Sí, tan seria como tú o yo.

—Si te parece serio devolver un marido como una tarta o una toalla de baño cuando no gusta...

—Tú también tienes tus faltas. Estoy segura de que no me lo negarás.

—¿Cómo podría negarlo?

—Eres sombrío y siempre quieres imponer tu criterio. Le das muchas vueltas a todo.

—Eso es verdad.

—Demasiado exigente. Siempre tienes que salirte con la tuya. Madeleine dice que la agotabas a fuerza de pedirle ayuda.

—Todo eso es verdad. Además soy irascible, impaciente, estoy mal acostumbrado... ¿Algo más?

—Has sido implacable con las mujeres.

—Sí, desde que Madeleine me echó. Trato de recuperar el respeto a mí mismo.

—No te preocupaba eso mientras estuviste casado. —Y los labios de Zelda se apretaron.

Herzog sintió que se ruborizaba. Le apretaba el pecho una presión caliente y enfermiza. Sintió que le molestaba el corazón e inmediatamente se le humedeció la frente.

Murmuró:

—Ella me lo hizo todo muy difícil. Sexualmente.

—Bueno, como eres mayor... pero todo eso ha pasado ya —dijo Zelda—. Tu gran error fue enterrarte en el campo para terminar aquel proyecto que tenías: aquel estudio de no sé qué. No llegaste a hacer nada, ¿verdad?

—No —dijo Herzog.

—Entonces, ¿para qué todo aquello?

Herzog intentó explicarle de qué se trataba y que se suponía que su estudio hubiese aclarado un nuevo aspecto de la condición humana de nuestro tiempo mostrando cómo podía vivirse con una renovación de las relaciones humanas. Corrigiendo el último de los errores románticos sobre la unicidad del Ser; revisando la antigua ideología occidental faustiana; investigando el significado social de la Nada... Y aún más. Pero se contuvo porque ella no lo entendería y esto la ofendía siempre, sobre todo porque estaba convencida de que no era una vulgar *hausfrau*.

—Todo eso suena a cosa grande. Desde luego, debe de ser muy importante. Pero la cuestión es distinta: que fuiste un insensato al aislarte con tu mujer en los Berkshires sin nadie con quien hablar.

—Excepto Valentín Gersbach, y su mujer Phoebe.

—Es cierto, y eso fue lo malo. Sobre todo, estando en invierno. Deberías haber tenido más sentido común. Ella se sintió prisionera en aquella casa. Debió de ser terrible pasarse allí todo el tiempo lavando, cocinando o haciendo callar a la niña, porque, como ella dice, tú te ponías furioso si no atendía a todo. Sobre todo, cuando June lloraba, salías de tu cuarto gritando.

—Sí, me porté muy mal. Pero ese era precisamente uno de los problemas en que estaba trabajando: que aunque la gente sea ahora libre, la libertad no tiene contenido alguno.

Es como una gran vaciedad llena de aullidos. Madeleine compartía mis preocupaciones intelectuales, por lo menos eso me figuraba yo, porque es una mujer aficionada al estudio.

—Dice que eras un dictador, un verdadero tirano. Eras muy dominante.

Herzog pensaba que había debido dar la impresión de una especie de monarca irritado por estar perdiendo su poder, como su padre, el principesco inmigrante que se había convertido en un contrabandista ineficaz. Y la vida era muy mala en Ludeyville, era terrible, tenía que reconocerlo. Pero ¿acaso no compramos la casa porque se le antojó a ella y nos mudamos también cuando ella lo quiso? ¿Y no lo arreglé todo, incluso para los Gersbach, para que pudiésemos marcharnos todos de los Berkshires?

—¿De qué más se queja? —dijo Herzog.

Zelda le observó un momento como para ver si era lo bastante resistente para soltárselo, y dijo:

—Eras egoísta.

Ah, ¡conque eso! Ya entendía por dónde iba. ¡La *ejaculatio praecox*! Se le había ensombrecido la mirada, y el corazón aceleró sus latidos. Dijo:

—Durante algún tiempo tuvimos alguna dificultad. Pero no en los dos años últimos. Y apenas me pasó nunca eso con las otras mujeres. —Eran estas unas explicaciones humillantes. Zelda no iba a creerle y eso le dejaba en una situación suplicante, con una terrible desventaja. No podía invitarla al piso de arriba para hacerle una demostración ni presentar certificados de Wanda o de Zinka. (Al recordar, en el tren que aún no se había puesto en marcha, su angustioso interés de aquella ocasión para convencer a Zelda, acabó riéndose. Pero, por fuera solo apareció una pálida sonrisa en su rostro.) ¡Qué malas eran, Madeleine, Zelda y tantas otras! Algunas mujeres no se preocupan del daño que pueden causarle a un hombre con esas cosas que dicen tan a la ligera. Según opinaba Zelda, una mujer tenía derecho a esperar de su marido ¡satisfacción erótica nocturna, seguridad, dinero, pieles, joyas, servicio doméstico, cortinas, vestidos, sombreros, salas de fiesta, y también clubes de campo, automóviles y teatros!

—Ningún hombre puede satisfacer a una mujer que no le quiere —dijo Herzog.

—Bueno, ¿es eso todo lo que tienes que decir?

Moses empezó a hablar pero tuvo la impresión de que iba a decir más tonterías. Se puso otra vez pálido y mantuvo cerrada la boca. Sentía un terrible dolor. Era este tan malo que ya no podía vanagloriarse de su capacidad de sufrimiento como había hecho otras veces. Siguió callado y se oyó en algún sitio una máquina secadora funcionando.

—Moses —dijo Zelda—, quiero asegurarme de una cosa.

—Tú dirás...

—*Nuestras relaciones.* —Ya no la estaba mirando a sus cejas pintadas y oscuras sino directamente a los ojos, brillantes y castaños. A Zelda se le tensaron las ventanillas de la nariz. Era simpático su rostro—. Quiero decir que aún somos amigos.

—Bueno... —dijo Moses—. Le tengo afecto a Herman. Y a ti.

—Yo soy amiga tuya. Y una persona de fiar.

Vio su rostro reflejado en la ventanilla del tren, y oyó claramente sus propias palabras:

—Sí, por supuesto.

—Me crees, ¿no?

—Naturalmente quiero creerte.

—Debes hacerlo. Además, todas tus cosas me interesan mucho. No pierdo de vista a la pequeña June.

—Te lo agradezco.

—Pero Madeleine es una buena madre. Por ese lado, no tienes que preocuparte. No anda por ahí con otros hombres. Están siempre telefoneándola y siguiéndola. Bueno, es una belleza y, además de un tipo poco frecuente, porque es muy valiosa en todo. Allá en Hyde Park, en cuanto supieron todos lo del divorcio, te sorprendería cuántas llamadas tuvo.

—Supongo que serían buenos amigos míos.

—Si fuera una coqueta, tendría dónde escoger entre tantos hombres. Pero ya sabes lo seria que es. Y además, hay que reconocer que personas como Moses Herzog no se encuentran por los rincones. Con tu cerebro y tu atractivo, no eres fácil de sustituir. Por eso, Madeleine se pasa todo el tiempo en casa. Se pasa el tiempo pensando en lo que ha sido toda su vida. Y no hay, por ahora, ningún otro hombre. Sabes muy bien que puedes creerme.

Desde luego, si me considerabas peligroso, tu deber era mentir. Y sé muy bien que aquel día tenía el aspecto de una mala persona, con la cara hinchada y los ojos irritados y alocados. Sin embargo, la capacidad femenina de engaño es un tema muy profundo. Es una complicidad sexual, una conspiración. Os ponéis enseguida de acuerdo sobre la organización de la defensa de la mujer. He visto cómo fastidiabas implacablemente a Herman hasta hacerle comprar un coche nuevo y ya sabes qué talento tienes para obligar a un hombre a hacer lo que tú quieras. Creíste que yo querría matar a Mady y Valentín. Pero ¿por qué no fui, cuando me enteré, a la casa de empeño, y compré una pistola? Y, aún más fácil: mi padre dejó un revólver en su despacho. Aún está allí. Pero no soy un criminal, no lo llevo dentro de mí; al contrario, esas cosas me espantan. De todos modos, me di cuenta, Zelda, que te divertiste enormemente mintiendo y que tus mentiras te desbordaban el corazón.

En ese momento el tren salió del andén y entró en el túnel. Temporalmente, en la oscuridad, Herzog sostenía su pluma a cierta altura del papel. Fueron pasando las paredes del túnel. En los polvorientos nichos lucían las bombillas. Sin religión. Luego vino una larga pendiente, el tren salió del túnel y a la súbita luz del terraplén por encima de la zona pobre, por arriba de Park Avenue. En los Noventas brotaba el agua por una boca de riego que habían dejado abierta y los chiquillos, con los calzoncillos pegados a las carnes, saltaban y gritaban. Luego vino el Spanish Harlem, denso, oscuro y caliente, y Queens lejos, hacia la derecha, un macizo «documento» de ladrillo, velado por el polvo atmosférico.

Herzog escribió: *Nunca entenderé lo que quieren las mujeres. ¿Qué desean? Comen ensalada y beben sangre humana.* Sobre Long Island Sound, el aire se hizo más claro. El agua estaba a buen nivel, y era de un azul suave; la hierba brillaba, salpicada por flores silvestres, había mucho mirto entre las rocas y florecían los fresonales.

Ya conozco toda la divertida, sucia y perversa verdad acerca de Madeleine. Tengo mucho en qué pensar. Había terminado de escribir.

Pronto empezó de nuevo a escribir, con la misma gran rapidez, a un amigo de Chicago, Lucas Asphalter, zoólogo en la universidad. *¿Qué te pasa? Suelo leer los párrafos relativos al «interés humano» pero sin esperar nunca que puedan referirse a un amigo mío. No puedes imaginar cómo me impresionó ver tu nombre en el* Post. *¿Te has vuelto loco? Sé que adorabas a ese mono tuyo y lamento que se te haya muerto. Pero, no sé cómo has tenido la ocurrencia de intentar revivirlo con la respiración «boca a boca». Sobre todo, teniendo en cuenta que Rocco se había muerto de tuberculosis y debía de estar acribillado por los microbios.* Asphalter tenía una extraña afición a estos animales. Herzog sospechaba que su amigo pretendía humanizarlos. Aquel macaco, Rocco, no era una criatura divertida, sino obstinada y maniática, con una piel descolorida, como un viejo pariente judío vestido con ropa gastada. Pero, desde luego, si se estaba muriendo lentamente de tuberculosis, era natural que no tuviese un aspecto muy alegre. Asphalter, que era un hombre optimista e indiferente a las cosas prácticas, no un tipo académico característico, enseñaba anatomía comparada. Con gruesas suelas de crepé, llevaba una bata sucia y, desde su juventud, el pobre Luke estaba calvo. La súbita pérdida de su cabello le había dejado con solo un mechón sobre la frente, absurdamente, el cual hacía más oscuros sus hermosos ojos, más salientes sus arqueadas cejas. *Espero que no se haya tragado los bacilos de* su mono Rocco. Dicen por ahí que vuelve la tuberculosis después de que la habíamos dado por vencida. Asphalter tenía cuarenta y cinco años y era soltero. Su padre había tenido una casa de putas. Y aunque durante un intervalo de diez o quince años no habían sido Asphalter y él amigos íntimos, descubrieron de pronto que tenían mucho en común. En realidad, había sido Asphalter el que le había hecho ver a Herzog lo que andaba buscando Madeleine y la parte que Gersbach había estado representando en la destrucción de su matrimonio.

—Lamento decirte esto, Moses —dijo Asphalter, cuando estaban en su despacho—, pero eres víctima de un asqueroso lío.

Esto fue dos días después de aquella nevada de marzo. La ventana daba sobre el Cuadrilátero. Rocco, que tenía los ojos enfermos, estaba sentado en su silla de paja. Tenía muy mal aspecto: la piel, del color de los ajos estofados.

—No puedo soportar ver cómo te engañan —dijo Asphalter—. Prefiero contártelo... Verás, una de las muchachas que trabajan en el laboratorio hace de niñera de tu pequeña en sus ratos libres y me ha estado contando cosas sobre tu mujer.

—¿De qué se trata?

—Espera. También me ha hablado de Valentín Gersbach, que, por lo visto, siempre está allí, en la avenida Harper.

—Sí, ya lo sé. Es la única persona en quien puedo confiar. Ha sido un amigo estupendo.

—Sí, ya sé, ya sé, ya sé —dijo Asphalter. Tenía la cara redonda y pecosa; sus ojos eran grandes, oscuros y fluidos, y ahora reflejaban, por afecto a Moses, una intensa amargura—. Ya lo sé. Valentín es un gran elemento para la vida social de Hyde Park, es decir, para lo poco que ha quedado de ella. No sé cómo nos las hemos arreglado antes sin él. Es tan animado, tan divertido con sus imitaciones escocesas y japonesas, con su voz áspera, que acaba con todas las conversaciones cuando él interviene. Está lleno de vida. ¡Sí, sí!, rebosaba vida por todas partes. ¡Y como has sido tú quien lo has traído aquí, todos creen que es tu amigo del alma! Él mismo lo dice. Solo que...

—¿Solo qué?

Tenso y tranquilo, Asphalter preguntó:

—¿No lo sabes? —y se puso muy pálido.

—¿Qué he de saber?

—Como eres tan inteligente, di por cierto que lo sabías o, por lo menos, lo sospechabas.

Algo espantoso iba a caer sobre él. Herzog se preparó para el golpe:

—¿Te refieres a Madeleine? Por supuesto, comprendo que como es todavía una mujer bastante joven, ha de tener algunos momentos de coquetería.

—No, no —dijo Asphalter—. No se trata de eso. —Lo soltó—. Es un asunto serio.

—Pero ¿con quién? —dijo Herzog. Se le alborotó toda la sangre que, también en masa, le dejó el cerebro vacío—. ¿Te refieres a Gersbach?

—Exacto. —Asphalter no controlaba ya los nervios de su cara; se le habían reblandecido con el dolor que sentía. Le temblaba la boca.

Herzog empezó a gritar:

—¡No puedes hablar así! ¡No puedes decir eso! —Y se quedó mirando a Lucas, furioso, profundamente ofendido. Pero un débil sentimiento de asco le fue invadiendo. Su cuerpo parecía encogérsele como si de pronto le hubieran extraído algo del interior. Estuvo a punto de perder el sentido.

—Ábrete el cuello —le dijo Asphalter—. Dios mío, no irás a desmayarte, ¿verdad? —Obligó a Herzog a bajar la cabeza—. Ponla entre las rodillas.

Pero Moses se resistió porque la cabeza se le había calentado ahora en aquella posición doblada en que le tenía Asphalter.

Y mientras, el mono, con los brazos cruzados sobre el pecho, miraba con sus ojos enrojecidos y secos esparciendo en silencio su angustia. Es la muerte, pensó Herzog. El animal se estaba muriendo.

—¿Te sientes mejor? —dijo Asphalter.

—Abre una ventana. Estos sitios de la zoología, apestan.

—La ventana está abierta. Debes beber un poco de agua. —Tendió a Moses un vaso de papel—. Toma una de estas —añadió tendiéndole unas píldoras—. Tómate primero esta y luego la verde y la blanca. Es Prozina. No puedo sacar el algodón del frasco. Me tiemblan las manos.

Herzog rechazó las píldoras.

—Luke... ¿es completamente cierto eso de Madeleine y Gersbach? —preguntó.

Intensamente nervioso, pálido, luego sofocado, mirándole fijamente con sus ojos oscuros en el rostro pecoso, le dijo Asphalter:

—Por favor, ¿no irás a pensar que voy a inventar semejante cosa? Quizá no haya tenido el tacto suficiente pero suponía que tú ya tenías alguna idea... ¡Es absolutamente cierto! —Asphalter, que llevaba puesta su manchada bata de laboratorio, se lo había soltado con un gesto complicado y la expresión del que se ha metido en un lío desagradable. Le vino a decir que no hacía más que ponerlo al tanto. Respiraba con trabajo, e insistió—: ¿Es posible que no supieras nada?

—No.

—Y, ¿no te parece que la cosa tiene sentido? ¿No atas cabos ahora?

Herzog apoyó su peso sobre la mesa y entrelazó con fuerza los dedos. Fijó la mirada en los amentos colgantes, rojizos y violeta. Todo lo que podía esperar era no estallar, no morirse, seguir viviendo.

—¿Quién te lo ha dicho? —preguntó.

—Geraldine.

—¿Quién?

—Jerry... Geraldine Portney. Creí que la conocías. Es la señorita que cuida de tu hija June. También trabaja ahí abajo, en el laboratorio.

—¿Y qué...?

—Estudia anatomía humana en la Escuela de Medicina, ahí a la vuelta. Salgo con ella. En realidad, la conoces; estuvo en una de tus clases. ¿Quieres hablar con ella?

—No —dijo Herzog violentamente.

—Pues te ha escrito una carta. Me la dio y dijo que te la entregara si me parecía bien.

—No puedo leerla ahora.

—Tómala —dijo Asphalter—. Quizá quieras leerla luego.

Herzog se metió el sobre en el bolsillo.

Sentado ahora en el blando asiento del tren, se preguntó, mientras sujetaba sobre las rodillas su maleta-escritorio, y alejándose del estado de Nueva York a ciento trece kilómetros por hora, por qué no había llorado en el despacho de Asphalter. Tenía bastante facilidad para soltar las lágrimas, y no se cohibía ante Asphalter pues eran buenos y viejos amigos, de vidas bastante semejantes por su ambiente, costumbres y temperamentos. Pero cuando Asphalter levantó la tapa de los secretos y reveló la verdad, algo insoportable quedó flotando en el despacho desde donde se dominaba el Cuadrilátero; era como un olor, algo caliente y pegajoso; o más bien un raro hecho humano casi palpable. Las lágrimas de nada servían. La causa del dolor era demasiado perversa y extraña para todos los afectados. Por otra parte, también Gersbach tenía mucha facilidad para llorar y dar salida a sus emociones. Sus magnánimos ojos castaños enrojecidos se humedecían frecuentemente con las lágrimas. Unos días antes, cuando Herzog descendió del tren en O'Hare y abrazó a su hijita, estaba allí Gersbach, fuerte y corpulento, y lloraba emocionado. De modo que, evidentemente —pensó Moses—, en esta ocasión habrá soltado también sus lagrimitas pensando en mí. Hay momentos en que me repugna tener cara, nariz y labios, porque él también los tiene.

Ahora se fijaba en el mono Rocco; era indudable que la sombra de la muerte planeaba sobre el animal.

—¡Qué desagradable! —dijo Asphalter. Fumó un poco y

luego dejó el cigarrillo. El cenicero estaba lleno de largas colillas; gastaba de dos a tres paquetes al día—. Tenemos que beber. Cenaremos juntos esta noche. Pienso llevar a Geraldine al Beachcomber. No la puedo acaparar, de modo que iremos los tres.

Ahora Herzog tenía que pensar en algunos hechos extraños que había notado en Asphalter. Es posible que yo lo haya influenciado, que le haya transmitido mi emocionalismo. Se había metido a aquel peludo y melancólico mono, Rocco, en el corazón. ¿Cómo, si no, iba uno a explicarse su agitación emocional, que tomase en brazos al animal y le obligase a abrir los labios para transmitirle su respiración? Sospecho que Luke debe de estar muy mal. Tengo que pensar en él tal como es, con todas sus rarezas. *Lo mejor que harías sería ponerte la prueba de tuberculina. No tenía ni idea de que tú...* Herzog se interrumpió. Un camarero del coche-restaurante tocaba la campanilla para el almuerzo pero Herzog no tenía tiempo para comer. Precisamente se disponía a empezar otra carta.

Querido profesor Byzhkovski, le agradezco las atenciones que tuvo conmigo en Varsovia. Debido al mal estado de mi salud, debo de haberle causado una mala impresión. Estuve sentado en su piso haciendo sombreros y barquitos de papel con el *Trybuna Ludu* mientras que él se esforzaba por mantener una conversación. El profesor, aquel hombre tan alto y fuerte, con unos nickers caseros de color arenoso y una chaqueta Norfolk, debía de estar asombrado viéndome. Estoy seguro de que tiene un buen carácter. Inspiraba confianza. Su cara era gruesa pero bien formada, viril e inteligente. Yo seguía doblando los sombreritos de papel; por lo visto, pensaba en mis hijos. La señora Byzhkovski me preguntó si quería mermelada con el té, inclinándose hospitalariamente hacia mí. Los muebles eran antiguos y estaban brillantes; eran de una época centroeuropea desaparecida, pero también está desapareciendo la época actual y quizá con mayor rapidez que las demás. *Espero que me perdone usted. Ahora he tenido la oportunidad de leer su estudio sobre la ocupación americana* de *Alemania Occidental. Muchos de los hechos son desagra-dables.* Pero el presidente Truman nunca me consultó, ni tampoco McCloy. He de confesar que no he estudiado el problema alemán como debía. A mi juicio, ninguno de los gobiernos dice la verdad. También hay, en esa monografía de usted, una cuestión alemana oriental que ni siquiera ha tocado.

Me paseé en Hamburgo por el distrito del vicio. Me habían dicho que debía verlo. Algunas de las putas, con su ropa interior de encaje negro, llevaban botas militares alemanas y, cuando pasaba uno, llamaban su atención dando golpecitos en los cristales de las ventanas con látigos. Eran unas mujeres anchas y coloradas, que hacían muchos gestos y hablaban a gritos. Fue un día frío y sin alegría.

Querido señor, escribió Herzog. *Ha tenido usted mucha paciencia con los gamberros de Bowery que entran en su iglesia, borrachos perdidos, y defecan en los bancos, rompen botellas vacías sobre las losas del cementerio y cometen aún más barbaridades. Me atrevo a sugerirle que, como puede usted ver Wall Street desde la puerta de su iglesia, podría usted preparar un panfleto para explicar que el Bowery le da mayor significado. Skid Row es la institución que sirve de contraste y por tanto es necesaria. Les hace pensar en Lázaro y en Dives. Si hubiera en América una pobreza hermosa, una especie de pobreza moral, esto resultaría subversivo; por tanto, debe ser una pobreza fea.*

Hemos pensado demasiado poco en esto.

Y luego escribió: *Departamento de Crédito, Marshall Field & Co. No soy ya responsable de las deudas de Madeleine P. Herzog. Desde el 10 de marzo hemos dejado de ser marido y mujer. Así que no me envíen ustedes más cuentas. La última que me mandaron ustedes me dejó impresionado: más de cuatrocientos dólares en total. Me refiero a las compras hechas por mi ex mujer después de la separación. Desde luego, he debido escribir antes a lo que se llama el centro nervioso del Crédito. Pero ¿existe semejante cosa? ¿Dónde se encuentra? Es natural, pues durante algún tiempo no he estado para nada.*

Querido profesor Hoyle, no creo entender bien cómo funciona la teoría Gold-Pore: desde luego, me parece entender cómo llegan al centro de la tierra los metales más pesados: el hierro, el níquel, pero ¿qué ocurre con la concentración de metales más ligeros? Asimismo, cuando explica usted la formación de los planetas menores, incluida nuestra trágica Tierra, *habla usted de materiales adhesivos que unen a los aglomerados de la materia precipitada...*

Las ruedas de los coches formaban abajo un tremendo ruido. Los bosques y los pastos se alejaban, desfilaban barreras enmohecidas y la brillante continuidad de los alambres y, a la derecha, el azul del Sound era más profundo e intenso que antes. Luego se veían los restos amontonados de los automóviles de desecho y las formas de los viejos molinos de New England con sus ventanillas austeras; aldeas, conventos; remolcadores moviéndose lentamente sobre el agua; y luego las plantaciones de pinos con el suelo lleno de agujas de un color rojizo. Así, pensó Herzog, reconociendo que su imaginación del universo era elemental, las novas estallan y hay mundos que surgen con los ejes magnéticos invisibles por medio de los cuales los cuerpos celestes se mantienen unos a otros en órbita. Los astrónomos presentan todo esto como si sacudiéramos los gases dentro de un frasco. Luego, cuando pasen muchos billones de años, años luz, esta criatura infantil pero nada inocente, con un sombrero de paja en la cabeza y un corazón latiéndole dentro del pecho, esta criatura pura en parte, y malvada en otra, tratará de formarse su vacilante idea sobre tan magnífica telaraña.

Querido doctor Bhave, volvió a empezar, *he leído su trabajo en el* Observer *y he pensado que me gustaría unirme a su movimiento. Mejor dicho, lo pensaba entonces. Siempre he deseado con mucha intensidad llevar una vida moral, útil y activa. Pero nunca he sabido por dónde empezar. Es muy difícil descubrir dónde se halla verdaderamente nuestro deber. Sin embargo, convencer a los dueños de las grandes fincas para que dejen algunas tierras a los campesinos que se encuen-*

tran en la miseria, me parece... Esos hombres oscuros que van a pie por la India. En esta visión, Herzog vio los ojos brillantes de aquellos hombres y la luz del espíritu que brotaba de ellos. Hay que empezar con las injusticias que son evidentes para todos y no con las grandes perspectivas históricas. *Recientemente, vi «Pather Panchali». Doy por cierto que conoce usted esa película, ya que se trata de la India rural. Dos cosas me afectaron en gran medida: la vieja que se comía las gachas con los dedos y que luego fue a tumbarse sobre la mala hierba y se murió allí, y la muerte de la joven cuando vinieron las lluvias.* Herzog, casi solo en el local de la Quinta Avenida, lloró con la madre de la niña cuando empezó la histérica música de la muerte. Algún músico, con un instrumento musical nativo, imitaba los sollozos y producía un ruido mortal. También llovía en Nueva York, como en la India rural. Le dolía el corazón. También él tenía una hija, y su madre también había sido una pobre mujer. Él había dormido con sábanas hechas de sacos de harina.

Lo que él se proponía vagamente era ofrecer su casa y toda la finca de Ludeyville al movimiento Bhave. Pero ¿qué podía hacer Bhave con aquello? ¿Acaso enviar hindúes a los Berkshires? No sería justo obligarlos a eso. De todos modos, la finca estaba hipotecada. Una donación como esa debía ser libre de cargas y para eso tendría que lograr otros ocho mil dólares. Y Bhave le haría con esto un gran favor pues el haber comprado aquella casa había sido su mayor equivocación. La había comprado en pleno sueño de felicidad y no era más que una casa ruinosa pero con grandes posibilidades en la tierra que la rodeaba: por sus enormes árboles y su gran jardín que él se proponía rehacer en sus ratos libres... Aquella finca había estado abandonada durante muchos años. Los cazadores de patos y los amantes estaban acostumbrados a utilizarla; y cuando Herzog cercó la finca, los cazadores y los amantes al aire libre se burlaban de él. Alguien fue una noche y dejó un paño higiénico usado dentro de una fuente tapada que él tenía en su despacho. Precisamente, en aquel cacharro guardaba Herzog las notas para sus estudios románticos. Así lo recibieron los nativos. Una momentánea ráfaga de buen humor le pasó por la cara al recordar aquellas escenas mientras el tren cruzaba a gran velocidad los prados o por entre los soleados pinos. Supongamos que yo aceptase estos desafíos. Sería entonces Moses, el viejo judío de Ludeyville, con la barba blanca, cortaría la hierba con una segadora antigua y comería marmotas.

Escribió a su primo Asher, que vivía en Beersheba: *Te hablé de una vieja fotografía de tu padre con uniforme zarista. Le he pedido a mi hermana Helen que me la busque.* Asher había servido en el Ejército Rojo y lo habían herido. Ahora era un electrosoldador. Tenía un aire melancólico y grandes sienes. Fue con Moses a visitar el mar Muerto. Aquello estaba sofocante. Se sentaron a la boca de una mina de sal para refrescarse. Asher dijo: «¿No tenías una foto de mi padre?».

Querido señor presidente, he escuchado su reciente mensaje, tan optimista, por la radio y pensé que, en lo referente a los impuestos no hay base para justificar ese optimismo de usted. La nueva legislación es muy discriminatoria y muchos creen que solo servirá para agravar los problemas del desempleo al acelerar la automación. Esto significa que aún más pandillas de adolescentes dominarán las calles —donde escaseen los policías— de las grandes ciudades. La superpoblación...

Querido doktor-professor Heidegger. Quisiera saber qué intenta usted decir con la expresión «la caída en lo cotidiano». ¿Cuándo ocurrió esta caída? ¿Dónde estábamos cuando ocurrió?

Mr. Emmet Strawforth. Servicio de Salud Pública de EE.UU., escribió: *Le vi a usted en la televisión haciendo el ridículo. Y como hemos estudiado juntos (M. E. Herzog, 38) me siento autorizado a decirle lo que me parece su filosofía.*

Herzog tachó lo anterior y esta vez dirigió la carta al *New York Times. De nuevo ha expuesto un científico del gobierno, esta vez el doctor Emmet Strawforth, la filosofía del riesgo en* la controversia sobre el «fallout», a la que se ha añadido ahora el problema de los pesticidas químicos, contaminación del agua superficial, etc. Me preocupan tanto los razonamientos sociales y éticos de los hombres de ciencia como esas otras formas de envenenamiento; lo que dice el doctor Strawforth sobre Rachel Carson, o el doctor Teller sobre los efectos genéticos de la radiactividad. Recientemente dijo el doctor Teller que la nueva moda de los pantalones estrechos, al aumentar la temperatura del cuerpo, puede afectar a las gónadas más que los residuos atómicos. Personas que fueron muy respetadas en su época suelen convertirse con frecuencia en peligrosos lunáticos. Por ejemplo, el mariscal Haig. Ahogó a cientos de miles de hombres en los fangales de Flandes. Lloyd George se vio obligado a aprobar esto porque Haig era uno de los más respetados dirigentes de la guerra. Esta gente se sale siempre con la suya. ¡Qué paradójico que un hombre que toma heroína sea condenado a veinte años por lo que se hace a sí mismo!... Ya comprenderán lo que quiero decir.

El doctor Strawforth sostiene que debemos adoptar su Filosofía del Riesgo respecto a la radiactividad. Desde Hiroshima (y Mr. Truman llama a la gente «corazones sangrantes» cuando critican su decisión de Hiroshima) la vida en los países civilizados (ya que sobreviven gracias a un equilibrio de terror) se apoya sobre unos cimientos de puro riesgo. Así razona el doctor Strawforth. Pero luego compara la vida humana con el riesgo del capital en el negocio. ¡Vaya una idea! Los grandes negocios no se exponen a riesgos, como ha demostrado una exhaustiva investigación. Y quisiera llamar la atención de usted sobre una de las profecías de Tocqueville. Creía que en las modernas democracias habría menos crímenes y más vicio privado. Quizá debería haber dicho, mejor, menos crímenes privados y más crimen colectivo. Y gran parte de esta criminalidad colectiva u organizacional tiene precisamente el objetivo de reducir el riesgo. Ahora bien, ya sé que no hay manera de dominar los asuntos de este mundo con su población de más de 2.000 millones de habi-

tantes. Este número es en sí mismo una especie de milagro y deja anticuadas nuestras ideas prácticas. Pocos intelectuales han captado los principios sociales que hay detrás de esta transformación cuantitativa.

Nuestra civilización es burguesa. Y no uso ese término en su sentido marxista. ¡Repámpanos! *En los vocabularios modernos del arte y de la religión, lo burgués es considerar que el universo fue hecho para que pudiésemos disfrutar de él sin peligro y para darnos comodidad y ayuda. La luz viaja a la velocidad de un cuarto de millón de millas por segundo, de modo que podemos ver para peinarnos o para leer en el periódico que el jamón está hoy más barato que ayer. De Tocqueville consideraba el impulso humano hacia el bienestar como uno de los impulsos más fuertes de una sociedad democrática. No le podemos echar en cara que no supiera valorar el poder destructivo que engendra ese mismo impulso.* ¡Debes de estar loco para escribirle al *Times* de ese modo! Hay millones de amargados tipos volterianos cuyas almas rebosan de sátira irritada y que andan siempre buscando la palabra más afilada y venenosa. Ercs tonto: deberías mandar un poema en vez de esas fantasías científicas. ¿Por qué has de tener tú más razón con tu despiste que ellos con su organización? Viajas en sus trenes ¿no? El despiste nunca construyó un ferrocarril. Anda, escribe un poema y contágiales tu amargura. Suelen publicar poemitas para rellenar la página editorial. Sin embargo, continuó escribiendo la carta. *Nietzsche, Whitehead y John Dewey escribieron sobre la cuestión del riesgo... Dewey nos dice que la humanidad desconfía de su propia naturaleza y trata de hallar su estabilidad más allá o más arriba en la religión o la filosofía. Para él, el pasado suele significar con frecuencia lo erróneo.* Pero Moses se contuvo. Trató de concentrarse. ¿Qué era lo más importante? Pues que había gente capaz de destruir a la humanidad, gente loca y arrogante y encima había que pedirles que no lo hicieran. Era necesario vencer a los enemigos de la vida. Que cada hombre examine ahora su corazón. Por ejemplo, yo mismo, si no me sometiera a una gran transformación de mi corazón, no me fiaría de mí mismo si ocupase un cargo de autoridad. ¿Amo a la humanidad? ¿La amo lo bastante para no destrozarla si estuviera en posición de mandarla al infierno? Vistámonos todos con nuestros sudarios y marchemos sobre Washington y Moscú. Tendámonos en medio de los caminos los hombres, las mujeres y los niños y gritemos: ¡que continúe la vida; quizá no la merezcamos, pero que continúe!

En toda comunidad hay una clase de gente profundamente peligrosa para los demás. Y no me refiero a los criminales. Para ellos tenemos castigos. Me refiero a los dirigentes, a los jefes. Porque, invariablemente, la gente más peligrosa es la que trata de tener el poder en sus manos. Y mientras, hirviendo de indignación, los biempensantes ciudadanos se retuercen el corazón porque nada pueden hacer para cambiar las cosas.

Sr. Director: Estamos condenados a ser los esclavos de los que disponen del poder para destruirnos. No me estoy refiriendo ya a Strawforth. Nos conocimos de estudiantes. Jugábamos al ping-pong en el Club Reynolds. Tenía una cara blanca de culo, con unos cuantos lunares. Clicketi-clack sobre la mesa verde: no creo que su cociente de inteligencia fuera muy alto, aunque quizá lo fuese, pero trabajaba mucho en las matemáticas y la química. Yo, mientras, andaba mariposeando por ahí. Como los saltamontes en la canción favorita de mi Junie.

Moses, que acababa de recordar el sonsonete de la canción infantil, empezó a hacer muecas. Se le arrugó con ternura la cara al pensar en sus hijos. ¡Qué bien entienden los niños lo que es el amor! Marco entraba ya en la edad del silencio y la reserva ante su padre, pero Junie era exactamente como antes había sido Marco. Para peinarse, solía ponerse de pie sobre los muslos de su padre sentado, hasta dejárselos dormidos. Él la abrazaba con ansia paternal, mientras la respiración de la niña, sobre la cara de él, conmovía sus más profundos sentimientos.

Un día estaba empujando el cochecito de la niña por el Midway y saludaba a estudiantes y profesores con un toque al borde de su sombrero de terciopelo verde, un verde más intenso que el de los prados y colinas de alrededor. La chica se parecía mucho a su papá, o por lo menos así lo pensaba él. Herzog le sonreía y se le formaban grandes arrugas en la cara. Sus ojos oscuros no dejaban de mirarla mientras recitaba los versos infantiles:

> *Había una vieja muy vieja*
> *que voló en una canasta*
> *diecisiete veces*
> *más allá de la luna.*

—Más, más —gritaba la niña.

> *Y nadie podía decir*
> *adónde iba la vieja*
> *pues debajo de su brazo*
> *llevaba una escoba.*

—Más, más.

El cálido viento del lago llevaba a Moses hacia el oeste, más allá de los grises edificios góticos. Había conseguido por lo menos quedarse con la niña mientras la madre y su amante se desnudaban en algún dormitorio de algún sitio. Y si incluso en aquellos abrazos de lujuria y traición, tenían de su parte la vida y la naturaleza, él podía quedarse a un lado con toda calma.

El revisor (uno al estilo antiguo, con la cara gris) le cogió a Herzog el billete de la cinta del sombrero. Cuando lo picó, parecía estar diciendo algo. Quizá el sombrero de paja de Herzog le recordase sus buenos tiempos. Pero Herzog no le atendía porque estaba terminando la carta. *Aunque Strawforth fuera un rey de los filósofos, ¿íbamos a darle el poder para que interviniera en los cimientos genéticos de la vida y pudiera envenenar la atmósfera y las aguas de la tierra? Sé que es de tontos el indignarse. Pero...*

El revisor puso el billete taladrado bajo el metal con el número del asiento y se marchó, dejando a Moses ocupado en escribir sobre la maleta. Podría haberse ido al coche-club, por supuesto, ya que allí había mesas, pero tendría que beber algo y hablar con la gente. Además, le quedaba por escribir una de las principales cartas, la que había de dirigir al doctor Edvig, el psiquiatra de Chicago.

Así, Edvig, escribió Herzog, *¡resulta que también usted es un fresco! ¡Qué patético!* Pero esta no era manera adecuada de empezar una carta. Volvió a comenzar. Mi querido Edvig, tengo noticias que comunicarle. Desde luego, así estaba mucho mejor, pero precisamente, lo que fastidiaba en Edvig era que se comportaba como si fuera el único que lo sabía todo. Este tranquilo anglocelta protestante nórdico, el doctor Edvig, con su barbita gris y su cabello alborotado, lucía unas gafas redondas, limpias y muy brillantes. *Reconozco que fui a verle a usted cuando estaba deshecho. Madeleine me había impuesto como condición forzosa para seguir juntos que me sometiera a un tratamiento psiquiátrico. Recordará usted que ella dijo que yo estaba en un peligroso estado mental. Me dejaron elegir mi propio psiquiatra. Y naturalmente, me decidí por uno que no había escrito sobre Barth, Tillich, Brunner, etc. Especialmente porque Madeleine, aunque judía, había pasado por una fase cristiana como conversa católica y yo esperaba que usted, doctor, me ayudara a comprenderla. En cambio, se puso usted de parte de ella y es innegable que se interesó usted más al saber que era muy guapa y que tenía una mente brillante, aunque no muy sana, y que era religiosa hasta el tuétano. De modo que ella y Gersbach concibieron y planearon todos los pasos que yo di. Se figuraban que un reductor de cabezas —al estilo de esos indios— podía aliviarme, yo que era un enfermo, muy neurótico y quizá sin esperanzas de curación. Y además, la curación me tendría ocupado, absorto en mi propio caso. Madeleine tenía así la seguridad de que cuatro tardes a la semana sabría dónde estaba yo: en el diván del psiquiatra, y ellos podían quedarse* *tan tranquilos en la cama. El día en que fui a verle a usted me encontraba casi a punto del ataque de nervios. Hacía un tiempo muy malo, empezaba a nevar y dentro del autobús hacía un calor tremendo. Desde luego, la nieve no me refrescó el corazón.* La calle estaba alfombrada con hojas amarillas. Recuerdo aquella mujer de edad con su sombrero verde, de un verde suave, que le envolvía la cabeza en suaves pliegues. Pero, después de todo, no lo pasé tan mal aquel día porque Edvig me dijo que no estaba chiflado. Sencillamente, era un reactivo-depresivo. Nada más.

—Pero Madeleine dice que estoy loco, que yo...

Ansioso y temblando como un azogado, el espíritu torturado le deformaba las facciones y le hacía atragantarse. Pero le animó la amabilidad de la barbuda sonrisa de Edvig. Hizo todo lo que pudo para distraer al doctor y apartarle de su caso pero solo consiguió que este le dijera que los depresivos tienden a constituir frenéticas relaciones y a ponerse histéricos cuando se sienten amenazados con una pérdida o ven ya cortada una relación que para ellos es fundamental.

—Y desde luego —dijo el doctor—, por lo que me cuenta usted, no ha dejado de tener alguna culpa. Además, me da la impresión, cuando su mujer me habla, de que se siente ofendida. ¿Cuándo abandonó nuestra religión?

—No estoy seguro. Creo que hace mucho tiempo. Pero el último miércoles de Ceniza se sometió a la imposición de la ceniza en la frente. Le dije: «Madeleine, creí que habías dejado de ser católica. Pero ¿no es ceniza lo que veo entre tus ojos?» y ella me respondió: «No sé de qué me hablas». Trató de que pareciera que yo sufría una de mis ilusiones o algo así. Pero no había tal ilusión. Era, sencillamente, una mancha en la frente. Puedo jurar que le quedaba la mitad de la ceniza. Pero su actitud parecía decir que un judío como yo no podía darse cuenta de esas cosas.

Herzog veía que Edvig estaba fascinado por todo lo que él decía de Madeleine. Movía la cabeza afirmativamente a cada frase de él, como diciéndole que comprendía y se daba golpecitos en su bien peinada barba. Le brillaban los lentes.

—¿Cree usted que es una cristiana de verdad?

—Solo sé que ella me cree un fariseo. Así lo dice siempre.

—¿Ah? —fue el conciso comentario de Edvig.

—Ah, ¿qué? —dijo Moses—. ¿Acaso está usted de acuerdo con ella?

—¿Cómo puedo estarlo? Apenas los conozco a ustedes. Pero ¿qué opina usted de lo que le he preguntado?

—¿Cree usted que hay algún cristiano del siglo veinte que tenga el derecho de hablar de los fariseos judíos? Desde un punto de vista judío, como usted sabe muy bien, ese no ha sido uno de nuestros mejores períodos.

—Pero ¿cree usted que su esposa tiene una verdadera actitud cristiana?

—Creo que tiene un punto de vista casero sobre el otro mundo. —Herzog estaba sentado muy derecho en su silla y daba quizá a sus palabras un tono engreído—. No estoy de acuerdo con Nietzsche en que Jesús hizo enfermar al mundo entero infestándolo con su moralidad de esclavo. Pero lo cierto es que el propio Nieztsche tenía un punto de vista cristiano de la historia pues siempre veía el momento presente como una crisis, como alguna caída desde la grandeza clásica, como una corrupción o mal del que había que salvarse. A eso lo llamo yo cristiano. Y Madeleine piensa así, desde luego. En cierto modo, muchos de nosotros también. Creemos que hemos de curarnos de los efectos de algún veneno, que necesitamos ser salvados, rescatados. Madeleine necesita un salvador, y es evidente que no me considera a mí como su salvador.

Por lo visto, estas eran las cosas que Edvig esperaba oírle a Moses. Encogiéndose de hombros y sonriendo, lo apuntaba todo como material analítico y parecía muy satisfecho. Era un hombre suave y agradable. Sus gafas, anticuadas, con una montura rosada o más bien incolora, le daban un aire humilde, pensativo y muy médico.

Gradualmente —y en verdad, aún no sé cómo ocurrió— Madeleine se convirtió en la principal figura del análisis y lo dominó todo como me dominaba a mí. Desde luego, también lo dominaba a usted, Edvig. Empecé a notar la impaciencia que tenía usted por verla. Y, basándose en que en este caso había hechos insólitos, dijo usted que tenía que hablar con ella. Luego, tuvo unas discusiones sobre religión con Madeleine. Y por último, acabó tratándola también como paciente. Dijo usted que podía comprender perfectamente por qué mi mujer me había fascinado. Y yo respondí: «¡Ya le dije que era extraordinaria! Es de lo más brillante y atractiva. ¡Tiene un atractivo tremendo!». De modo que, por fin, se enteró usted de que yo había perdido la cabeza por ella (por lo menos, esto dicen) y que por lo menos no había sido por una mujer corriente. En cuanto a Mady, enriqueció su experiencia engañándole a usted. Y se hizo aún más profunda. Y como estaba doctorándose por entonces en historia religiosa rusa (eso creo), las sesiones que tenía con usted, a veinticinco dólares cada una, se convirtieron durante varios meses en un curso de conferencias sobre la cristiandad oriental. Después de este tratamiento, Madeleine empezó a sentir síntomas extraños.

Al principio, acusó a Moses de haber contratado a un detective privado para vigilarla. Comenzó esta acusación con el leve acento británico que Herzog reconocía ya en ella como segura señal de trastorno.

—Habría pensado —dijo— que tú eras demasiado listo para contratar a un tipo que todo el mundo puede ver lo que es.

—¿Contratar? —dijo Herzog—. ¿A quién he contratado yo?

—Me refiero a ese hombre espantoso, ese tipo que apesta, uno gordo con chaqueta sport. —Madeleine, absolutamente segura de sí misma, lo fulminó con una de sus más terribles miradas—. Te desafío a que lo niegues. Y la verdad es que mereces algo aún peor que el desprecio.

Al ver lo pálida que se había puesto, Herzog se dijo que debía tener cuidado y sobre todo no aludir al «estilo inglés» que le había notado. Le dijo:

—Pero, Mady, te equivocas.

—No hay equivocación que valga. Nunca creí que serías capaz de hacer una cosa como esa.

—Pero, mujer, ¡si no sé de qué me hablas!

Madeleine empezó a levantar la voz, furiosa, y a temblar:

—¡Hijo de la gran...! No me trates con esa suavidad, que me conozco todos tus sucios trucos. —Y luego chilló—: ¡Esto se tiene que acabar! ¡No toleraré que me hagas seguir por un sabueso! —Aquellos maravillosos ojos se enrojecían con la furia.

—Pero, mujer, ¿para qué iba yo a hacerte seguir por nadie? No comprendo. ¿Qué podría proponerme descubrir?

—¡Ese hombre me ha seguido toda la tarde! —Con mucha frecuencia, tartamudeaba cuando estaba enfadada—. Esperé en el lavabo de señoras, en Field's, por lo menos media hora. Y, cuando salí, aquel hombre estaba aún allí. Luego, en el túnel del I. C... cuando yo estaba comprando unas flores...

—Quizá fuera, sencillamente, algún tipo que te seguía porque le gustabas. Nada tengo que ver con eso.

—¡Era un policía! —Apretaba los puños. Tenía los labios muy apretados, en una fina línea, y le temblaba todo el cuerpo—. Y esta tarde, cuando llegué a casa, estaba sentado en el porche de la casa de al lado.

Moses, pálido, dijo:

—Me lo enseñas, Mady, y ya le hablaré yo... No tienes más que decirme cuál es.

Edvig calificó esto de «episodio paranoico», y Herzog exclamó:

—¿De verdad? —Meditó un momento sobre lo que había dicho el médico y luego exclamó mirando al doctor con los ojos muy abiertos—: ¿De verdad cree usted que fue una ilusión? ¿Quiere darme a entender que Madeleine está trastornada? ¿Loca?

Edvig respondió, midiendo sus palabras:

—Un incidente como este no denota locura. Fue sencillamente lo que dije: un episodio paranoico.

—Pero lo cierto es que la enferma es ella. Está mucho más enferma de lo que yo pueda estar.

¡Pobre chica! Aquello había sido un episodio clínico. Verdaderamente, estaba mal de la cabeza. Moses sentía siempre mucha compasión por las personas enfermas, y le aseguró a Edvig:

—Si realmente es como usted dice, tendré mucho cuidado al tratarla. He de cuidarla bien.

La caridad siempre será sospechosa de morbidez: sadomasoquismo, una especie de perversión... Todas las tendencias más elevadas o morales se hallan bajo la sospecha de que quienes las tienen son unos sinvergüenzas. Son cosas que honramos con palabras muy viejas pero que traicionamos o negamos con todo nuestro ser. De todos modos, lo cierto es que Edvig no felicitó a Moses por sus buenos propósitos hacia Madeleine.

—Lo que he de hacer —dijo Edvig— es hacerle ver esa tendencia que padece.

Pero no pareció alterar a Madeleine que la previniesen profesionalmente contra sus ilusiones paranoicas. Aseguró que no le decían nada nuevo al advertirle que era anormal. La verdad es que tomó todo esto con gran calma. Y le dijo a Herzog: «De todos modos, no es como para preocuparse».

Aquello continuó. Durante una o dos semanas más, la camioneta de los almacenes Field, estuvo trayendo casi diariamente alfombras, lámparas, vestidos, abrigos, cajas de cigarrillos y joyas. Y Madeleine no podía recordar haber hecho estas compras. En diez días había gastado mil doscientos dólares. Todos los artículos elegidos eran muy buenos y de excelente gusto; quedaba, por lo menos, la satisfacción de que habían sido elegidos con buen gusto. Aunque desequilibrada, Madeleine lo hacía todo con gran estilo. Al devolver todas las compras de su esposa, Herzog lo hacía con gran consideración hacia ella. Procuraba siempre no herir sus sentimientos. Edvig predijo que Madeleine nunca llegaría a ser una verdadera psicópata, pero que tendría esos «arrebatos» durante el resto de su vida. A Moses, las rarezas de su mujer lo ponían melancólico, pero quizá sus suspiros expresasen una cierta satisfacción. Era posible.

Los encargos en las tiendas acabaron. Madeleine volvió a interesarse por sus estudios. Pero una noche, cuando se hallaban los dos desnudos en la habitación desarreglada, y Herzog, levantando la sábana, hizo una observación sobre los viejos libros que estaban allí debajo (polvorientos tomos de una antigua enciclopedia rusa) esto fue demasiado para Madeleine. Empezó a chillar y se arrojó en la cama rasgando las sábanas y arrojando al suelo los libros. Luego, arañando las almohadas, dio un terrible grito. El colchón tenía una cubierta de plástico y Madeleine se dedicó a retorcerla mientras maldecía a su marido con gritos que luego se fueron haciendo inarticulados, hasta que le salió por las comisuras de la boca una extraña baba.

Herzog recogió del suelo la lámpara de pie, que Madeleine había derribado.

—Madeleine, ¿no crees que deberías tomar algo para curarte de... esto?

Cometió la tontería de tender una mano para acariciarla, esperando así calmarla. Ella se irguió furiosa y le asestó una bofetada, aunque demasiado torpemente para lastimarle. Luego se puso en pie de un salto y luchó con él, no al estilo femenino de aporrearle con los puños cerrados sino poniéndose en la actitud de un luchador callejero. Herzog se volvió y recibió en la espalda los golpes de Madeleine. Aquel desahogo era necesario. Madeleine era una enferma.

Quizá hiciese bien en no pegarle. Podía haber vuelto a ganarme su amor. Pero debo decirle a usted que mi debilidad durante aquellos días la ponía furiosa, como si lo que yo me estuviera proponiendo fuese vencerla en el juego religioso. Sé que discutió usted con ella sobre temas elevados, pero el menor intento mío de tratar con ella de esas ideas, la pone frenética. Me considera como un farsante, pues, en su mente paranoica, me desintegró en mis primitivos elementos. Pero me atrevo a sugerir que su actitud quizá hubiera cambiado si yo le hubiera dado una buena paliza. La paranoia quizá sea el estado mental normal en los salvajes. Y si mi alma, desplazada, experimentase estas elevadas emociones, no habría que atribuírmelas a mí; desde luego usted no me atribuiría el mérito con sus actitudes sobre las buenas intenciones. He leído lo que escribió usted sobre el realismo psicológico de Calvino. Espero que no le importe si le digo que su trabajo revela un concepto bajo y retorcido de la naturaleza humana. Así veo yo el freudismo protestante de usted.

Edvig había permanecido sentado tranquilamente mientras Herzog le explicaba aquel asalto en el dormitorio. Luego dijo:

—¿Por qué supone usted que ocurrió aquello?

—Supongo que sería por los libros, porque lo interpretaría como una intromisión mía en sus estudios. Si digo que la casa está sucia y apesta, cree que estoy criticando su mente y obligándola a abandonar su mundo espiritual para hacerla dedicarse a las tareas caseras. Se siente herida en sus derechos como persona...

Las respuestas emotivas de Edvig no fueron satisfactorias. Cuando necesitaba una reacción sensible, Herzog tenía que lograrla de Valentín Gersbach. Por eso acabó confiándole a él sus preocupaciones Pero primero, cuando entraba en casa de este, tenía que enfrentarse con la frialdad (y él no podía comprenderlo) de Phoebe Gersbach, que salía a abrirle. Esta se mostraba muy tirante, seca, siempre en actitud forzada. Desde luego, Phoebe sabía que su marido se acostaba con Madeleine. Y Phoebe solo tenía un objetivo en esta vida: conservar a su esposo y proteger a su hijo. Al acudir a abrirle la puerta, se encontraba con el tonto, sensible y sufrido Herzog que iba a ver a su amigo.

Phoebe no era fuerte; su energía era limitada. Ya debía de haber perdido toda capacidad de ironía. Y en cuanto a la compasión, ¿de qué lo podía compadecer ella? No del adulterio, por supuesto, pues era demasiado corriente para que ninguno de los dos lo tomara en serio. Además, para ella, el que un hombre pudiera poseer el cuerpo de Madeleine no era precisamente una ganga. En cambio, podía haber compadecido la estúpida tozudez de Herzog. La absurda afición que tenía a transformar sus penas en altas categorías intelectuales; o, sencillamente, podía haberlo compadecido porque sufría. Pero, probablemente, a Phoebe solo le quedaba algo de sentimiento para su propia vida. Moses estaba seguro de que ella le reprochaba en silencio que estuviera agravando las ambiciones de Valentín pues era Herzog quien le había presentado al Chicago Cultural: Gersbach, la figura pública; Gerbasch, el poeta, el intelectual de la televisión, el conferenciante del Hadassah sobre Martin Buber...

—Val está en su habitación —dijo—. Perdóneme porque tengo que preparar al niño.

Gersbach estaba ordenando los libros en los estantes. Con movimientos lentos y deliberados medía la madera, la pared y hacía rayas con un lápiz en el yeso. Con su cara gruesa, colorada y juiciosa, su ancho pecho y su pierna artificial que le hacía ladearse cuando estaba de pie, se concentraba en la elección del sitio donde tenía que poner el enchufe mientras escuchaba el relato que le hacía Herzog sobre el extraño ataque de Madeleine.

—Nos disponíamos a acostarnos.

—¿Y qué?

Gersbach hizo un esfuerzo para no perder la paciencia.

—Estábamos ambos desnudos.

—¿No intentaste nada? —dijo Gersbach con severidad.

—¿Yo? No, hombre. Madeleine había construido una muralla de libros rusos en torno a ella. Vladimir de Kiev, Tijon, Zadonsky... ¡Y en mi cama! ¡No basta con que hayan perseguido a mis antepasados! Madeleine saca de la biblioteca los libros más raros, los que nadie ha leído desde hace cincuenta años. Las sábanas estaban llenas de bolitas de papel roto.

—¿Has vuelto a quejarte?

—Quizá, un poco. Había cáscaras de huevos, huesos de

la carne, latas vacías, todo eso y más debajo de la mesa y del sofá... Es mal ejemplo para Junie.

—¡Esa es tu equivocación! Madeleine no puede aguantar tu tono superior recriminatorio. Si esperas de mí que yo colabore para arreglar esto, tengo que decírtelo. Tú y ella, no es un secreto para nadie, sois las dos personas a las que quiero más. Por eso debo advertirte, *chaver*, que no debes hacer caso de las tonterías ni de los detalles estúpidos. Tienes que colocarte en un nivel más elevado y serio.

—Ya sé —dijo Herzog—. Ella está pasando por una larga crisis; parece como si se estuviera buscando a sí misma. Y reconozco que a veces le hablo en un tono inadecuado. Ya he consultado sobre esto con Edvig. Pero el domingo por la noche...

—¿Estás seguro de que no intentaste nada con ella?

—No. Precisamente lo habíamos hecho la noche anterior.

Gersbach estaba furioso. Miró a Moses con los ojos irritados y dijo:

—No te he preguntado eso. Mi pregunta se refería solo a la noche del domingo. Tienes que aprenderte tu papel, maldita sea. Si no te pones a mi nivel, nada podré hacer por ti.

—¿Por qué tengo que ponerme a tu nivel? —preguntó Moses, que estaba asombrado de la vehemencia de las palabras y las miradas de Gersbach.

—No espero eso de ti. Eres demasiado evasivo.

Moses pensaba en esta acusación bajo la intensa mirada enrojecida de Gersbach. Tenía ojos de profeta, de *Shofat*, sí, de juez de Israel, de rey. Este Valentín era una persona misteriosa.

—Lo habíamos hecho la noche anterior. Pero en cuanto terminamos, encendió ella la luz, cogió uno de esos volúmenes polvorientos rusos, se lo apoyó en el pecho y empezó a leer. Ya en el momento de empezar yo a apartarme de ella, tendía sus manos en busca del libro. Ni un beso. Ninguna caricia después. Se le movía la nariz, de ese modo tan peculiar en ella.

Valentín sonrió levemente:

—Quizá debierais dormir separados.

—Sí, podría dormir yo en la habitación de los niños. Pero June está muy inquieta, y de madrugada se levanta muchas veces. Me despierto y me la encuentro junto a mi cama. Con frecuencia viene orinada. La niña es ya una víctima del ambiente tirante de sus padres.

—Déjate de tonterías respecto a la niña. No la metas a ella en esto.

Herzog inclinó la cabeza. Se sentía a punto de llorar. Gersbach suspiró y anduvo lentamente a lo largo del muro, inclinándose y poniéndose derecho como un gondolero.

—Ya te expliqué la semana pasada... —dijo Valentín.

—Convendría que me lo dijeras de nuevo.

—Pues escúchame. Te lo volveré a decir. —La pena estropeaba mucho (como si la hiriese) el hermoso rostro de Herzog. Cualquiera a quien él hubiese lastimado con su orgullo podría sentirse ahora bien vengado al verle tan estropeado. El cambio que se había operado en su aspecto era casi ridículo. Y los sermones que Gersbach le dirigía eran tan espirituales, vehementes y vulgares que también resultaban ridículos. Eran como una parodia del deseo del intelectual por significados y cualidades más elevados. Moses estaba sentado junto a la ventana, al sol, escuchando.

—De una cosa puedes estar seguro, *bruder* —dijo Valentín—. En este asunto no tengo prejuicios. —Le gustaba emplear expresiones *yiddish*, aunque las empleaba mal. En cuanto a Herzog, su fondo *yiddish* era aristocrático, y por eso escuchaba con instintivo esnobismo el acento vulgar de Gersbach, de carnicero, de trabajador del puerto, o algo así.

—Escucha, aunque fueses un criminal, aunque fueras lo peor del mundo, nada podría afectar a nuestra amistad. ¡Sabes muy bien que hablo en serio! No te guardo ningún rencor por las cosas que me has hecho.

Moses, asombrado de nuevo, dijo:

—¿Y qué te he hecho yo?

—De eso, ni hablar. *Hob es in drerd.* Ya sé que Mady es una arpía. Y a lo mejor crees que nunca he tenido ganas de pegarle a Phoebe una patada en el culo. ¡Esa *klippa*! Pero ¿qué se le va a hacer?, ¡así es la naturaleza femenina! —Se sacudió su abundante melena, brutalmente trasquilada—. Sé muy bien que has cuidado a tu mujer durante algún tiempo. Pero ¿qué le vamos a hacer si tiene un padre inaguantable y una madre insoportable? De modo que no esperes ningún buen resultado de tus cuidados.

—Eso desde luego. Pero en un año me he gastado todo lo que heredé. Y ahora tenemos ese maldito rincón de Lake Park, oyendo toda la noche pasar los trenes. Las tuberías apestan. Toda la casa es una porquería y por todos lados hay libros rusos y la ropa sin lavar de los niños. Y allí estoy yo en medio de tanta porquería.

—La arpía te está probando. Tú eres un profesor importante, te invitan a dar conferencias y tienes una correspondencia internacional. Por eso quiere tu mujer que reconozcas su importancia. Eres un *ferimmter mensch*.

Moses, como si se tratara de salvar su alma, tuvo que corregir este error en la lengua judía. Y dijo con calma:

—*Berimmter*.

—Efe o be, ¿qué más da? Pero no se trata tanto de tu reputación como de tu egoísmo. Podrías ser un verdadero *mensch*. Lo tienes todo para serlo. Pero lo estás mandando todo a la porra. Es una pena que una persona que vale tanto como tú muera de amor. A estas alturas, ¡morirse de pena! ¡Eso no puede ser!

Tratar con Valentín era como hacerlo con un rey. Tenía garra. Podía haber estado agarrando un cetro. Era efectivamente un rey, un rey emotivo, y su reino era lo profundo de su corazón. Captaba todas las emociones que lo rodeaban, como por derecho divino o espiritual. Y es que él podía sacarle más partido a esas emociones, y por eso se las apropiaba. Era un hombre grande, demasiado grande para andarse con rodeos; y precisamente a Herzog le chiflaba la grandeza, e incluso la grandeza de pacotilla, pero ¿era efectivamente tan falso como parecía?

Salieron para ventilarse un poco con el aire fresco de invierno. Gersbach llevaba puesto su chaquetón forrado, con un gran cinturón, sin sombrero, exhalando vapor y batiendo la nieve con la pierna artificial. Moses llevaba hacia abajo el ala de su sombrero de terciopelo verde. Sus ojos no podían soportar el brillo de la nieve.

—Cuando perdí la pierna —dijo Gersbach— tenía yo siete años y estaba en Saratoga Springs detrás del hombre de los globos, que tocaba su pequeño *fifel*. Cuando tomé por el atajo entre los camiones, bajo los que me colaba, tuve mucha suerte de que me encontraran inmediatamente después de que una rueda me cortara la pierna. Envuelto en el abrigo del hombre que me sacó, me llevaron al hospital. Recuerdo que cuando llegué me sangraba la nariz. Me quedé solo en la habitación. —Moses escuchaba, muy pálido—. Me incliné —prosiguió Gersbach, como si contara un milagro—. Cayó en el suelo una gota de sangre y en ese momento vi a un ratoncito debajo de la cama que parecía contemplar mi gota de sangre. Se fue hacia atrás moviendo la cola y los bigotes. Recuerdo que la habitación estaba llena de la brillante luz del sol... —(hay tormentas hasta en el sol, pero aquí todo es pacífico y templado, pensó Moses)—. Allí, debajo de la cama había un pequeño mundo. Luego me di cuenta de que no tenía la pierna.

Valentín habría negado que las lágrimas que mojaban sus ojos las derramase por él mismo. No; maldita sea, habría dicho. Él no lloraba por él mismo, sino por aquel niño pequeño. También Moses había contado cien veces historias de su infancia, de modo que no se podía quejar de que Gersbach repitiera las suyas. Cada hombre tiene un surtido de poemas vitales. Pero Gersbach casi siempre lloraba y resultaba extraño porque se le pegaban sus rizadas pestañas cobrizas. Era tierno, pero parecía duro con su rostro ancho y rudo y una barbilla decididamente brutal, y Moses reconocía que el hombre que había sufrido más era más especial y por eso Gersbach era tan distinto, pues su angustia bajo las ruedas del camión debía de haber sido más intensa que todo el sufrimiento que él mismo, Moses, había pasado. La cara atormentada de Gersbach se ponía como de piedra, puntuada por las cerdas de su barba roja. El labio inferior casi le desaparecía bajo el superior. ¡Y esa pena tan grande que parecía tener siempre bajo su aparente alegría! ¡Una pena fundida!

Doctor Edvig, escribió Herzog, *usted opinaba, y lo repitió muchas veces, que Madeleine era de una profunda naturaleza religiosa. Cuando se convirtió, antes de casarnos, fui a la iglesia con ella más de una vez. Recuerdo claramente... En Nueva York...*

Insistió mucho. Una mañana, cuando Herzog la acompañó hasta la puerta de la iglesia en un taxi, Madeleine le dijo que entrara con ella. No tuvo más remedio. Ella le había dicho que no podría haber relación alguna entre ellos si él no respetaba su fe.

—Pero es que yo no sé ni una palabra de estas cosas de Iglesia —dijo Moses.

Madeleine se apeó del taxi y subió rápidamente las escaleras esperando que él la seguiría. Herzog pagó al chófer y corrió tras ella. Madeleine empujó la puerta oscilante con un hombro. Metió un dedo en la pila y se persignó como si lo hubiera estado haciendo toda su vida. Había aprendido aquello en las películas probablemente. Pero ¿de dónde le venía aquella mirada de angustia y de torturada perplejidad en su rostro? Madeleine, con su vestido gris con cuello de ardilla, y su sombrero de gran tamaño, izada en sus altos tacones. La siguió despacio y se subió las solapas del abrigo sal y pimienta, mientras con la otra mano sostenía su sombrero. El cuerpo de Madeleine se encogía en los pechos y los hombros y se le había enrojecido la cara de tan excitada como estaba. Tenía recogido el cabello severamente bajo el sombrero, pero le salían mechones por debajo. La iglesia era un edificio nuevo, pequeño, frío, oscuro, con el barniz brillando en los bancos de roble y unas llamitas inmóviles en el altar. Madeleine se arrodilló. Pero era más que una genuflexión. Era como si se hundiera, como si quisiera extender todo su ser por el suelo y aplastar el corazón en las tablas del suelo. Él se daba cuenta de ese impulso que sentía Madeleine. Tapándose la cara por ambos lados con el cuello levantado del abrigo, como un caballo con sus orejeras, se sentó en el mismo banco que ella. ¿Qué hacía él allí? Estaba casado, era padre y, sobre todo, era judío. ¿Qué hacía, pues, en una iglesia católica? Sonó la campanilla. El sacerdote, rápido y seco, recitó su latín. En las respuestas, la voz clara y alta de Madeleine conducía a las demás. Se persignó. Hizo una genuflexión antes de salir. Y luego, cuando estuvieron ya en la calle de nuevo, su rostro recobró su color normal. Sonrió y dijo:

—Vamos a algún sitio agradable para desayunar.

Moses le dijo al taxista que los llevara al Plaza.

—No estoy vestida para ir allí —dijo ella.

—En ese caso te llevaré a la Granja de Steinberg, pues yo también prefiero ese sitio.

Madeleine se estaba pintando los labios y ahuecándose la blusa y poniéndose mejor el sombrero. ¡Qué atractiva resultaba cuando quería! Tenía la cara alegre y redonda, de buen color, y el azul de sus ojos era claro. Resultaba muy distinta de cuando pasaba por las terribles rachas menstruales en que se le ponía mirada asesina. El conserje salió de su refugio rococó. Hacía mucho viento. Entraron en el vestíbulo. Pequeñas palmeras y alfombras rojas, muchos dorados, botones...

No acabo de comprender lo que entiende usted por «religioso». Una mujer religiosa puede descubrir que no está enamorada de su amante o de su esposo. Pero ¿y si odia al uno o al otro? ¿Y si está deseando continuamente que muera? ¿Y si lo desea con la mayor intensidad, incluso cuando están haciendo el amor? ¿Qué pasa si el hombre, en el coito, ve en ella ese deseo asesino en sus ojos azules como si fuera la plegaria inocente de una doncella? Escuche usted, doctor Edvig, no soy tonto y muchas veces querría serlo. De poco sirve tener una mente compleja si no es uno un filósofo. No quiero decir que toda mujer religiosa tenga que ser adorable o una gatita santurrona. Pero me gustaría saber por qué decidió usted que Madeleine es profundamente religiosa.

No sé cómo me metí en una especie de concurso religioso. Usted, Madeleine y Valentín Gersbach no hacían más que hablarme de religión, de modo que intenté probar cómo resultaría actuar con humildad. Como si esa pasividad idiota o esa cobardía o actitud masoquista fueran la verdadera humildad u obediencia y no una terrible decadencia. ¡Qué asco! ¡Oh, paciente Griselda Herzog! Cerré las contraventanas como si realizara un acto de amor, dejé a mi niña bien atendida, pagué el alquiler, el combustible, el teléfono y el seguro e hice mis maletas. En cuanto me marché, Madeleine —su santa, doctor—, envió mi retrato a los policías. Si alguna vez se me ocurría pisar el umbral de aquella casa para ver a mi hija, Madeleine llamaría al coche de la patrulla. Tenía ya una orden de detención. Gersbach me llevó a la niña y me proporcionó consejos y consuelos religiosos. Me llevó libros (de Martin Buber). Me ordenó que los estudiara. Y yo, como en un trance nervioso, me tragué Yo y tú, Entre Dios y el hombre y La fe profética. Luego los comentamos.

Estoy seguro de que usted conoce las ideas de Buber. Está mal convertir a un hombre (un sujeto) en una cosa (un objeto). Por medio del diálogo espiritual, la relación Yo-Ello se convierte en una relación Yo-Tú. Llega Dios y penetra en el alma del hombre. Y los seres humanos entran y salen en las almas de los demás. A veces lo que hacen es entrar y salir en las camas de los demás. Puede uno sostener un diálogo con un hombre. Y, a la vez, relacionarse íntimamente con su esposa. Le coge usted la mano al pobrecillo. Le mira a los ojos. Lo consuela. Y mientras tanto, se encarga usted de reformarle su vida. Incluso dependerá de usted decidir cuál va a ser su presupuesto durante los años venideros. Le quita usted su hija. Y para colmo, resulta que todo esto tiene que ver con los sentimientos religiosos. Por último, usted tiene que sufrir más que el otro, porque el mayor pecador es usted, que ha tenido que fastidiarse en todo. Recordará usted que me dijo lo injustificadas que eran mis sospechas hostiles de Gersbach. Incluso me hizo usted ver que eran síntomas paranoicos. ¿Sabía usted entonces que ese hombre era el amante de Madeleine? ¿Llegó a decírselo ella? No, porque, si no, no habría sido usted capaz de decirme esas cosas que ahora resultan tan cómicas. Y reconozcamos que Madeleine tenía muy buenas razones para temer que la siguiera un detective privado. En todo este asunto no ha habido neurosis en absoluto. Madeleine, también paciente de usted, le contó cuanto se le antojó. Usted no sabía ni palabra de lo que estaba ocurriendo ni lo sabe tampoco ahora. Ella le tenía cegado. Y se enamoró usted de ella, ¿verdad? Eso era precisamente lo que se proponía Madeleine. Quería que usted le ayudara a reventarme. Lo habría hecho de todos modos de alguna manera, pero encontró en usted un instrumento muy útil. En cuanto a mí, yo era paciente de usted...

Querido gobernador Stevenson, escribió Herzog, sentándose mejor en el incómodo asiento. *Solo quiero decirle unas palabras, amigo. Le apoyé a usted en 1952. Como muchos otros, creí que este país estaba ya a punto de tener su época y que la inteligencia podría por fin dominar en los asuntos públicos, recordando el «American Scholar», de Emerson, con los intelectuales y sus merecidos puestos. Pero la gente, por instinto, rechaza entre nosotros la mentalidad, las imágenes y las ideas, pues quizá no se fíen de ellas por considerarlas extranjeras. Prefirieron poner su confianza en los bienes visibles. Así, todo va como antes para los que piensan mucho y no hacen nada, mientras los que nada piensan son quienes lo hacen todo. Supongo que usted trabajaría ahora para ellos y, en su campaña electoral, le debió de resultar penoso besarles el trasero a los posibles votantes, sobre todo en los estados fríos como New Hampshire. Es posible que haya contribuido usted con ideas útiles en la pasada década, dando muestras del «humanista» anticuado y con el aspecto del «hombre inteligente», dolorido por el sacrificio de su vida privada al interés común. ¡Bah! El general ganó porque supo expresar el amor universal a la patata.*

Bueno, Herzog, ¿qué quieres? ¿Que baje un ángel del cielo? Este tren lo arrollaría.

Querida Ramona. No debes creer que, por haberme ido,

93

no me preocupo por ti. ¡Claro que lo hago! Todo el tiempo te siento muy cerca de mí, y la semana pasada en aquella reunión, cuando te veía al otro lado de la sala con tu sombrero con flores y tu pelo aplastado sobre tus luminosas mejillas, tuve una intuición de lo que sería amarte.

Exclamé mentalmente: ¡Cásate conmigo! ¡Sé mi esposa! ¡Acaba con mis preocupaciones! Le impresionó su propia debilidad, pues su inteligencia le hacía ver con toda precisión lo neurótico y típico en él que era ese estallido. Tenemos que ser lo que somos. Eso es una necesidad. ¿Y qué somos? Lo cierto es que él trataba de que no se le escapara Ramona precisamente cuando huía de ella. Cuando pensaba que la estaba atrapando, era él quien se metía en la trampa. ¡Ah, pobre hombre! Y Herzog se fundió momentáneamente en el mundo objetivo al mirarse a sí mismo por dentro. También él podía sonreírle a Herzog y despreciarlo. Pero había un hecho inconmovible: *yo* soy Herzog. Yo tengo que ser ese hombre. Ningún otro puede representar mi papel. Se sonrió y vio por dentro todo lo que le afectaba. ¡Menuda tormenta cerebral le espera a usted, tercera señora Herzog! Esto ocurría con las fijaciones infantiles, que un hombre no podía hacer desaparecer en las matas como un saltamontes. Aún no ha existido uno verdadero y capaz de morir. Solo locos, enfermos o ridículos, que a veces intentaban realizar algún ideal a fuerza de desearlo intensamente. Por lo general, se hacían la ilusión de conseguirlo forzando a toda la humanidad a creerlos.

Desde muchos puntos de vista, Ramona era verdaderamente una esposa deseable. Era comprensiva y bien educada. Estaba bien situada en Nueva York. Tenía dinero. Y, sexualmente, era una obra maestra natural. ¡Qué pechos! Sus hombros estaban bien formados y el vientre hundido. Sus piernas no eran largas y estaban un poco arqueadas, pero esto, que podía ser un defecto, la hacía más atractiva.

Querida Zinka. Soñé contigo la semana pasada. En mi sueño, paseábamos por Ljublbjana, y tuve que sacar mi billete para Trieste. Me daba pena dejarte. Pero te favorecía al hacer-

lo. Estaba nevando. Y mientras soñaba contigo, también nevaba. Hasta en Venecia nevaba cuando estuve allí. Este año he recorrido la mitad del mundo y he visto muchísima gente; tengo la impresión de que he visto a todo el mundo menos a los muertos. Precisamente, quizá era a ellos a quienes andaba buscando. *Querido Mr. Nehru: creo que tengo algo muy importante que decirle. Querido Mr. King: los negros de Alabama me llenaron de admiración. La América blanca está en peligro de despolitizarse. Esperemos que este ejemplo de los negros despierte a la mayoría de su trance hipnótico. La cuestión política de las democracias modernas es la de la realidad de las cuestiones públicas. Deseo reconocer públicamente la dignidad moral del grupo que usted dirige. No los Powell, que quieren ser tan corrompidos como los demagogos blancos, ni los musulmanes, siempre con su odio.*

Querido comisario Wilson: Estuve sentado junto a usted en la Conferencia de los Narcóticos el año pasado. Soy Herzog, un tipo corpulento, de ojos oscuros y con una cicatriz en el cuello. *No sé si me permitirá usted hacerle algunas observaciones sobre su fuerza policíaca. No es culpa de ninguna persona concreta el que no pueda mantenerse el orden civil en una comunidad, pero me preocupa. Tengo una hijita que vive cerca del Parque Jackson, y sabe usted tan bien como yo que los parques no están bien vigilados por la policía, pues los frecuentan pandillas de gamberros y toda clase de maleantes. Querido señor alcalde: ¿Es imprescindible que el ejército tenga su cohete Nike en el Point? Hay muchos otros sitios más adecuados en la ciudad. ¿Por qué no trasladar ese inútil cacharro a alguna zona más adecuada?*

¡Rápido, rápido, aún más! El tren recorría el paisaje a toda velocidad. Dejó atrás New Haven y corría a todo meter hacia Rhode Island. Herzog, que ahora apenas miraba por la ventana cerrada, sentía cómo su ansioso espíritu se hacía más penetrante y emitía juicios claros, pronunciando él en voz alta solo las explicaciones finales, solo las palabras necesarias. Se hallaba sumido en un éxtasis mareante. Y sentía al mismo tiempo que sus pensamientos exponían la ilimitada fuerza de voluntad incrustada en su constitución mental.

Querido Moses E. Herzog: ¿Desde cuándo ha tomado usted un interés tan grande por las cuestiones sociales, por el mundo externo? Hasta últimamente, llevó usted una vida de perezoso inocente. Pero, de pronto, ha descendido sobre usted un espíritu faustiano de descontento y de reforma universal. Invectiva. Acusación.

Queridos señores míos: El Servicio de Información ha tenido la amabilidad de enviarme desde Belgrado un paquete con mi ropa de invierno. No quise llevar mis calzoncillos largos a Italia, el paraíso de los exiliados, y lo lamenté. Nevaba cuando llegué a Venecia. No pude entrar en el «vaporetto» con mi maleta.

Querido Mr. Udall: Un ingeniero petrolífero que conocí recientemente en un avión a reacción de las Líneas del Noroeste, me dijo que nuestras reservas nacionales de petróleo estaban casi agotadas y que se habían hecho planes para volar los polos con bombas de hidrógeno para sacar el petróleo que encerraban. ¿Qué me dice usted de eso?

¡Shapiro!

Herzog tenía mucho que explicarle a Shapiro y desde luego esperaba de él también explicaciones. Shapiro no tenía buen humor aunque su rostro sí tenía una expresión de buen humor. Su nariz era afilada y le daba un aire enfadado, y sus labios, aunque sonrientes, expresaban una irritación interior. Era de mejillas blancas y fofas, y su pelo, peinado hacia atrás, brillaba al estilo de Rodolfo Valentino o Ricardo Cortez en los años veinte. Su figura era achaparrada, pero llevaba unos trajes impecables.

Esta vez Shapiro había acertado. *Shapiro, debía haberte escrito antes... para disculparme... para reconocer mi error...* pero tengo una espléndida excusa: fastidio, enfermedad, preocupaciones y penas. *Ha escrito usted una buena monografía.*

Espero haber dejado esto bien claro en mi nota crítica. Pero me falló la memoria por completo en un punto, y me equivoqué sobre Joachim Da Floris. Usted y Joachim tienen que perdonarme. Yo estaba entonces completamente trastornado. Como había aceptado hacer la recensión del libro de Shapiro antes de que empezaran sus fastidios, Herzog no pudo zafarse de aquello. Se había llevado por toda Europa aquel libro tan gordo en su maleta. Le había fastidiado mucho llevar tanto peso. Llegó a temer una hernia por lo pesada que resultaba la maleta y tuvo que pagar muchas veces exceso de peso. Herzog seguía leyéndolo por espíritu de disciplina y con una creciente culpabilidad. Lo leyó en la cama en Belgrado, en el Metropol, con unas botellas de jugo de cereza a su lado, oyendo los tranvías renqueantes en la noche helada. *Por último, en Venecia, se dispuso a escribir su crítica.*

Y se disculpó por lo mal que la hizo:

Me figuro —ya que está en Madison, Wisconsin— que sabrá usted que salimos de Chicago en octubre pasado. Dejamos la casa de Ludeyville. Madeleine quería terminar su licenciatura en lenguas eslavas. Tenía que seguir por lo menos diez cursos de lingüística y se interesó también por el sánscrito. Quizá se pueda usted dar una idea de cómo toma ella estas cosas, de lo mucho que se interesa y apasiona por todo lo que emprende. ¿Recuerda que cuando vino usted a vernos al campo, hace dos años, discutimos sobre Chicago? Sobre si sería conveniente vivir en aquel suburbio.

Shapiro, con su traje de buen corte y sus zapatos puntiagudos, como si se hubiese ataviado para comer en un sitio de lujo, estaba sentado en el césped de Herzog. Tenía un perfil de hombre delgado. Su nariz era afilada, pero le colgaban un poco la garganta y las mejillas. Shapiro es muy cortés y le impresionó mucho Madeleine. Le parecía tan hermosa e inteligente... Bueno, no se puede negar que lo es. La conversación estuvo muy animada. Shapiro había ido a ver a Moses aparentemente para que «le diera un consejo», pero en realidad para pedirle un favor. De todos modos, una vez allí, estaba disfru-

tando de la compañía de Madeleine. Se sentía excitado junto a
ella y reía mientras bebía su agua de quinina. Hacía calor,
pero él no se aflojó el nudo de la corbata, tan conservador.
Sus agudos zapatos negros brillaban; tenía pies gordos, con el
empeine muy grueso. Moses estaba sentado en la hierba que
él mismo había cortado. Llevaba unos pantalones, algo rotos,
que él solía ponerse para regar. Animado por la presencia de
Madeleine, Shapiro estuvo muy vivaz y casi chillaba cuando
ella se reía. Las risotadas de Shapiro se hacían más frecuentes
y locas, pero al mismo tiempo sus modales eran más formales y
juiciosos. Hablaba con largas frases —podían llamarse prous-
tianas— de construcción germánica y llenas de una increíble
retórica. Por ejemplo, decía «Tomando una posición equilibrada, yo me atrevería a afirmar el mérito de esa tendencia
antes de haber hecho una consideración más reposada». ¡Pobre Shapiro, qué bruto era! Aquella risa salvaje y escandalosa
que tenía y la espumilla blanca que se le formaba en los labios
mientras hablaba mal de todo el mundo... Madeleine también
se sentía muy impresionada por los exagerados «modales finos» del visitante. Cada uno de ellos tenía la impresión de
que el otro era muy estimulante. Ella había salido de la casa
con una bandeja donde llevaba las botellas y los vasos, queso, pasta de foie-gras, crackers, hielo y arenque. Llevaba
puestos unos pantalones azules y una blusa china amarilla,
con el sombrero de culi que compró en la Quinta Avenida.
Dijo que estaba expuesta a coger una insolación. Con pasitos rápidos, avanzó desde la sombra de la casa hasta el brillante césped y el gato la acompañaba dando saltitos. Las
botellas y los vasos hacían unos ruiditos cristalinos al entre-
chocar. Se daba prisa pues no quería perderse nada de la conversación. Se inclinó y puso las cosas que llevaba, sobre la
mesita plegable. Shapiro no podía apartar la vista del trasero
de Madeleine, que atirantaba la tela de los pantalones. Madeleine, «perdida en el bosque», sentía un ávido deseo de conversación erudita. Shapiro estaba muy enterado en literatura; leía *todas* las publicaciones y tenía cuentas en librerías de

todo el mundo. Cuando se enteró de que Madeleine, no solo era una deslumbrante belleza sino que se estaba preparando para el examen de doctorado de lenguas eslavas, comentó: «¡Qué delicioso!». Aunque él sabía muy bien, y su afectación traicionaba este conocimiento, que para un judío ruso del West Side de Chicago, la exclamación «¡Qué delicioso!» era de lo más inadecuado. Un judío alemán de Kenwood podría haberse permitido esa expresión refinada (pues su dinero era antiguo, ganado en el negocio de lencería a partir de 1880). Pero el padre de Shapiro no tenía dinero y negoció con las manzanas podridas, en un carro, en la calle South Water. Había más de la verdad de la vida en aquellas manzanas picadas y pochas, y en el viejo Shapiro, que olía a caballo y a frutas, que en todas estas referencias eruditas de que hacía gala su hijo.

Madeleine y el ampuloso visitante estaban hablando de la Iglesia rusa, de Tijon Zadonski, de Dostoievski y de Herzen. Shapiro hizo un gran despliegue de erudición, pronunciando correctamente todas las palabras extranjeras, ya fuesen en francés, alemán, serbio, italiano, húngaro, turco o danés, riéndose, después de soltarlas, con aquella espectacular risa suya, cordial, húmeda, echando la cabeza hacia atrás. ¡Ja, Ja! Las espinas se quebraban. («Como el romperse de las espinas aplastadas por una olla, es la risa de los tontos.») Las cigarras, en gran número, cantaban.

Excitado con estos estímulos, el rostro de Mady hacía cosas raras. Se le movían el extremo de la nariz y las cejas, que no necesitaban cosméticos. Se levantaban nerviosa y repetidamente como si tratasen de aclarar la vista. El doctor Edvig decía que esto era un síntoma para el diagnóstico de la paranoia. Debajo de los enormes árboles, rodeada por las colinas del Berkshire, sin ninguna otra casa cerca que pudiera interferirse en el paisaje, la hierba era fresca y densa, la fina y suave hierba de junio. Las cigarras de ojos rojos, formas vivamente coloreadas, estaban húmedas e inmóviles después de la muda; pero al irse secando, se arrastraban, saltaban, se tumbaban, volaban y sostenían en los altos árboles una continua y penetrante cadena de canciones.

La cultura —las ideas— habían sustituido a la Iglesia en el corazón de Mady (¡que debía de ser un órgano muy raro!). Herzog estaba sentado en la hierba de Ludeyville con los pantalones rotos y los pies descalzos, pero su cara era la de un caballero judío bien educado, de labios finos y ojos oscuros. Contemplaba a su esposa, que le chiflaba (con un corazón turbado e irritado, otra rareza entre los corazones) mientras ella revelaba la riqueza de su mente a Shapiro.

—Ya no es mi ruso lo que debía ser —dijo Shapiro.

—Pero sabe usted mucho más que yo sobre esta materia —dijo Madeleine. Se sentía muy feliz. La sangre le coloreaba la cara y tenía sus azules ojos animados y brillantes.

Iniciaron un nuevo tema: la Revolución de 1848. Shapiro había estado sudando por su cuello almidonado. Solo un obrero croata de la industria del acero se habría comprado semejante camisa a rayas. Y, ¿cuáles eran los puntos de vista de este hombre sobre Bakunin y Kropotkin? ¿Conocía la obra de Comfort? Sí, la conocía. ¿Y a Poggioli? Sí, también. Le parecía que Poggioli no había hecho plena justicia a ciertas figuras importantes; por ejemplo, a Rozanov. Aunque las ideas de Rozanov sobre ciertos temas, como el baño ritual judío, eran disparatadas, no cabía duda de que era una gran figura intelectual, y su misticismo erótico era de una gran originalidad. Habría que concederlo a los rusos. Habían hecho mucho por la civilización occidental aunque siempre estuvieran repudiando a Occidente y ridiculizándolo. Madeleine, pensó Herzog, se estaba poniendo casi peligrosamente excitada. Podría asegurar, cuando la voz de su mujer se aflautaba y cuando le sonaba la garganta a una especie de clarinete, que estaba entonces estallando de ideas y sentimientos. Y si Moses no se unía a aquel entusiasmo, si se quedaba allí —así lo decía ella—, aburrido y resentido, demostraba con ello que no respetaba la inteligencia de Madeleine. En cambio, Gersbach intervenía siempre brillantemente en la conversación. Su estilo era tan enfático y sus miradas tan impresionantes, parecía tan listo cuando hablaba, que se olvidaba uno de comprobar si tenía algún sentido lo que decía.

El césped estaba en una elevación y desde él se tenía una vista de los campos y el bosque. Formaba una gran mancha de verde, con un gran olmo gris donde se estrechaba más, y la corteza del enorme árbol era de un gris púrpura. Tenía pocas hojas para su enorme tamaño. De sus ramas colgaba un nido de oropéndolas en forma de un corazón gris. El velo de Dios sobre las cosas las convierte a todas en unos jeroglíficos. Si no fueran todas ellas tan especiales, detalladas, y ricas, me darían más calma. Pero soy un prisionero de la percepción, un testigo a la viva fuerza. Y todas las cosas son demasiado excitantes.

A Herzog le preocupaba mucho aquel olmo. ¿Debía cortarlo? Detestaba hacerlo. Mientras tanto, todas las cigarras hacían vibrar un carrete en sus barrigas. Aquellos millones de ojitos rojos miraban fijamente desde el bosque y las olas de sonido ahogaban la tarde de verano. Pocas veces había oído Herzog nada tan hermoso como este ronco mensaje continuo y en masa.

Shapiro habló de Soloviev, el más joven. ¿Tuvo realmente una visión y precisamente en el Museo Británico? Madeleine había realizado un estudio sobre el joven Soloviev y esta era su oportunidad de lucirse. Tenía ya bastante confianza con Shapiro para hablarle con franqueza, y sabía que él apreciaría sus palabras. Le dio una breve conferencia sobre la carrera y el pensamiento de este ruso ya muerto. Su mirada ofendida pasó por encima de Moses. Se quejaba de que este nunca la escuchaba de verdad y que solo quería brillar él todo el tiempo. Pero esto no era cierto. Había escuchado la conferencia de ella sobre este tema muchas veces y hasta altas horas de la madrugada. Y nunca se había atrevido a decir que tenía sueño. De todos modos, planteadas así las cosas, también él tenía que discutir con ella sobre algunos puntos difíciles de Rousseau y Hegel. Confiaba por completo en los juicios intelectuales de su mujer. Antes de ocuparse de Soloviev, ella solo hablaba de Joseph de Maistre. Y antes de Maistre, Herzog hizo la lista, sus especialidades habían sido la Revolución francesa, Eleonor de Aquitania, las excavaciones de Schliemann en Troya, la percepción extrasensorial, las cartas de tarot, luego la Ciencia Cristiana y, antes, Mirabeau; ¿o fueron las novelas de misterio (Josephine Tey), o de ciencia ficción (Isaac Asimov)? Su intensidad era siempre muy grande. Y si tenía un interés constante por algo, era por las novelas policíacas. Leía, a medias, por la prisa, tres o cuatro al día.

Del suelo, negro y ardiente bajo la hierba, salía humedad. Herzog lo sentía en sus pies desnudos.

De Soloviev, era natural que Mady pasase a Berdiáev, y mientras hablaba de *Esclavitud y Libertad* —el concepto de *Sobornost*— abrió el tarro de arenque en escabeche. Los labios de Shapiro dispararon saliva. Rápidamente, se apretó su pañuelo doblado sobre las comisuras de la boca. Herzog recordó que era un tragón. Ahora, con el olor a especias y vinagre, le lloraban los ojos, aunque se esforzaba por conservar su aire importante y satisfecho. No dejaba de parecer un hombre refinado mientras se apretaba el pañuelo sobre sus recién afeitadas mandíbulas. Su mano, gordezuela y sin vello, de dedos temblorosos...

—No, no —dijo—, muchas gracias, señora Herzog. ¡Es delicioso! Pero ando mal del estómago. —¡Claro que andaba mal del estómago! ¡Como que tenía úlcera! Pero su vanidad le impedía decirlo. Evitaba las repercusiones psicosomáticas de ser un ulceroso. Aquella misma tarde vomitó en el lavabo. Herzog, que se encargó de la limpieza, pensó que aquello debía de ser los calamares que había comido Shapiro. ¿Por qué no habría utilizado la taza del váter? ¿Acaso porque estaba demasiado gordo para inclinarse?

Pero esto había sido al final de su visita. Antes, recordaba Herzog, recibieron la visita de los Gersbach, Valentín y Phoebe. Pararon su pequeño automóvil bajo el árbol de catalpa, entonces en flor, aunque le colgaban aún de las ramas las vainas del año anterior. Se apeó Valentín y avanzó con su paso bamboleante mientras Phoebe, pálida como lo estaba todo el año, iba tras él llamándolo con voz lastimera: «¡Val!... ¡Vaal!». Traía en la mano una cacerola que devolvía a Madeleine. Era uno de los grandes cacharros de acero de Madeleine, rojos como el caparazón de una langosta, de «Descoware», fabricados en Bélgica. Estas visitas solían darle a Herzog un sentimiento de depresión que no podía explicarse. Madeleine le mandó a él a buscar más sillas plegables. Quizá fue la podrida fragancia a miel de las campanillas blancas de la catalpa. Estas flores, con finas líneas rojas por dentro y cargadas de polen, caían sobre la arena. Eran demasiado bonitas. El pequeño Ephraim Gersbach estaba haciendo una pila de campanillas. Moses se alegró de tener que ir por las sillas y abrirse paso por el polvoriento desorden de la casa hasta llegar a la sorda y pétrea seguridad del sótano. Echó más tiempo de lo necesario en coger las sillas.

Cuando volvió, estaban hablando de Chicago. Gersbach, de pie y con las manos en los bolsillos del pantalón, recién afeitado y con su cabellera de plumero, de sus brillos cobrizos, estaba diciendo que debían mandar a la porra aquel rincón tan atrasado. Nada había ocurrido allí desde la batalla de Saratoga. Phoebe, que parecía cansada y estaba pálida, fumaba un cigarrillo y sonreía levemente. Era probable que su única ilusión fuese que la dejaran aparte. Rodeada de personas seguras de sí mismas, cultas y elocuentes, notaba cómo se acentuaba su vulgaridad e insuficiencia. Aunque, en verdad, nada tenía de vulgar ni tonta, con sus hermosos ojos, buen pecho y piernas atractivas. Lástima que adoptara aquel aspecto de enfermera-jefe sin cuidarse la cara.

—¡No hay más que Chicago! —dijo Shapiro—. Allí está la mejor Escuela para Estudios Superiores. Además, lo que hace falta allí es una mujercita como la señora Herzog.

¡Más valdría que te callaras, Shapiro!, pensó Herzog, y te ocuparas de tus malditos asuntos. Madeleine, al oír el elogio, dirigió a su marido una rápida mirada. Se sentía halagada y feliz. Le interesaba mucho recordarle, si es que lo había olvidado, el gran valor que otras personas le concedían.

Shapiro, mientras tú y Madeleine movíais la cabeza coqueteando y dándoos importancia, luciendo a cada momento vuestros limpios y agudos dientes, y soltando sin cesar vuestras cultas tonterías, yo trataba de darme cuenta exacta de mi posición. Comprendía que la ambición de Madeleine era ocupar mi sitio en el mundo intelectual para vencerme. Y ahora estaba adquiriendo su máxima altura como reina de los intelectuales. Mientras, tu amigo Herzog se retorcía bajo aquellos agudos tacones altos. Ah, Shapiro, el vencedor de Waterloo, se apartó para derramar unas lágrimas amargas por los muertos en la batalla (matados por orden suya). No así mi ex esposa. Ella es más fuerte que Wellington. Su mayor deseo es vivir en las profesiones delirantes, como las llama Valéry, asuntos cuyo principal instrumento es la opinión que cada uno tiene de sí mismo y cuya materia prima es la reputación de cada uno. En cuanto a tu libro, hay en él demasiada historia imaginaria. Gran parte de lo que has escrito no es más que ficción utópica. Nunca he de cambiar mi opinión sobre ello. De todos modos, tu idea sobre el milenialismo y la paranoia es muy buena. Por cierto que Madeleine me atrajo fuera del mundo culto, se metió ella dentro, cerró de un portazo y aún está allí murmurando de mí.

Dejando la carta a Shapiro —que le producía demasiados pensamientos dolorosos, y esto era precisamente lo que debía evitar si no quería fastidiarse las vacaciones, volvió a dirigirse a su hermano Alexander. *Querido Shura,* escribió, *creo que te debo 1.500 pavos. ¿Qué te parece si llegamos a los 2.000? Necesito más dinero en este proceso de recuperación.* Shura era un hermano generoso. Por supuesto, los Herzog tenían, como todo el mundo, sus problemas familiares característicos pero no el defecto de ser agarrados. Moses sabía que su hermano rico apretaría un botón y le diría a su secretaria: «Envíe usted un cheque a ese loco Moses Herzog». Recordó con gran precisión a su guapo hermano, de pelo blanco y traje de gran precio, con abrigo de vicuña, su sombrero italiano, su afeitado de gran precio y sus uñas manicuradas en los dedos de grandes anillos, asomándose a la ventanilla de su formidable automóvil con gran altanería. Shura conocía a todo el mundo, tenía dinero para comprarlo todo y despreciaba a todos. En el caso de Moses, su desprecio quedaba suavizado por el cariño familiar. Shura era un verdadero discípulo de Thomas Hobbes. Las preocupaciones universales eran puras idioteces. No pidas más que prosperar dentro de la barriga de Leviatán y da a la comunidad un buen ejemplo hedonista. A Shura le hacía mucha gracia que su hermano Moses lo apreciara y admirase tanto. Moses quería mucho a sus parientes. No podía remediarlo. A su hermano Willie, a su hermana Helen, e incluso a sus primos. Sabía que era una ingenuidad por su parte tomarle tanto cariño a la gente. A veces pensaba, empleando su propio vocabulario, si no sería esto un aspecto suyo arcaico e incluso prehistórico. Ya saben ustedes, lo que se dice «tribal». Algo asociado con la adoración de los antepasados y al totemismo.

Además, como he tenido problemas legales, creo que me podrías recomendar un buen abogado. Quizá le enviara Shura uno de los abogados de su propio equipo legal, que no le cobraría nada a Moses por sus servicios.

Ahora compuso una carta en su cabeza dirigida a Sandor Himmelstein, el abogado de Chicago que se había ocupado de sus asuntos en el otoño pasado cuando Madeleine lo puso en la calle. *¡Sandor! La última vez que estuvimos en contacto fue cuando te escribí desde Turquía. ¡Vaya un sitio!* Sin embargo, aquello le venía bien a Sandor en cierto modo; era un país de las mil y una noches y Sandor parecía haber salido de un bazar aunque tuviera su despacho en el piso catorce del Edificio Burnham. Herzog lo había conocido en los baños de vapor del Club Postl's, en Randolph y Wells. Era bajo y deformado por la pérdida de una parte de su pecho. Siempre decía que le había ocurrido en Normandía. Probablemente, habría sido una especie de enano grande cuando se enroló. Por lo visto, en las guerras mundiales era posible tener un destino en los departamentos jurídicos aunque uno fuera enano. A Herzog le molestaba el que le hubieran librado de la Marina a causa de su asma por lo que nunca pudo ver una batalla. En cambio, este enano y jorobado quedó mutilado por una mina cerca de la playa en el famoso desembarco. Esta herida era la que le había dejado jorobado. De todos modos, Sandor tenía un aspecto interesante con su rostro orgulloso, afilado y hermoso, una boca pálida, la nariz grande, y el cabello fino y gris. *Yo, en Turquía, me encontraba mal*. En parte, debió de ser por el tiempo. La primavera se esforzaba en volver pero los vientos cambiaron y el cielo se cernió sobre las blancas mezquitas. Nevaba. Las mujeres turcas, de aire masculino con sus pantalones, velaban sus serios rostros. Nunca supuse que caminaban con tanta energía. Herzog solía beber café con coñac, se apretaba los dedos de las manos y movía los de los pies para mantener la circulación. Por aquella época le preocupaba su circulación sanguínea. Le aumentó su mal humor al ver cómo las primeras flores se cubrían de nieve.

Te envié esta nota tardía para agradeceros a Bea y a ti que me tuvierais bajo vuestro techo. Al fin y al cabo solo erais conocidos y no amigos antiguos. Estoy seguro de que resulté un terrible invitado. Estaba enfermo e irritado y tomaba píldoras contra el insomnio, pero ni aun así lograba dormir y andaba como drogado, muy fastidiado además por la taquicardia que me producía el whisky. Me debían haber metido en una celda acolchada. *Me sentía profundamente agradecido hacia vosotros.* Pero solo era la calculadora gratitud de los débiles y de los sufrientes. Por dentro, estaba furioso. Sandor cuidó de mí porque yo no estaba para nada. Me llevó a su casa, muy al sur, a unas diez manzanas del Illinois Central. Mady se había quedado con el coche pretextando que lo necesitaba para Junie, para llevarla al Parque Zoológico y a sitios así.

Sandor dijo:

—Te vendrá bien dormir después de haber bebido. Espero que no te importará dormir junto al bar. —Y se lo decía porque la cama plegable estaba ya preparada a lo largo del mueble bar. La habitación estaba llena de chicos universitarios de la pandilla de Carmel Himmelstein.

—¡Fuera! —gritó Sandor, destemplado, a los adolescentes—. ¡Aquí no hay manera de ver con el humo de los cigarrillos! Y, qué asco, está todo lleno de botellas de Coca-Cola con las pajas dentro. —Puso el aire acondicionado, y Moses, aún encarnado con el frío de la calle, y con grandes ojeras, cogió su maleta, la misma que tenía ahora en el regazo. Sandor apartó los vasos que había en varios estantes.

—Deshaz la maleta, chico —dijo—. Pon tus cosas aquí. Comeremos dentro de veinte minutos. Te gustará; tenemos Saverbraten. Es una especialidad de Bea.

Obediente, Moses puso en las estanterías sus cosas: cepillo de dientes, cosas de afeitar, polvos de talco, las pastillas para dormir, los calcetines, el libro de Shapiro y una vieja edición de bolsillo con los poemas de Blake. Empleaba como registro en este libro, el pedazo de papel donde el doctor Edvig le había anotado las características de su paranoia.

Después de comer, aquella primera noche que pasó en la sala de estar de Himmelstein, Herzog, aunque le fastidiase, empezó a comprender que al aceptar la hospitalidad de Sandor, había cometido otro característico error.

—Te pondrás bien; estoy seguro —dijo Sandor—. Apuesto que lo vencerás todo. Te considero como un hijo mío.

Beatrice, con su pelo negro negrísimo y su linda boca, que necesitaba rojo, dijo:

—Moses, nos damos perfecta cuenta de lo que debes sentir.

—Siempre es lo mismo... cuestión de zorras —dijo Sandor—. Casi todo mi trabajo legal gira alrededor de estas zorras. Deberías saber los líos que se traen y todo lo que pasa en esta ciudad de Chicago. —Movió su pesada cabeza y apretó los labios con asco—. ¡Si quiere marcharse, que se vaya! ¡Así estarás mucho mejor! Te advierto que a mí también me chiflaban las mujeres con ojos azules pero tuve el buen sentido de enamorarme de estos hermosos ojos castaños. ¿Verdad que es formidable?

—Sí, es muy guapa. —Tenía que decirlo. Y en verdad, no resultaba muy difícil. Moses había vivido cuarenta y tantos años y esto da cierta facilidad para salir adelante de estas situaciones difíciles. Entre los puritanos, esto es mentir; pero la gente civilizada sabe que se deben decir cosas agradables algunas veces.

—No puedo explicarme lo que ella vio en una calamidad como yo. En fin, Moses, has de quedarte con nosotros durante algún tiempo pues, en tus circunstancias, no debes estar sin amigos. Ya sé que tienes familia tuya en esta ciudad, pero es distinto. Veo a tus hermanos en Fritzl's. Hablé con tu hermano, el de en medio, el otro día.

—Sí, ese es Willie.

—Es un gran tipo. Además, lleva una vida judía muy activa —dijo Sandor—. No es como ese *macher* Alexander, que siempre hay algún escándalo en torno a él. Ahora está liado en el asunto de Jimmy Hoffa y también tiene que ver con la pandilla de Dirksen. En fin, que tus hermanos son muy buena gente. Pero son muy exigentes. Aquí, en cambio, nadie te preguntará nada.

—Con nosotros puedes vivir a tu manera —dijo Beatrice.

—Pero yo no entiendo ni una sola palabra de todo esto —dijo Moses—. Mady y yo hemos tenido desde el principio de nuestro matrimonio nuestros más y nuestros menos, pero lo cierto es que nuestras relaciones conyugales iban mejorando. En la primavera pasada hablamos seriamente sobre nuestro matrimonio y pesamos los pros y los contras para continuar. Mady me prometió que en cuanto terminara su tesis tendríamos un segundo hijo...

—Escucha —dijo Sandor—. Tú has tenido la culpa de todo.

—¿Yo, la culpa? ¿Qué quieres decir?

—Pues porque eres un intelectual y te has casado con una mujer también intelectual. Y tú mismo sabes que los intelectuales sois un poco cerrados para las cosas de la vida. No sois capaces de responder a vuestras propias preguntas. Sin embargo, creo que para ti hay aún esperanza, Moses.

—¿Qué esperanza?

—No eres como esos otros camelos universitarios. Eres lo que se dice un *mensch*. Porque, ¿para qué demonios sirven todos esos «cabezas de huevo»? Para luchar por las causas liberales, hace falta un tío ignorante como yo. Todos esos refinados de Yale le echan mucho teatro a la cultura, pero cuando llega el momento de dar la cara luchando contra esos brutos de Deerfield o defender a un hombre como Tompkins... —Sandor estaba orgulloso de su intervención en el caso de Tompkins, un negro que trabajaba en Correos y a quien él había defendido.

—Bueno, supongo que la tomaron contra Tompkins porque era negro —dijo Herzog—. Pero, desgraciadamente, era un borracho. Tú mismo me lo dijiste. Además, no se podía negar que su competencia como empleado dejaba mucho que desear.

—No digas eso por ahí —le interrumpió Sandor— porque le sacarán la punta. Además, no tienes derecho a utilizar lo que te dije confidencialmente. En el fondo, solo era una cuestión de justicia. Porque no me dirás que no hay borrachos blancos entre los funcionarios.

—Sandor... Beatrice, esto es espantoso: verme de nuevo metido en un divorcio a esta altura de mi vida. No sé... Me da la sensación de que de esta no me levanto. No podré resistirlo.

—No digas tonterías —exclamó Sandor—. Desde luego, es lamentable por la niña pero has de superar todo esto.

Por entonces, cuando pensabas, y yo te daba la razón, que no debía quedarme solo, quizá lo que debía haber hecho era precisamente aislarme, escribió Herzog.

—Escucha, me ocuparé de todos tus asuntos —le aseguró

Sandor—. Y saldrás de todo este lío como si no te hubiera pasado nada. Déjamelo a mí todo, ¿quieres? ¿O no te fías de mí? ¿Crees que no estoy capacitado?

Debí haber tomado una habitación en el Club del Cuadrilátero.

—No se te puede dejar solo —dijo Sandor—. No eres un tipo que pueda valérselas por sí mismo. Te han dejado cerrado el corazón. Y tienes casi el mismo sentido común que mi chico de diez años, Sheldon.

—No estoy dispuesto a ser una víctima. Me repugna ese papel —dijo Moses.

Himmelstein estaba sentado en su mecedora. Tenía los ojos húmedos. Masticaba un puro. Tenía bien cuidadas sus feas uñas. Utilizaba los servicios de la manicura de Palmer House.

—Es una mujer muy decidida —dijo, refiriéndose a Madeleine—. Y terriblemente atractiva. Cuando decide algo es para toda la vida. ¡Qué fuerza de voluntad! Esa mujer es todo un carácter.

—Yo creo que ha debido de quererte, Moses —dijo Bea. Hablaba lentísimamente, pues así lo hacía siempre. Tenía encajados sus oscuros ojos en unas órbitas profundas. Sus labios eran muy rojos y vitales. Moses evitaba encontrarse con su mirada; tendría que habérsela sostenido durante mucho tiempo y con toda seriedad, lo que habría sido un fastidio. Sabía que contaba con la simpatía de Bea pero que esta nunca aprobaría su conducta.

—Creo que nunca me ha amado —dijo Moses.

—Pues yo estoy segura de que sí.

Era la típica solidaridad femenina de la clase media, siempre dispuesta a defender a una buena chica de las acusaciones de vicio y cálculo. Las buenas chicas se casan enamoradas. Pero cuando dejan de estarlo, deben recuperar la libertad para amar a otro. Ningún esposo decente hará nada por oponerse al corazón de su mujer. Esto es lo ortodoxo en Estados Unidos. Y no es en sí una cosa mala sino, simplemente, una nueva ortodoxia: respetar la falta de cariño de una mujer que antes lo ha tenido. Desde luego, lo que no se admite, ni siquiera se da como posible, es que una mujer no haya querido antes a su esposo. De todos modos, pensó Moses, él no se hallaba en condiciones de pelearse con Beatrice. Estaba en casa de ella y, además, ella lo consolaba a su manera.

—No conoces a Madeleine —dijo—. Cuando la conocí, estaba muy necesitada de ayuda y comprensión, la que puede proporcionar un esposo...

Ya sé lo largas, lo interminables que son las historias de la gente cuando son de queja contra alguien. Y qué fastidiosas para todos.

—Pues yo creo que es una buena persona —dijo Bea—. Al principio, parecía un poco estirada y como si no se fiara de nadie, pero cuando la conocí bien, resultó muy cordial y agradable. Yo creo que, en el fondo, Madeleine tiene que ser una buena persona.

—Déjate de historias, casi toda la gente es buena. Solo hay que darles una oportunidad —dijo Sandor.

—Mady lo planeó todo —dijo Herzog—. ¿Por qué no rompió conmigo antes de que yo hubiera firmado el contrato de la casa de alquiler?

—Porque necesitaba un piso para vivir en él con la niña —dijo Sandor—. ¿Qué esperabas?

—¿Qué esperaba yo? —Herzog estaba en pie y trataba desesperadamente de encontrar las palabras adecuadas. Se había puesto muy pálido y tenía los ojos dilatados y fijos. Miraba a Sandor, que estaba sentado como un sultán con sus pequeños talones metidos bajo su abultado vientre. Luego se dio cuenta de que Beatrice le estaba advirtiendo con su bonita y asexual mirada de que no debía irritar a Sandor. A este le subía peligrosamente la tensión cuando se enfadaba.

Herzog escribió: *Te agradecía tu amistad pero yo estaba hecho una fiera, en uno de esos estados de ánimo en que se le pide a la gente demasiado, casi lo imposible. Cuando la gente se irrita, se vuelve dictatorial y es muy difícil aguantarla.* Me encontraba en su casa como preso. Durmiendo junto al mueble bar. Mi corazón se ponía de parte del pobre Tompkins. Nada tenía de particular que agarrase la botella cuando Sandor cuidaba de él.

—¿No vas a luchar para que te den la custodia de la niña? —preguntó Sandor a Herzog.

—Y si lo hiciera, ¿qué pasaría?

—Pues —dijo Sandor— si te hablo como abogado, te diré que te estoy viendo delante de un jurado. Mirarán a Madeleine, fragante y adorable, y luego a ti, macilento y con el cabello canoso y despeinado y, ¡bah! allá van, hechas pedazos, tus pretensiones de custodia. Eso es lo que pasa con el sistema de jurados. Son unos cavernícolas, unos hijos de... Sé muy bien que te fastidia oír esto, pero es mejor que te lo diga. Cuando se tienen tus años hay que hacer frente a los hechos.

—¡Hechos! —exclamó Herzog, débil, vacilante y ofendido.

—Ya lo sé —dijo Sandor— que tengo diez años más que tú. Pero, una vez cumplidos los cuarenta, todos somos iguales. Si puedes hacerlo una vez a la semana, ya tienes que alegrarte.

Beatrice trató de contener al irritado Sandor, pero él le gritó: «¡Cállate!». Y luego se volvió de nuevo hacia Moses, moviendo la cabeza de manera que paulatinamente se le fue hundiendo en su desfigurado pecho, y sus paletillas le sobresalían ahuecándole la camisa por detrás.

«Qué demonios puede saber él —pensó Sandor— de lo que es hacer frente a los hechos. Lo único que desea es que todo el mundo lo quiera. Si no, chillará de rabia. ¡Muy bien! Pues yo, después del día D, me estuve tumbado en aquel asqueroso hospital hecho un mutilado. ¡Dios mío, tuve que salir de allí por mi propio esfuerzo! Y qué me dices de tu amigo Valentín Gersbach. Ahí tienes el ejemplo de lo que es un hombre. Ese pelirrojo cojitranco sabe muy bien lo que es sufrir. Pero lo ha superado y tres hombres, con seis piernas, no serían capaces de hacer todo lo que él hace. Ya sé, ya sé, Bea... Moses puede resistirlo.»

Herzog respondió, airado e incoherente:

—¿Qué quieres decir? ¿Me tengo que morir porque tengo el cabello canoso? ¿Y qué me dices de la niña?

—Bueno, no te estés ahí frotándote las manos como un idiota. Detesto a los idiotas —gritó Sandor. Se le habían puesto violentamente claros sus ojos verdes y en sus labios había una continua tensión. Debía de estar convencido de que cortaba del alma de Herzog el peso muerto de la decepción y sus largos dedos blancos se movían nerviosos.

«¿Cómo? ¿Morir? ¿Qué pelo? ¿Qué diablos estás mascullando ahí? Solo he dicho que un jurado le daría la niña a una madre joven y te la quitaría a ti.»

—Madeleine te ha enredado en esto. Ella lo que quiere es que yo no la lleve ante los tribunales y por eso te ha metido en esto.

—¡Nada de eso! Estoy tratando de prevenirte por tu bien. Te he explicado, como abogado, que ella ganaría y tú perderías. Pero quizá quiera a alguna otra persona.

—¿Sí? ¿Te lo ha dicho ella?

—No me ha dicho ni una sola palabra. He dicho *quizá*. Y ahora, cálmate. Ponle algo de beber, Bea. Pero de esa botella. No le gusta el whisky escocés.

Beatrice se acercó a coger la botella que tenía junto a él Herzog. Era de Guckenheimer del 86.

—Y ahora —dijo Sandor— a ver si dejas de hacer payasadas. —Había variado su expresión y ahora su rostro traslucía una cierta amabilidad hacia Herzog—. La verdad es que cuando sufres, sufres de verdad. Eres un auténtico tipo judío que ahonda en las emociones. Te concedo eso porque lo entiendo. Yo me crié en la calle Sangamon, recuérdalo, y allí un judío era todavía un judío. Sé muy bien lo que es el sufrimiento. De modo que tú y yo estamos metidos en la misma red.

Herzog, en el tren, iba anotando. De verdad, no podía entenderlo. *Hubo momentos en que me pareció que me iba a dar una apoplejía o que iba a estallar. Mientras más querías conso-*

larme, más cerca me encontraba de la puerta de la muerte. Pero ¿qué demonios hacía yo allí? ¿Por qué estaba en tu casa?

Debía de tener yo entonces un aspecto cómico con mi gran pena y ¿qué cara pondría cuando me pasaba las horas enteras delante de la televisión?

A primera hora de la mañana del sábado, Sandor llamó a Herzog al cuarto de estar.

—Mira, chico —le dijo—, te he encontrado una póliza de seguros formidable.

Moses, que se ataba el cinturón de la bata mientras iba desde su cama al bar, no comprendía ni una palabra.

—¿Qué?

—Que podemos hacerle un seguro formidable a la niña.

—Y, ¿para qué?

—Te lo dije la semana pasada, pero debías de estar pensando en otra cosa y no te enteraste. Si enfermas, tienes un accidente o pierdes un ojo, incluso si te vuelves loco, Junie quedará bien protegida.

—Pero es que yo me iré a Europa y tengo un seguro de viaje.

—Pero hombre, eso es solo en el caso de que te mueras, pero aquí, si por ejemplo te vuelves majareta y te tienen que llevar a un sanatorio, la niña seguirá teniendo todos los meses una pensión si te haces el seguro.

—Y ¿quién dice que me voy a volver loco?

—Escucha, hombre, ¿acaso crees que tengo interés en hacer esto? Es decir, ¿que voy a ganar algo? A ver si te enteras de una vez de que yo, en todo esto, no soy más que un mediador por amistad hacia ti —dijo Sandor dando una patada con el pie desnudo sobre la gruesa alfombra.

Era domingo y subía del lago la niebla gris. Los botes parecían ganado transportado por el agua. Se podía oír el vacío de los cascos.

—Bien, ¿quieres mi consejo legal o no? —dijo Sandor—. Yo solo quiero lo que sea mejor para vosotros. ¿Estás de acuerdo?

—Bueno, hombre, aquí estoy para demostrar que reconozco tu buena intención. He venido a vivir a tu casa.

—Muy bien, entonces hablemos con sentido común. Con Madeleine no vas a tener dificultades. No quiere pensión alimenticia. Pronto se casará. Les llevé a comer al Fritzl's, y hombres que ni siquiera me saludaban desde hacía años, se acercaron a nosotros casi tropezando. Incluido el rabí de mi templo. Es que Madeleine está fantástica.

—¡Vaya lo que me descubres! Sé muy bien cómo está.

—Si quieres decir que... Creo que te equivocas, porque es menos puta que la mayoría. Todos somos putas en este mundo y no debes olvidarlo. Yo sé muy bien que *soy* una puta. Y tú, no digamos. Por lo menos, eso dicen tus compañeros los intelectuales. Te apuesto un traje nuevo a que tú también eres una puta.

—¿Sabes lo que es un hombre-masa, Himmelstein?

Sandor gritó:

—¿Qué es eso?

—Un hombre de la masa. Un hombre que está fundido en la multitud y que corta a todos los demás a su tamaño.

—¿De qué masa hablas? No te subas a las nubes porque yo estoy hablando de asquerosos hechos.

—¿Y acaso crees que un hecho es lo que resulta asqueroso? Los hechos siempre son asquerosos.

—Pero tú crees que son verdaderos precisamente porque son asquerosos. Veo que todo esto, Moses, es demasiado para que tú lo entiendas. ¿Quién te ha dicho que eres un príncipe? Tu madre lavaba la ropa y tú has tenido huéspedes en tu casa. En cuanto a tu viejo, era un contrabandista de mala muerte. Os conozco a los Herzog, de modo que no te subas a la parra. A mí también me dieron un diploma en una apestosa escuela nocturna. ¿De acuerdo? De manera que lo mejor que hacemos es dejarnos de tonterías y vamos directamente a la realidad.

Herzog, hundido, no supo qué responder. ¿Para qué había ido a aquella casa? ¿Para que le ayudasen? ¿Para poder discursear y dar salida a su irritación? Pero resultaba que era la tribuna de Sandor, no la suya, y desde ella le sermoneaba aquel feroz enano con dientes salientes y profundas arrugas. Su deforme pecho le abultaba en la parte alta de su pijama verde. Pero aquel era solo el aspecto malo y enfurecido de Sandor, pensó Herzog. Aquel hombre también podía ser atractivo, generoso e incluso ingenioso. Era posible que la lava de su corazón le hubiera sacado de sitio las costillas y que la fuerza de su infernal lengua le deformase el aspecto de los dientes. Muy bien, Moses Herzog, si has de ser digno de compasión y andas en busca de socorro, siempre estarás cayendo, inevitablemente, en poder de estos espíritus irritados que te estarán aporreando siempre con su «verdad». Tienes que limpiar las puertas de la visión mediante el conocimiento de ti mismo por la experiencia. Además, la oposición es la verdadera amistad. Por lo menos, eso me dicen.

—Quieres encargarte de tu niña ¿no? —dijo Sandor.

—Claro que sí. Pero me dijiste que lo mejor que podía hacer era olvidarla pues crecería lejos de mí.

—Es verdad. Ni siquiera te conocerá la próxima vez que te vea.

Sandor estaba pensando en sus propios hijos, esos mentecatos; no en mi hija que es de una categoría muy superior. *Ella* nunca me olvidará.

—No lo creo —dijo Herzog.

—Como abogado vuestro, tengo la obligación de proteger a la criatura.

—¿*Tú*? El padre soy yo.

—Tú puedes reventar, o volverte loco, o qué sé yo.

—¿Acaso Mady no puede morirse? ¿Por qué no le hacemos el seguro a ella?

—Ella nunca querría. Eso no es cosa de la mujer, sino del hombre.

—No de este hombre —dijo Herzog—. Madeleine actúa en la vida como si fuera ella el marido. Lo preparó todo fríamente para quedarse ella con la niña y dejarme a mí en la calle. Se cree capaz de ser a la vez la madre y el padre. Estoy dispuesto a pagar las pólizas sobre *su* vida.

Sandor empezó de pronto a gritar.

—¡Me importáis tres pitos tanto tu mujer como tú! A mí lo único que me interesa es lo que vaya a ser de la niña.

—¿Por qué estás tan seguro de que Madeleine no se morirá antes que yo?

—¿Y esa es la mujer que amas? —preguntó Sandor en voz baja. Y es que, por lo visto, había recordado de pronto que su excitación podía ser peligrosa para su presión arterial. Hizo tanto esfuerzo para calmarse que se le notó en sus pálidos ojos y en sus labios. Dijo en un tono de voz normal—: Haría esa póliza a mi nombre si me admitieran en el reconocimiento físico. Te aseguro que me encantaría reventar y dejar a mi Bea hecha una viuda rica. Me gustaría mucho.

—Entonces podría irse a Miami y teñirse el pelo —dijo Herzog.

—Es verdad. Y mientras, yo me volvería verde como un viejo penique dentro de mi caja y ella dándose la gran vida. Pues créeme, me encantaría.

—Muy bien, Sandor... —dijo Herzog. Quería acabar esta conversación—. Perdona, pero por ahora no tengo ganas de arreglar las cosas con vistas a mi muerte.

—¿Y qué demonios importa tu asquerosa muerte? —gritó Sandor. Estaba muy cerca de Herzog, a quien asustó un poco la súbita rudeza de su grito y lo miró con los ojos muy abiertos. Era guapo, aunque basto. Le temblaba la boca—. ¡Me retiro de este caso! —chilló.

—¿Qué demonios te pasa? —dijo Herzog—. ¿Dónde está Beatrice? ¡Beatrice! —Pero la señora Himmelstein se limitó a cerrar la puerta de su dormitorio.

—¡La pondré a trabajar con unos abogaduchos!

—Por amor de Dios, no grites más —dijo Herzog.

—Acabarán contigo.

—Sandor, deja esto.

—Te pondrán sobre un barril de pólvora. Te harán pedazos.

Herzog se tapó los oídos:

—No puedo soportarlo.

—Te harán un nudo en las pelotas. Hijo de... Te pondrán un contador en la nariz y te cobrarán la respiración. Te verás inmovilizado y entonces desearás morirte. Rezarás para que te llegue la muerte. Te parecerá mejor un ataúd que un coche deportivo.

—Pero es que yo no he dejado a Madeleine.

—Sé que te hará todo eso porque yo también lo he hecho a alguna gente.

—Pero ¿qué daño le he hecho yo?

—A los tribunales no les preocupa eso. Has firmado papeles... ¿Acaso los leíste?

—No; me fié de ti.

—Ya verás lo que te dirán en los tribunales. Ella es la madre... la hembra. Te aplastarán.

—Pero yo no tengo culpa de nada.

—Ella te odia.

Sandor ya no gritaba. Había vuelto a su tono de voz normal, que desde luego era muy alto:

—¡Jesús! No sabes nada de nada. ¿Y eres tú un hombre culto? Gracias a Dios mi padre no tuvo el dinero suficiente para enviarme a la universidad. Trabajé en los almacenes Davis y en casa de John Marshall. Qué risa todo eso de la educación. Ahora ni siquiera sabes cómo van tus cosas.

Moses estaba abatido y empezó a pensarlo todo de nuevo.

—Muy bien... —dijo.

—¿Qué está muy bien?

—Me haré una póliza, un seguro de vida.

—¡No como un favor a mí!

—No, no es por ti...

—Ten en cuenta que es mucho dinero: cuatrocientos ochenta dólares.

—Ya encontraré el dinero.

—Muy bien, chico —dijo Sandor—. Por fin das alguna muestra de sentido común. Ahora vamos a desayunar. Haré unas gachas.

Se marchó a la cocina con su pijama verde y los pies descalzos. Siguiéndolo por el corredor, Herzog oyó que Sandor gritaba al llegar al fregadero de la cocina:

—¡Vaya una porquería! No hay ni un cacharro limpio, ni una sola cuchara que se pueda coger. Apesta a desperdicios. Está hecho todo un estercolero.

El viejo perro, obeso y calvo, se escapó asustado rascando con sus garras los mosaicos: click, click, click...

—¡Malditas zorras destrozonas! —gritó para que le oyeran las mujeres de la casa—. Solo sirven para mover el culo delante de los escaparates de modas y dejar que les hagan cosquillas entre los matorrales. Luego vienen a casa, se apiporran de pasteles y Coca-Cola y luego lo dejan todo sucio en el fregadero. Eso es lo que les chifla.

—Tranquilidad, Sandor.

—¿Acaso pido demasiado? El viejo veterano mutilado se pasa el día arriba y abajo por las salas de los tribunales, y qué les importa a ellas si tengo que pasarlas negras para que me den un pequeño asunto.

Tiró fuera del cubo de la basura cáscaras de huevo y de naranja, y posos de café. Estaba furioso y empezó a romper platos y vasos. Sus largos dedos de jorobado, frotaban los platos y fuentes. Sin perder la belleza del gesto —¡sorprendente!— los estrelló contra la pared. Golpeó el escurreplatos y el jabón en polvo y luego lloró de irritación. Luego lloró más, pero de pena al comprobar que él era capaz de semejantes emociones. ¡Era un espectáculo su boca abierta y sus dientes saltones! De su pecho desfigurado le salían largos pelos.

—Moses, ¡me están matando! ¡Matando a su padre!

Las hijas lo estaban escuchando desde sus habitaciones. El joven Sheldon se hallaba en el parque Jackson con su pandilla de *boys scouts*. Beatrice no se presentó.

—No te preocupes. No es preciso que tomemos gachas —dijo Herzog.

—No. Fregaré un cacharro. —Aún estaba llorando. Bajo

el torrencial chorro, sus dedos manicurados raspaban el aluminio con estropajo metálico. Cuando se calmó un poco, dijo:

—Ya sabes, Moses, que me ha estado viendo un psiquiatra. Me costó veinte dólares por hora. Mis chicos me traen loco; no sé qué voy a hacer con ellos. Por lo menos, Sheldon acabará haciéndose un hombre de provecho. Y Tessie, quizá no sea tan mala como parece. ¡Pero Carmel! No sé cómo manejarla. Temo que los chicos se estén ya aprovechando de ella. Prof, nada te pido a cambio de que vivas aquí pero me interesaría mucho que te ocuparas un poco del desarrollo mental de mi hija Carmel. Esta es la única oportunidad que tiene de conocer a un intelectual, una persona famosa, una autoridad. ¿Quieres hablarle?

—¿De qué?

—De libros... de ideas. Llévatela a pasear y habla con ella de esas cosas. Por favor, Moses, ¡te lo ruego!

—Desde luego, hablaré con ella.

—Se lo pedí al rabí pero estos reformados no sirven para nada. Sé muy bien que soy un desgraciado a pesar de mis rachas de mal genio, pero trabajo para estos chicos.

Y añadió:

—Si Carmel fuera un poco mayor, te diría que te casaras con ella.

Moses, pálido y sobresaltado, dijo:

—Desde luego, es una chica muy atractiva. Pero demasiado joven.

Sandor le pasó a Herzog el brazo por la cintura y lo acercó a él, diciéndole:

—No seas una piedra rodadora. Empieza a llevar una vida normal. Has estado en todas partes: Canadá, Chicago, París, Nueva York, Massachusetts. A tus hermanos les ha ido muy bien aquí, en esta ciudad. Desde luego, Alexander y Willie se contentan con cosas muy distintas que tú, que eres un *macher*. Moses E. Herzog no tiene dinero en el Banco, desde luego, pero si va uno a la biblioteca, allí está su nombre.

—Soñaba con una vida tranquila con Madeleine.

—No seas loco. ¿Estás bromeando? Vuelve a tu ciudad natal. Eres un judío de West Side. Yo solía verte, cuando eras niño, en el Instituto del Pueblo Judío. Toma las cosas con tranquilidad, Moses. No te des más golpes por tu tozudez. Te tengo más afecto a ti que a mi puñetera familia. Te agradezco que nunca me hayas aplastado con tu Harvard. Tú sabes apreciar a la buena gente sin darte importancia. ¿Qué dices a esto? —Apartó su hermosa cabeza para mirar a Herzog a los ojos y este sintió de nuevo que le apretaba el círculo del afecto. La cara de Himmelstein estaba alegre—. ¿No puedes vender ese sitio que tienes en los Berkshires?

—Sí; podría venderlo.

—Demonio, pues entonces lo tenemos todo arreglado. Aunque pierdas algo con la venta, no debe importarte. Puedes luego alquilar algo cerca de mi casa.

Aunque estaba muy cansado y con el corazón oprimido, como un tonto, Herzog escuchaba aquellos proyectos como escucha un niño un cuento de hadas.

—Búscate un ama de llaves proporcionada a tu edad. Y además, alguna chica que te caliente la cama. ¿Qué hay de malo en ello? O podríamos encontrar alguna negra despampanante que te sirviera también de ama de llaves. O quizá lo que necesites sea alguna muchacha que haya sobrevivido a los campos de concentración y que estaría agradecida de encontrar un buen hogar. Por otra parte, tú y yo nos daremos la gran vida. Iremos a los baños rusos de North Avenue. Aunque me dieron en la playa de Omaha, aún me defiendo... Tú y yo, un par de judíos a la antigua. —Contempló a Moses con sus ojos verdes, húmedos—. Es como si fueras mi hijo.

Besó a Moses. Y Moses percibió aquel amor cobarde, amorfo, hambriento e indiscriminado.

«¡Qué gorrino!», se dijo Moses a sí mismo en el tren. «¡Gorrino!»

Te dejé dinero por si hacía falta. Se lo diste todo a Madeleine para que se comprara vestidos. ¿Eras el abogado de ella o el mío?

Yo debía haber comprendido por la manera como hablaba de sus clientes femeninas y atacaba a todos los hombres. Pero ¡Dios mío!, ¿cómo me metí en todo aquello? ¿Por qué me tuve que relacionar con él? Parece como si yo hubiera deseado que me sucedieran estas cosas. Estaba haciendo tantas tonterías entonces que incluso ellos, los Himmelstein, sabían más que yo. Y me enseñaban los hechos de la vida y la verdad.

Me he vengado con rabia de las estupideces de mi orgullo.

Más tarde, en la tibia caída de la tarde, mientras esperaba el transbordador a orillas de Woods Hole, Herzog miraba a través de la verde oscuridad los brillantes reflejos del fondo. Le gustaba pensar en la fuerza del sol, en la luz, en el océano. La pureza del aire le conmovía. El agua estaba muy pura aunque nadaban en ella bancos de foxinos. Herzog suspiró y murmuró: «Alabado sea Dios... Alabado sea Dios». Ahora respiraba mejor. El horizonte abierto le animaba mucho; los colores vivos; la intensidad yodada del Atlántico que procedía de las algas y de los moluscos; la arena fina, blanca y pesada; pero lo que más le conmovía era la verde transparencia que veía al mirar el fondo de piedra con leves ondulaciones doradas. No existía allí la inmovilidad. Si su alma pudiese proyectar un reflejo tan brillante y tan intensamente agradable, le pediría a Dios que le emplease en eso. Pero sería demasiado simple. Sería infantil tranquilizarse convirtiéndose en naturaleza. La auténtica esfera no es tan límpida ni pura sino turbulenta e irritada. Hay siempre en movimiento una inmensa actividad humana que todo lo emporca. La muerte vigila sin cesar. De modo que si uno tiene alguna felicidad, más vale ocultarla. Y cuando nuestro corazón está pleno, más vale tener la boca cerrada.

Tenía momentos de cordura pero no podía mantener el equilibrio mental durante mucho tiempo. Llegó el transbordador y lo tomó, afirmándose el sombrero en la cabeza para que no se lo llevase el viento. Le daba un poco de vergüenza estar disfrutando de aquellos típicos momentos de vacaciones. Desde el puente superior, Herzog veía cómo cargaban los coches en una nube de arena y de greda. Durante la travesía, apoyó los pies en su maleta, tomando el sol y mirando a los barcos con los ojos entrecerrados.

En Vineyard Haven tomó un taxi en el muelle. El vehículo entró por la calle principal, paralela al muelle y bordeada por grandes árboles. Por un lado y por otro, el agua, las velas y la carretera debajo de las hojas llenas de sol. Los letreros de las tiendas, clorados, brillaban sobre las fachadas rojas. El centro comercial relucía como una decoración teatral. El taxi avanzaba despacio como si el viejo motor estuviese enfermo del corazón. Pasó por delante de la biblioteca pública, ante entradas con columnas, grandes olmos en forma de lira y sicómoros con trozos de corcho blanco. Le llamaron la atención los sicómoros. Estos árboles ocupaban un importante lugar en su vida. Lo verde de la tarde se iba intensificando y el azul del agua, cuando la vista se volvía hacia esta después de haber estado mirando las sombras de la hierba, parecía cada vez más pálido. El taxi torció a la derecha, hacia la playa, y Herzog se apeó desatendiendo la mitad de las indicaciones que le daba el taxista mientras él pagaba. «Baje por esas escaleras y luego suba otra vez por ahí enfrente.» Vio a Libbie esperándole en el porche con un vestido claro y la saludó agitando un brazo. Ella le envió un beso.

Enseguida comprendió que había cometido una equivocación viniendo. Vineyard Haven no era el sitio que le convenía. Era estupendo, y Libbie era encantadora, una de las mujeres más agradables que él conocía. Pero nunca debía haber venido. No está bien, pensó. Parecía estar buscando los escalones de madera, vacilante a pesar de su fuerte aspecto, y sosteniendo la maleta con las dos manos como un jugador de rugby a punto de arrojar la pelota. Tenía las manos muy grandes y se le destacaban las venas; no eran las manos de un intelectual sino de un albañil o de un pintor de brocha gorda. La brisa le pegaba su ligera ropa al cuerpo. Y qué aspecto tenía, qué cara. A Libbie le llamó la atención ese aspecto tan curioso del que él mismo se daba cuenta: angustiado, quejoso, fantástico, medio loco y decididamente «cómico». Era como para rogar a Dios que le quitase de encima ese aplastante peso de la personalidad y le hiciera definitivamente un fracasado fundido ya con la especie en una cura primitiva de vulgaridad. Aunque él ya se habría sometido a la cura primitiva, que le habían administrado Madeleine, Sandor y los demás; de modo que sus recientes desventuras podían ser consideradas como un proyecto colectivo en el que él mismo participaba y en el que se tratara de destruir su vanidad y sus pretensiones de lograr una vida personal, y así se desintegraría, sufriría y odiaría como tantas otras personas, no clavado en algo tan distinguido como una cruz, sino en la perspectiva de la disolución posrenacentista, posthumanística y postcartesiana, junto al Vacío. Todo el mundo actuaba en este espectáculo. La «historia» le daba a todo quisque entrada libre. Los mismos Himmelstein, que en su vida habían leído un libro de metafísica, andaban trajinando con el Vacío como si fuera una finca de venta muy provechosa. Este pequeño demonio estaba impregnado con ideas muy modernas y una de ellas, sobre todo, excitaba el terrible corazoncito de Moses: tenemos que sacrificar a nuestra pobre, crujiente individualidad —que quizá sea solo (desde un punto de vista analítico) una persistente megalomanía infantil, o (desde un punto de vista marxista) una pequeña y asquerosa característica burguesa— a una necesidad histórica. Y a la verdad. Y esta solo es verdad cuando causa más desgracia y angustia a los seres humanos de modo que si proporciona algo distinto al mal, solo será ilusión y no verdad. Pero, desde luego, él, Herzog, había tratado, ciegamente pero sin el suficiente valor o inteligencia, de un modo característico, obstinado, desafiante y ciego, pero sin el valor ni la inteligencia suficiente, de ser un *maravilloso* Herzog, un Herzog que, quizá torpemente, trataba de aplicar a la realidad maravillosas cualidades que él apenas comprendía vagamente. Desde luego, había ido demasiado lejos, más allá de su talento y su capacidad, pero eso ocurría siempre que un hombre tenía fuertes impulsos, incluso una sólida fe en sí mismo, pero carecía de ideas claras. Y si fallaba, ¿qué? ¿Acaso significaba eso que carecía de generosidad, de fe y de un impulso sagrado? ¿Tenía quizá que haber sido un vulgar Herzog sin ambiciones? No. Y Madeleine nunca se habría casado con semejante tipo. Precisamente, lo que ella había andado buscando era un Herzog ambicioso, con objeto de echarlo abajo, patearlo y aplastarle el cerebro con su asesino pie de bruja. ¡Cómo lo había estropeado todo Herzog y cómo había desperdiciado su inteligencia y sus sentimientos! Cuando pensaba en el interminable aburrimiento del noviazgo y el matrimonio y en todo el esfuerzo que había puesto en tantos arreglos, solo medidas prácticas, en trenes, aviones, hoteles y grandes almacenes, en los bancos en que había guardado su poco dinero, en hospitales, en médicos y medicinas, en deudas; y en cuanto a él mismo, las noches de rígido insomnio, las aburridas tardes, y las terribles pruebas del combate sexual, con toda la horrible egomanía envuelta en él, se admiraba de haber podido sobrevivir a todo ello. Muchos otros, en su generación, se gastaban pronto, morían de ataques, o de cáncer y, desde luego, llegaban a desear la muerte. Pero él debía de ser muy hábil porque, a pesar de tantos errores y estupideces, había resistido. Sobrevivía. Y ¿para qué? ¿Qué andaba buscando de un lado para otro? ¿Acaso iba a seguir esta carrera de cultivar sus *relaciones personales* hasta que por fin no le quedase más fuerza para moverse? ¿Iba solo a ser un hombre de gran éxito en el terreno privado, un rey de corazones, un amoroso Herzog, siempre en busca de amor, abrazando una tras otra sus Wandas, Zinkas y Ramonas? Pero esto no es más que una persecución femenina. Todos estos apretones y excitaciones del corazón, solo son para las mujeres. Y la ocupación seria de un hombre no es esa, sino el deber, la vida viril, la política en el sentido aristotélico. Entonces, ¿para qué demonios acabo de llegar aquí, a este Vineyard Haven? Nada menos que en unas *vacaciones* con el corazón deshecho, mis pantalones italianos y mis plumas estilográficas, con mi pena... para fastidiar y preocupar a la pobre Libbie, y explotar el afecto que me tiene, obligándola a pagar porque me porté muy amablemente y con mucha decencia cuando su esposo anterior, Erikson, se volvió majareta e intentó apuñalarla y luego matarse él con el gas. Y es verdad que entonces resulté muy útil. Pero si ella no hubiera sido tan hermosa y sexual y no se hubiera sentido tan evidentemente atraída por mí, ¿habría resultado yo un amigo tan dispuesto a ayudar y tan afectuoso? Y no estoy haciendo un papel muy digno al venir ahora a este sitio a fastidiarla con mis penas cuando solo hace unos cuantos meses que se casó ella de nuevo. ¿He venido a recoger el precio de mi ayuda? Vuélvete, Moses, y toma el próximo transbordador de vuelta. Todo lo que necesitabas era un viaje en tren para cambiar de ambiente. Te ha sentado bien.

Libbie bajó por el sendero para saludarle y le dio un beso. Venía vestida de tarde con un traje de cóctel de un color naranja o amapola. Tardó Moses en determinar si la fragancia que llegaba a su nariz procedía del cercano lecho de peonías o del cuello y los hombros de Libbie. Esta manifestaba sinceramente el contento que le producía verle. Fuese por propio mérito o por el brillo de su intervención en aquel asunto, lo cierto era que tenía en ella una buena amiga.

—¿Cómo estás?

—No voy a quedarme en tu casa —dijo Herzog—. No estaría bien.

—¿De qué estás hablando? Traes muchas horas de viaje. Entra, para que conozcas a Arnold. Siéntate y toma algo. ¡Qué ocurrencias tienes! —Se rió de él y él también tuvo que reírse. Sissler apareció en el porche. Era un hombre de unos cincuenta y tantos años, desaliñado y adormilado pero contento, que empezó a emitir unos extraños sonidos de bienvenida con su voz profunda. Traía puestos unos anchos pantalones *slacks* rojos sujetos con un cinturón de goma.

—Dice que ya se va a ir, Arnold, y apenas ha llegado. Te advertí que era un tipo muy raro.

—Y ¿ha hecho usted este viaje tan largo solo para decir que se marcha otra vez? Entre... Voy a encender la chimenea. Dentro de una hora hará frío y viene gente a cenar. ¿Le preparo algo de beber? ¿Scotch o bourbon? ¿O prefiere usted primero darse un chapuzón en la piscina? —Sissler le dirigió una ancha, amable y arrugada sonrisa. Tenía los ojos pequeños y los dientes espaciados; era calvo, pero tenía mucho pelo por detrás como si le creciera una gran seta. Libbie se había casado con un perro viejo, cómodo y prudente, una de esas personas que tienen grandes reservas de comprensión y humanidad. En la parte de la casa que daba al mar y en la que había una viva luminosidad, Libbie tenía un excelente aspecto y su rostro curtido y suave traslucía su felicidad. Llevaba rojo de labios color amapola, unas pulseras de oro alemán y una pesada cadena de oro de ley al cuello. Había envejecido un poco; debía de tener unos treinta y ocho o treinta y nueve años, calculó Herzog, pero sus ojos oscuros y bastante juntos, que le daban una mirada fluida y llamativa (tenía una nariz delicada y adorable), estaban mucho más claros de como los recordaba Moses. Se hallaba en la época de la vida en que empieza a actuar la última acción de la herencia y aparecen los defectos de los antepasados, una mancha o unas profundas arrugas, que al principio incluso aumentan la belleza de la mujer. Esa gran artista, la muerte, empieza muy lentamente a dar sus primeros toques. Pero a Sissler no podía importarle menos. Ya había aceptado el envejecimiento de ella y seguiría siendo el mismo hombre de negocios activo hasta el día de su muerte. Cuando llegara ese momento, tendría que ponerse de lado a causa de su gran mata de pelo detrás de la calva.

Las ideas que despueblan al mundo.

Pero cuando Herzog aceptó una bebida, se oyó a sí mismo dando las gracias con voz clara, y se vio sentado en aquel sillón forrado de *chintz*, pensó que quizá no fuera Sissler a quien estaba él viendo en su lecho de muerte, sino a otra persona que también tenía esposa. Quizá fuera él mismo quien estuviera muriendo en esa fantasía. Había tenido esposa —dos— y también había sido objeto de fantasías semejantes con sabor a muerte. Ahora bien: lo primero que se necesita para que un ser humano tenga esta habilidad es que realmente desee existir. Esto es lo que dice Spinoza. Es necesario para la felicidad *(Felicitas)*. No puede actuar bien *(bene agere)* ni vivir bien *(bene vivere)* si él no desea vivir. Pero también es natural, como dice la psicología, matar mentalmente (un asesinato pensado al día le libra a uno del psiquiatra), y entonces el deseo de existir no es lo bastante firme para permitir una buena vida. ¿Quiero existir o quiero morir? Pero en esta circunstancia social no podía Herzog esperar una respuesta a semejantes preguntas, y en vez de filosofar se tragó el bourbon, ya casi helado en el tintineante vaso. El whisky fue bajando calentando agradablemente su pecho como una cinta de fuego. Allá abajo veía la playa y la llameante puesta del sol sobre el agua. El transbordador regresaba. Al ponerse el sol, se llenó de pronto el gran casco del barco con luces eléctricas. En el cielo en calma un helicóptero se dirigía hacia Hyannis Port, donde vivían los Kennedy. Allí antes había siempre grandes cosas. El poder de las naciones. ¿Qué sabemos de todo eso? Moses sintió una intensa emoción al pensar en el asesinado presidente (me pregunto qué le diría yo a un presidente en una conversación normal). Se sonrió un poco al recordar cómo se daba importancia su madre hablándole a tía Zipporah acerca de él. «¡Qué lengua tiene este niño! Te digo que Moshele podía hablar con el presidente!» Pero en aquella época, el presidente era Harding. O ¿acaso era Coolidge? Entretanto, proseguía la conversación. Sissler trataba de inspirar confianza a Moses para que este se sintiera como en su casa —desde luego, debo de tener un aspecto terrible de medio trastornado— y Libbie parecía preocupada.

—No se preocupen ustedes por mí —dijo Moses—. Solo es que todas estas cosas que me han pasado me han dejado un poco excitado. —Se rió. Libbie y Sissler se miraron. Sin duda, estaban más tranquilos—. Veo que tienen ustedes una casa muy buena. ¿Es alquilada?

—Es mía —dijo Sissler.

—Estupendo. Es un sitio maravilloso. La utilizan ustedes solo en el verano ¿no? Pues podrían ustedes acondicionarla para el invierno.

—Me costaría unos quince billetes de los grandes, o más —dijo Sissler.

—¿Tanto? Supongo que el trabajo y los materiales saldrán más caros en esta isla.

—La mano de obra podría hacerla yo, desde luego —dijo Sissler—. Pero aquí hemos venido a descansar. Creo que también usted es un propietario ¿no?

—En Ludeyville Mass.

—¿Dónde está eso?

—En los Berkshires. Cerca de la esquina del estado junto a Connecticut.

—Debe de ser un sitio precioso.

—Pues sí, está muy bien. Pero demasiado lejos. Sí, lejos de todo.

—¿Qué tal otro whisky?

¿Creería Sissler que el whisky lo calmaría?

—Quizá quiera Moses arreglarse después de su viaje —dijo Libbie.

—Le enseñaré su habitación —dijo Sissler y, levantándose, cogió la maleta de Herzog.

—Esta es una buena escalera de las que hacían antes —dijo Moses—. Hoy no las hacen así. Las trabajaban a conciencia para una casa de verano.

—Hace sesenta años aún había buenos artesanos —dijo Sissler—. Mire usted las puertas; están hechas a conciencia. Bueno, aquí está su habitación. Creo que tiene usted de todo en ella: toallas, jabón... Esta tarde vendrán unos vecinos. Solo habrá una mujer, aparte de la mía. Una cantante: la señorita Elisa Thurnwale. Divorciada.

La habitación era ancha y confortable y daba a la bahía. Las dos puntas, East y West Chop, estaban alumbradas.

—Este es un sitio precioso —dijo Herzog, asomándose.

—Deshaga la maleta y póngase cómodo. No tenga prisa por marcharse. Sé que era usted muy buen amigo de Libbie cuando ella estuvo en apuros. Ya me ha contado cómo la protegió usted de aquel energúmeno, Erikson. El bárbaro quiso asesinar a la pobre chica. Libbie solo le tenía a usted para defenderla.

—En realidad, tampoco tenía Erikson nadie de quien valerse.

—¿Y eso qué importa? —dijo Sissler, apartando un poco su cara arrugada sin que sus pequeños ojos astutos dejaran de observar a Herzog un poco de lado—. La defendió usted. Para mí, eso es lo que importa. No solo porque quiero a la chica sino porque hay muchos pintas en circulación. Y usted se metió en líos por defender a Libbie. Porque usted tiene un alma, ¿verdad, Moses? —Meneó la cabeza sujetándose el cigarrillo con dos dedos manchados. Con voz arrastrada, añadió—: Ahora tiene usted tiempo de descansar un poco.

Se marchó y Moses se tumbó un rato en la cama. El colchón era bueno; se descansaba a gusto en él. Estuvo echado un cuarto de hora sin pensar en nada, con los labios entreabiertos, las piernas y los brazos extendidos y respirando tranquilamente mientras contemplaba las figuras del papel de la pared hasta que quedaron ocultas en la oscuridad. Cuando volvió a levantarse, no fue a lavarse y vestirse sino para escribir una nota de despedida. Había papel y sobres en la mesa.

Tengo que marcharme enseguida. No estoy ahora para soportar amabilidades. Tengo los sentimientos, el corazón, y todo, de una manera muy rara. Me han quedado cosas sin hacer. Os bendigo a los dos. Y mucha felicidad. Quizá vuelva a fines del verano. Agradecido, Moses.

Salió de la casa sigilosamente. Los Sissler estaban en la cocina. Sissler hacía ruido con las bandejas del hielo. Moses bajó rápidamente y salió por la puerta trasera con frenética rapidez y gran cuidado, como un ladrón. Cruzó por entre los matorrales hasta la finca de al lado. Luego subió por el sendero hasta el transbordador. Pero no tomó este sino un taxi allí mismo y fue en él al aeropuerto. A aquella hora solo podía marcharse en un vuelo a Boston. Lo tomó y voló hasta Idlewild, en el aeropuerto de Boston. A las once de la noche estaba ya tumbado en su propio lecho bebiendo leche caliente y comiendo un sándwich con mantequilla de cacahuete. Se había gastado tontamente bastante dinero en este viaje.

Seguía teniendo la carta de Geraldine Portnoy sobre su mesilla de noche y ahora la cogió y volvió a leerla antes de dormirse. Trató de recordar la impresión que le había hecho la primera vez que la leyó en Chicago, después de algún tiempo de habérsela dado Asphalter.

Querido Mr. Herzog, yo soy Geraldine Portnoy, la amiga de Lucas Asphalter. Usted recordará... ¿Qué recordaré? Moses había leído rápidamente (la letra era muy femenina, vuelta hacia atrás, y como de imprenta, con las íes coronadas por unos curiosos circulitos abiertos), y había tratado de tragarse de golpe toda la carta, recorriéndola a toda prisa para ver si descubría enseguida su intención. *Sabrá usted que seguí su curso sobre los románticos como Filósofos Sociales. Yo no estaba de acuerdo con usted en lo que dijo sobre Rousseau y Karl Marx. Luego me he convencido de lo que usted decía, o sea, que Marx expresaba esperanzas metafísicas en el futuro de la humanidad. Había tomado demasiado al pie de la letra lo que él dice sobre el materialismo.* ¡Lo que yo decía! Pues era muy vulgar y bien puede ella pensar lo que quiera. Herzog había procurado no perderse, pero todos aquellos puntos circulares y abiertos le ocultaban la visión como nieve y le tapaban el mensaje. *Probablemente, usted nunca se fijaría en mí pero a mí me agradaba usted y, como amiga de Lucas Asphalter (que, por cierto, le adora a usted y dice que es usted una estupenda muestra de las cualidades más humanas) desde luego, he oído hablar mucho de usted, ya que se crió donde Lucas y jugó al baloncesto en la Hermandad de los Muchachos de la República, en el viejo Chicago de la calle División. Un tío po-*

lítico mío era uno de los entrenadores: *Jules Hankin*. Creo recordar a Hankin. Llevaba un cárdigan azul y el cabello peinado con raya en medio. *No quiero que me interprete usted mal, pues no deseo en modo alguno mezclarme en sus asuntos. Por otra parte, no soy una enemiga de Madeleine. Incluso me resulta simpática. Es tan animada, inteligente y agradable, y ha sido tan simpática y franca conmigo... Durante algún tiempo la he admirado mucho y, por ser yo más joven que ella, me halagaban sus confidencias.* Herzog se sonrojó. Sin duda, las confidencias de Madeleine incluiría la desgracia sexual de él. *Y, por haber sido yo estudiante con usted, me intrigaba oír contar cosas de su vida privada, pero también me sorprendía la libertad y ganas de hablar que tenía ella, y pronto vi que, por alguna razón, quería tenerme de su parte. Lucas me advirtió que no me fiase pero ya es sabido que cualquier sentimiento intenso entre miembros del mismo sexo se hace con frecuencia, e injustamente, sospechoso. Mi formación científica me había enseñado a ser prudente en estas cosas pero la verdad es que ella quería tenerme de su parte. Me dijo que usted tenía muy buenas cualidades humanas e intelectuales aunque era un neurótico con un temperamento insoportable que a veces la asustaba. Sin embargo, añadió Madeleine, tenía usted grandes condiciones y, después de dos matrimonios sin amor y fracasados, quizá se dedicara usted en serio al trabajo para el que estaba dotado. Pero que no servía usted para las relaciones emotivas. Resultaba evidente que Madeleine nunca se habría entregado a un hombre que no hubiera sido inteligente o sensible. Me dijo que por primera vez en su vida no sabía qué hacer. Hasta ahora todo había sido confusión e incluso había lapsos de tiempo que no podía justificar. Por lo visto, al casarse con usted estaba en uno de esos estados mentales confusos. Resulta de lo más excitante hablar con ella pues le deja a una la impresión de haberse encontrado con la propia vida, una persona hermosa y brillante con un destino muy concreto. Sus experiencias son ricas y está preñada...* ¿qué es esto?, pensó Herzog. ¿Acaso me va a decir ahora que Madeleine está a punto de tener un hijo? ¡Un hijo de Gersbach! ¡No! Qué maravilla; qué suerte para mí. Si ella tiene un hijo fuera del matrimonio puedo pedir legalmente la custodia de Junie. Anhelante, había devorado el resto de la página. No, Madeleine no estaba preñada. Era demasiado lista para que le ocurriera eso. Para sobrevivir, ella tenía que basarse en la inteligencia. Precisamente, su enfermedad era agudeza mental. De modo que no se hallaba en estado. Solo había que seguir leyendo, a la vuelta de la página... *preñada de significado. Yo no era solo para ella una estudiante que acababa de terminar la carrera y que le ayudaba con su niña, sino una confidente. La pequeña me quiere mucho y a mí me parece una chica extraordinaria. Verdaderamente excepcional. Quiero a Junie mucho más de lo corriente en estos casos; se lo aseguro, mucho más. Tengo entendido que los italianos tienen fama de ser los más orientados hacia los niños en Occidente (solo tiene usted que pensar en la figura de Jesús-Niño en la pintura italiana), pero evidentemente los americanos tienen también su propia locura en el culto a los niños y en la psicología infantil. Aquí se hace todo con vistas a los niños. Si he de ser justa, creo que Madeleine no se porta mal con la pequeña Junie. Desde luego, tiende a ser autoritaria. Mr. Gersbach, que ocupa una posición ambigua en esta casa, se esfuerza por divertir a la niña. Esta lo llama tío Val y yo le veo jugar mucho con ella, muy cariñosamente.* Aquí sacó Herzog los dientes, irritado, oliendo el peligro. *Pero tengo que informarle a usted de algo desagradable, de lo que ya he hablado con Lucas. Y es que, viniendo por la avenida Harper la otra noche, oí llorar a la niña. Estaba dentro del automóvil de Gersbach y la pobre no podía salir, por lo que lloraba y temblaba. Creí que se había encerrado ella sola mientras jugaba, pero era ya de noche y yo no podía comprender por qué no la habían sacado ya de allí y la habían llevado a la cama.* El corazón de Herzog latió aceleradamente al leer estas palabras. *Tuve que calmarla y luego descubrí que su mamá y el tío Val estaban riñendo dentro de la casa y que había sido precisamente el tío Val quien la había metido en el* coche diciéndole que se quedase allí jugando. Después de encerrarla, había entrado en la casa. Puedo verlo subir la escalera mientras Junie chilla asustada. Lo mataré por eso. Leyó dos veces las últimas líneas. *Luke dice que usted debe saber estas cosas. Quería telefonearle pero a mí me pareció mal que se enterase usted por teléfono. Por lo menos, una carta permite meditar un poco y ver las cosas con más calma. La verdad es que no creo que Madeleine sea una mala madre.*

Reanudó, a la mañana siguiente, su actividad epistolar. La pequeña mesa-despacho, junto a la ventana, era negra, y su negrura rivalizaba con la del escape de incendios, cuyas barandillas se hundían en el asfalto. Tenía más cartas que escribir. Estaba muy ocupado, empeñado en la persecución de objetivos que solo ahora, aunque confusamente, empezaba a comprender. Su primer mensaje de hoy, concebido semiconscientemente al despertarse, lo dirigió a monseñor Hilton, al sacerdote que había captado a Madeleine para la Iglesia. Herzog, con su bata de algodón, tomaba su café negro, entrecerraba los ojos y se aclaraba la garganta, consciente ya del peligro. Empezaba a indignarse. Monseñor tenía que saber el efecto que producía con sus conversaciones en sus neófitos. *Soy el marido, o ex marido, de una mujer joven a la que usted convirtió, Madeleine Pontritter, hija del conocido empresario. Quizá la recuerde usted. La preparó hace unos años y la bautizó usted mismo. Se graduó en Radcliffe hace poco tiempo, y es muy hermosa...* ¿Era Madeleine efectivamente de una belleza tan grande o acaso le hacía exagerarlo el haberla perdido? ¿Al decir que era tan hermosa, no acentuaba así su sufrimiento? ¿O bien le consolaba decir que la mujer que le había abandonado era muy hermosa? Pero lo cierto es que Madeleine lo había dejado por aquel bruto y ordinariote Gersbach. Nada puede hacerse en las preferencias sexuales de las mujeres. Ese es un tema de la antigua sabiduría y no depende de los hombres. Sin embargo, objetivamente, era una belleza. También lo era Daisy, en su buena época. Yo también he sido guapo pero el orgullo me ha estropeado... *Tiene una tez saludable y rosada, hermoso cabello negro recogido atrás en un moño, y flequillo, un cuello fino, grandes ojos azules y nariz bizantina que le baja recta. El cabello le oculta una frente de gran potencia intelectual con la voluntad de un demonio, o quizá sea, sencillamente, su trastorno mental. Tiene un gran sentido del estilo. En cuanto empezó a prepararse para la conversión, llevó cruces, medallas, y rosarios, y vestidos modestos. Pero, en realidad, era todavía una niña recién salida del colegio. De todos modos, creo que comprendía muchas cosas mejor que yo. Y quiero que sepa usted, monseñor, que no le escribo con el propósito de denunciar a Madeleine ni atacarle a usted. Sencillamente, creo que le interesará a usted enterarse de lo que puede ocurrir, o de lo que efectivamente ocurre cuando la gente quiere salvarse del... creo que hay que decir «del nihilismo».*

Entonces, ¿qué ocurre?, ¿qué es lo que efectivamente ha ocurrido, en este caso? Herzog trató de comprender sin apartar los ojos de los muros a los que había vuelto otra vez desde Vineyard. Tenía yo aquella habitación en Filadelfia —un empleo que me duró un año— e iba tres o cuatro veces por semana a Nueva York en el tren de Pensilvania para visitar a Marco. Daisy juró que no habría divorcio. Y durante algún tiempo tuve que vivir con Sono Oguki, pero ella no cumplió su promesa. No era lo bastante *seria*. Yo trabajaba poco. Daba unas clases rutinarias en Filadelfia. Mis discípulos estaban hartos de mí y yo de ellos. Papá se olió la vida disoluta que yo llevaba y se enfadó. Daisy se lo contó todo por carta pero nada de aquello le importaba a Papá. ¿Qué es lo que realmente ocurrió? Abandoné el refugio de una vida ordenada y sensata porque me aburría y me parecía que estaba perdiendo el tiempo. Sono quería que me fuera a vivir con ella. Pero yo creí que eso no me convenía y, con mis papeles y libros, mi máquina de escribir Remington de oficina con su funda negra, mis discos, el oboe y toda la música, me marché a Filadelfia.

Aquel era el mejor sacrificio que podía hacer: gastarse yendo y viniendo en el tren. Iba a visitar a su chico y a soportar la ira de su ex esposa. Daisy procuraba ponerse lo más estúpida posible, lo cual la ponía muy fea. Recibía a Moses en lo alto de la escalera, con los brazos cruzados. Lo esperaba para advertirle que debía traer a Marco a casa antes de que pasaran dos horas. A Moses le horrorizaban estos encuentros. Desde luego, Daisy sabía siempre exactamente lo que Moses hacía y a quién veía, y de vez en cuando decía: «¿Cómo va el Japón?» O bien: «¿Qué hay del Papa?». No tenía gracia. Daisy poseía buenas cualidades, pero entre ellas no estaba el sentido del humor.

Moses se preparaba para sus salidas con Marco. Pero el resto del tiempo le resultaba muy pesado. En el tren procuraba recordar cosas de la guerra civil —fechas, nombres, batallas— para que mientras Marco comía su hamburguesa en la cafetería del Zoo, adonde iban siempre, pudiera hablar. Por ejemplo: «Ya es tiempo de que te hable de Beauregard», decía; «esta parte es muy excitante». Pero Herzog tenía que hacer un esfuerzo para concentrar su atención en el general Beauregard o en La Isla Número 10 o en Andersonville. En lo que pensaba de verdad era en cómo trastear a Sono Oguki, quien por entonces estaba ya abandonado por Madeleine, y aquello le producía una sensación de culpabilidad. Sabía que Sono estaba esperando que él la llamase. Y muchas veces se sentía tentado, cuando Madeleine se hallaba demasiado ocupada en la iglesia y se negaba a verle, ir a ver a Sono y charlar con ella, nada más. Todo esto era feo y Herzog se despreciaba a sí mismo por crear esas situaciones confusas. ¿Acaso eran esas ocupaciones las propias de un verdadero hombre?

¡Qué pérdida de respeto por sí mismo! ¡Qué falta de ideas claras! Estaba convencido de que Marco simpatizaba con él, su padre, y le seguía el juego, haciéndole muchas preguntas sobre la guerra civil con un gran interés aparente porque ese tema era el único que él podía ofrecerle. El chico no quería rechazar esa ofrenda hecha con tan buena voluntad. En aquello había amor, pensaba Herzog, envuelto ahora en su bata de algodón, y mientras se le enfriaba el café. Mis hijos y yo nos queremos. Pero ¿qué puedo yo darles? Marco lo miraba con sus ojos claros y su pálido rostro de niño, la cara de los Herzog, pecosa, con el pelo cortado a cepillo por propia elección, y algo más que no era del padre. Tenía la boca de la abuela Herzog.

—Bueno, chico, tengo que regresar ahora a Filadelfia —decía Herzog. Estaba convencido, por el contrario, de que su regreso a Filadelfia no era en absoluto necesario. Filadelfia era un completo error. ¿Para qué necesitaba él tomar aquel tren? ¿Era necesario, por ejemplo, ver a Elizabeth y Trenton? ¿Acaso le esperaban para que él los mirase? ¿Le estaba esperando en Filadelfia su nueva cama de soltero?

—Ya es la hora del tren, Marco. —Sacaba del bolsillo su reloj, que le había regalado su padre hacía veinte años—. Ten cuidado con el metro. Y también en tu vecindad. No pases por el parque Mornigside. Por allí hay unas pandillas de maleantes.

Contuvo el impulso de llamar a Sono Oguki desde una cabina telefónica que había en la acera y tomó el metro, que le llevaba a la estación Penn. Con su largo abrigo marrón, estrecho de hombros y deformado por los libros que metía en los bolsillos, recorrió el túnel bordeado de tiendas: flores, cubiertos, whisky, salchichas asadas, naranjadas... Subía despacio bajo la bóveda bien iluminada de la estación y los grandes escaparates dividían el sol de otoño. El espejo de la máquina tragaperras le revelaba a Herzog lo pálido que estaba y, en general, su aire de mala salud. Contemplando su pobre aspecto, Herzog se sonreía de su propia vida, de Herzog la víctima, de Herzog el aspirante a amante, de aquel Herzog a quien el mundo había confiado una cierta tarea intelectual con la pretensión de que influyese en el desarrollo de la civilización. Algunas cajas de papel viejo que guardaba bajo su cama en Filadelfia habían de producir, en efecto, este resultado tan significativo.

Así, entrando por la puerta de hierro con su placa roja con letras de oro, Herzog se dirigía hacia el tren llevando en la mano su billete sin picar. Tenía sueltos los cordones de los zapatos, pero aún le habitaban los fantasmas de su antiguo orgullo físico. En el nivel inferior los coches, de un rojo ahumado, esperaban. ¿Iba o venía? A veces lo ignoraba.

Los libros que llevaba en los bolsillos eran la *Breve historia de la guerra civil*, por Pratt, y varios volúmenes de Kierkegaard. Aunque había renunciado al tabaco, Herzog se sentía aún atraído por el vagón para fumadores. Le gustaba oler el humo. Instalándose en un asiento blando y sucio, sacó un libro y leyó. *Pues morirse significa que todo ha terminado, pero experimentar la muerte significa sentirla, darse cuenta de ella*, tratar de pensar lo que la muerte puede significar. Sí... no... sí... no... Por otra parte, si la existencia es la náusea, entonces la fe solo es un alivio inseguro. O bien... déjate destrozar por el sufrimiento y sentirás el poder de Dios cuando te da nuevas fuerzas. ¡Vaya una lectura para un depresivo! Sentado ante su mesa-despacho, sonrió. Apoyó la cabeza en las manos riéndose casi en silencio. Pero en el tren del metro, en cambio, iba estudiando con absoluta seriedad. Todos los que viven están desesperados. ¿Y esa es la enfermedad que conduce a la muerte (?). ¿Es un verdadero hombre el que se niega a ser lo que él es en realidad (?).

Cerró el libro cuando el tren llegaba a los montones de chatarra de New Jersey. Tenía la cabeza caliente. Sintió frescor al apretarse contra la mejilla la gran escarapela de propaganda electoral de Stevenson que llevaba en la solapa. El humo del coche era podrido y dulzón. Lo aspiró profundamente. Las ruedas se aceleraban mordiendo los raíles. El frío sol de otoño encendía las fábricas de New Jersey. Formas volcánicas de depósitos, refinerías, antorchas fantasmales, y luego los campos y bosques. Los robles achaparrados relucían como el metal. Los campos se volvieron azules. Cada antena de radio era como un ojo de aguja con una gota de sangre. Los mates ladrillos de la casa de Elizabeth quedaron detrás.

Al anochecer, en una fría oleada eléctrica, apareció Filadelfia.

Pobre hombre, andaba mal de salud.

Herzog hizo una mueca al pensar en las pastillas que había tomado y en la leche que había bebido aquella noche. Con frecuencia, tenía sobre su mesilla de noche, en Filadelfia, una docena de botellas. Tomó leche para calmarse el estómago.

De modo que Herzog sorbía leche en Filadelfia como un pobre lunático con esperanzas de curarse, tratando de calmarse el estómago, y su mente revuelta, anhelando dormir. Pensaba en Marco, Daisy, Sono Oguki, Madeleine, los Pontritter, y de vez en cuando en la diferencia, según Hegel, entre la antigua tragedia y la moderna, la íntima experiencia del corazón y el ahondamiento del carácter individual en el teatro moderno. En cuanto a su propio carácter, se apartaba a veces tanto de los hechos como de los valores. Pero el personaje moderno es inconstante, vacilante, dividido, falto de la pétrea certidumbre del hombre antiguo, y también privado de aquellas firmes ideas del siglo XVII y de sus claros y duros teoremas.

Moses quería hacer lo que pudiera para mejorar la condición humana y acababa tomando una píldora para dormir porque así, por lo menos, se conservaba él. Y ello, en interés de todo el mundo. Pero, cuando a la mañana siguiente se encontraba en su clase de Filadelfia, apenas si podía leer las notas que había preparado para su lección. Llevaba los ojos hinchados y la cabeza medio dormida, pero su corazón angustiado latía con gran rapidez.

El padre de Madeleine —poderosa personalidad, con una inteligencia de primera y que lleva dentro muchas de las características y grotescas vanidades del Nueva York teatral— me dijo, sin embargo, que yo podía hacerle a su hija mucho bien. Dijo:

—Bueno, ya es tiempo de que deje de andar por ahí con

esos tipos tan raros. En realidad, Madeleine es como tantas otras chicas universitarias intelectualoides: todas sus amigas son homosexuales. Tienen más leños a sus pies que Juana de Arco. Me parece una buena señal que se haya interesado por usted.

Pero el viejo tenía en poco a Herzog. Y no ocultaba este hecho psicológico. Herzog fue a ver a Pontritter en el estudio de este, porque Madeleine le había dicho: «Mi padre insiste en hablar contigo. Quiero que le atiendas».

Encontró a Pontritter bailando la samba o el cha-cha-cha (Herzog no sabía distinguir los dos bailes) con la mujer que le enseñaba, una filipina de mediana edad que había pertenecido a una pareja muy conocida de tango (Ramón y Adelina). Adelina había engordado, pero conservaba delgadas sus largas piernas. El maquillaje no le servía de mucho para aclarar su oscuro rostro. Pontritter, esa inmensa figura de hombre al que crecían unas fibras blancas en su tostado cuello cabelludo (usaba una lámpara solar durante todo el invierno), daba unos pasitos con sus zapatillas de lona y suelas de cuerda. Los pantalones se le movían de un lado a otro cuando oscilaba sus anchas caderas. Tenía muy serios sus ojos azules. Cuando la rasposa y débil música se detuvo, Pontritter dijo con un lejano interés:

—¿Es usted Moses Herzog?

—Sí, señor.

—¿Está enamorado de mi hija?

—Sí.

—Pues, por lo que veo, no se preocupa usted de su salud.

—No he estado muy bien, mister Pontritter.

—Todo el mundo me llama Fitz. Esta es Adelina. Adelina..., Moses. Parece que quiere llevarse a mi hija. Creí que nunca llegaría ese día. Bueno, mis felicitaciones... espero que la Bella Durmiente del Bosque se despertará gracias a usted.

—Hola, guapo —dijo Adelina. Nada había de personal en este saludo. Los ojos de Adelina estaban concentrados en la tarea de encender su cigarrillo. Tomó el fósforo que le ofrecía encendido Pontritter. Herzog recordaba haber pensado entonces lo muy externo que era este juego del fósforo bajo la luz del estudio. El fósforo era allí el símbolo del calor artificial. Aquel mismo día, más tarde, tuvo también una charla con Tennie Pontritter. Cuando Tennie habló de su hija, le saltaron enseguida las lágrimas a los ojos. Su aspecto era suave y de estar muy acostumbrada a sufrir. Siempre un poco llorosa aunque sonriera, y aún más triste cuando se la encontraba uno por casualidad, como le pasó a Moses en Broadway, y vio su rostro —era más alta de lo corriente— viniendo hacia él, ancho, suave, amable, pero con arrugas permanentes de sufrimiento en torno a la boca. Le invitó a sentarse con ella en la plaza Verdi, rodeados de viejos y viejas, lisiados, mendigos, lesbianas moviéndose como camioneros, y frágiles homosexuales negros con el pelo teñido y zarcillos.

—No tengo mucha confianza en mi hija —dijo Tennie—. Desde luego, la quiero muchísimo. Pero he tenido muchas dificultades. En primer lugar, tuve que estar junto a Fitz, al que han tenido en la lista negra durante años. No podía serle desleal. Después de todo es un gran artista...

—Lo creo... —murmuró Herzog. Ella estaba segura de que él lo reconocería.

—Es un gigante —dijo Tennie. Había aprendido a decir estas cosas con la mayor convicción. Solo una mujer judía culta (su padre había sido sastre y miembro del Arbeiter-Ring, y era *yiddishist*) podía sacrificar su vida por un gran artista, como lo había hecho ella. «¡Es una sociedad de masas!», dijo. Y miró a Herzog con la amabilidad y el atractivo de antes. «¡Una sociedad a la que solo interesa el dinero!» Esto causó impresión a Herzog, pues Madeleine le había dicho, muy dura como siempre para sus padres, que el viejo necesitaba cincuenta mil dólares al año y que aquella especie de Svengali lo conseguía de las mujeres y de los entusiastas del teatro—. Mady cree que la he abandonado. Pero es que no me comprende... y que odia a su padre. Te digo, Moses, que la gente tiene que confiar en uno instintivamente. Y Mady no es, por naturaleza, una chica confiada. Por eso, si confía en ti es que debe de estar enamorada.

—Soy yo el que está enamorado de ella —dijo Moses, emocionado.

—Sí, creo que tú debes de quererla... Las cosas son tan complicadas...

—¿Acaso quieres decir que es porque he estado más tiempo casado?

—Estoy segura de que no querrás hacerle daño, ¿verdad? Piense ella lo que piense, soy su madre y tengo un corazón de madre aunque ella crea que no. —Empezó a llorar en silencio—. Oh, Herzog... siempre he estado entre padre e hija. Sé que no hemos sido padres como todos los demás. Mady cree que solo he sido madre para darla a luz. Pero yo no la podría convencer. Eso te corresponde a ti. —Tennie se quitó sus complicadas gafas sin hacer ya nada por ocultar su llanto. Su rostro, con la nariz enrojecida, y sus ojos suplicantes cegados por las lágrimas. Había una cierta hipocresía calculadora en la actitud de Tennie, pero también, detrás de sus gestos, aparecía un auténtico cariño por su hija y su marido, y detrás de esto había algo aún más significativo y sombrío. Herzog tenía conciencia de las capas de realidad, de verdad, que había en aquella mujer. Comprendía que la preocupada madre de Madeleine también quería manejarlo a él a su manera. Eran treinta años de vida bohemia y, a pesar de las vulgaridades de aquella ideología cínicamente explotada por el viejo Pontritter, Tennie seguía fiel, encadenada con las joyas «abstractas» de plata mate que llevaba.

Pero esto no le ocurriría nunca a su hija, si ella podía evitarlo, y Madeleine también estaba dispuesta a no dejarse arrastrar. En ese punto fue donde entró Moses, en el banco de la plaza Verdi. Estaba recién afeitado, y llevaba limpia la camisa y las uñas arregladas. Tenía cruzadas las piernas, un poco gruesas por los muslos, y escuchaba a Tennie muy pensativo, aunque, en verdad, le había dejado de funcionar la mente. Estaba demasiado lleno de grandes proyectos para poder pensar con claridad en algo concreto. Desde luego, se daba cuenta de que Tennie quería salirse con la suya. Él tenía una debilidad por las buenas acciones y ella le halagaba esa buena tendencia pidiéndole que salvara a aquella cabezota hija suya. Lo cual se lograría con paciencia y amor. Pero Tennie lo halagó aún más sutilmente. Le estuvo diciendo que él podía estabilizar la vida de la neurótica chica y curarla con su experiencia. Entre aquella multitud de viejos, moribundos y mutilados, Tennie pedía a Moses su ayuda conmoviendo intensamente sus simpatías impuras. Era una operación repulsiva. Aquello le apretaba el corazón.

—Adoro a Madeleine —dijo Moses—. No tienes que preocuparte. Haré todo lo posible. —Aquella mujer era de una intensidad y de una cordial impaciencia que resultaban cómicas.

Madeleine ocupaba un piso en un viejo edificio y Herzog se estaba con ella cuando venía a la ciudad. Se acostaban juntos en el sofá del estudio, el que tenía la funda de tafilete. Moses estrechaba su cuerpo toda la noche con fervor y exaltación. Ella no se mostraba tan ferviente en el amor, pero había que tener en cuenta que se había convertido recientemente. Además, de dos amantes, uno de ellos siempre se entusiasma más que el otro. A veces lloraba lamentándose de su pecado. Sin embargo, le gustaba mucho.

A las siete de la mañana, anticipándose al despertador por unos segundos, Madeleine se endurecía, y cuando el reloj sonaba iba ya camino del cuarto de baño exclamando con reprimida ira: «¡Maldita sea!».

Era un sitio anticuado. Aquellos habían sido pisos de lujo en los años 1890. Los grifos, de boca ancha, soltaban un buen chorro de agua fría. Madeleine se quitaba la blusa del pijama quedándose desnuda hasta la cintura y se frotaba con una toalla, purificándose la piel con irritado vigor. Se le ponían la cara colorada y los pechos rosados. Silencioso, descalzo y llevando la trinchera como una túnica, Herzog entraba en el cuarto de baño y se sentaba en el borde de la bañera contemplando a Madeleine.

Los mosaicos eran de un color cereza borroso y la repisa para poner los objetos de limpieza personal era de níquel viejo y muy adornado. El agua salía con fuerza del grifo y Herzog veía cómo se transformaba Madeleine en una mujer mayor. Tenía un empleo en Fordham, y a ella lo que más le interesaba era tener un aspecto sobrio y maduro, como de llevar mucho tiempo en la Iglesia. La descarada curiosidad de Herzog, el hecho de que compartiese con familiaridad el cuarto de baño con ella, y el que estuviese desnudo bajo la trinchera, así como la palidez de su cara por la mañana en este ambiente de lamentable lujo victoriano, todo esto molestaba a Madeleine. No le miraba mientras se arreglaba. Sobre el sostén y las bragas se ponía un suéter de alto cuello y, para proteger los hombros del suéter, se cubría con una capa de plástico que le protegía la lana del maquillaje. Luego empezaba a ponerse los cosméticos; los tarros y las cajas llenaban el estante sobre el lavabo. Hiciera lo que hiciese, se movía con rapidez y eficacia, con la seguridad de una especialista. Tenía una seguridad de acróbata en el trapecio. A Herzog le parecía que Madeleine se arreglaba con demasiada prisa, pero lo hacía muy bien. Primero se extendía una capa de crema en las mejillas, frotándosela hasta su recta nariz, su barbilla infantil y la suave garganta. Era una crema gris, de un tono perla azulado. Esta era la crema base. Se quitaba el exceso de grasa con una toalla de maquillaje. Sobre esto se aplicaba el colorete y los polvos. Luego suavizaba el maquillaje con una bola de algodón siguiendo la línea del cabello, en torno a los ojos, y un poco en las mejillas y en la garganta. A pesar de los suaves anillos de carne femenina, había ya algo claramente dictatorial en la rotundidad de aquella garganta. No dejaba a Herzog que le acariciara en la cara hacia abajo porque era malo para los músculos. Sentado, contemplándola a ella desde el borde del lujoso baño, Herzog se ponía los pantalones después de meterse en ellos la camisa. Ella no le miraba. Hacía todo lo posible para librarse de él en cuanto empezaba su vida diurna.

Con la misma prisa extremada, como si estuviera desesperada, aún se aplicaba unos polvos pálidos con la borla. Luego se volvía rápidamente para contemplar su obra —perfil derecho, perfil izquierdo— colocándose ante el espejo con las manos levantadas como si fuera a sostener con ellas el pecho, pero sin tocarlo. Estaba satisfecha con los polvos. Todavía le quedaba ponerse unos toques de vaselina en los párpados. Se daba rimmel en las pestañas con un diminuto pincel. Moses participaba en todo esto en silencio, intensamente. Pero aún, sin pausa ni vacilaciones, se daba un toque de negro en el extremo exterior de cada ojo y volvía a dibujar la línea de sus cejas para mejorarlas. Luego cogía unas grandes tijeras de sastre y empezaba a recortarse el flequillo. Madeleine parecía no necesitar espejo para saber lo que tenía que hacerse; su imagen estaba grabada en su voluntad. Se cortaba el flequillo como si descargara una pistola y Herzog sentía un impulso de alarma. La gran decisión de aquella mujer en todo lo que hacía le fascinaba, y en esta fascinación volvía a encontrar su propia infancia. Allí estaba él, una persona en plena posesión de sus facultades, sentado en el borde del pomposo y viejo baño, absorto en esta transformación del rostro de Madeleine. Luego, esta se pintaba los labios y con ello se añadía años. Este último detalle era ya casi el final. Pero aún tenía que humedecerse un dedo con la lengua y darse unos últimos toques. Ya estaba. Se miraba seriamente al espejo y parecía satisfecha. Sí, estaba muy bien. Pero le faltaba ponerse la falda de *tweed*, larga y pesada, que le ocultaba las piernas. Los tacones altos le inclinaban levemente los tobillos. Y luego, el sombrero, que era gris, de copa baja y ala ancha. Cuando se lo encajaba en su fina cabeza, se convertía en una mujer de cuarenta años, como tantas de las pálidas, histéricas y arrodilladas hipocondríacas de las que se veían en las naves de las iglesias. El ala ancha del sombrero en torno a su angustiada frente, su intensidad infantil, su miedo, su fuerza de voluntad religiosa, todo ello inspiraba compasión. Mientras que él, aquel judío pecador, gastado y sin afeitar, ponía en peligro la redención de ella y le causaba dolor de corazón. Pero Madeleine apenas lo miraba. Se había puesto la chaqueta con el cuello de ardilla y se metía la mano por debajo para ajustarse las hombreras. ¡Aquel sombrero lucía una larga cinta gris de más de un centímetro de anchura y le recordaba al que llevaba la señora cristiana que le hacía leer la Biblia en el hospital de Montreal. Incluso tenía un largo alfiler como aquel. Terminado su arreglo, el rostro de Madeleine quedaba suave y maduro. Solamente los ojos habían quedado sin tocar y las lágrimas parecían a punto de brotar de ellos. Madeleine parecía enfadada, furiosa. Desde luego, quería tenerlo junto a ella por la noche. E incluso, casi con rencor, le cogía una mano y se la ponía sobre uno de sus pechos mientras se dormían. Pero por la mañana habría preferido que desapareciera. Y Herzog no estaba acostumbrado a eso, sino a ser un favorito. Para consolarse, se decía a sí mismo que lo que le pasaba era que tenía que tratar con una nueva generación femenina. Para ella era un seductor paternal, paciente y canoso (aunque él no podía creerlo). Pero los papeles habían sido distribuidos. Ella tenía su cara pálida de conversa y Herzog no podía negarse a representar el papel del seductor.

—Debías desayunar algo —dijo él.

—No. Se me haría tarde.

El maquillaje se le había secado en la piel. Se puso una gran cruz pectoral. Llevaba solo tres meses de católica y no se podía confesar por culpa de Herzog; por lo menos, no con monseñor.

La conversión fue un acontecimiento teatral para Madeleine. El teatro: el arte de los arribistas, oportunistas y aspirantes a aristócratas. El propio monseñor era un actor. Tenía un papel de importancia. *Desde luego, Madeleine sentía su nueva religión, pero el brillo social de esta y la oportunidad de subir socialmente eran más importantes para ella. Se hizo usted famoso convirtiendo celebridades y ella acudió a usted.* Queríamos lo mejor para nuestra Mady. *La interpretación judía de la señora o el caballero cristiano de amplia mentalidad, constituye un curioso capítulo en la historia del teatro social.*

—Te sentará mal ir a trabajar con el estómago vacío. Desayuna conmigo y luego te llevaré en taxi a Fordham.

Decidida, pero andando torpemente a causa de su larga falda tan fea, salió del cuarto de baño. Su deseo era volar, pero con su enorme sombrero, que parecía la rueda de un carro, la larga falda, las medallas religiosas, la gran cruz pectoral y lo mucho que le pesaba el corazón, no le era fácil marcharse.

Herzog la acompañó a través de la gran habitación cubierta de espejos, adornada con grabados religiosos flamencos, dorados, verdes y rojos. Los pestillos estaban inmovilizados por muchas capas de pintura. Madeleine se impacientaba. Y Herzog, que iba tras ella, abrió de un tirón la blanca puerta principal. Bajaron por un corredor donde había cubos de la basura sobre una alfombra que había sido lujosa, y entraron en el decrépito ascensor para salir luego del viejo vestíbulo a la fachada de pórfido y a la calle, donde había a esa hora mucha circulación.

—¿No vienes? ¿Qué haces? —dijo Madeleine.

Quizá no estuviera todavía completamente despierto. Herzog se había detenido un momento cerca de la pescadería, como paralizado por el olor. Un negro delgado y musculoso estaba salpicando con pedacitos de hielo las bandejas de pescado expuestas al público. Los pescados estaban muy apretados, con los lomos arqueados como si estuvieran nadando en el hielo machacado, con sus colores bronceados sangriento, verdinegro, fangoso y gris oro. Las langostas se apelotonaban contra el cristal con las tenazas dobladas. Era una mañana cálida, gris, fresca y que olía a río.

—No te puedo esperar, Moses —dijo Madeleine, perentoriamente, por encima del hombro.

Fueron al restaurante. Se sentaron a una mesa de formica amarilla.

—¿Por qué te quedabas atrás?

—Es que mi madre era de las provincias bálticas. Le entusiasmaba el pescado.

Pero a Madeleine no le interesaba la madre de Herzog,

muerta hacía veinte años, por muy nostálgico de los recuerdos maternales que fuera este caballero. Moses, en cambio, pensó que estaba siendo demasiado paternal para con Madeleine y no podía esperar que ella pensara con cariño en la madre de él. Esta era ya una de esas personas desaparecidas realmente muertas para el recuerdo y que a una nueva generación no puede interesarle. Sobre la mesa amarilla había una flor roja. Interesado por saber si también era de plástico, Herzog la tocó. Al ver que era natural, retiró enseguida los dedos. Madeleine lo contemplaba impaciente.

—Ya sabes que tengo prisa —le dijo.

A Madeleine le gustaban mucho los mojicones ingleses. Los pidió a la camarera. Luego, levantando la barbilla hacia Moses, le dijo:

—Mira, Moses, ¿tengo bien el maquillaje del cuello?

—Con la tez que tú tienes no necesitas nada de eso.

—¿Tengo algún claro?

—No. ¿Te veré después?

—No estoy segura. Me han invitado a un cóctel en Fordham. Es en honor de uno de los misioneros.

—Pero, después... podría yo tomar un tren de última hora para Philly.

—Es que le prometí a mamá... La pobre tiene otra vez dificultades con el viejo.

—Creí que ya habían decidido lo del divorcio.

—¡Es una esclava! —dijo Madeleine—. No es capaz de dejarlo ni él tampoco. Y el que sale ganando es él. Mamá sigue yendo a aquella maldita escuela dramática que tiene él y le lleva los libros. Para ella es lo más grande de su vida: otro Stanislavsky. Le ha sacrificado su vida y, si no es un genio, ¿por qué había de hacerlo? Por eso, ella trata de convencerse de que es efectivamente un genio.

—He oído decir que es un gran director teatral.

—*Algo* tiene —dijo Madeleine—. Es una especie de intuición artística casi femenina. Y droga a la gente. No está bien lo que hace. Tennie dice que gasta casi cincuenta mil dólares al año solo en sí mismo. Emplea todo su genio en quemar ese dinero.

—Me da la impresión de que ella está llevando los libros de tu padre en beneficio suyo para ver lo que puede salvar para ti.

—Solo dejará pleitos y deudas. —Clavó sus dientes en el mojicón tostado. Eran unos dientes pequeños, de niña. Pero no comió. Dejó el mojicón en el plato y los ojos le brillaron de un modo extraño.

—¿Qué pasa? Come.

Pero ella apartó el plato y dijo:

—Te he pedido que no me telefonees a Fordham. Me saca de quicio. Tengo que mantener las dos cosas separadas.

—Lo siento. No te llamaré más.

—Perdona, pero esto me trastorna. No puedo confesarme con monseñor. Me da mucha vergüenza.

—¿Y no te servirá otro sacerdote?

Dejó la taza bruscamente sobre el plato de loza del restaurante. En el borde quedaba una marca pálida del rojo de labios.

—El último sacerdote con el que me confesé me riñó mucho por causa tuya. Me preguntó que cuánto tiempo llevaba siendo católica. Y me preguntó también por qué me había bautizado si al poco tiempo iba a empezar a portarme así.

Sus ojos le miraban acusadoramente, aquellos ojos de mujer ya madura. Le cruzaban el rostro con una enérgica raya las cejas que se había pintado. A Herzog le pareció ver por debajo de ellas la auténtica línea.

—¡Cuánto lo siento! —dijo Moses. Parecía sinceramente contrito—. No quiero causarte dificultades. —Pero esto no era cierto. Por el contrario, parecía estar siempre creando dificultades a sabiendas. Y, en cuanto a ella, parecía atraerle extraordinariamente la dificultad. Quería que Moses y monseñor lucharan por ella.

—Me siento muy apenada —dijo—. Pronto será miércoles de Ceniza y no puedo ir a comulgar hasta que me confiese.

—Qué raro... —Moses la compadecía sinceramente, pero no entendía estas complejidades religiosas y, por su parte, no estaba dispuesto a ceder.

—Y, ¿cuándo nos casamos? ¿De qué manera podemos casarnos?

—Todo se podrá arreglar fácilmente porque la Iglesia es una institución muy antigua y muy sabia.

—En la oficina se ha comentado el caso de Joe DiMaggio, cuando quiso casarse con Marilyn Monroe. Y también el caso de Tyrone Power; uno de sus últimos matrimonios fue bendecido por un príncipe de la Iglesia. —Madeleine leía todas las columnas de chismorreos. Sus señales en el libro de san Agustín y en su misal eran recortes del *Post* y del *Mirror*.

Madeleine parecía tener hinchados sus grandes ojos violetas. Estos pensamientos la hacían sufrir mucho, de tanto darles vueltas.

—Estoy citada con un cura italiano en la Sociedad de la Propagación de la Fe. Es un especialista en derecho canónico. Le telefoneé ayer.

Llevaba en la Iglesia doce semanas y ya lo conocía todo.

—Sería más fácil si Daisy se divorciara de mí —dijo Herzog.

—No tiene más remedio que divorciarse. —La voz de Madeleine se hizo chillona. Herzog contemplaba aquella cara que los jesuitas habían preparado. Pero algo había ocurrido, alguna cuerda se había estirado y tensado en el pecho de ella, y se le puso rígida la figura. Tenía blancas las yemas de los dedos de tanto apretarlas en la mesa mientras lo miraba a él. Contraía los labios y se le oscurecía el rostro bajo la palidez del maquillaje.

—¿Qué te hace suponer que estoy dispuesta a pasarme la vida liada contigo? Necesito que nos casemos por la Iglesia.

—Pero, Mady, sabes de sobra cuáles son mis sentimientos.

—Mira, déjate de tonterías con los sentimientos. No creo en eso. Solo creo en Dios, en el pecado, en la muerte... de modo que no me vengas con tonterías sentimentales.

—Ya, ya... pero escucha. —Se puso el sombrero como si esto le diera alguna autoridad.

—Quiero casarme —insistió Madeleine—. Todo esto nuestro no es nada entre dos platos. Mi madre tuvo que llevar una vida bohemia trabajando mientras que Pontritter se divertía. Me sobornaba con monedas cuando yo le sorprendía en alguno de sus líos. ¿Y sabes cómo aprendí a leer? Pues en *El Estado y la Revolución*, de Lenin. ¡Yo no quiero vivir como esos locos!

Herzog pensó que probablemente era verdad. Pero ahora Madeleine desea tener Navidades blancas, y torrijas en Semana Santa y preocuparse por los vestidos de primera comunión de los primos, casada con un buen irlandés.

—Quizá me haya hecho una fanática de los convencionalismos —dijo Madeleine—. Pero así soy, y así seré. Tú y yo tenemos que casarnos por la Iglesia. Si no, lo dejamos. Nuestros hijos estarán bautizados y educados en la Iglesia. —Moses asintió en silencio. Comparado con ella, se sentía estático y sin temperamento. Le conmovía la empolvada fragancia de su rostro (y es que yo agradezco cualquier forma de arte, pensó).

—Mi infancia fue una grotesca pesadilla —prosiguió Madeleine—. Me fastidiaron mucho y, para colmo, ab... —tartamudeó.

—¿Abusaron?

Madeleine asintió con la cabeza. Esto se lo había contado ya antes. Y él no podía comentar con ella este secreto sexual suyo cuando se le antojase, sino esperar a que ella lo sacase a relucir.

—Fue un hombre mayor —dijo—. Me pagó para que no lo divulgase.

—¿Quién fue?

Sus ojos reflejaron angustia y su bonita boca se contrajo vengativa pero en silencio.

—Eso les ocurre a muchas, a muchísimas mujeres —dijo Herzog—. No se puede basar una vida en eso. En realidad, no significa tanto.

—¿Cómo? ¿No significa mucho todo un año de amnesia? Mi año catorce lo tengo borrado por completo.

No podía aceptar el amplio consuelo de Herzog. Quizá le pareciese una especie de indiferencia.

—Mis padres casi me destruyeron. Muy bien... ahora ya no importa. Creo en mi Salvador, Jesucristo. No le tengo ya miedo a la mu... muerte, Moses. Pontritter me dijo una vez que todos morimos y nos pudrimos en la tumba. Figúrate, decirle eso a una chica de seis o siete años. Deberían haberle castigado por eso. Pero ahora quiero seguir viviendo. Traer hijos al mundo, con tal de que tenga algo que decirles cuando me pregunten por la muerte y la tumba. Pero no esperes de mí que siga viviendo sin normas, así por las buenas. ¡No! Tendrá que ser con arreglo a mis reglas o nada.

Moses la contemplaba como si estuviera sumergido, a través de la vítrea distorsión de aguas profundas.

—¿Me escuchas?

—Sí, sí, mujer. Te escucho.

—Bien, ahora me tengo que ir. El padre Francis es muy puntual. —Recogió su bolso y salió a toda prisa. Sacudía sus mejillas por la brusquedad de sus pasos. Llevaba unos tacones muy altos.

Una de aquellas mañanas, se había enganchado un tacón y, al caer, se había lastimado la espalda. Ahora salió a la calle a toda prisa —todavía cojeaba un poco— y tomó un taxi a los pocos momentos, pero el padre Francis la envió enseguida al médico, que la reconoció y la mandó a casa. Allí encontró a Moses, aún a medio vestir, bebiendo, pensativo, una taza de café (pensaba continuamente, pero no llegaba a una conclusión clara).

—¡Ayúdame! —exclamó Madeleine al entrar.

—¿Qué te ha ocurrido?

—Me caí en el metro. Estoy herida. —Su voz era taladrante.

—Es preferible que te eches —le dijo Herzog mientras le quitaba los alfileres del sombrero y le desabrochaba cuidadosamente la chaqueta y el suéter. Luego le quitó la falda y las bragas. El color rosa claro de su cuerpo apareció por debajo de la línea de su maquillaje en el cuello. Le quitó la cruz pectoral.

—Tráeme el pijama —le dijo Madeleine, que temblaba. Los anchos esparadrapos tenían un fuerte olor a medicina. Herzog la tendió en la cama y se echó junto a ella para darle calor y consuelo, como ella quería. Era un día de marzo plomizo y nevaba. Él no volvió a Filadelfia.

—Me he castigado por mis pecados —repetía Madeleine.

He pensado que podría interesarle a usted enterarse de la verdadera historia de una de sus conversas, monseñor. Muñecas eclesiásticas, faldas de hilos dorados, plañideros tubos de órgano. El mundo auténtico, por no hablar del infinito universo, requería unos caracteres más serios, verdaderamente masculinos.

¿Como el de quién? ¿Acaso como el mío?, se preguntó Herzog. Y, en vez de concluir la carta que estaba escribiendo para monseñor, anotó, para su propio uso, una de las canciones infantiles favoritas de su hija June.

Quiero a la gatita de pelo tan tibio
y, si no le hago daño, tampoco ella me dañará.
Sentada junto al fuego, le daré algo de comer.
Y, como soy buena, la gatita me querrá.

Sí, eso es, pensó Herzog. Hay que dirigir la imaginación contra uno mismo y dispararla a bocajarro.

Pero, en resumidas cuentas, Madeleine no se casó por la Iglesia, ni bautizó a su hija. Cultivaba el catolicismo marginalmente y siguió viviendo así.

Herzog había realizado con Madeleine su segundo intento de vivir en el campo. Para ser un judío de gran ciudad, era muy aficionado a la vida del campo. Había obligado a Daisy a resistir un invierno de muchísimo frío al este de Connecticut mientras él escribía *Romanticismo y Cristianismo* en una casa de campo donde había que deshelar las cañerías con velas y donde penetraban unos heladores golpes de viento por las rendijas entre las tablas mientras Herzog meditaba acerca de Rousseau o tocaba el oboe. Ese instrumento había venido a parar a sus manos después de la muerte de Aleck Hirschbein, su compañero de habitación en Chicago. Herzog, con su extraña piedad (sentía un cariño muy denso por la gente y no se le pasaba con facilidad) aprendió a tocar ese instrumento y, ahora que pensaba en ello, aquella música tan triste debía de haber angustiado a Daisy aún más que los meses de niebla y frío. Quizá también hubiera influido la triste música en el carácter de Marco. A veces se ponía un poco melancólico.

Pero con Madeleine había de ser completamente distinto. Ella tenía el vigor que le daba la Iglesia y, después de un poco de lucha con Daisy, los abogados de esta y el de ella misma, y bajo la presión de Tennie y Madeleine, Moses se divorció por fin y se casó otra vez. Guisó la cena de la boda Phoebe Gersbach. Herzog, en su despacho, mientras contemplaba unos jirones de nubes (un cielo insólitamente claro para Nueva York) recordaba el pudin del Yorkshire y la tarta que hicieron en casa. Phoebe sabía hacer incomparables pasteles de banana. El novio y la novia parecían muñecos. Y Gersbach, alborotador, servía whisky y vino a todos, daba puñetazos sobre la mesa, y bailaba, pataleando, con la novia. Llevaba una de sus camisas sport favoritas, muy suelta, abierta sobre su ancho y peludo pecho y que le resbalaba un poco en los hombros. Era como un escote masculino. No había más invitados que ese matrimonio.

Herzog compró la casa de Ludeyville cuando Madeleine quedó embarazada. Por otra parte, parecía el sitio ideal para trabajar él en *La fenomenología de la mente*: la importancia de la «ley del corazón» en las tradiciones occidentales, los orígenes del sentimentalismo moral y asuntos relacionados con esto, en los que él tenía ideas originales. Iba a tratar el tema de un modo original —sonreía ahora al recordarlo— y a darles una buena lección a los otros eruditos dejando al descubierto la trivialidad de estos de una vez para siempre. Lo que le movía a hacerlo no era solo la vanidad sino un sentido de la responsabilidad. Eso, por lo menos, era lo que él se decía a sí mismo. Herzog era un tipo *bien pensant*. Tomó completamente en serio la creencia de Heine de que las palabras de Rousseau se habían convertido en la sangrienta máquina de Robespierre, y que Kant y Fichte eran más mortíferos que ejércitos enteros. Herzog contaba con una beca, aunque pequeña, y el legado de veinte mil dólares que le había dejado su padre fue a parar entero a la compra de la casa de campo.

Se tuvo que convertir en el «encargado» de su casa. Si él no hubiera «echado una mano», la decrépita casa se habría tragado los veinte mil dólares y mucho más. Eran los ahorros de toda la vida de su padre y representaban cuarenta años de miseria en América. No entiendo cómo pudo reunir tanto dinero, pensó Herzog. Cuando firmó el cheque, estaba demasiado exaltado para pensar en ello. Lo había rellenado sin pensar en lo que hacía.

Pero después de haber firmado los papeles, inspeccionó la casa como si la viera por la primera vez. Estaba muy estropeada y sin pintar, con unos adornos victorianos medio deshechos. En el suelo había un gran boquete como si hubiese estallado allí una granada. El yeso se caía a pedazos. Y los ladrillos se salían de su sitio. Las ventanas estaban rajadas, y el viento se colaba aunque las cerrasen.

Herzog aprendió albañilería, cristalería, fontanería... Se pasó noches enteras estudiando la enciclopedia *Hágalo usted mismo,* y con histérico entusiasmo estuvo pintando, poniendo parches, remediando goteras, tapando agujeros. Las viejas maderas se tragaban dos capas de pintura como si tal cosa. En el cuarto de baño, los clavos hacían que se soltaran los mosaicos como cartas de una baraja. El radiador de gas funcionaba muy mal. El calentador eléctrico estaba roto. El baño era una reliquia. Reposaba sobre cuatro talones metálicos y parecía un juguete grande. Tenía uno que ponerse en cuclillas para bañarse y hacer unos raros ejercicios para irse lavando. Madeleine había comprado unas cosas muy modernas para el baño, pero había que instalarlas. Herzog tuvo que trabajar de lo lindo en la bañera.

Gracias a un año entero de intenso trabajo, pudo evitarse que la casa acabara de derrumbarse.

En el sótano había otro cuarto de aseo con gruesas paredes, como un *bunker*. Aquel sitio era el preferido de los grillos, y Herzog también lo prefería. Pero Herzog tenía artritis en el cuello y la celda de piedra era demasiado húmeda.

Reservaba las mañanas —por lo menos, lo procuraba— para el trabajo cerebral. Trató de que le enviaran de la Biblioteca Widener el *Abhandlungen der Königlich Sächsischen Gesettschaft der Wissenschaft*. Tenía la mesa-despacho llena de cuentas sin pagar y de cartas sin contestar. Para hacerse con un poco más de dinero, logró que le enviasen de las Ediciones de la Universidad originales para que él diese su juicio profesional. Pero estos se amontonaban sin que los abriese. El sol calentaba ya mucho y la tierra estaba húmeda y ennegrecida. Herzog contemplaba la lujuriante vida de las plantas con desesperación. Tenía todo aquel trabajo y nadie que le ayudase. La casa —enorme, vacía, urgente—, le estaba siempre esperando. QUOS VULT PERDERE DEMENTAT, escribió en el polvo. Los dioses se ocupaban de él pero no le habían enloquecido aún lo bastante.

Cuando empezó a comentar las monografías, a Moses se le rebeló la mano. Le bastaba estar escribiendo durante cinco minutos una carta para sentir el «calambre del escritor». Siempre estaba disculpándose con la gente por no contestar su correspondencia. Con los codos apoyados sobre los papeles, Moses miraba fijamente las paredes a medio pintar, los techos descoloridos y las ventanas sucias. Algo le pasaba. Solía llevar adelante su trabajo normalmente pero ahora trabajaba con solo un dos por ciento de eficiencia. Cogía y volvía a soltar cinco o diez veces el mismo papel y todo lo colocaba fuera de su sitio. Era demasiado. Se estaba hundiendo.

Cogió el oboe. En su oscuro despacho, con las parras tapándole la ventana, Herzog interpretaba a Händel y Purcell: jigas, *bourrées*, contradanzas, con las mejillas hinchadas y las yemas de los dedos sobre las teclas, tocaba pensando en otra cosa y triste. En el sótano funcionaba la lavadora eléctrica. La cocina estaba lo bastante sucia como para criar ratas. Se veían yemas de huevo secas en las fuentes. El café se volvía verde en las tazas. Volaban por allí toda clase de moscas caseras y se veían tirados algunos billetes de dólar y sellos de correos.

Madeleine, para huir de la música de Herzog, daba portazos y cerraba con rabia la portezuela del coche. El motor de este crujía. Herzog tocaba más bajo mientras esperaba el ruido. Esperaba a ver por la ventana que su mujer reapareciera en el Studebaker renqueante por la segunda curva de la colina. El embarazo le había puesto bastas las facciones pero aún era hermosa. Tenía una de esas bellezas que esclavizan a los hombres. Cuando conducía se le movía involuntariamente la nariz bajo el flequillo, que le oscurecía los ojos. Sus dedos, unos elegantes y otros con las uñas mordidas, agarraban el volante de ágata. Herzog decía que a una mujer embarazada no le convenía conducir un coche. Además, debía tener, por lo menos, permiso de conducir. Madeleine replicaba que si algún policía de carreteras la detenía, ya se las arreglaría ella para suavizarlo.

Cuando Madeleine se marchaba, Herzog secaba el oboe, lo examinaba cuidadosamente y lo guardaba en su funda. Llevaba colgado al cuello unos gemelos de campaña. De vez en cuando trataba de observar algún pájaro pero, por lo general, ya se había marchado este cuando él quería enfocarlo. Abandonado, se quedaba sentado ante su mesa-despacho. Unos filodendros crecían de la base de su lámpara y se enroscaban por esta. De vez en cuando tiraba bolas de papel a los moscardones que se posaban sobre las pintarrajeadas ventanas. Herzog no servía para pintor. Primero probó con una pistola de pintor, atándola a la parte trasera de una aspiradora, que resultaba un soplador muy deficiente. Envuelto en trapos, Moses rociaba los techos con pintura pero la pistola salpicaba las ventanas y los pasamanos y tuvo que volver al pincel. Arrastraba la escalera, los cubos y los trapos tratando de hacerlo lo mejor posible. Después de dar grandes brochazos, se esforzaba angustiosamente por lograr una línea recta en los bordes. Con todo este esfuerzo, sudaba mucho y al final se marchaba al jardín y, desnudándose, se tumbaba en una hamaca.

Mientras tanto, Madeleine recorría las tiendas de antigüedades acompañada por Phoebe Gersbach, o traía de los supermercados de Pittsfield gran cantidad de ultramarinos. Moses estaba continuamente llamándole la atención sobre el dinero. Al empezar sus reproches trataba de hablar bajo. Y lo que le hacía empezar era siempre algo sin importancia, un pollo que se había podrido en la nevera, una camisa nueva hecha andrajos. Pero, una vez que empezaba, se iba enfureciendo.

—¿Cuándo vas a dejar de traer a casa todas esas porquerías, Madeleine? ¡Tantas cómodas reventadas y tantos cacharros que no sirven para nada!

—Tenemos que amueblar este sitio. No puedo resistir las habitaciones vacías.

—¿Y en qué se nos va todo el dinero? Me estoy poniendo malo de tanto trabajar. —La irritación lo dominaba.

—Pues pago las cuentas... ¿qué crees que hago con el dinero?

—Decías que tenías que aprender a gastar el dinero con prudencia. Nunca se fió nadie de ti en eso. Pues ahora tienes libertad para gastarlo y se te va el dinero sin saber cómo. Precisamente llamaron de casa de la modista, Milly Crozier. Quinientos dólares de un vestido para el embarazo. ¿Acaso el que va a nacer es Luis XIV?

—Sí, ya sé que tu querida madre llevaba sacos de harina —soltaba ella.

—Además, no necesitas un ginecólogo de Park Avenue. Phoebe Gersbach fue al hospital de Pittsfield. ¿Cómo puedo enviarte a Nueva York desde aquí? Está a tres horas y media.

—Nos iremos diez días antes.

—¿Y todo el trabajo que tengo aquí?

—Te puedes llevar tu Hegel a la ciudad. De todos modos, se te han pasado varios meses sin leer un libro. Trabajas como un neurótico con todos esos montones de notas. Es grotesco lo desorganizado que eres para tu trabajo. Te pones malo con tantas abstracciones y nunca llegas a nada positivo. De todos modos, maldito sea Hegel y maldita sea esta asquerosa casa. Necesita por lo menos cuatro criados y quieres que haga yo todo el trabajo.

Herzog se puso muy pesado repitiendo cómo había que llevar la casa. Sabía que machacaba demasiado en los pequeños detalles y que esto era inútil. Pero, en realidad, solo pedía un poco de cooperación con su esfuerzo para que todos se beneficiasen y llevaran en la casa una vida con cierto sentido. Muchas veces tenía que bajar de la escalera, en plena tarea de pintor casero, para responder al teléfono. Era de las tiendas. Las compras de Madeleine se amontonaban.

—¡Jesús! —exclamó—. Otra vez, Mady.

Y allí estaba Madeleine, con aire inocente, con un blusón de maternidad verde botella y medias de sport. Engordaba mucho. El médico le había prohibido comer dulces, pero se atracaba de chocolate cuando no la veían.

—¿Es que no sabes sumar? Se te amontonan los cheques sin que te des cuenta. —Moses la miró furioso.

—Parece mentira que estés siempre con esas pequeñeces.

—No son pequeñeces. Te hablo muy en serio...

—Supongo que querrás empezar ahora a educarme. Veo que te arrepientes de haber dado tu limpio nombre a una manirrota.

—Madeleine, no quiero ser pesado pero debes tener cuidado con tantas cuentas.

—Veo que te pesa gastar el dinero de tu difunto padre. ¡Querido papaíto! Bueno, pues debes recordar siempre que era *tu* padre, porque yo nunca te pido que compartas conmigo a *mi* horrible padre. De modo que no te empeñes en hacerme tragar el recuerdo de tu viejo.

—Debes comprender que tenemos que establecer un cierto orden en esta casa.

Madeleine dijo, rápida y firmemente, y además con exactitud:

—Tú nunca tienes la casa que quieres. Siempre estás llorando por tu casa de niño y la mesa de la cocina cubierta con un hule, donde estudiabas tu libro de latín. Muy bien, cuéntame otra vez la triste historia de tu pobre madre y tu papá. Y la vieja sinagoga, y las bebidas que fabricaba tu padre durante la prohibición, y tu tía Zipporah...

—Como si tú no tuvieras también un pasado.

—¡Y ahora tendré también que aguantar tu historia de cómo me salvaste! ¡Qué se le va a hacer! Cuéntalo, anda. Dime de nuevo que yo no era más que una pobre muñequita asustada y que no era capaz de afrontar la vida. Pero que llegaste tú, con tu gran corazón, y me diste AMOR y me rescataste de los curas. Me dirás otra vez cómo me SALVASTE y cómo me SACRIFICASTE tu libertad. Anda, quéjate de que te aparté de Daisy y de tu hijo, y de aquella fulana japonesa.

—¡Madeleine!

—¡Mierda!

—Reflexiona un poco, mujer.

—¿Que piense? ¿Qué sabes tú de pensar?

—A lo mejor me casé contigo para perfeccionar mi mente —dijo Herzog—. Estoy aprendiendo.

—Bueno, pues te enseñaré, no te preocupes —terminó la hermosa y preñada Madeleine entre dientes.

Herzog anotó, tomándolo de una de sus fuentes favoritas: *La oposición es la verdadera amistad. Todo lo que tiene un hombre, su casa, su hijo —sí, todo— lo dará a cambio de la sabiduría.*

El marido —un alma hermosa— la esposa excepcional, la

hija angelical y los amigos perfectos vivían juntos en los Berkshires. El erudito profesor se pasaba el tiempo estudiando... En fin, se había merecido lo que le pasaba. Insistía en ser el ingenuo cuya seriedad le hacía brincar el corazón. Tennie había llamado a Moses *zisse n'shamele*, una dulce almita. ¡Vaya una reputación a los cuarenta años! Se le humedeció la frente. Una estupidez como aquella merecía mayor castigo: una enfermedad grave, ser condenado a prisión... De nuevo, podía considerarse «afortunado» (Ramona, buena comida y bebida, invitaciones a la playa). Además, Herzog trabajaba para el futuro. Las revoluciones del siglo XX, la liberación de las masas por la producción, creaban vida privada pero nada proporcionaban para llenarla. Los progresos de la civilización —incluso la supervivencia de esta— dependían de los buenos éxitos de Moses E. Herzog. Y al tratarle como le trataba, Madeleine perjudicaba un gran proyecto. Para Moses E. Herzog, eso era lo grotesco y deplorable en la experiencia de Moses E. Herzog.

Moses, a quien gustaba coleccionar fotografías, tenía una de Madeleine a los doce años. Con traje de equitación. Estaba retratada junto al caballo, a punto de montar en él, una chica gruesa con cabello largo, gruesos puños y desesperadas ojeras, prematuros signos de sufrimiento y de un afán de venganza. Ataviada con pantalones, botas de montar y sombrero hongo, tenía la altivez de la niña que se sabe cerca de la adolescencia y que pronto tendrá la capacidad de herir. La facultad de hacer daño, es la soberanía. Madeleine sabía más a los doce años que yo a los cuarenta.

En cambio, Daisy había sido una persona muy diferente: más fría, más constante, una mujer judía convencional. Herzog también tenía fotografías de ella guardadas en un arca debajo de la cama, pero no necesitaba mirarlas para evocar su rostro cuando quería: grandes ojos verdes almendrados, cabello dorado pero sin brillo y una piel clara. Era tímida pero también bastante terca. Sin dificultad, la recordaba Herzog como la había visto en una mañana de verano bajo el elevado de la calle Cincuenta y uno de Chicago: una estudiante con difíciles libros de texto y sencillamente vestida. Llevaba unos zapatos blancos pequeños e iba sin medias. Se sujetaba el pelo con un casquete. El tranvía rojo venía desde los suburbios hacia el oeste. Era muy ruidoso y su trolley lanzaba chispas verdes. Moses estaba detrás de ella cuando entregó su billete al conductor. De su cuello y hombros emanaba la fragancia de las manzanas de verano. Daisy era una muchacha campesina. Era infantilmente sistemática, y a veces divertía a Moses recordar que tenía un fichero donde todo estaba previsto; y esta elemental forma de organización tenía un cierto encanto. Cuando se casaron, Daisy metió su dinero suelto en un sobre y lo tenía todo archivado: notas con las cosas que debía hacer, recibos, entradas de los conciertos... En los calendarios señalaba con mucha anticipación lo que había que hacer. La fuerza de Daisy consistía en la estabilidad, la simetría y el orden.

Querida Daisy, tengo unas cuantas cosas que decirte. Mi irregularidad y turbulencia espiritual sacaron de Daisy lo peor de ella. Por ejemplo, hice que llevara las costuras de las medias perfectamente derechas y que sus botones estuvieran distribuidos simétricamente. Fui yo el culpable de aquellas cortinas tan rígidas y de las alfombras tan modernas. Pero ella cuidaba fielmente a aquel hombre implicado en la historia del pensamiento. Creía a Moses cuando este le afirmaba que estaba muy ocupado. Por supuesto, el deber de toda buena esposa era aguantar a este desconcertante y, con frecuencia, desagradable Herzog y ella lo hacía con una gran neutralidad, presentando objeciones una vez en cada caso pero no más. El resto era silencio, un silencio tan pesado como el que Herzog sentía en Connecticut cuando estaba terminando *El Romanticismo y la Cristiandad*.

El capítulo sobre «Románticos y entusiastas» estuvo a punto de acabar con los dos. Fue cuando Daisy lo dejó solo en Connecticut. Tenía que volver a Ohio. Su padre se estaba muriendo. Moses se quedó solo leyendo libros sobre el Entusiasmo junto a la cocinita de níquel. Envuelto en una manta como un indio, escuchaba la radio y discutía consigo mismo.

Era un invierno muy duro. El hielo se ponía duro como la roca. La superficie de la charca era una gran capa de hielo resonante. Los olmos, gigantescas formas de arpas, crujían. Herzog, responsable ante la civilización, trabajaba en su puesto helado y, cuando las estufas no funcionaban, se ponía un casco de aviador y se acostaba procurando conciliar a Bacon y a Locke por un lado, y al Metodismo y William Blake, por otro. Su vecino más próximo era un sacerdote, Mr. Idwal, que tenía un automóvil en pleno funcionamiento, un Ford del modelo A, mientras que el Whippet de Herzog estaba completamente inmovilizado por el hielo. Iban juntos al mercado. La señora Idwal hacía unas tartas muy ricas llenas de gelatina de chocolate y las dejaba, como buena vecina, en la mesa de Moses. Cuando este regresaba de sus solitarios paseos a orillas del lago y por el bosque, se encontraba con las tartas en grandes fuentes de Pirex y se las acercaba a la cara para calentarse las mejillas. Por la mañana, mientras comía su gelatina de chocolate, veía a Idwal, bajo y coloradote, con sus gafas de montura de acero puestas, haciendo ejercicios gimnásticos en ropa interior. Mientras, su esposa esperaba sentada en la salita con las manos una sobre otra, y en su rostro caía el sol a través del encaje de los visillos. Herzog fue invitado a tocar su oboe acompañando a la señora Idwal, que tocaba un melodeón, las tardes de domingo, cuando las familias de los granjeros cantaban himnos. Pero ¿eran realmente granjeros? No; solo los pobres de los alrededores, gente que hacía los trabajos que buenamente se presentaban. La salita estaba caldeada, y el aire, cargado. Moses, con penetrante melancolía judía, interpretaba himnos. Sus relaciones con el reverendo y la señora Idwal fueron excelentes hasta que el ministro empezó a citarle ejemplos de rabíes ortodoxos que se habían convertido al Cristianismo. Las fotos de aquellos rabíes conversos, con sus sombreros de piel y sus barbas, empezaron a aparecer junto a las tartas. Los grandes ojos de estos hombres y sus labios prominentes, así como sus espumeantes barbas, empezaron a parecerle de locos a Moses y decidió cortar sus relaciones con el nevado *cottage* vecino. Temía por su salud mental, sobre todo estando ahora solo e impresionado por la muerte del padre de Daisy. A Moses le parecía estar viendo a su suegro en el bosque, y cuando abría la puerta de su casa, creía verlo allí sentado, esperándole a la mesa o sentado en el cuarto de baño.

Pero Herzog cometió un error al rechazar a los rabíes de Idwal. El clérigo tenía cada vez más ganas de convertir a Herzog e iba a visitarlo todas las tardes para sostener con él discusiones teológicas. Estas visitas no cesaron hasta que regresó Daisy. Esta venía apenada, con los ojos brillantes de haber llorado, estaba casi siempre callada y daba muestras de una gran resistencia. ¡Y el niño! Empezó el deshielo y era la gran ocasión para hacer hombres de nieve. Moses y Marco esculpieron varias figuras bordeando el caminito de la entrada. Los muñecos de nieve tenían unos ojillos de antracita que brillaban incluso con la luz de las estrellas. Llegada la primavera, la negrura de la noche se alegraba con los cantos de algunos pajarillos. A Herzog empezó a animarle el corazón aquel paisaje.

Herzog, desde la media altura de Nueva York, miraba a la calle y veía la multitud de la hora de almorzar como hormigas sobre un cristal ahumado. Envuelto en su arrugada bata y sorbiendo café frío, apartado de la tarea cotidiana de las gentes para dedicarse a su selecta labor, aunque ya sin confianza en su vocación, intentaba de vez en cuando reanudar el trabajo.

Pensó una carta para Nachman, su amigo.

Querido Nachman, escribió. *Sé que fue a ti a quien vi en la calle Ocho el lunes pasado. Y salías corriendo para no tener que saludarme.* A Herzog se le oscureció el rostro. *Eras tú, sí, mi amigo de hace casi cuarenta años. Éramos compañeros de juego en la calle Napoleón, en los suburbios de Montreal.*

Sí, en aquella revuelta calle por donde transitaban los homosexuales con barbas leonadas y con los ojos pintados de verde, allí surgió, inesperadamente y con una gorra de *beatnik* el compañero de juegos de Herzog. Su nariz gruesa, el cabello ya blanco, unas gafas gruesas y sucias... El poeta, cargado de espaldas, miró a Moses y salió corriendo. Materialmente, cruzó corriendo a la otra acera. Se subió el cuello y se detuvo a contemplar el escaparate de la tienda de quesos. *¡Nachman! Acaso creíste que te iba a pedir el dinero que me debías. Hace ya mucho tiempo que renuncié a cobrarlo. En París, después de la guerra, aquel dinero significaba muy poco para mí. Entonces me sobraba.*

Nachman había ido a Europa para escribir poesía. Vivía en el barrio árabe de la calle Saint Jacques. Herzog estaba instalado cómodamente en la calle Marboeuf. Arrugado y sucio, Nachman, con la nariz colorada de llorar, y su rostro arrugado, que parecía el de un moribundo, apareció en la puerta de Herzog una mañana.

—¿Qué te ha ocurrido?

—Moses, se han llevado a mi esposa, a mi Laurita.

—Espera un momento. Explícame. —Quizá estuviera Herzog un poco frío, pues le molestaban aquellos excesos.

—Su padre. Ya sabes, el viejo que trabaja en eso de cubrir los suelos. El muy brujo se la ha llevado. Y la pobrecilla morirá sin tenerme a mi lado. No puede vivir sin mí y yo tampoco puedo soportar la vida sin ella. Tengo que regresar a Nueva York.

—Entra, entra. No podemos hablar en este pasillo.

Nachman entró en la salita. Era un pequeño piso amueblado al estilo de los años veinte, de una absoluta corrección. Nachman parecía no atreverse a sentarse con sus pantalones manchados de barro.

—Ya he estado en todas las compañías de navegación. Hay sitio en el *Hollandia*, que sale mañana. Tienes que prestarme dinero para el billete o estoy perdido. ¿Qué voy a hacer aquí sin ella?

Sinceramente, pensé que estarías mejor en América.

Nachman y Laura habían recorrido Europa y, en el país

de Rimbaud, habían leído en voz alta las cartas de Van Gogh y los poemas de Rilke. Laura no estaba muy bien de la cabeza. Era muy delgada y de rostro dulce. Tenía hacia abajo las comisuras de la boca. Cogió la gripe en Bélgica.

—Te devolveré hasta el último céntimo —dijo Nachman retorciéndose las manos. El reuma le había deformado los dedos. Tenía la cara marcada por la enfermedad, el sufrimiento y el absurdo.

Creí que lo más barato sería mandarte a Nueva York. En París me encontraba expuesto a que me sablearas con frecuencia. Ya ves que no pretendo ser altruista. Quizá, pensó Herzog, se asustase al verme. ¿Acaso he cambiado aún más que él? ¿Se horrorizó Nachman al ver a Moses? *Pero hemos jugado juntos en la calle, de niños. Fue tu padre quien me enseñó el «aleph-beth». Tu padre Reb Shika.*

La familia de Nachman vivía en las habitaciones de enfrente. Cuando tenía cinco años, Moses cruzaba la calle para jugar con Nachman, la calle Napoleón. Subía la vieja escalera de madera con gatos agazapados en los rincones o que subían sigilosos. Reb Shika tenía una tez amarillenta, de mongol, y era pequeño y guapo. Usaba un gorro de satén para cubrirse el cráneo y tenía unos bigotes como los de Lenin. Protegía su estrecho pecho con una camiseta de invierno. Sobre la tosca mesa tenían una Biblia. Moses veía claramente las letras hebreas —DMAI OCHICHO— «la sangre de tu hermano». Sí, eso era. Dios le hablaba a Caín. La sangre de tu hermano clama a mí desde la tierra.

A los ocho años, Moses y Nachman compartían un banco en el sótano de la sinagoga. Las páginas del Pentateuco olían a moho y los sueters de los chicos estaban húmedos. El rabí, de barba corta, los reñía:

—Tú, Rozavitch, vago. ¿Qué dice aquí de la mujer de Putifar? *V'tispesayu b'vigdi...*

—Y le agarró su...

—¿Su qué? *Beged.*

—*Beged.* Un abrigo.

—Una prenda, ladronzuelo. *Mamzer!* Lo siento por tu padre. ¡Vaya heredero que tiene! ¡Vaya *Kaddish*! Ya comerás tocino y jamón antes de que ese cuerpo esté enterrado. Y tú, Herzog, con esos ojos de hipopótamo... sigue. *V'yaizov bigdo b'yodo...*

—Y la dejó en sus manos...

—¿Qué dejó?

—*Bigdo*, la prenda.

—Tienes que trabajar más, Herzog, Moses. Tu madre cree que has de ser un gran *lamden*, un rabí. Pero yo sé muy bien lo perezoso que eres. ¡Los corazones de las madres se destrozan precisamente por los *manzeirim* como tú! ¿Te conozco o no, Herzog? Como si te viera al través.

El único refugio era el váter, donde las bolas de alcanfor desinfectaban un poco el ambiente y los viejos entraban con ojos legañosos, casi ciegos, suspirando y mascullando trozos de liturgia mientras orinaban. Nachman, con los pantalones caídos, tocaba la armónica y canturreaba «*It's a Long Way to Tipperary*». Se oía el ruido de la saliva en las celdillas del instrumento de lata mientras él soplaba y chupaba. Los viejos con sombrero hongo se lavaban las manos y se peinaban las barbas con los dedos. Moses los observaba.

Lo más probable era que Nachman hubiera salido huyendo de la potencia de la memoria de su amigo. Moses perseguía a todos con ella. Era como una peligrosa y terrible máquina.

La última vez que nos encontramos —¿cuántos años hace de eso?— fui contigo a visitar a Laura. Esta se hallaba entonces en un manicomio. Herzog y Nachman habían transbordado varias veces. Por lo menos siete. En Long Island había unas mil paradas de autobús. En el hospital recorrían los pasillos unas mujeres con vestidos de algodón verde y zapatos suaves, murmurando. Laura tenía vendadas las muñecas. Era el tercer intento de suicidio que le conocía Herzog. Estaba sentada en un rincón acunándose los pechos en los brazos cruzados y solo quería hablar de literatura francesa. Tenía el rostro como alelado y movía los labios sin cesar. Moses tuvo que reconocer que él nada entendía de la forma de las imágenes de Valéry.

Con la puesta del sol, se marcharon Herzog y Nachman. Cruzaron el patio de cemento que estaba mojado por una reciente lluvia otoñal. Desde el edificio, una multitud de fantasmas con uniformes verdes los veían alejarse. Laura, desde la verja, levantó, para despedirlos, una mano vendada. Adiós. Su boca, grande, decía en silencio: Adiós, adiós. El cabello le enmarcaba la cara, lacio. Era una figura infantil, muy estirada aunque con curvas femeninas. Nachman decía con voz enronquecida:

—Mi niña, pobrecita, novia mía. La han aislado a la desgraciada nuestros *machers*, nuestros amos. La han encarcelado. Como si al quererme hubiera revelado que estaba loca. Pero he de ser lo bastante fuerte para proteger nuestro amor. —Nachman tenía hundidas las mejillas. Por debajo de los ojos, su piel aparecía amarillenta.

—¿Por qué quiere matarse? —preguntó Moses.

—Es por la persecución de la familia. ¿Qué te figuras? ¡Así es el mundillo burgués de Westchester! Noticias de su boda en los periódicos, ropa blanca en el ajuar, facturas…, eso era lo que esperaban sus padres de su casamiento. Pero ella es un alma pura que solo entiende de cosas puras. Aquí es como una mujer de otro mundo. La familia solo quiere separarnos. En Nueva York también teníamos que andar por ahí vagando. Cuando volvimos de Europa (gracias a ti, y te devolveré el dinero que me prestaste) no teníamos para alquilar una habitación. ¿Cómo podría yo trabajar en algo si debo dedicarme a cuidar de ella? Los amigos nos dieron cobijo. Un camastro para dormir y para amarnos.

Herzog sentía gran curiosidad, pero solo dijo:

—Oh.

—No hablaría de estas cosas con ninguna otra persona, amigo mío. Teníamos que tomar muchas precauciones. Cuando nos exaltábamos, teníamos que advertirnos mutuamente de la necesidad de ser prudentes. Para nosotros, hacer el amor era algo sagrado y debíamos cuidar de no poner celosos a los dioses. —Nachman hablaba con una voz alterada, monótona y ronca—. Adiós, ángel mío, querida mía, adiós. —Y llevándose los dedos a los labios, le echaba besos a Laura, dolorido y tierno.

Camino del autobús, continuó perorando, obsesionado:

—Detrás de este asunto está la América burguesa. Es un mundo asqueroso de finuras y excrementos. Una civilización orgullosa y vaga que adora su propio aburrimiento. Tú y yo nos educamos en la antigua pobreza. No sé hasta qué grado te habrás hecho americano desde nuestra infancia en el Canadá porque tú has vivido aquí muchísimo tiempo. Pero yo nunca adoraré a los dioses grasientos de esta gente. Yo no, desde luego. Ya sabes que no soy marxista. Mi corazón pertenece a William Blake y a Rilke. Pero ya sabes cómo puede ser un hombre como el padre de Laura. Ya sabes: Las Vegas, Miami Beach... Querían que Laura pescara un marido en la Fountainblue, un marido con dinero. Cuando estén a punto del Juicio Final, junto a la última tumba de la humanidad, esa gente seguirá contando su dinero. Estarán rezándole a su cuenta corriente... —Nachman siguió perorando, monótono y aburrido. Había perdido varios dientes y se le había reducido la mandíbula y, sin afeitar, tenía las mejillas pinchantes. Sin embargo, Herzog lo seguía viendo como había sido a los seis años. No podía borrar la visión de ninguno de los dos Nachman, el de antes y el de ahora, que se le aparecían juntos. Pero el que le resultaba real, auténtico, era aquel niño con la carita de buen color, la dentadura mellada y los labios siempre sonrientes, la blusa abotonada y los pantalones cortos. Esa era la visión real, no este otro Nachman discurseante y exaltado, que ahora decía—: Quizá quiera la gente que se acabe la vida. La han emporcado. Han convertido en una porquería el valor, el honor, la sinceridad, la amistad, el deber... Todo se ha emporcado. De manera que nos da ya asco hasta el pan nuestro de cada día, que prolonga nuestra inútil existencia. Había una época en que verdaderos hombres nacían, vivían y morían. En cambio, ¿podemos llamarlos hombres a estos de ahora? Solo somos criaturas. Incluso la Muerte debe de estar cansada de nosotros. Me figuro a la Muerte presentándose ante Dios y preguntándole: «¿Qué hago ahora? Ya no hay grandeza alguna en ser la Muerte. Libérame, Dios mío, de tanta mezquindad».

—Yo creo que exageras, Nachman —recordaba Moses que le había contestado—. Ya sabemos que la mayoría de la gente nada tiene de poética; pero exageras al considerar eso como una traición.

—Bueno, amigo de la infancia, veo que te has acostumbrado a aceptar la vida falsa de ahora. Pero yo no puedo; me doy cuenta de la obstinación de los tullidos. No nos amamos unos a otros, pero persistimos en nuestra tozudez. Cada hombre sigue siendo él mismo, tercamente él mismo. Por encima de todo, eternamente, cada uno quiere ser solo él mismo. Cada una de esas criaturas posee una cualidad secreta y por conservarla es capaz de cualquier cosa. Pondrá el mundo boca abajo pero nunca renunciará a esa cualidad. De eso tratan mis poemas. Sé que no te parecen bien mis *Nuevos Salmos*. Estás ciego, amigo mío.

—Quizá.

—Pero eres un buen hombre, Moses. No eres capaz de arrancarte tus raíces pero tienes un buen corazón, como tu madre. Tu espíritu es fino como el de ella. Cuando yo pasaba hambre, de niño, ella me daba de comer. Ella misma me lavaba las manos y me sentaba a la mesa. Lo recuerdo muy bien. Y fue la única persona que trató con amabilidad a mi tío Ravich, el borracho. A veces rezo por tu madre.

Yiskor elohim es nishmas Imi... El alma de mi madre.

—Hace mucho tiempo que murió.

—Y también rezo por ti, Moses.

El autobús de gigantescos neumáticos avanzaba por los charcos color de puesta de sol, aplastando hojas secas y ramas de ailanto. Era un recorrido interminable por los suburbios populosos con bajas casas de ladrillo.

Pero quince años después, en la calle Ocho, Nachman salió corriendo. Parecía muy envejecido, cargado de espaldas, muy venido a menos, mientras huía hacia la acera de enfrente y se paraba en el escaparate de la quesería. ¿Donde estará su mujer?, se preguntaba Herzog. Seguramente había huido de él para no darle explicaciones. ¿O era que lo había olvidado todo? Pero yo, con mi monstruosa memoria (todos los locos y todos los muertos los tengo a mi custodia y soy el némesis de todos los que preferirían el olvido). Ligo a los demás a mis sentimientos y los oprimo.

¿Era Ravich efectivamente tu tío o solo un aldeano que vivía con vosotros? Nunca estuve seguro de ello.

Ravich vivía con los Herzog en la calle Napoleón. Como un actor trágico de teatro *yiddish*, con una nariz recta de borracho y un sombrero hongo muy apretado sobre las venas de su frente, Ravich, con un delantal puesto, trabajaba en la frutería que había cerca de la calle Rachel en 1922. Allí, en el mercado, sudaba una mezcla de serrín y nieve. El escaparate estaba cubierto por anchas hilachas de hielo, y contra la luna de vidrio se apilaban las rojas naranjas y las manzanas rojizas. Y allí estaba el melancólico Ravich, colorado de frío y de tanto beber. La gran ilusión de su vida era traerse a su familia —la esposa y dos hijos— que aún estaban en Rusia. Pero primero tendría que encontrarlos pues se le habían perdido durante la Revolución. De vez en cuando adecentaba su aspecto e iba a la Asociación de Ayuda a los Inmigrantes hebreos para informarse. Pero nunca sabían allí nada de lo que a él le interesaba. Se bebía su paga, aunque nadie se juzgaba a sí mismo con mayor severidad. Cuando salía de la taberna, se paraba en plena calle y dirigía el tráfico, cayéndose entre los vehículos con gran peligro de su vida. Los policías estaban ya cansados de encerrarlo en los calabozos para los borrachos. Lo llevaban a su casa, donde vivía Herzog, y le daban un empujón al llegar al portal. Ravich, a altas horas de la noche, cantaba a las heladas estrellas con una voz sollozante.

Alein, alein, alein, alein
Elend vie a shtein
Mit die tzen finger... alein.

Jonah Herzog saltaba de la cama, encendía la luz de la cocina y escuchaba. Llevaba un camisón ruso de lino con una pechera plisada, lo último que le quedaba de su ropa de caballero en San Petersburgo. Tenía apagada la estufa toda la noche, y Moses acostado en la misma cama que Willie y Shura, se quedaba sentado con sus hermanos mirando a su padre. Este, de pie debajo de la bombilla, que tenía una pantalla terminada en una punta de lanza, como un casco de guerra alemán. El retorcido filamento de tungsteno daba mucha luz. Fastidiado y compadeciéndose del borracho, Herzog padre, con su redonda cabeza levantada, miraba al techo. Movía la cabeza y meditaba:

Solo, solo, solo, solo
Solitario como una piedra
con mis diez dedos... solo.

La madre de Herzog decía desde el dormitorio del matrimonio:

—Jonah, ayúdalo.

—Muy bien —decía su marido, pero no se movía.

—Jonah... me da lástima ese hombre.

—También nosotros debemos dar lástima —decía Herzog padre—. Maldita sea. Duérmete que, para un rato que está uno descansando tranquilamente, tiene que venir ese maldito judío a despertarnos. Ni siquiera sabe emborracharse bien. ¿Por qué no se pondrá alegre cuando bebe, eh? Tiene que berrear y partirle a uno el corazón. En fin, que reviente. Ya está bien con que tenga yo que alquilar una habitación a ese miserable.

> *Al tastir ponecho mimeni*
> *Me quedé sin un penique.*
> *No te escondas de nosotros*
> *que nadie puede negarte.*

Ravich, desentonado y persistente, gritaba en la negra y helada escalera.

> *O'Brien*
> *Lo mir trinken a glesele vi-ine*
> *Al tastir ponecho mimeni*
> *Que no me queda un penique*
> *eso nadie puede negarlo.*

Jonah Herzog, aunque fastidiado, se reía entre dientes.

—Jonah... por favor, hombre. *Genug schon.*

—Déjalo que se las arregle, mujer.

—Es que va a despertar a toda la calle.

—Yo no me acerco a él porque estará cubierto de vómitos.

Pero fue, porque también compadecía a Ravich aunque este era uno de los símbolos de su condición venida a menos. En San Petersburgo tuvo criados. Y es que, cuando estaba en Rusia, Jonah Herzog era un caballero. Con papeles falsificados, desde luego, pero muchos caballeros tenían que vivir con la documentación falsa.

Los niños seguían mirando a la vacía cocina. La negra estufa apagada, contra la pared. Una alfombra japonesa de caña protegía a la pared de las salpicaduras de cuando guisaban.

Divertía a los chicos escuchar a su padre tratando de convencer al borracho Ravich para que se pusiera en pie. Era como el teatro de la familia. «*Nu, landtsman?* ¿No puedes andar? Está helando. A ver si puedes poner tu pie en el escalón. *Schneller, schneller.* —Se reía, aunque el esfuerzo que hacía por ayudar al otro le cortaba la respiración—. Creo que tendremos que dejar aquí tus asquerosos pantalones. ¡Uh!» Los chicos se apretaban en el frío, sonrientes.

Papá ayudaba al otro a entrar en la cocina. Ravich traía los pantalones hechos un asco, la cara colorada y los brazos caídos, como los de un mono. Bajo el hongo, sus ojos cerrados renunciaban al mundo.

En cuanto a mi difunto padre, el desgraciado J. Herzog, no era un buen mozo, uno de los Herzog de huesos pequeños, de rasgos finos, hombres guapos y nerviosos. En sus frecuentes explosiones de mal humor abofeteaba rápidamente a sus hijos con ambas manos. Todo lo hacía con rapidez y precisión y unos floreos muy hábiles de europeo oriental: peinarse, abotonarse la camisa, afilar sus navajas de afeitar, sacarle punta a los lápices, llevarse una hogaza de pan al pecho y cortarla en rebanadas en dirección a su cuerpo, atar paquetes con pequeños y fuertes nudos, y anotarlo todo con precisión de artista en su librito de cuentas. En este, cada página cancelada quedaba tachada por una X cuidadosamente dibujada. Los unos y los sietes iban cruzados por barras. Eran como pendones agitándose al viento del fracaso. Primero, Jonah Herzog había fracasado en San Petersburgo. Estuvo importando cebollas de Egipto. Bajo Pobedonóstsev, la policía lo detuvo por resistencia ilegal y lo llevaron ante el tribunal. El relato del juicio fue publicado en un periódico ruso impreso en un papel verde y grueso. Herzog padre lo sacaba a veces y lo leía en voz alta a toda la familia traduciéndoles lo que allí se decía contra Ilyona Isakovitch Herzog. No cumplió la sentencia. Logró escapar, y llegó al Canadá donde vivía su hermano Zipporah Yaffe.

En 1913 compró un poco de tierra cerca de Valleyfield, Quebec, y fracasó como agricultor. Luego fue a la ciudad y allí fracasó como panadero; también fueron completos fracasos sus actividades como tendero y fabricante de sacos durante la guerra europea, cuando nadie más fracasaba. También montó una agencia matrimonial pero aquello le salió muy mal, porque su carácter violento y rudo no servía para semejante actividad. Y ahora estaba fracasando como fabricante clandestino de licores, pero procuraba ganarse la vida.

Andaba con prisa, desafiante, con el rostro en tensión y caminaba con una mezcla de desesperación y de buen tono dejando caer su peso a cada paso sobre un talón. La chaqueta, que antes tenía forrada de piel de zorro, se le había vuelto seca y pelada con el forro, rojo, medio roto. Se le abría la chaqueta al andar y despedía un olor a cigarrillos Caporal. Se había acostumbrado a fumarlos en el Canadá. Para librarse de la ilegalidad, procuraba hacer negocios serios. Podía calcular mentalmente los porcentajes con gran rapidez pero carecía de esa imaginación que tiene para las trampas todo comerciante de buen éxito. Viajaba en tranvía. Vendía una botella aquí y otra allá y siempre esperaba a que le llegara su gran oportunidad. Los traficantes de ron americanos le compraban a uno la bebida en la frontera y pagaban un buen precio; lo que pidiera usted si podía llevar el alcohol hasta allí. En espera de las buenas ocasiones, Jonah Herzog fumaba cigarrillos en las frías plataformas de los tranvías. La Hacienda andaba tras él y le vigilaban el camino de la frontera. En la calle Napoleón tenía cinco bocas que llenar. Willie y Moses eran enfermizos. Hellen estudiaba piano. En cuanto a Shura, era gordo, glotón, desobediente y siempre andaba tramando algo. Jonah Herzog estaba siempre debiendo dinero; tenía atrasos en el pago del alquiler y de la factura del médico. No dominaba el inglés, no contaba con amigos ni influencias ni un negocio serio. No podía contar en todo el mundo con alguien que le ayudara. Su hermana Zipporah, que estaba en St. Anne, era rica, riquísima, pero esto de nada le servía a él sino que, por el contrario, le fastidiaba.

El abuelo Herzog vivía aún por entonces. Con el instinto de un Herzog en las grandes ocasiones, se refugió en el Palacio de Invierno en 1918 (los bolcheviques lo toleraron durante algún tiempo). El viejo escribía largas cartas en hebreo. En la tremolina había perdido sus libros y le era imposible estudiar. En el Palacio de Invierno había que pasarse el día andando de un lado para otro si se quería encontrar un *minyan*. Y por supuesto también estaba el hambre. Más tarde predijo que la Revolución fracasaría y procuró adquirir dinero zarista con la intención de convertirse en un millonario cuando restaurasen a los Romanov. Los Herzog recibían paquetes de rublos que para nada valían, y Willie y Moses jugaban con grandes sumas. Cuando ponía uno a contraluz algunos de aquellos espectaculares billetes, se veía a Pedro el Grande y a la no menos grande Catalina en el papel arco iris. El abuelo Herzog había pasado ya de los ochenta años pero aún estaba fuerte. Tenía una mente poderosa y su caligrafía hebrea era elegante. Cuando su familia estaba ya en Montreal, su hijo Jonah leía en voz alta las cartas del abuelo: frío, piojos, hambre, epidemias, muertos... El viejo escribía: «¿Volveré a ver los rostros de mis nietos? ¿Y quién me va a enterrar?». Jonah Herzog trataba de leer por dos o tres veces la frase siguiente, pero le faltaba la voz. Solo le salía un murmullo. Los ojos se le llenaban de lágrimas y, de pronto, se llevaba la mano a la boca, sobre la que caían los grandes bigotes. Salía precipitadamente de la habitación. Mamá Herzog, con sus grandes ojos muy abiertos, permanecía sentada con sus hijos en la cocina donde nunca entraba el sol. Parecía una cueva, con aquella estufa negra tan vieja, el fregadero de hierro, las alacenas verdes y el hornillo de gas.

Mamá Herzog tenía una manera muy peculiar de enfrentarse con el presente, volviéndole en parte la cara. Así, lo veía a la izquierda y a veces trataba de rehuirlo con la derecha. Y en esta parte, solía tener una mirada soñadora, melancólica, como si estuviera viendo entonces el Viejo Mundo: a su padre, el famoso *misnagid*, su trágica madre, sus hermanos —unos vivos y otros muertos—, su hermana, la ropa blanca y las criadas que tenía en San Petersburgo, y la *dacha* que poseía la familia en Finlandia (todo ello gracias a las cebollas egipcias). En América, fue cocinera, lavandera, costurera en la calle Napoleón para los vecinos del suburbio. Fue encaneciendo, perdió los dientes y hasta las uñas se le estropearon. Le olían las manos a fregadero.

Lo que nunca comprendió Herzog era cómo pudo su

madre mimar a sus hijos. Desde luego, a mí me mimaba. Una vez, anochecido, iba tirando de mí en un trineo sobre una dura capa de hielo, brillante. Quizá fueran las cuatro de un corto día de enero. Cerca ya de la tienda de comestibles nos encontramos a una vieja envuelta en un chal que exclamó:

—¡Pero, hija mía, por qué va usted tirando del chico! —Mamá, con su carita helada y sus grandes ojeras, respiraba con dificultad. Llevaba el abrigo roto, un gorro de lana roja, puntiagudo, y unas botas altas abotonadas, demasiado finas. A la puerta de la tienda colgaban unos manojos de pescado seco; había un olor rancio a azúcar, queso y jabón. Sonaba la campanilla de la entrada, de la que se tiraba por un alambre—. Hija mía —prosiguió la vieja—, no sacrifique usted sus fuerzas a los niños. —Pero yo fingía no comprender y seguía en el trineo. Una de las cosas más difíciles de la vida es hacer que no se comprenda lo que está muy claro. Pero creo que lo conseguí, pensó Herzog.

Mijail, el hermano de mamá, murió de tifus en Moscú. Le cogí la carta al cartero y la llevé a casa. Era el día en que se lavaba la ropa y el vapor del agua hirviendo salía por la ventana. Mamá estaba frotando y retorciendo la ropa en un baño. Cuando le leí la carta, dio un grito y se desmayó. Se le pusieron blancos los labios. Se le había quedado un brazo dentro del agua, con la manga y todo. Estábamos los dos solos en casa. Me aterré cuando la vi tumbada así, con las piernas abiertas, su largo cabello deshecho, la boca sin sangre y, en general, como una muerta. Pero no tardó en levantarse y fue a tenderse en su cama. Se pasó el día llorando. Pero al día siguiente, muy temprano, preparó el desayuno de avena.

Mi lejano pasado. Más remoto que el de Egipto. Sin amaneceres, y todos los inviernos con niebla. En la oscuridad, la bombilla estaba encendida, y la estufa, fría. Papá sacudía las rejas y se levantaba un polvo como ceniza. Las rejas crujían y chirriaban. Papá tosía continuamente por culpa de sus cigarrillos Caporal. Las chimeneas, con sus tejadillos, se movían con el viento. El lechero llegaba en su trineo. La nieve estaba emporcada con los abonos y toda clase de suciedades, ratas y perros muertos. El lechero, abrigado con su zamarra de piel de oveja, agitaba la campanilla. Hellen abría el cerrojo y bajaba con un cacharro para la leche, y luego Ravich, aún con restos de su borrachera, salía de su cuarto enfundado en su gordo suéter, con los tirantes por encima de la lana para apretársela más al cuerpo y el sombrero hongo puesto, con la cara colorada y un cierto aire de culpabilidad. Siempre esperaba a que le ofrecieran asiento.

La luz de la mañana no podía librarse de las tinieblas de la helada noche. Las ventanas de la calle, hacia arriba y hacia abajo, estaban oscuras y las chicas, de dos en dos con sus faldas negras, se marchaban hacia el convento. Pasaban carros, trineos, los caballos temblaban de frío y el aire parecía ahogado en una masa de plomo. Y por todas partes se veía ceniza. Moses y sus hermanos se ponían las gorras y rezaban juntos:

Ma tovu ohaleha Yaakov...
Qué bien están tus tiendas, oh, Israel.

Así, en la calle Napoleón, llena de suciedad y locura, la calle sacudida por un tiempo infame, los chicos del contrabandista recitaban las antiguas plegarias. El corazón de Moses se sentía ligado a aquel ambiente intensamente. Allí había una riqueza de sentimientos humanos muy superior a la que él pudiera conocer el resto de su vida. Allí, los hijos de la raza, por un milagro que nunca fallaba, abrían sus ojos a una sucesión de mundos extraños y salmodiaban rezos que eran siempre la misma plegaria con la que expresaban su amor a aquel ambiente. ¿Acaso había algo malo en la calle Napoleón?, pensaba ahora Herzog. Todo lo que él anhelaba estaba allí. Su madre hacía la colada y se quejaba. Su padre estaba siempre desesperado y asustado, pero luchaba con obstinada terquedad. Mientras, su hermano Shura, mirándolo todo con ojos maliciosos, se disponía a conquistar el mundo y convertirse en un millonario. Su hermano Willie sufría unos ataques de asma terribles. En su afán por respirar, se agarraba a la mesa y se empinaba como un gallo a punto de cantar. Su hermana Hellen tenía unos largos y blancos guantes que lavaba cuidadosamente. Se los ponía para dar sus clases en el Conservatorio, adonde llevaba los papeles de música en un rollo. En la casa tenían el diploma de Hellen colgado en un marco. *Mlle. Hélène Herzog... avec distinction*. Sí, su linda hermana, tan suave, que sabía tocar el piano.

Una noche de verano estaba tocando y las claras notas escapaban a la calle por la ventana. El gran piano vertical estaba cubierto con terciopelo de un verde musgoso como si la tapa fuera una losa de piedra. Del tapete colgaba un borde de bolas que parecían nueces. Moses se quedaba de pie delante de Hellen mirando cómo volvía esta las páginas de Haydn y Mozart y sentía deseos de aullar como un perro. ¡Oh, la música!, pensó Herzog. Hellen tocaba el piano y llevaba una falda tableada, y sus puntiagudos zapatos se aferraban a los pedales. Era una chica vanidosa, pero siempre muy cuidadosa de su aspecto. Fruncía las cejas mientras tocaba el piano y le aparecía entre los ojos la arruga de su padre. Su gesto fruncido daba a entender que estaba realizando una acción peligrosa. La música salía a la calle.

La tía Zipporah no veía con buenos ojos este asunto de la música. Decía que Hellen no estaba dotada para el piano y que solamente lo tocaba para impresionar a la familia. Quizá para pescar un marido. Lo que le molestaba a la tía Zipporah era la ambición de mamá de que sus hijos fueran abogados, caballeros, rabíes o artistas. Toda la rama de la familia tenía la locura de la casta, de ser unos *yichus*. Ninguna vía era tan pobre ni insignificante para que no pudiera tener unos méritos imaginarios, unos honores en perspectiva y una libertad brillante que disfrutar.

Moses llegó a la conclusión de que la tía Zipporah quería contener el afán de Mamá y que echaba en cara a Papá su fracaso en América identificándolo con aquellos guantes largos y blancos de Hellen y las lecciones de piano. Zipporah poseía un enérgico carácter. Era lista, ingeniosa, pero siempre estaba quejándose y peleándose con todos. Su cara, delgada y que se le ruborizaba con frecuencia, tenía la nariz bien formada, aunque quizá demasiado delgada. Su voz era nasal y siempre con un tono de crítica y reproche. Tenía anchas caderas y andaba con pasos largos y enérgicos. Le colgaba por la espalda una trenza muy gruesa y brillante.

El tío Yaffe, marido de Zipporah, era una persona reservada, que siempre hablaba en voz baja, y de buen humor. Pequeño de estatura, era sin embargo de constitución fuerte. Muy ancho de hombros, llevaba una barba negra como la del rey Jorge V. Recta y rizada, era un buen adorno para su morena cara. Tenía dentado el puente de la nariz. De dientes anchos, lucía en uno de ellos un puente de oro. Un día, cuando jugaban a las damas, Moses olió el aliento de su tío. Inclinado sobre el tablero, la ancha cabeza del tío Yaffe, con su cabello corto y negro —era un poco calvo— estaba algo inquieto. Pero ese temblor nervioso lo tenía siempre. El tío Yaffe, como si llegase del pasado, parecía haber descubierto a su sobrino en aquel mismo instante y por eso le miraba fijamente con sus ojos castaños de animal inteligente, sensible y satírico. Brillaban sus ojos astutamente y se sonreía, con retorcida satisfacción, de los errores del joven Moses en el juego.

En el patio de Yaffe, en St. Anne, la chatarra amontonada soltaba su orín en los charcos. A veces había una cola de chatarreros esperando. Chicos, viejas irlandeses, ucranianos y pieles rojas de la reserva de Caughnawaga, que venían con carritos de mano y pequeños carros trayendo botellas, harapos, tuberías viejas, material de electricidad desechado, loza, papel, neumáticos y huesos, todo ello para venderlo. El viejo enfundado en su cárdigan marrón, se inclinaba sobre aquellos restos, y sus fuertes pero temblorosas manos elegían lo que había de comprar. Sin volverse a incorporar, tiraba los trozos de chatarra al sitio donde pertenecían: el hierro aquí, el cinc allí, el cobre a la izquierda, el plomo a la derecha. Con este negocio, sus hijos y él hicieron dinero durante la guerra. La tía Zipporah compró terrenos y ahora cobraba buenas rentas. Moses sabía que su tía llevaba en el corazón una cuenta corriente y, materialmente, tenía siempre un rollo de billetes en el escote. Él lo había visto.

—Bueno, mujer, por lo menos tú no has perdido nada viniendo a América —le dijo un día Papá.

Su respuesta fue aguda y seca:

—No es un secreto cómo hemos empezado. Trabajando sin cesar. Yaffe tomó un pico y una pala y no paró hasta que ahorramos un poco. Pero lo que eres tú... ¡Cuando yo te digo que naciste con una camisa de seda! —Después de dirigirle una mirada rápida a Mamá, prosiguió—: En San Petersburgo estabas acostumbrado a darte mucho pisto con criados y cocheros y todo eso. Parece que te estoy viendo cuando bajasteis del tren en Halifax, que venías vestido como un príncipe. *Gott meiner!* Plumas de avestruz, faldas de tafetán. *Greenhorns mit strauss federn!* Ahora tenéis que olvidar las plumas, los guantes y todo eso. Ahora...

—A mí me parece como si hiciera mil años de eso —dijo Mamá—. Por mi parte, he olvidado por completo que alguna vez he tenido criados. Soy yo la criada. *Die dienst bin ich.*

—Todo el mundo tiene que trabajar. No debe uno estarse toda la vida sufriendo las consecuencias de un fracaso. ¿Por qué tienen que ir vuestros hijos al Conservatorio? Que trabajen como los míos.

—Ella no quiere que nuestros hijos sean cualquier cosa —dijo Papá.

—Pues mis hijos no son precisamente cualquier cosa. Y se saben toda una página del *Gemara*. No hay que olvidar que procedemos de los más grandes rabíes hasídicos. ¡Reb Zusya! ¡Herschele Dubrovner! No lo olvidéis.

—Nadie te está diciendo... —quiso paliar Mamá.

¡Qué ocurrencia estarle dando vueltas al pasado de esta manera y encariñarse con los muertos! Moses se advirtió a sí mismo que debía ceder tanto a esta tentación pues su manera de ser le inclinaba mucho a complacerse en los recursos. Era un depresivo. Y los depresivos nunca renuncian a la infancia, ni siquiera a las penas y los dolores de esta. La inteligencia de Moses comprendía que esto era perjudicial. Pero lo cierto era que su corazón se había quedado abierto a aquella etapa de su vida y le faltaba la energía para cerrarlo. Así, volvió a caer en ello. Y recordó un día de invierno en St. Anne, en 1923, en la cocina de la tía Zipporah. Esta llevaba una bata de crêpe de china, rojo. Por debajo se veían unos grandes pantalones amarillos y una camiseta de hombre. Estaba sentada junto al horno de la cocina y tenía colorada la cara. Su voz nasal se elevaba a veces con unos grititos de ironía o suspiros de desaliento, o chillaba con un terrible malhumor.

De pronto recordó que Mijail, el hermano de Mamá, había muerto, y dijo:

—Bueno ¿y qué me dices de tu hermano? ¿Qué pasó?

—No lo sabemos —dijo Papá—. ¿Cómo vamos a saber las desgracias que pasan por allí, en casa? (Siempre decía *in der heim*, recordó Herzog). —La chusma entró en su casa y lo destrozó todo buscando *valuta*. Después, Mijail cogió el tifus o sabe Dios qué.

Mamá se tapaba los ojos con una mano, como si le molestara la luz. Estaba callada.

—Era un tipo estupendo —dijo el tío Yaffe—. Ojalá tenga un *lichtigen Gan-Eden*.

La tía Zipporah, que creía en el poder de las maldiciones, dijo:

—¡Malditos sean los bolcheviques! Que sus manos y pies se les sequen. Pero ¿dónde están la mujer y los hijos de Mijail?

—Nadie lo sabe. La carta que recibimos la había escrito un primo Shperling, que vio a Mijail en el hospital. Apenas lo reconoció de tan estropeado como estaba.

Zipporah dijo unas cuantas cosas piadosas más, y luego, de un modo más normal, añadió:

—En fin, era un hombre muy trabajador y por entonces tenía mucho dinero. Quién sabe la fortuna que haría en Sudáfrica.

—La compartió con nosotros —dijo Mamá—. Mi hermano era muy espléndido.

—La consiguió con mucha facilidad —dijo Zipporah—. No es como si hubiera tenido que trabajar para ganar ese dinero.

—¿Y cómo sabes si trabajó o no? —preguntó Jonah Herzog—. No seas criticona, hermana.

Pero Zipporah no se podía ya parar.

—Hizo mucho dinero con aquellos miserables *kaffirs* negros. ¡Quién sabe cómo! Y por eso vosotros pudisteis tener una *dacha* en Shevalovo. Yaffe estaba en el servicio, en el *kavkaz*. Yo tenía que cuidar a mi niño enfermo. Y tú, Jonah, corrías de un lado a otro por San Petersburgo gastándote el dinero. ¡Sí! Perdiste los primeros diez mil rublos en un solo mes. Entonces él te dio otros diez mil. Vaya usted a saber lo que estaba haciendo con las tártaras, las gitanas, y toda clase de fulanas, comiendo carne de caballo y sabe Dios cuántas abominaciones más.

—¿Por qué tienes tanta malicia? —dijo Herzog padre, irritado.

—Nada tengo contra Mijail. Nunca me hizo daño —replicó Zipporah.

Embargado por la emoción e inmóvil en su silla, Herzog escuchaba a los muertos y sus muertas discusiones.

—¿Y qué esperas? —dijo Zipporah—. Teniendo cuatro hijos, si yo empezara a tirar el dinero y me permitiera tus malas costumbres, estaríamos aviados. No es culpa mía si aquí eres un pobre.

—Es verdad que soy un pobre en América. No podría pagar ahora ni mi mortaja.

—La culpa la tiene tu débil naturaleza —dijo Zipporah—. *Az du host a schwachen natur, wel is dir schuldig?* No puedes valerte por ti mismo. Te apoyabas en el hermano de Sarah, y ahora quieres valerte de mí. Yaffe sirvió en el *kavkaz*. Hacía allí un frío que aullaban los perros. Se vino él solo a América y luego me mandó venir a mí. Pero tú, tú lo que quieres es *alle sieben glicken*. Viajas a todo lujo, con plumas de avestruz. Quieres ser un señorón. ¿Te has ensuciado alguna vez las manos trabajando? ¿A que no?

—Es cierto. Desde luego, no recogí estiércol con la pala allá *in der heim*. Eso tuve que hacerlo en la tierra de Colón. Pero lo cierto es que lo hice. Aprendí a aparejar un caballo. A las tres de la madrugada tenía veinte de ellos en el establo esperando.

Zipporah hizo un gesto como si no tomase en cuenta aquello:

—Tuviste que escapar de la policía del zar. Y ahora, ¿pagas las rentas? Siempre has de tener un socio, un *goniff*.

—Voplonsky es un buen hombre.

—¿Quién, ese *alemán*? —Voplonsky era un herrero polaco. Ella lo llamaba alemán por sus bigotes puntiagudos de estilo militar y por el corte germano de su abrigo que le llegaba hasta el suelo—. ¿Y qué puedes tú tener en común con un herrero? Parece mentira, ¡tú que eres un descendiente de Herschel Dubrovner! Y él no es más que un *schmid* polaco con patillas rojas. ¡Solo una rata con rojas patillas puntiagudas y unos dientes retorcidos y malolientes! ¡Bah! ¿Y a eso le llamas tu socio? Ya verás cómo acaba haciéndote alguna mala pasada.

—No es tan fácil engañarme.

—¿No? ¿Acaso me niegas que Lazansky te engañó? Bien te la dio con queso. Y para colmo, ¿no te propinó una buena paliza?

Se refería al gigantesco Lazansky, panadero, que era de Ucrania. Un hombre enorme e ignorante que no sabía ni el suficiente hebreo para bendecir su pan y que siempre estaba sentado en su estrecho carro para el reparto, dándose mucha importancia, gruñéndole a su mulita y soltando latigazos a cada momento. Su vozarrón atronaba el espacio. En el carro había un anuncio con estas palabras:

LAZANSKY. – PATISSERIES DE CHOIX

Herzog padre reconoció:

—Sí, es cierto que me pegó.

Había ido a pedirles dinero prestado a Zipporah y Yaffe. No quería pelearse con ellos. Zipporah, que era muy lista, había adivinado el objetivo de su visita y trataba de irritarlo para que así le fuera más fácil negarle el dinero.

Zipporah era una mujer muy astuta y lista, y sus múltiples dones no hallaban ocasión de lucimiento en aquel pueblecito canadiense. No soltaba su presa:

—¿Acaso crees que vas a hacer una fortuna con todos esos tramposos, ladrones y gángsteres? ¿Tú? Todos sabemos que eres una persona muy buena y no sé por qué te quedaste en la *Yeshivah*. Querías ser un caballerito dorado. Te equivocabas, porque yo conozco muy bien a todos esos tipos que tú quieres imitar. No tienen piel, dientes y dedos como tú, sino pellejos, garras y pezuñas. ¿Cómo te las vas a arreglar con esos carniceros y gente de rompe y rasga que tratas ahora? ¿Eres capaz de matar a un hombre?

Papá Herzog permanecía silencioso.

—Si, Dios no lo quiera, tuvieras que disparar... —gritó Zipporah—, ¿serías capaz de darle a un hombre en la cabeza? ¡Anda, piénsalo y contéstame! ¿Serías capaz de darle a alguien, no ya un tiro, sino aunque solo fuera un palo en la cabeza?

Mamá Herzog parecía estar de acuerdo en que no sería capaz.

—No soy un debilucho —dijo Papá Herzog, con un resto enérgico. Pero desde luego, pensó Herzog, toda la violencia de Papá se fue en el drama de su vida, en la lucha por llevar adelante a su familia y a sus sentimientos.

—Esa gente te quitará todo lo que quiera —dijo Zipporah—. ¿No es ya tiempo de que uses un poco la cabeza? Porque tienes una, y buena. *Klug bist du*. Tienes que vivir como es debido. Haz que tu Helen y tu Shura trabajen normalmente. Vende el piano. Suprime gastos inútiles.

—¿Por qué no van a estudiar los chicos si tienen inteligencia? —dijo Mamá Herzog.

—Si son listos, tanto mejor para mi hermano —dijo Zipporah—. Pero no se puede consentir que se esté destrozando para que esos príncipes y princesas mimados se den buena vida.

Con aquellas palabras, tenía a su lado a Papá. El afán que tenía este de ser compadecido era infinito.

—No es que no quiera a los niños —dijo Zipporah—. Ven aquí, Moses, chiquitín, y siéntate en las rodillas de tu vieja *tante*. ¡Qué *yingele* tan rico! —Moses, en el regazo de su tía y con las manos rojizas de ella apretándole la barriguita, la miraba sonreírle con rudo afecto y sentía que le besaba el cuello—. Este niño nació en mis brazos. —Luego miró a mi hermano Shura, que estaba junto a Mamá. Tenía las piernas gordas y la cara pecosa—. ¿Y tú? —le dijo Zipporah.

—¿He hecho algo malo? —preguntó Shura, asustado y ofendido.

—No es demasiado joven para traer un dólar a casa.

Papá miró a Shura en silencio.

—¿No ayudo yo? —dijo Shura—. ¿No reparto botellas? ¿Y no pego etiquetas?

Papá empleaba en su negocio etiquetas falsificadas. Solía preguntar alegremente: «¿Qué les ponemos a estas botellas, niños? ¿White Horse o Johnnie Walker?». Y entonces todos nosotros queríamos que se pusiera las etiquetas de nuestros favoritos. El tarro de la goma estaba sobre la mesa.

Secretamente, Mamá Herzog le tocó a Shura la mano cuando Zipporah volvió los ojos hacia él. Moses vio aquel gesto. El inquieto Willie se había escapado fuera de la casa con sus primos y estaban construyendo un fuerte de nieve. Chillaban y se arrojaban bolas. A la sombra azulada de la valla, comían las cabras. Eran del vecino de la casa de al lado. Los pollos de Zipporah estaban ya a punto para que los comieran. A veces, cuando nos visitaba en Montreal, nos traía un huevo fresco. *Un* huevo. Casi siempre había alguno de los niños malucho. Y como es sabido, un huevo fresco da mucha fuerza. Nerviosa y siempre dispuesta a criticarlo todo, con pasos desmañados y pesadas caderas, subía la escalera de la casa de la calle Napoleón. Era una mujer tormentosa, una hija del Destino. Rápida y nerviosamente, besaba las yemas de sus dedos y tocaba con ellas la *mezuzah*. Conforme entraba, iba inspeccionando toda la casa.

—¿Están todos bien? —decía—. Les he traído a los niños un huevo. —Abría su gran bolso y sacaba el regalo envuelto en un pedazo del periódico *yiddish (Der Kanader) Ad ler*.

Una visita de la tía Zipporah era como una inspección militar. Cuando se marchaba ella, Mamá se reía y a veces terminaba llorando:

—¿Acaso es mi enemiga? ¿Qué es lo que pretende? Me faltan fuerzas para luchar con ella.

En realidad —y Mamá se daba cuenta de ello— era un antagonismo místico, cuestión de almas. La mentalidad de Mamá era arcaica y estaba llena de viejas leyendas, con ángeles y demonios.

Desde luego, Zipporah, la gran realista, tenía razón al criticar a Herzog padre. Quería contrabandear el whisky hasta la frontera y ganar mucho. Para disponer del dinero que necesitaba, él y Voplonsky lo pedían prestado. Cargaban un camión con cajas de botellas pero nunca llegaban a Rousses Point. Les daban grandes palizas y los dejaban en una zanja. A Papá Herzog era al que más le pegaban porque se resistía. Los policías le rompían la ropa, y una vez le partieron incluso un diente.

Voplonsky y él volvían a pie a Montreal. Papá Herzog se detenía en la tienda de Voplonsky para arreglarse un poco, pero nada podía hacer por disimular el ojo hinchado y sangrante. Aquella vez traía además un hueco en los dientes. Tenía la chaqueta rota, y la camisa y la ropa interior manchadas de sangre.

Así entró en la oscura cocina de la calle Napoleón. Estábamos todos allí. Era un día muy nublado de marzo aunque, de todos modos, era raro que la luz llegase hasta allí. Era como una caverna. Y nosotros parecíamos cavernícolas.

—¡Sarah! —gritó—. ¡Niños! —Nos enseñó su cara cortada. Se sacó el forro de los bolsillos... vacíos. Al hacerlo, empezó a llorar y los niños, que le rodeaban, rompieron todos a llorar. Para mí era insoportable que alguien pudiera pegarle a Papá... un padre, un ser sagrado, un rey. Sí, para nosotros era un rey. Aquel horror me apretaba el corazón. Me parecía que iba a morirme. ¿A quién podía yo querer como los quería a ellos?

Entonces, Papá Herzog contó su historia.

—Nos estaban esperando. Tenían bloqueada la carretera. Nos sacaron del camión y se lo llevaron todo.

—¿Por qué peleaste? —preguntó Mamá Herzog.

—Era todo lo que teníamos... y todo con dinero prestado.

—Podían haberte matado.

—Tenían las caras tapadas con pañuelos. Me pareció reconocer...

Mamá no podía creerlo.

—¿*Landtsleit*? Imposible. Ningún judío podría hacerle eso a otro judío.

—¿No? —exclamó Papá—. ¿Por qué no? ¿Quién dice que no? ¿Por qué no pueden los judíos fastidiarse unos a otros?

—¡Los judíos no! ¡Eso nunca! —dijo Mamá—. ¡Nunca, nunca! ¿Cómo crees que pueden tener tan mal corazón? ¡Nunca!

—Niños, no quiero que lloréis más. Y el pobre Voplonsky se ha tenido que meter en la cama.

—Jonah —dijo Mamá—, tienes que dejar este negocio.

—Y, ¿de qué viviremos? Tenemos que vivir.

Empezó a contar la historia de su vida desde la infancia. Y lloraba al contarla. Estudiando desde los cuatro años, alejado de casa y comido por los piojos. Ya de muchacho pasó mucha hambre en la *Yeshivah*. Se afeitaba ya y se convirtió en un europeo moderno. Pasados unos años, trabajó en Kremenchug para su tía. Luego, vivió en San Petersburgo diez años con documentos falsos en la época revolucionaria. Logró huir a América. Pasó mucha hambre. Limpiaba cuadras. Fue mendigo. Vivía pasando mucho miedo. Siempre le debía dinero a alguien. La policía no le quitaba ojo de encima. Su esposa era una criada. Y esto era lo único que podía darles a sus hijos, lo único que podía enseñarles: sus harapos, sus mataduras.

Herzog, envuelto en su bata económica, meditaba sobre su pasado y se le nublaban los ojos. Con los pies descalzos, pisaba una pequeña franja de la alfombra. Apoyaba los codos en la frágil mesa y se sostenía la cabeza. Solo había escrito unas cuantas líneas a Nachman.

Supongo —pensaba— que oíamos esta historia de los Herzog unas diez veces al año. Unas veces la contaba Mamá y otras veces él. De modo que teníamos una gran preparación, casi escolar, para el dolor. Aún tengo presentes aquellos gritos del alma. Están en el pecho y en la garganta. La boca quiere abrirse lo máximo posible para lanzarlos. Pero todo esto son antigüedades; sí, antigüedades judías que tienen su origen en la Biblia, en un sentido bíblico de experiencia personal y destino. Lo que sucedió durante la guerra hizo que Papá Herzog no pudiera pretender que su sufrimiento fuese excepcional. Ahora nos movemos en un clima más brutal y las personas nos son indiferentes. Parte del programa de destrucción en el cual se ocupa con energía, incluso con alegría, el espíritu humano. Estas historias personales son viejas historias de tiempos viejos que quizá no merezca la pena recordar. Yo las recuerdo. Yo tengo que recordarlas. Pero ¿a quién más puede interesar todo ello? Hay tantos millones —multitudes— que se hunden entre terribles dolores... Pero se les niega hoy el sufrimiento moral. Sigo siendo un esclavo del dolor de Papá. ¡Cómo hablaba de sí mismo Papá Herzog! Era muy cómico. Pero su *yo* era de una dignidad formidable.

—¡Tienes que dejarlo! ¡Tienes que dejarlo! —gritaba Mamá.

—Y, ¿qué voy a hacer si no hago eso? ¿Quieres que trabaje en las pompas fúnebres? ¿Como si tuviera setenta años?

¿Quieres que me dedique a lavar cadáveres? ¿Yo? ¡Más vale que se abra la tierra y me trague!

—Ven, Jonah —dijo Mamá lo más persuasivamente que pudo—. Te pondré una compresa en el ojo. Tiéndete ahí. Ven, échate.

—No puedo perder tiempo.

—Ahora debes cuidarte.

—¿Y cómo van a comer los niños?

—Ahora, tiéndete un rato y no te preocupes de lo demás. Quítate la camisa.

Mamá se sentó junto a la cama, en silencio. Su marido, tendido en la cama de hierro, se cubría con la roja manta. Era una manta rusa. Quedaban al descubierto su hermosa frente, su bien formada nariz, sus bigotes castaños. Ahora, Moses, al cabo de los años, veía a las dos figuras lo mismo que las había contemplado aquel día desde el oscuro corredor.

Nachman, empezó de nuevo a escribir, pero se detuvo. ¿Cómo iba a poder llegar hasta Nachman con una simple carta? Mejor sería poner un anuncio en el periódico *La voz del pueblo*. Y ¿a quiénes enviaría las otras cartas que estaba escribiendo?

Llegó a la conclusión de que la esposa de Nachman debía de haberse muerto. Sí, eso habría ocurrido. ¡Aquella joven de piernas finas que se elevaban graciosamente y la boca grande de comisuras caídas... se había suicidado, y aquel día había salido huyendo Nachman (nadie se lo podía haber echado en cara) para no tener que contárselo todo a Moses! Pobre chica, pobrecilla. Estaría en el cementerio.

Sonó el teléfono: cinco, ocho, diez llamadas. Herzog se miró el reloj. El paso del tiempo le asombraba; así, ahora eran ya casi las seis. ¡Cómo había pasado el tiempo! El teléfono siguió sonando y su timbre parecía taladrarle. No quería cogerlo, pero, al fin y al cabo, tenía dos hijos —era un padre— y debía contestar. En efecto, descolgó y oyó la alegre voz de Ramona llamándole a una vida de placer por los vibrantes cables de Nueva York. Y no era un placer sencillo sino metafísico y trascendente, un placer que respondía al enigma de la existencia humana. Porque Ramona no era una mujer sensual, sino una teórica, casi una sacerdotisa con sus trajes españoles adaptados a las necesidades americanas, y sus flores, sus dientes preciosos, las mejillas coloradas y el cabello negro, espeso y excitante.

—¿Hola, Moses? ¿Qué número es ese?

—Aquí es el Socorro Armenio.

—¡Ah, Moses! ¡Eres tú!

—Soy el único hombre capaz de acordarse del Socorro Armenio.

—La última vez me dijiste que era el depósito de cadáveres. Se conoce que estás más optimista. Soy Ramona...

—Ya lo sé. —¿Quién más podía tener aquella voz que se iba elevando y que tenía un encanto extranjero?—. Eres la señora española.

—*La navaja en la liga* —dijo Ramona en castellano.

—Te aseguro, Ramona, que nunca me he sentido menos amenazado por los ladrones.

—Pareces muy alegre.

—Pues no he hablado con nadie en todo el día.

—Pensé llamarte el otro día, pero la tienda me ha tenido muy ocupada. ¿Dónde estabas ayer?

—¿Ayer? ¿Que dónde estaba yo?... Pues, espérate un momento que lo piense...

—¿No estarías huyendo de mí?

¿Huir de la fragante, sexual y lista Ramona? Eso, nunca. Ramona había pasado ya todas las etapas del desenfreno y lograba la seriedad del placer. Pues, ¿cuándo vamos a ser verdaderamente serios los seres civilizados?, preguntaba Kierkegaard. Solo cuando hayamos conocido a fondo el infierno. El hedonismo y la frivolidad difundirán el infierno en nuestra vida cotidiana. Sin embargo, Ramona no creía en pecado alguno, excepto en el pecado contra el cuerpo, el cual era para ella el verdadero y único templo del espíritu.

—Pero ayer estuviste fuera de la ciudad —dijo ella.

—¿Cómo lo sabes? ¿Acaso me has hecho seguir por un detective privado?

—La señorita Schwartz te vio ayer en el Gran Central con una maleta en la mano.

—¿Quién? ¿Esa señorita Schwartz, tan bajita, la de tu tienda?

—Esa misma.

—Pues sí, pero es que no sabes... —Herzog no tenía ganas de hablar más de esto.

Ramona dijo:

—Quizá te ha dejado tirado en el tren alguna encantadora mujercita y has tenido que volver a tu Ramona.

—Pues... —empezó Herzog.

Desde luego, esta mujer tenía la facultad de hacerle feliz. Al pensar en Ramona, con su mirada trastornante y sus robustos pechos, sus piernas cortas, pero tan atractivas, su aire de Carmen, su continua seducción y la habilidad que tenía para derrotar a sus rivales, Herzog pensaba que los hechos le daban la razón.

—Bueno, hombre, por lo visto te escapabas ¿no? —dijo.

—¿De qué iba a escaparme? Eres una mujer maravillosa, Ramona.

—Pues, hijo, no te entiendo. Creo que estás muy raro, Moses.

—Sí, creo que soy uno de los tipos más raros.

—Por mi parte, ya he renunciado a ser orgullosa y a exigir. La vida me ha enseñado a ser humilde.

Moses cerró los ojos y levantó las cejas. Conque así estamos.

—Quizá tú sientas una superioridad natural por tu educación.

—¡Mi educación! Si yo apenas sé nada...

—¿Cómo que no? Estás en el *Who's Who*. En cambio, yo solo soy una comerciante, una pequeñoburguesa...

—Lo dices sin creerlo, Ramona.

—¿Y por qué quieres obligarme a perseguirte? Ya me doy cuenta de que te quieres escapar. Yo también he jugado a eso para darme la impresión de que valgo mucho. Pero a medida que se recobra la confianza en una misma, se comprende la fuerza elemental de los deseos sencillos.

Por favor, Ramona, quería decir Moses: eres encantadora, fragante, sexualmente apetitosa, deliciosa para tocarte... todo lo que quieras. Pero, por favor, déjate de sermones. Por amor de Dios, Ramona, cállate. Pero ella continuó, y Herzog, con el receptor en la mano, miraba al techo. Las arañas habían sometido a las molduras a un intenso cultivo como si fueran las orillas del Rin.

Yo me había buscado estos discursos de Ramona por haberle contado la historia de mi vida y cómo me elevé desde unos orígenes humildes hasta el... completo desastre. Pero un hombre que ha cometido tantas equivocaciones en su vida no puede permitirse no hacer caso de las reprimendas de sus amigos. Amigos como Sandor o como Valentín, el megalomaníaco moral y profeta de Israel. Todos ellos esperan que uno debe escucharlos. Por lo menos, que le riñan a uno, ya es algo. Eso significa que no está uno solo.

Ramona hizo una pausa y Herzog dijo:

—Es cierto, me queda mucho que aprender.

Pero la verdad es que soy un hombre muy diligente. Me esfuerzo por perfeccionarme y es indudable que progreso. Espero que en mi lecho de muerte habré llegado ya a estar muy perfeccionado. Los buenos se mueren jóvenes. Y los muertos mayores que yo estarán orgullosos de mí... Me haré de la YMCA de los inmortales. Pero ya, en las fechas que estamos, quizá me esté perdiendo la eternidad.

—¿Me escuchas? —dijo Ramona.

—Naturalmente.

—¿Qué acabo de decirte?

—Que tengo que cuidar más de mis instintos.

—Lo que te dije es que vinieras a cenar esta noche.

—Ah.

—¡Si yo fuera una de esas fulanas, no te perderías ni una de las palabras que te dijera!

—Pero, mujer, si precisamente iba a pedirte... que vinieras conmigo a un restaurante italiano. —Estaba inventando urgentemente porque, a veces, era cruelmente despistado.

—Ya he hecho la compra —dijo Ramona.

—Pero, no comprendo; si esa fisgona señorita Schwartz me vio tomar el tren en el Gran Central...

—¿Que por qué te esperaba? Es que me imaginé que tenías que ir a New Haven a pasar el día... a la biblioteca de Yale o a algún sitio así... por favor, ven a cenar conmigo. Si no vienes, tendré que cenar yo sola.

—Pero ¿dónde está tu tía?

Ramona tenía, viviendo con ella, a la hermana mayor de su padre.

—Ha ido a visitar a sus primos de Hartford.

—Ah, ya comprendo. —Pensó que la anciana tía Tamara

debía de estar muy acostumbrada a emprender estos viajes con urgencia.

—Mi tía es muy comprensiva —dijo Ramona—. Además, tú le eres muy simpático.

Y la vieja tía cree que yo soy un buen partido. Además, hay que sacrificarse cuando se tiene una sobrinita divorciada y con una vida amorosa bastante agitada. Precisamente, antes de conocer a Herzog, Ramona había roto con el ayudante de un productor de televisión. Ese novio se llamaba George Hoberly y se había quedado muy afectado, casi histérico, cuando Ramona lo dejó. Y ella explicaba que la vieja tía Tamara le tenía gran simpatía a Hoberly, que esta le aconsejaba y consolaba lo mejor que podía hacerlo una vieja. Al mismo tiempo, sentía tanto entusiasmo por Herzog como la propia Ramona. Al pensar en la tía Tamara, se dijo Moses que ahora podía comprender a la tía Zelda y esa pasión femenina por el secreto y el doble juego. Sin embargo, Herzog observaba que Ramona tenía un verdadero cariño a la familia y esto le parecía muy bien. Parecía querer mucho a su tía. Tamara era hija de un oficial zarista polaco. Ramona decía de ella: «Es muy *jeune fille russe*», lo cual era una excelente descripción. Tía Tamara era dócil, juvenil, sensible e impulsiva. Siempre que hablaba de papá y mamá, de sus maestros y del conservatorio se le llenaba de gozo su seco pecho. Parecía no haber decidido aún si satisfaría sus deseos de concertista contra los deseos de papá. Herzog, cuando la escuchaba, no podía enterarse de si había dado un recital de piano en la Salle Gaveau o bien quería darlo. Él les tomaba cariño fácilmente a las viejecitas de Europa oriental con el pelo teñido y absurdos camafeos.

—Bueno, entonces ¿vienes o no? —dijo Ramona—. ¿Por qué eres tan difícil de pescar?

—No debería salir. Tengo mucho que hacer...; cartas que escribir.

—¿Qué cartas? Qué misterioso eres, hijo. ¿Cuáles son esas cartas tan importantes? ¿De negocios? Quizá deberías confiarte a mí, si efectivamente son asuntos de negocios. O a un abogado, si no te fías de mí. Pero, de todos modos, no puedes dejar de comer. ¿O quizá no comes cuando estás solo?

—Claro que sí.

—¿Entonces?

—¡*Okay!* —dijo Herzog—. Iré pronto. Llevaré una botella de vino.

—¡No, no! ¡No hagas eso, que yo tengo unas botellas en la nevera!

Se despidió, colgó y pensó que Ramona había dicho lo del vino con mucha energía. Quizá habría dado él la impresión de estar un poco mal de dinero o, a lo mejor, y esta era una impresión que siempre producía ella, se había sentido obligada a protegerle. A veces se preguntaba si no pertenecería él a una clase de gente secretamente convencida de que tenía una especie de arreglo con el destino; esa gente, que, a cambio de su docilidad e ingenua bondad, se creen protegidos de las peores brutalidades de la vida. La boca de Herzog sonrió torcidamente al pensar en si no había decidido ya hace años hacer un trato con la vida —con una especie de ofrenda psíquica—, de dar su debilidad y timidez a cambio de un trato preferente. Esta clase de arreglos eran característicamente femeninos o infantiles. Pero, al abrir su bata de Hong Kong y mirarse su cuerpo desnudo, se convenció de que no era un niño. Y su casa de Ludeyville, que, por lo demás, era un desastre, le había servido para conservarse bien. La lucha con aquellas viejas ruinas le había fortalecido la musculatura. La finca, por lo menos, había hecho que su narcisismo le pudiese durar un poco más. Le había prolongado las fuerzas para llevarse a la cama una mujer de grandes caderas. Desde luego, a veces se portaba mejor que cuando más joven.

Pero ¿por qué hablaba Ramona con tanta firmeza sobre el vino? Quizá temiese que Herzog fuera a presentarse en su casa llevando un Sauterne de California. No, no, lo que ocurría seguramente era que Ramona tenía fe en la potencia afrodisíaca de la marca que ella bebía. O quizá él diese, más de lo que él mismo creía, la impresión de ser «agarrado» y creyera ella que iba a llevarle un vino demasiado malo. Una última posibilidad era que ella quisiera rodearle de lujos.

Aunque se miró el reloj, Herzog, a pesar de su aire de eficacia y decisión, no se grabó la hora en la mente. Lo que observó, asomándose a la ventana para mirar por encima de los tejados y los muros, era que el cielo enrojecía. Se asombró de haber pasado todo un día garrapateando unas cuantas cartas y, ¡qué cartas tan ridículas e irritadas! ¡Qué frenético resentimiento expresaba en ellas! ¡Zelda! ¡Sandor! ¿Para qué tenía que escribirles? ¡Y también a monseñor! Entre líneas de la carta de Herzog a monseñor, este veía el rostro de un loco razonador lo mismo que Moses estaba viendo los ladrillos de aquellos muros sobre el asfalto. La interminable repetición amenaza a la cordura.

Supongamos que llevo toda la razón y que monseñor, por ejemplo, no la tiene en absoluto. Si tengo razón, el problema de la coherencia del mundo y toda la responsabilidad por él, será un asunto exclusivamente mío. No, ¿por qué he de cargar yo con eso? La Iglesia es de una comprensión universal. Y esto me parece una ilusión peligrosa, prusiana. Estar dispuesto a responder a todas las preguntas es un signo infalible de estupidez. ¿Acaso admitió alguna vez Valentín Gersbach ignorar algo? Era una especie de Goethe. Terminaba todas las frases, volvía a expresar completos los pensamientos de sus interlocutores y lo explicaba todo.

...Quiero que sepa usted, monseñor, que no le escribo con el propósito de poner en evidencia a Madeleine ni de atacarle a usted. Herzog rompió la carta. No era verdad lo que decía. Lo cierto era que despreciaba a monseñor y que deseaba asesinar a Madeleine. Sí, era muy capaz de matarla. Y sin embargo, aunque sacudido por una horrible rabia, podía también afeitarse y vestirse y ser un buen ciudadano dispuesto a pasar una noche de placer, bien arreglado y perfumado, con el rostro suavizado para recibir los besos de una apetitosa mujer. Pero él seguía complaciéndose en sus fantasías criminales. Lo que me impide hacerlo, pensaba Herzog, es la seguridad del castigo.

Tenía que acabar de arreglarse. Abandonó la mesa del despacho y la triste luz vespertina, y, quitándose la bata, entró en el cuarto de baño y soltó el agua. Bebió un poco, en la oscuridad del fresco cuarto recubierto de mosaicos. Nueva York tiene el agua más dulce del mundo si tenemos en cuenta que es una metrópoli. Empezó a enjabonarse la cara. Pensó que comería bien, porque Ramona era buena cocinera y sabía disponer una mesa. Habría velas, servilletas de lino y flores. Quizá estarían llevando ahora mismo las flores entre el tráfico nocturno. En el alféizar de la ventana del comedor de Ramona dormían las palomas. De vez en cuando se oían aleteos. En cuanto al menú, lo más probable era que en una noche como esta preparase Ramona una *vichyssoise*, y luego camarones Arnaud, al estilo de Nueva Orleans. Espárragos. Un postre frío. ¿Quizá helado con pasas y sabor a ron? ¿Queso de Brie y bizcochos? Estaba calculando por el recuerdo de otras cenas en casa de Ramona. Y, por supuesto, café y coñac. Durante todo el tiempo de la cena, vendría música egipcia del fonógrafo colocado en la habitación de al lado. Mohammed al Bakkar interpretando «Port Said» con cítaras, tambores y tamboriles. En aquella habitación había una alfombra china, y la lámpara verde daba una luz suave y profunda. También tenía allí Ramona flores frescas. Si yo tuviera que pasarme el día trabajando en una floristería, no querría seguir oliendo flores por la noche. Sobre la mesita del café, tenía libros de arte y revistas internacionales. París, Río de Janeiro, Roma y otras grandes ciudades estaban representadas allí. También se exhibían los últimos regalos de los admiradores de Ramona. Herzog leía siempre las tarjetas de visita. ¿Para qué, si no, las dejaba allí? George Hoberly, para quien cocía camarones en la primavera anterior, le seguía mandando guantes, libros, entradas de teatro y gemelos. Podía uno seguir los impacientes paseos de George por Nueva York en busca de regalos con solo fijarse en las etiquetas. Ramona decía que George no sabía lo que hacía. Herzog le compadecía.

La alfombra verde azulada, los arabescos moriscos, el amplio y confortable sofá cama, la lámpara Tiffany de la que colgaban cristales como plumas, los profundos sillones junto a las ventanas, la vista de Broadway y de Columbus Circle. Y, después de cenar, cuando estuvieran ya instalados con el café y el coñac, Ramona le preguntaría si no quería quitarse los zapatos. ¿Por qué no? Un pie libre en una noche de verano, alegra el corazón. Y también, como había hecho tantas veces con él y con otros, le preguntaría por qué estaba tan abstraído y si pensaba acaso en sus niños. Entonces, él diría... Ahora se estaba afeitando sin mirarse apenas en el espejo, tocándose la barba con las yemas de los dedos... Diría que ya no estaba tan preocupado por Marco. El chico tenía un gran carácter. Era uno de los mejores Herzog. Entonces Ramona le daría un sensato consejo sobre su hijita. ¿Y le diría Moses que la había abandonado en manos de aquellos psicópatas? ¿Podría ella poner en duda que eran unos psicópatas? ¿Querría volver a leer la carta de Geraldine, aquella horrible carta donde se contaba lo que hacían su ex mujer y el otro? Desde luego, se enzarzarían en otra discusión sobre Madeleine, Zelda, Valentín Gerbasch, Sandor Himmelstein, el monseñor, el doctor Edvig, Phoebe Gersbach... Y en contra de su voluntad, como un adicto que lucha por quitarse el vicio de la droga, le volvería a contar cómo le engañaban y explotaban y cómo le habían dejado sin sus ahorros, lleno de deudas, traicionado por su mujer, su amigo, el médico... Luego, metido ya de lleno en el relato de su propia historia, se daría cuenta de que no tenía derecho a contarla, a fastidiar a otra persona con sus desgracias y que era inútil pedir ayuda y justificación. Aún peor, no era limpio. (Por alguna razón, la palabra francesa le venía mejor, y por eso dijo *«Immonde!»* y aunque no le oía nadie, repitió en voz más alta, *«C'est immonde!»*. Sin embargo, Ramona le compadecería tiernamente. Aunque los heridos, por razones elementales, no son atractivos y suelen ponerse en ridículo, lo cierto es que ella le compadecía sinceramente. Sin embargo, en una época tan confusa espiritualmente, un hombre capaz de sentir como él sentía, podía aspirar a cierta distinción. Empezaba a ver que su especial clase de miopía para las cosas de la vida, su falta de realismo y su aparente ingenuidad, le daban una cierta categoría. Porque Ramona, sin duda alguna, quería siempre rodearlo de esplendor. Y con tal de que siguiera siendo un *macho*, le escucharía con ojos brillantes y con creciente simpatía. Sabía transformar las miserias de él en excitaciones sexuales y, este era su mérito, encauzaba la pena de Herzog en una dirección útil. No puedo estar conforme con Hobbes en que donde falta potencia no pueden tener los hombres placer *(voluptas)* en compañía sino *molestia*. Una gran cantidad de angustia. Para librarse de estas consideraciones teóricas, Herzog, una vez arreglado del todo y después de beberse cuatro o cinco vasitos de armagnac de la botella de cristal veneciana, solo tenía ya que dedicarse a Ramona. Si tú me tratas bien, yo te trataré igual.

Ramona tenía mucha experiencia en esto de tratar caballeros. Los camarones, el vino, las flores, las luces, los perfumes, el ritual de desnudarse, la música egipcia... Herzog lamentaba que Ramona tuviera que vivir de ese modo pero también le halagaba. Ramona se asombraba de que una mujer pudiera encontrar defectos en Moses. Él le había confesado con frecuencia que sus relaciones con Madeleine habían sido un completo fracaso. Y quizá al dar suelta a sus irritados sentimientos contra Mady, dotase de mayor fuerza a su representación. Entonces Ramona se ponía severa:

—No sé... ¿no has pensado que podía tratarse de mí? —dijo—. Pobre Moses, para que estés convencido de que hablas seriamente de una mujer necesitas haberlo pasado muy mal con ella.

Moses se lavó la cara después del afeitado y se sopló los carrillos por las comisuras de la boca. Puso en marcha su pequeño transistor —que tenía en la estantería, sobre el lavabo— y oyó música de danza polaca. Se echó polvos en los pies. Luego cedió al impulso de bailar y saltar sobre los mojados baldosines. Una de las rarezas de la soledad es ponerse a bailar y a cantar de pronto y hacer cosas por el estilo. Moses bailó aquella música hasta que llegó la guía comercial polaca: «Ochynepynch-ochyne, Avenida Pynch, Flushing». Imitó al locutor mirándose en el reflejo marfileño del baño de mosaicos, o el *water closet*, como él le llamaba anacrónicamente. Estaba ya dispuesto a bailar a su manera otra polca cuando descubrió, jadeante, que le chorreaba el sudor por los costados abajo y que otro baile le obligaría a ducharse. No tenía tiempo ni paciencia para ello. Le reventaba tener luego que secarse.

Se puso unos calzoncillos, y calcetines limpios. Ramona censuraba su gusto para elegir zapatos. Cuando pasaban por delante del escaparate de la tienda Bally, en la avenida Madison, le señalaba un par de botas españolas muy altas y le decía: «Eso es lo que te conviene». Sonriendo, levantaba la vista para encontrarse con la brillantez de los ojos de ella. Tenía unos dientes blancos maravillosos. Su nariz era pequeña, fina y bien dibujada, y sus ojos, color avellana. Tenía el cabello espeso e intensamente negro. Su rostro era más grueso y fuerte en la parte inferior. Un leve defecto, pensaba Herzog. Nada serio.

—¿Quieres que me vista como un bailarín de flamenco?

—Tenías que emplear un poco de imaginación en tu manera de vestir y subrayar algunos aspectos de tu personalidad.

Se podía pensar —y Herzog sonrió sin poderlo evitar— que él era un capital humano mal invertido. Quizá se sorprendiera Ramona cuando él le dio la razón. Sí, casi alegremente, estuvo de acuerdo con ella. La fuerza, la inteligencia, el sentimiento y las oportunidades no los había sabido aprovechar. Lo que él no podía comprender, sin embargo, era que ese calzado español (que, por otra parte, atraía mucho sus gustos infantiles) mejoraría su carácter. Y tenemos que mejorar. No hay más remedio.

Se puso los pantalones. No los italianos; no serían cómodos para después de cenar. Estrenó una de las nuevas camisas de popelín. Le fue quitando todos los alfileres. Después, se puso la chaqueta de Madras. Se inclinó para ver el puerto por la pequeña abertura de la ventana del cuarto de baño. Nada de particular. Solo la impresión del golpear del agua sobre la isla atestada de edificios. Lo que estaba haciendo era un movimiento de orientación, como la mirada a su reloj de pulsera, que no le decía la hora. Luego se miró al espejo. ¿Qué aspecto tenía? ¡Tremendo, hijo, tienes un aire muy distinguido, Moses! ¡Despampanante! Experimentaba el apego de toda criatura humana por sí misma, el dulce instinto del *yo*, tan profundo y tan antiguo que quizá tenga un origen celular. Al respirar, se daba cuenta de que lo hacía, y en sus nervios más insignificantes sentía un agradable apetito. *Querido profesor Haldane...* no, ese no era el hombre adecuado para que se dirigiera a él Herzog en estos momentos. *Querido Padre Teilhard de Chardin, he tratado de comprender sus ideas sobre el aspecto interno de los elementos. Esos órganos de los sentidos, aunque sean órganos sensoriales rudimentarios, no nacerían de moléculas que los mecanicistas llaman inertes. Quizá habría que considerar esto como una conciencia en desarrollo... ¿Acaso está relacionada la molécula de carbón con el pensamiento?*

Su rostro afeitado, murmurando ante el espejo, tenía grandes ojeras. Está muy bien, pensó... A pesar de que no hay mucha luz, se ve que eres un hombre muy guapo. Todavía puedes pasar bastante tiempo conquistando mujeres. Conquistándolas a todas menos a esa bruja, Madeleine, cuya cara no se sabe si es hermosa o muy desagradable. Anda, pues, que Ramona te alimentará, te dará vino, te quitará los zapatos, te halagará, te besará y te dará mordisquitos con sus lindos dientes. Luego destapará la cama, apagará las luces e irá a lo esencial...

Estaba medio elegante, medio fachoso. Siempre había sido ese su estilo. Así, si se anudaba la corbata con gran cuidado, tenía sueltos los cordones de los zapatos. Su hermano Shura, inmaculado con sus trajes hechos por los mejores sastres, con afeitados, pelados y manicura de Palmer House, le decía que su descuido era a propósito. En tiempos quizá fuese un desafío muchachil a las conveniencias, pero ahora ese descuido de las apariencias formaba ya parte de la comedia diaria de Moses E. Herzog. Ramona solía decirle: «No eres un verdadero y puritano americano. Para lo que tú tienes talento es para la sensualidad. Tu boca te traiciona». Y cuando le oía esto, Herzog no podía evitar ponerse los dedos sobre los labios. Pero luego se reía mucho. Sin embargo, le fastidiaba que ella no le reconociese como un verdadero americano. Eso le dolía. ¿Qué era él, pues, sino un norteamericano? En el servicio militar, sus compañeros también le consideraban como un extranjero. La gente de Chicago lo miraba siempre con suspicacia y le hacían preguntas esperando demostrar que no conocía la ciudad. Sin embargo, la mayoría procedían de los suburbios, y Moses conocía la ciudad mucho mejor que ellos, pero se las arreglaba para convertir este conocimiento suyo en un truco, y le decían: «Ah, te lo has aprendido de memoria. Eres un espía y el que conozcas tan bien Chicago lo demuestra. Eres uno de esos judíos tan listos. Debes reconocer, Moses, que te echaron sobre la ciudad con paracaídas, ¿verdad?». La verdad es que había sido oficial de comunicación y que lo habían licenciado por su asma. En las maniobras del golfo de México, la niebla lo fastidiaba tanto que era prácticamente un inútil. Pero toda la flota le oía gruñir:

—¡Estamos perdidos!

En Chicago —en 1934— tenía que dar clases con voz resonante, en la escuela superior McKinley, con textos de Emerson. Entonces no le faltaba voz. *El logro principal de este mundo ha sido la creación de un hombre. La vida privada de un solo hombre representa una monarquía más ilustre que cualquier otro reino de la historia. Reconozcamos que nuestra vida, tal como la llevamos, es vulgar y mezquina... Por ahora no somos hombres hermosos y perfectos... La comunidad en que vivimos no soportará oír que todos los hombres han de estar dispuestos para el éxtasis o para una iluminación divina. El* hecho de que Herzog hubiera perdido un barco y su tripulación cerca de Biloxi, no significaba que no se propusiera en serio aspirar a la belleza y a la perfección para toda la humanidad. Creía que sus credenciales americanas eran indiscutibles. Riéndose, pero también con dolor, recordó lo que le había dicho aquel suboficial de Alabama. «¿Dónde demonios aprendió usted a hablar inglés? ¿En la escuela Berlitz?»

No, lo que Ramona quería decirle —y con ello intentaba halagarle— era que no había vivido como un americano vulgar. No; sus peculiaridades le habían marcado desde el principio. ¿Y acaso le daba esto algún valor o distinción social especial? De todos modos, tenía que vivir siendo un hombre distinto y por tanto podía muy bien poner en práctica esas peculiaridades que le hacían distinto de los demás.

Y, hablando de americanos vulgares, ¿qué clase de madre podría ser Ramona?

Querido McSiggins, leí su monografía titulada «Las ideas éticas de la comunidad mercantil americana». Interesante. Me habría gustado que profundizase usted más en la investigación de la hipocresía pública y privada del sistema mercantil americano. Desde luego, no se puede impedir que el norteamericano se atribuya todo el mérito que quiera. Gradualmente, en la filosofía del populismo, la bondad se ha convertido en algo tan al alcance de todos como el aire, o casi, algo así como un viaje en metro. Lo mejor para todos es que se las arreglen como puedan. A nadie le importa demasiado lo que le ocurre a nadie. Y todo eso del aspecto honrado que recomendaba Benjamín Franklin como una ventaja del mundo de los negocios, tiene un fondo calvinista. Hoy, a medida que desaparece la creencia en la condenación, se van afirmando sólidamente las apariencias dignas de confianza.

Querido general Eisenhower. Quizá tenga usted en su vida privada tiempo y afición para reflexionar sobre asuntos para los cuales, como jefe del Poder Ejecutivo, es evidente que no tenía usted tiempo. La presión de la Guerra Fría... la cual, para tanta gente, no fue más que una fase del histerismo polí-

tico, y los viajes y discursos de Mr. Dulles, que, si al principio pudieron parecer actividades de un gran estadista luego resultaron de una inutilidad muy americana. Precisamente, estaba yo en la Galería de Prensa de la ONU el día en que habló usted sobre el peligro de equivocarse al precipitar la guerra nuclear... También estuve presente cuando Kruschev aporreó su pupitre con el zapato. En esas crisis, en una atmósfera semejante, era evidente que no había tiempo para las cuestiones más generales que me preocupaban... Del libro escrito por Mr. Hughes, y por la carta que usted le escribió expresando su preocupación por los «valores espirituales», comprendo que no le hago perder el tiempo al rogarle que se fije en el informe de su Comité de Objetivos Nacionales, que se publicó a finales de su Administración. No sé si las personas que nombró usted para constituir ese Comité eran las mejores para llevar a cabo esa tarea: grandes abogados, grandes jefes de empresa, en fin, el grupo que ahora se llama de los Estadistas Industriales. Mr. Hughes ha dicho que a usted le tenían aislado y protegido contra las opiniones deprimentes. Y quizá se pregunte usted ahora quién demonios es esta persona que le escribe —es decir, yo—, si soy un liberal, un hombre pensador, un corazón angustiado o un perturbado cualquiera. Digamos que soy una persona sensata que cree en la utilidad del civismo. Las personas inteligentes sin influencia suelen sentir un cierto desprecio por sí mismas, que es como un reflejo del desprecio que se tienen a sí mismos los que detentan el poder político-social, o que se figuran que lo tienen en sus manos. ¿Podrás expresarte con toda claridad y con pocas palabras? Todos sabemos que Eisenhower detesta los documentos largos y complicados. Una colección de declaraciones legales y útiles para inspirarnos en nuestra lucha contra el enemigo comunista, no es precisamente lo que necesitamos. El moderno ciudadano de una democracia podía dar un nuevo sentido a la antigua afirmación de Pascal (1623-1662) de que el hombre es una caña, pero una caña pensante. Sí, el hombre cree que piensa pero se siente como una caña inclinada por los méritos originales en el poder central. Con toda seguridad, no prestaría atención a esta frase. Herzog trató de expresarlo de otro modo. *Tolstoi (1828-1910) dijo: «Los reyes son los esclavos de la historia». Mientras más arriba se encuentre uno en la escala del poder, más determinados están nuestros actos. Para Tolstoi, la libertad es enteramente personal. Será libre el hombre cuya condición sea simple, real y verídica. Ser libre es haberse librado de las limitaciones históricas. Por otra parte, Hegel (1770-1831) comprendió que la esencia de la vida humana se derivaba de la historia. La historia, la memoria... eso es lo que nos hace humanos; eso, y nuestro conocimiento de la muerte: «por el hombre llega la muerte». En efecto, el conocimiento de la muerte nos hace desear que nuestras vidas sean más largas a expensas de los demás. Y esta es la raíz de la lucha por el poder.* ¡Todo eso es un error!, pensó Herzog, de buen humor ante su propia desesperación. Estoy pretendiendo aleccionar a tipos como Nehru, Churchill y ahora Ike, y por lo visto quiero darles un curso de Grandes Libros. *Sin embargo, la finalidad es la libertad. Y la vida pública está acabando con nuestra vida privada. La nación fabrica géneros que no son, en modo alguno, esenciales para la vida humana pero que sí son vitales para la supervivencia política del país. Por otra parte, hay más «vida privada» que hace un siglo, cuando un día de trabajo duraba catorce horas. Todo lo cual es de la mayor importancia ya que se refiere a la invasión de la esfera privada (incluida la sexual) por técnicas de explotación y dominio.* Todo esto le habría interesado mucho al trágico sucesor de Ike, pero no a este. Ni a Lyndon. Sus gobiernos no podrían funcionar sin intelectuales —físicos, estadísticos— pero estos se pierden en brazos de los grandes jefes industriales y multimillonarios. Kennedy tampoco iba a cambiar esta situación. Pero, por lo menos, reconoció en privado que existía.

Una nueva idea obsesionaba a Moses. Tenía que ofrecerle un resumen de sus puntos de vista a Harris Pulver, que había sido su «tutor» universitario en 1939 y que ahora era director de la revista *Atlantic Civilization*. Sí, el diminuto y nervioso Pulver, con sus tímidos ojos azules, tan llenos de alma, su dentadura destrozada y su perfil de momia de Gizeh (como se representan en la *Historia Antigua* de Robinson) y su cara tan colorada. Herzog le tenía gran devoción a este hombre. *Escuche, Pulver, escribió, aquí va una idea maravillosa en que podría basarse un ensayo muy necesario sobre la «condición inspirada». ¿Cree usted en la trascendencia tanto hacia arriba como hacia abajo? (Esos términos vienen de Jean Wahl.) ¿O bien diremos que la trascendencia es imposible? Todo ello implica el análisis histórico. Yo diría que hemos hecho una nueva historia utópica, un idilio, a fuerza de comparar el presente con un pasado imaginario, porque odiamos al mundo tal como es. Este odio del presente no ha sido bien comprendido. Pero ¿qué pasa con «la condición inspirada»? Se cree que esta solo puede conseguirse en un sentido negativo y se pretende conseguirla en la filosofía y la literatura así como en la experiencia sexual, o con ayuda de los narcóticos, o bien en el crimen «filosófico», «gratuito», y con horrores semejantes. (Nunca parece ocurrírseles a esos «criminales» que portarse decentemente con otro ser humano puede también ser «gratuito».) Algunos observadores inteligentes han señalado que el honor o respeto «espiritual» que antes se concedía a la justicia, el Talar, la templanza o la misericordia, ahora se puede conseguir de un modo negativo y grotesco. Muchas veces pienso que esto se debe probablemente al hecho de que gran parte de lo que se consideraba antes como un «valor», ha sido absorbido hoy por la técnica. Así, es «bueno» electrificar un área primitiva. La civilización e incluso la moralidad de nuestra época, va implícita en la transformación tecnológica. ¿Acaso no es bueno dar pan al hambriento y vestir al desnudo? Pero ¿no obedecemos también a Jesús al enviar maquinaria al Perú o a Sumatra? Hoy se puede hacer el bien fácilmente con máquinas de producción y transporte. ¿Puede competir con esto la virtud? Las nuevas técnicas son, en sí mismas, algo bien pensant y representan no solo el racionalismo sino la benevolencia. Así, una inmensa masa de «biempensantes» ha sido arrastrada hasta el nihilis-*

mo, el cual, como es bien sabido, tiene raíces morales y cristianas y ofrece en sus más locos frenesíes, un racionalismo «constructivo». (*Véase Polyani, Herzog, et al.*)

Los individuos románticos (un inmenso número de ellos), acusan a esta civilización de masas de obstruir la consecución de la belleza, la nobleza, la integridad y la intensidad. No quiero burlarme del término «romántico». El romanticismo conservó la «condición inspirada», y las enseñanzas poéticas, filosóficas y religiosas, las ideas más generosas de la humanidad durante las transformaciones mayores y más rápidas la fase más acelerada de la transformación moderna científica y técnica.

En fin, Pulves, hay que convencerse de que vivir inspiradamente, conocer la verdad, ser libres, amarse los unos a los otros, consumar la existencia y enfrentarse a la muerte con una conciencia clara, no es ya un proyecto raro e irrealizable. Lo mismo que el maquinismo se ha atribuido la idea del bien, así la tecnología de la destrucción ha adquirido también un carácter metafísico. Las cuestiones prácticas se han convertido así en las postrimerías. La aniquilación no es ya una metáfora. El Bien y el Mal son reales. Por eso, la condición inspirada no es ya cosa de visionarios. No está reservada para los dioses, reyes, poetas y sacerdotes, sino que pertenece a la humanidad y a la existencia toda. Y por tanto...

Por tanto, los pensamientos de Herzog, como aquellas máquinas que había oído cuando iba en el taxi ayer, en el distrito de la ropa hecha, funcionaban incesantemente con una infinita energía eléctrica, cosiendo las telas con inagotable energía. Ahora, ya vestido y arreglado, pero aún sentado a la mesa escribiendo, apretados los dientes y con el sombrero de paja apretándole la frente, añadió: *¡La razón existe! ¡La razón...!*, y terminó, con decisión: *Todos deben cambiar su vida. ¡Cambiar!*

Así, tengo mucho interés en que se convenzan ustedes de que yo, Moses E. Herzog, estoy cambiando. Quiero que sean ustedes testigos del milagro de su corazón cambiante y que vean cómo, al oír los ruidos del suburbio y contemplar las nubes de blanco polvo que se levantan en el aire sereno de Nueva York, se comunica con los poderosos de este mundo y lanza sus palabras de entendimiento y profecía a la vez que se dispone para pasar una tarde entretenida, con buen alimento, música, vino, conversación y relación sexual. Lo de la trascendencia o de la falta de trascendencia es otro asunto. El que solo trabaja y no juega, se estropea la salud. Ike pescaba truchas y jugaba al golf; mis necesidades son diferentes. Lo erótico debe ser reconocido y admitido en el lugar que le corresponde, sobre todo en una sociedad emancipada que comprende la relación de las represiones sexuales con la enfermedad, la guerra, el dinero y el totalitarismo. Desde luego, tumbarse es útil y socialmente constructivo, un acto de ciudadanía. Por eso estoy yo ahora aquí, entre dos luces, con la chaqueta a rayas echada por los hombros y hartándome de sudar después de haberme lavado tan meticulosamente, después de haberme afeitado y empolvado mordiéndome nerviosamente el labio inferior como si intuyese lo que hará luego Ramona. Impotente para librarse del chiste hedonístico, de una civilización industrial mamut, sobre la delicadeza de los deseos espirituales, los elevados anhelos de un Herzog, su sufrimiento moral y su aspiración al bien y a la verdad. Durante todo ese tiempo, su corazón le dolía lamentablemente; le habría gustado sacudírselo o sacárselo del pecho y tirarlo al cubo de la basura. A Moses le humillaba la comedia del dolor de corazón, pero ¿acaso puede despertarle a uno el pensamiento de este sueño de la existencia? No, porque la confusión es aún mayor, y empieza otro sueño más complicado todavía, el sueño del intelecto, la ilusión de las *explicaciones* totales.

Había tenido una leve advertencia. Se la hizo la madre de Daisy, Polina, cuando él se encaprichó con su amiga japonesa Sono, y Polina, que era una vieja sufragista judía rusa (a sus cincuenta años, era una mujer de ideas modernas en Zanesville, Ohio; desde 1905 hasta 1935 el padre de Daisy condujo allí un camión con el que servía botellas de soda y agua de seltz.

Ni Polina ni Daisy sabían entonces nada de Sono Oguki); ¡qué cantidad de líos con mujeres!, pensó Herzog. Una tras otra. ¿Acaso ha sido esta mi verdadera carrera? Polina vino a visitarle, canosa y con anchas caderas, con su bolsa de labores, una persona elegante y decidida. Se presentó con una caja de Quaker Oats llena con *strudel* de manzana. Estaba estupendo. Pero Herzog se daba cuenta de que su afición al *strudel* era infantil y que con Polina tenía que hablar de cosas propias de adultos. Polina era una de esas mujeres tiesas y severas de su generación. Había sido muy guapa pero ahora estaba seca y tiesa, llevaba lentes octogonales con montura de oro y tenía ya unos pelillos blancos de vieja sobre el labio superior.

Hablaron en *yiddish*.

—¿Es que te vas a convertir en *ein Ausvurf... ausgelassen*? ¿En un perdido, en un disoluto? —La vieja era tolstoiana, puritana. Sin embargo, comía carne y era una tirana. Era frugal, árida, limpia, respetable y dominante. Pero nada había en el mundo tan dulce, suave y fragante como su *strudel* hecho con azúcar morena y manzanas verdes. Ponía en su cocinar una extraordinaria sensualidad. Y nunca le daba a Daisy la receta.

—Bueno, ¿por qué te metes en tantos líos? —siguió riñéndole Polina—. Primero una mujer, luego otra, después otra, sin parar... ¿Cuándo vas a hacerte una persona decente? No puedes abandonar a una esposa y un hijo para irte con esas mujeres... unas putas.

Nunca debí tener esas «explicaciones» con ella, pensó Moses. ¿Es que consideraba yo como una cuestión de honor dar continuamente explicaciones a todo el mundo sobre mis amoríos? Yo mismo no entendía cómo me ocurrían esas cosas, de modo que ¿cómo iba a explicárselo a nadie?

Sentado a la mesa, empezó a removerse, impaciente. Lo mejor que podía hacer era marcharse ya. Se le hacía tarde para la cita. Pero aún le faltaba algo que hacer. Cogió una nueva hoja de papel y escribió: *Querida Sono*.

Había regresado al Japón hacía ya mucho tiempo. ¿Cuándo fue? Mientras pensaba las fechas levantó la vista y vio las nubes blancas que cubrían Wall Street y el puerto. *No te censuro que vuelvas a tu tierra.* Sono era una persona acomodada. Tenía una casa en el campo, además de la de la ciudad. Herzog había visto las fotografías en color: un paisaje campesino oriental con conejos, gallinas, cerditos y un manantial de agua caliente que proporcionaba el agua de los baños. Sono tenía un retrato del aldeano ciego que iba a darle masajes. A ella le entusiasmaban los masajes y tenía gran fe en sus buenos resultados. Había dado muchas veces masaje a Herzog y él a ella.

Tenías razón acerca de Madeleine, Sono. No debería haberme casado con ella. Tenía que haberme casado contigo.

Pero Sono ni siquiera aprendió el inglés. Durante dos años, Herzog y ella hablaron en francés, en *petit nègre*. Y ahora Herzog escribió: *Ma chère, ma vie est devenue un cauchemar affreux. Si tu savais!* Herzog había aprendido francés en la Escuela McKinley. Y se lo había enseñado una solterona muy fea, la señorita Miloradovich. Fue el curso donde aprendió más.

Sono solamente había visto a Madeleine una vez, pero a ella le bastaba. Me advirtió mientras estaba yo sentado en su sillón Morris partido. «Moso, no te fíes. Ten cuidado, Moso.»

Tenía un tierno corazón, y Herzog sabía que si le escribía sobre la tristeza de su vida, la haría llorar. Serían unas lágrimas instantáneas. Sono empezaba a llorar súbitamente, sin los habituales preliminares occidentales. Sus negros ojos se elevaban de la superficie de sus mejillas de la misma manera como sus pechos surgían de la superficie de su cuerpo. No, no le escribiría ahora malas noticias, decidió. En cambio, se permitió imaginarla como estaría ahora (era por la mañana en el Japón), bañándose en su fuente, con su boquita abierta y cantando. Se bañaba con frecuencia y cantaba, mientras miraba hacia arriba y ponía los labios trémulos. Eran unas dulces y extrañas canciones que a veces parecían maullidos.

Durante los malos tiempos en que se estaba divorciando de Daisy, visitaba a Sono en el pisito que esta tenía en el West Side. Ella abría inmediatamente el grifo de la pequeña bañera y le echaba luego las sales de baño Macy. Desabrochaba la camisa de Moses, le quitaba toda la ropa y cuando lo tenía ya metido («ahora está muy bien de temperatura») en el agua espumosa y perfumada, dejaba ella caer su ropa interior y se metía en el baño junto a él, cantando aquella música vertical que le gustaba tanto.

*Chin-chin
te lavo la espalda
mi-Mo-so*

De jovencita había vivido en París, y allí la sorprendió la guerra. Cuando entraron los americanos, estaba ella con pulmonía y aún no se había repuesto cuando la repatriaron por el ferrocarril transiberiano. Decía que ya no le importaba el Japón; el Occidente la había estropeado para la vida de Tokio, y su acaudalado padre la dejó que estudiara dibujo en Nueva York.

Le dijo a Herzog que no estaba segura de creer en Dios pero que, si él creía, ella también procuraría tener fe. Por otra parte, si él era comunista, también ella estaba dispuesta a serlo. Como ella decía: «*Les Japonaises sont très fidèles. Elles ne sont pas comme les Américaines. Bah!*». Pero las mujeres americanas le divertían. Visitaba con frecuencia a las damas baptistas que la habían avalado ante el Departamento de Inmigración. Cuando ellas iban a su casa, les preparaba unas quisquillas o pescado crudo y les hacía la ceremonia del té. Cuando las señoras tardaban en marcharse, a veces esperaba Moses sentado en el escalón de la casa de enfrente. Sono, muy divertida —le entusiasmaban las intrigas (¡qué abismos los del secreto femenino!)—, se asomaba a la ventana y le hacía la señal convenida mientras fingía estar regando las macetas. Tenía unos minúsculos árboles Ginkgo y cactus en unos tarros de yogur.

Su piso del West Side tenía tres habitaciones de altos techos. Por detrás crecía un árbol ailanthus, y una de las ventanas fronteras tenía un gigantesco acondicionador de aire que lo menos pesaba una tonelada. Llenaban el piso las gangas que ella encontraba en la calle Catorce: pantallas de bronce, lámparas de pie, cortinas de nailon, gran cantidad de flores de cera, objetos de hierro forjado, de alambre retorcido y de cristal. Sono iba constantemente de un lado a otro con los pies descalzos dejándose caer de vez en cuando sobre sus talones bruscamente. Cubría su adorable cuerpo de una manera absurda, con unos *negligés* que le llegaban solo hasta la rodilla y que compraba en las gangas de los puestos próximos a la Séptima Avenida. Cada una de aquellas compras la hacía luchar con otras cazadoras de gangas. Llevándose una mano, con excitación, a su cuello tan suave, le contaba a Herzog entre grititos lo que había sucedido:

—*Chéri! J'avais déjà choisi mon tablier. Cette femme s'est foncée sur moi. Uf! Elle était noire! Moooan Dieu! Et grande! Derrière immense. Immense poitrine. Et sans soutien-gorge. Tout à fait comme Niagara Fall. En chair noire.* —Sono hinchaba las mejillas y se estrechaba ella misma con sus brazos como si se estuviera asfixiando. Hacía movimientos violentos con el vientre hacia delante y el trasero hacia atrás.

—Y yo le decía —continuó, siempre en francés—: «No, no, señora. Yo aquí primero». Tenía los brazos así de gordos, como hinchados. ¡Y qué pecho! Había mucha gente mirando. «¡No!», le decía yo. «No, no señora». Sono, orgullosamente, abría las aletas de la nariz y su mirada se cargaba de odio. Terminaba poniéndose las manos en las caderas como en desafío.

Cuando ya estaban en la cama, Herzog le tocó a Sono los párpados como si fuera a hacer con ella un experimento. Lo curioso era que aquellos párpados tan extraños, suaves y pálidos, conservaban la huella de los dedos durante un buen rato. *Para decir la verdad, nunca lo he pasado tan bien como con ella. Pero me faltó la fuerza de voluntad necesaria para soportar tanto gozo.* Y esto no era un chiste, como parecía, porque cuando un hombre siente que su pecho es como una jaula de donde han salido volando todos los pájaros negros y tétricos, se siente libre, experimenta una gozosa ligereza en el corazón... pero a la vez desea que le vuelvan otra vez sus buitres. Siente el deseo de estar de nuevo luchando como siempre. Echa de menos su excitación, sus aflicciones y sus pecados. En este salón de lujo oriental, en busca del placer que da la vida, resolvió Moses E. Herzog el enigma del cuerpo (curándose del fatal trastorno de la mundanidad, incompatible con la felicidad del mundo, esa plaga de Occidente, esa lepra mental). Parecía haber hallado su objetivo. Pero con frecuencia permanecía sentado, deprimido, en el sillón Morris. ¡Maldita tristeza! Pero a ella todo eso le parecía bien. Me veía con los ojos de su amor y me decía:

—*Ah! T'es mélancolique; c'est très beau!*

Y yo pensaba entonces que quizá la culpabilidad y la tristeza me hicieran parecer oriental. A ella le parecía *beau* cuando estaba triste. Y nada tiene de extraño creyese que yo fuera un comunista. ¡El mundo tenía que amar a los amantes pero no a los teóricos! A estos había que ponerlos de patitas en la calle. Señoras, ¡echen ustedes a esos tétricos hijos de tal! ¡Odiosa melancolía!

Las tres altas habitaciones de Sono en su pisito tenían su entrada tapada con cortinas de ocasión, como en el Extremo Oriente de las películas. Y cada habitación estaba dividida en otras por más cortinas. El más interior era el espacio donde estaba la cama, con sábanas de verde menta o de clorofila aguada, revueltas. La cama estaba siempre sin hacer, y todo en desorden. Después del baño, el cuerpo de Herzog estaba colorado. Después de secarlo y echarle polvos de talco, Sono le ponía un quimono. Era él para esta mujer como un muñeco del Cáucaso, contento pero un poco resistente. La tiesa tela del quimono le resultaba incómoda en los sobacos mientras se quedaba sentado en las almohadas. Sono le servía el té en sus mejores tazas. Y Herzog la escuchaba. Le contaba los últimos escándalos que había leído en la prensa de Tokio.

Una mujer había mutilado a su amante infiel y las partes que le faltaban al amante las encontraron en el *obi* de ella. El maquinista de un tren se había dormido y no había visto una señal, por lo que habían muerto ciento cincuenta y cuatro personas. El padre de Sono le había comprado a su concubina un Volkswagen y tenía que aparcar frente a la casa porque no le permitían que metiese el coche en el patio. Y Herzog pensaba: «¿Es posible que todas las tradiciones, renunciaciones, virtudes, joyas y obras maestras de la disciplina hebrea (retórica gran parte de ello pero que, sin duda, contiene hechos verdaderos) me hayan traído hasta estas sábanas verdes arrugadas, sobre este deformado colchón?». Y se preguntaba esto como si le importase a alguien lo que él estaba haciendo allí. Como si afectase de algún modo al destino del mundo. La verdad es que su presencia en el dormitorio de Sono era algo que solo le concernía a él. Y aunque no le cambió la expresión ni movió ninguna de sus facciones, Herzog murmuró para sí: «Tengo derecho a esto». Muy bien, desde luego, los judíos eran unos extraños para el mundo desde hacía muchísimo tiempo y ahora sucedía lo contrario: el mundo se estaba convirtiendo para ellos en un extraño. Sono sacó una botella y salpicó con coñac el té que iba a tomarse Herzog. Después de beber ella unos sorbitos, dio un divertido gruñido. Luego, Sono sacó sus pergaminos. Unos comerciantes gozaban a unas delicadas muchachas que miraban a otra parte cómicamente mientras se entregaban. Moses y Sono estaban sentados sobre la cama, con las piernas cruzadas. Ella señalaba algunas cosas de los dibujos, guiñaba los ojos, daba grititos y ponía su redonda cara junto a la de él.

Siempre había algo friéndose o cociendo en la cocina, un lugar muy reducido que apestaba a pescado, salsa de soja y hojas de té. Las cañerías dejaban de funcionar la mayor parte del tiempo. Siempre le pedía a Herzog que hablase con el administrador, un negro, que a ella no le hacía ningún caso. Sono tenía dos gatos y sus platillos de la comida estaban siempre sucios. Cuando Herzog estaba aún en el metro, de camino hacia la casa de Sono, empezaba a percibir esos malos olores de piso. Le encogían el corazón. Deseaba violentamente a Sono, pero su deseo de no ir a su casa era igualmente violento. Incluso ahora sentía aquel deseo, le repugnaban los olores y le parecía estar acercándose a disgusto y con inmenso afán a casa de Sono. Temblaba cuando oía el timbre que él mismo había tocado. Ella abría la ancha puerta y le abrazaba. Tenía el rostro cuidadosamente maquillado y olía a almizcle. Los gatos intentaban escaparse. Sono los capturaba y luego exclamaba (siempre era lo mismo):

—¡Moso! ¡Acabo de volver a casa!

Desde luego, le faltaba aún la respiración. Había vuelto a casa hacía unos momentos y siempre hacía lo mismo: se daba unas tremendas prisas para demostrarle que llegaba a casa antes que él. ¿Por qué hacía aquello? Quizá para demostrarle que llevaba una vida muy activa e independiente; que no se estaba sentada esperándole. La alta puerta, con la parte superior curvada, se abría del todo y él entraba. Sono volvía a cerrarla con cerrojo y cadena (precauciones de una mujer que vive sola). Herzog, con el corazón latiéndole pero con gesto de circunstancias, miraba pálido y digno las cortinas siena, carmesí y verde, la chimenea tapada con los envoltorios de las últimas compras, y la mesa de dibujar donde ella hacía sus labores caseras y donde se subían los gatos. Aquel día, sonriéndose ante el gesto ansioso de Sono, se sentó en el sillón Morris.

—*Mauvais temps, eh, chéri?* —dijo a la vez que empezaba a acariciarlo. Le quitó sus malos zapatos mientras le contaba dónde había estado. Unas amables señoras de la Christian Science la habían invitado a un concierto en los Claustros. Luego había visto un programa doble en el Thalia (Danielle Darrieux, Simone Signoret, Jean Gabin y Harry Bow-wow). La Sociedad Nippon-América la había invitado al edificio de las Naciones Unidas, donde Sono entregó unas flores al Nizam de Hydebarad. Una misión comercial japonesa le había hecho conocer también a Nasser y Sukarno, al secretario de

Estado y al presidente. Y aquella misma noche tenía que ir a un night club con el ministro de Asuntos Exteriores de Venezuela. Moses había aprendido a no dudar de ella. Siempre le enseñaba alguna foto hecha en una sala de fiestas en la que aparecía ella con un vestido muy descotado. Tenía el autógrafo de Mendès-France en un menú. Nunca le pedía a Herzog que la llevase a Copacabana, lo cual constituía una buena muestra de respeto a su seriedad de intelectual. «*T'es philosophe. Oh, mon philosophe, mon professeur d'amour. T'es très important. Je le sais.*» A él le ponía más alto que a los reyes y presidentes.

Cuando ponía a calentar el agua para el té, le contaba a Herzog, dando voces desde la cocina, todo lo que le había pasado durante el día. Por ejemplo, había visto un perro de tres patas por cuya culpa se había lanzado un camión contra un carrito de manos. Un taxista había querido darle un loro, pero ella no lo aceptó porque los gatos se lo hubieran comido. No podía aceptar semejante responsabilidad. Una pobre vieja —*vieille mendiante*— le pedía todos los días que le comprase el *Times*. Era lo único que le apetecía a aquella desgraciada.

Moses la miraba sonriente, pero suspicaz, reclinado en el sillón medio roto. Ya empezaba a disminuir la excitación que traía de la calle. Ni siquiera los olores eran ya tan desagradables como había esperado Herzog. Los gatos estaban menos celosos de él. Incluso se le acercaban para que los acariciase. Se había acostumbrado a aquellos maullidos siameses, más apasionados que los de los gatos americanos.

Entonces dijo Sono:

—*Et cette blouse... combien j'ai payé? Dis-moi.*

—Verás... Ahora mismo te lo diré... Te ha costado unos tres dólares.

—No, no —exclamó—. Solo sesenta centavos.

—Imposible. ¡Pero si eso vale unos cinco dólares! Eres la reina de las gangas de Nueva York.

Halagada, Sono le guiñó un ojo y se puso a quitarle los calcetines. Le llevó el té y echó en este dos grandes chorreones de Chivas Regal. Guardaba para él lo mejor de todo.

—*Veux-tu omelette chéri-koko? As-tu faim?*

Caía sobre el desolado Nueva York una lluvia muy fría. *Cuando paseo ante las oficinas de las Northwest Orient Airlines, siempre me entran ganas de comprar un billete de avión para Tokio.* Sono puso salsa de soja en los huevos. Herzog comió y bebió. Sono lo ponía todo muy salado. Herzog tomó una gran cantidad de té.

—Ahora nos bañamos otra vez —dijo ella desabrochándole a Herzog la camisa—. ¿Quieres?

Tés y baños. El vapor del agua hirviendo hacía que se desprendiera de la pared el papel que la adornaba. Debajo aparecía el estuco verde. La gran radio de la consola transmitía por su dorado altavoz música de Brahms. Los gatos jugaban con los pellejos de los camarones debajo de las sillas.

—*Oui, je veux bien* —dijo Herzog.

Sono abrió los grifos del baño. Herzog la oyó cantar mientras echaba en el baño las sales de lilas, y polvo para poner espumosa el agua.

Me pregunto quién estará frotándola ahora en el baño.

Sono no exigía grandes sacrificios. No quería que yo trabajase para ella, que le comprase cosas para el piso, que mantuviera hijos suyos, que acudiera con puntualidad a las comidas o que le mantuviese una buena cuenta en las tiendas de lujo. Solo pedía que estuviese con ella de vez en cuando. Pero alguna gente está enemistada con las mejores cosas de la vida y las pervierte convirtiéndolas en sueños y fantasías. El francés-*yiddish* que hablábamos era divertido e inocente. Sono nunca me decía esas verdades deformadas y sucias mentiras a que estaba acostumbrado en mi propio idioma, y mis sencillas frases, puramente declarativas, no podían hacerle mucho daño. Algunos han renegado de Occidente en busca de esta sencillez que yo tenía en la misma ciudad de Nueva York.

No dejaba de haber durante el año algunos fastidios. A veces, Sono buscaba en el cuerpo de Herzog huellas de infidelidad. Estaba convencidísima de que hacer el amor adelgazaba a los hombres. «¡Ah!», solía decir. «Has adelgazado. *Tu fais l'amour?*» Él lo negaba, pero Sono movía la cabeza sin dejar de sonreír, aunque se le amargaba la expresión. Se resistía a creerle. Pero, por fin, lo perdonaba. Renovado su buen humor, metía a Herzog en el baño y entraba en el agua tras él. Cantaba o le daba cómicas órdenes en japonés militar. Pero ya estaban en paz y se bañaban. Ella le tendía los pies para que se los enjabonase. Luego, llenaba de agua un plato de plástico y se lo echaba por la cabeza. Soltaba el agua del baño y luego abría la ducha para limpiarlo y ambos se quedaban de pie, bajo la ducha, sonrientes.

—Te vas a quedar muy limpito, cariño.

Sí, me tenía muy limpio. Divertido y, a la vez, con pena, Herzog lo recordaba todo.

Se secaban con toallas turcas compradas en la calle Catorce. Luego, Sono le ponía el quimono y, a la vez, le besaba el pecho. Él le besaba las palmas de las manos. Sono tenía tiernos y astutos los ojos, y había en ellos, algunas veces, unas pícaras lucecillas. Esta mujer sabía cómo aplicar su sensualidad y cómo aumentarla. Sentada en la cama, le servía allí mismo el té. Su concubina. Estaban sentados con las piernas cruzadas, sorbiendo el líquido de las tacitas y recreándose con los dibujos de los pergaminos. Tenían cerrada la puerta con cerrojo y el teléfono descolgado. Trémula, Sono le acercaba la cara y le rozaba la mejilla con sus gordezuelos labios. Se ayudaban el uno al otro a quitarse las prendas orientales, y ella, como siempre, decía en su francés:

—*Doucement, chéri. Oh, lentement. Oh!*

Y miraba, extraviada, al techo, hasta que él solo le veía los blancos de los ojos.

Una vez me explicó qué estrella fugaz le había quitado una vez al Sol, la Tierra y los planetas. Como si un perrillo fuera corriendo junto a unas matas y libertase de ellas a unos mundos que se hubieran enganchado en ellas. Entonces, en esos mundos surgía la vida y, de esa vida, almas como las nues-

tras. E incluso, decía Sono, criaturas más extrañas que no-
sotros. Me gustaba escucharla, pero no la comprendía bien.
Yo sabía que por mí no regresaba a su Japón. Por mí desobe-
decía a su padre. Su madre murió y Sono estuvo varias semanas sin decírmelo. De pronto, dijo: «No temo a la muerte.
Pero tú me haces sufrir, Moso». Y es que no la había llamado
en un mes. Había vuelto a tener pulmonía y nadie fue a verla.
Estaba débil y pálida, lloraba y me dijo: «Sufro demasiado».
Pero no le dejó que la consolase. Se había enterado de que
Herzog veía a la señora Pontritter. Un día dijo: «Es mala,
Moses. No estoy celosa. Sencillamente, haré el amor con
otro. Me has abandonado, pero esa mujer tiene los ojos fríos,
muy fríos».

Ahora, Herzog escribió: *Sono, tenías razón. He pensado
que te gustará que te lo diga. Sí, sus ojos son muy fríos.* Sin
embargo, son los ojos de ella y no puede remediarlo si los tiene fríos. Afortunadamente, Dios le dio un sustituto para ellos:
un marido.

Desde luego, cuando un hombre revive en el recuerdo esas
cosas, necesita algún consuelo. Una vez más, Herzog volvió a
pensar en su visita a Ramona. Mientras estaba parado junto
a la puerta, con la mano en el largo cerrojo de seguridad, pensando si lo echaría al salir, trató de recordar el título de una
canción. ¿Era «Solo un beso más»? No. Entonces, «¿La maldición de un corazón dolorido?». Tampoco. Era «Bésame
otra vez». Sí, eso era. Le sonaba a cosa muy divertida y se reía
tanto que se hizo un lío con el complicado cerrojo cuando
quiso prepararlo para poderlo cerrar bien desde fuera. Tenía
que emplearlo para proteger sus bienes terrenales. Existen
tres mil millones de seres humanos, cada uno de ellos con algunas posesiones, por pocas que sean, cada uno de ellos un
microcosmos, por pobre que sea. Sí, cada hombre tiene un te-
soro peculiar, algo suyo y distinto, aunque sea un mendigo.
Hay un distante jardín donde crecen los objetos raros, y allí,

en una deliciosa penumbra verde, pende, como un melocotón, el corazón de Moses E. Herzog.

Necesito esta salida como un agujero en la cabeza, para librarme de preocupaciones, pensó mientras le daba vueltas a la llave. De modo que, por fin, se marchaba. Se guardó la llave en el bolsillo y dio al botón del ascensor. Escuchó subir a este, cuyos cables vibraban. Bajó en él tarareando «Bésame» y tratando de captar, como si fuera un frágil hilo que se le escapase, la razón de que estas viejas canciones le anduviesen ahora por la cabeza. Pero no daba con la causa evidente (que tenía el corazón pesado y que iba a que lo besaran). Pero quizá esa explicación, tan recóndita, no mereciese la pena. Se alegró de salir al aire libre y poder respirar a gusto. Secó con el pañuelo la banda sudada del sombrero de paja. Y es que hacía mucho calor. Pero ¿a quién se le ocurría llevar un sombrero como aquel en nuestra época? Sin ir más lejos, llevaba uno Lou Holtz, el viejo cómico de vodevil, que cantaba: «Cogí un limón en el jardín del amor aunque digan que allí solo hay melocotones». El rostro de Herzog volvió a animarse con una sonrisa. El viejo Teatro Oriental de Chicago. Tres horas de buena diversión por cuatro cuartos.

Al llegar a la esquina de la calle se detuvo para ver trabajar a unos albañiles. Terminaba la tarde y los hombres que estaban derruyendo aquel edificio habían encendido un fuego para librarse de la madera podrida, y hacía un calor tremendo. La pintura y el barniz secos humeaban como incienso. El linóleo viejo ardía con ganas. Era un funeral de cosas exhaustas. Los camiones de seis ruedas cargaban con los derribos. El sol, que ahora se marchaba hacia New Jersey y el Oeste, estaba rodeado por un deslumbrante halo de gases atmosféricos. Herzog observó que los transeúntes llevaban manchas rojas y que él también las tenía en los brazos y en el pecho. Cruzó la Séptima Avenida y entró en el metro.

Libre ya de la asfixiante y polvorienta atmósfera de la calle, bajó la escalera deprisa escuchando si llegaba un tren y repasando con la mano en el bolsillo el dinero suelto que llevaba. Olía a piedra, a orina, a moho y a lubricantes. Herzog sentía la presencia de una corriente de urgencia, de velocidad, de infinito deseo, quizá relacionada con los impulsos particulares suyos, su nerviosa corriente de vitalidad. ¿Pasión? ¿Quizá histeria? Ramona podría aliviarle con recursos sexuales. Respiró profundamente, inhalando el aire húmedo y mohoso una y otra vez. Dejaba que se le introdujera el aire lentamente, hacia abajo, aún más abajo, hasta la barriga. Lo repitió muchas veces hasta que se sintió mejor. Introdujo sus monedas por la ranura para el billete. Innumerables millones de pasajeros habían sacado brillo con sus caderas a la entrada giratoria. De esto nacía un sentimiento de comunión, de la humana hermandad en una de sus formas más vulgares. Pero Herzog pensó, mientras hacía girar el paso, que aquel símbolo era muy serio pues mientras más individuos se destruyeran mayor sería su aspiración a fundirse en la colectividad. Y el resultado sería aún peor porque estos individuos regresan a la masa agitados, fervientes por su fracaso. No vuelven como hermanos sino como degenerados. Y experimentan un ansia rabiosa del amor de la patata. Y entonces la divina imagen, ya tan borrosa, vacila y se descompone aún más. ¡Esa es la verdadera cuestión! Y mientras miraba las vías, se repitió a sí mismo: ¡Sí, esa es la cuestión más real!

Había pasado ya la hora-punta. Los coches casi vacíos ofrecían escenas de reposo y paz mientras los conductores leían el periódico. Herzog dio una vuelta por el andén mirando los rasgados carteles donde los espontáneos habían dibujado toscamente cómicos genitales como cohetes, ridículos coitos, eslóganes y súplicas, *Musulmanes, los blancos son nuestros enemigos. Que se vaya al diablo Goldwater. ¡Judíos!*, y un cínico más listo había escrito: *Si te muerden, pon el otro carrillo*. Porquería, locura agresiva, plegarias e ingenio de la multitud. Obras menores de la Muerte. El término que estaba de moda para esto era *trans-descendencia*. Herzog fue examinando cuidadosamente esos escritos, haciendo una especie de *gallup* de la opinión pública. Daba por cierto que los desconocidos artistas eran adolescentes que desafiaban a la autoridad. La inmadurez era una nueva categoría política. Pensó en los problemas relacionados con la creciente emancipación mental de los incapaces para cualquier empleo. Eran preferibles los Beatles. Para entretenerse un poco más, Herzog fue observando los objetos que había en el andén. Un espejo estaba protegido con alambres de modo que solo lo podía romper algún ingenioso maniático. Los bancos estaban sujetos con candados, y las máquinas tragaperras, bien protegidas.

Mentalmente, escribió una nota para Willie el Actor, el famoso ladrón de bancos que estaba cumpliendo una condena de cadena perpetua. *Querido Mr. Sutton. El estudio de las cerraduras...* recursos mecánicos del genio yanqui... empezó de nuevo: *Solo Houdini le era superior...* Willie nunca llevaba pistola. En Queens empleó una vez una pistola de juguete. Disfrazado de repartidor de la Western Union, entró en el banco y logró lo que se proponía. Era irresistible. Y no se trataba, en realidad, de que se hubiese apoderado del dinero sino de lo bien que resolvía los problemas de entrar y huir. Era estrecho de hombros, de mejillas hundidas, con un bigotito, ojos azules y bolsas debajo de ellos. Willie se echaba en la cama a pensar en los bancos, en su habitación de Brooklyn, fumándose un cigarrillo, con el sombrero puesto y sin quitarse sus zapatos puntiagudos. Tenía visiones de tejados desde los que se podía pasar a otros tejados, sistemas eléctricos de protección, sótanos, bóvedas. Todas las cerraduras se abrían al tocarlas él. Era genial en su especialidad. Tenía escondido en Flushing Meadows, en unas latas, todo su botín. Era ya muy rico y podía haberse retirado. Pero un día estaba dando un paseo y vio un banco que suponía para él poner en práctica sus altas dotes y creación. Pero esa vez lo cogieron y encarcelaron. Planeó una gran fuga. Preparó un plan maestro con la utilización de cañerías, túneles improvisados bajo los muros y todo lo demás. Estaba ya a punto de lograrlo. Ya veía las estrellas al salir del último túnel. Pero los guardas le esperaban cuando apareció a ras de tierra y volvieron a encerrarlo.

Este gran artista de la escapatoria es uno de los más grandes del mundo. *No es exagerado decir que tiene casi tantas facultades como Houdini. Idea: el poder y la perfección de todos los sistemas humanos deben ser continuamente probados y superados, aun a riesgo de perder la libertad, incluso la vida...* Ahora está encerrado en la prisión para toda su vida. Dicen que tiene una buena colección de los Grandes Libros y que se cartea con el obispo Sheen...

Querido doctor Shrodinger: En «¿Qué es la vida?» dice usted que en toda la Naturaleza, solo el hombre vacila antes de causar daño. Como quiera que la destrucción es el gran método mediante el cual produce la Naturaleza nuevos tipos, el no querer causar dolor puede ser un deseo humano de impedir que se cumpla la ley natural... El tren se había detenido en la estación y estaban ya a punto de cerrar las puertas cuando Herzog reaccionó y entró en él corriendo. Se sujetó a una correa. El tren corría veloz ciudad arriba. Se vació y volvió a llenarse bajo la Times Square. Pero Herzog no aprovechó para sentarse. Pensó que luego era más difícil abrirse paso para salir. Bien, ¿por dónde íbamos? *En las observaciones que hace usted sobre la entropía... es decir, cómo se mantiene el organismo contra la muerte o, como dice usted, contra el equilibrio termodinámico... Por ser una organización inestable de materia, el cuerpo está siempre amenazando con abandonarnos. Se marcha. Y esto que digo es verdad; es el cuerpo el que desaparece y no nosotros, no yo. Mientras este organismo es capaz de conservar su propia forma y sacar lo que necesita de su ambiente, atrayendo una corriente negativa de utropía, o sea, el ser de otras cosas que él usa, devolviendo el residuo al mundo en una forma más simple. Estiércol. Desechos nitrogenados. Amoníaco. Pero la resistencia a causar dolor unida a la necesidad de devorar... el resultado es muy peculiar de la humanidad y consiste en admitir y negar, al mismo tiempo, los males. O sea, se lleva una vida humana y al mismo tiempo una vida inhumana. En realidad, se quiere tenerlo todo y se combinan todos los elementos con inmensa ambición. Morder, tragar y, al mismo tiempo, compadecerse del alimento. Tener sentimientos y, a la vez, comportarse brutalmente. Se ha sugerido (¿y por qué no?) que nuestra resistencia a causar dolor es en realidad una forma extrema, una deliciosa forma de sensualidad y que aumentamos la lujuria inyectándole preocupación moral. De modo que así actuamos en dos direcciones contrarias a la vez. Sin embargo, no se pueden negar las realidades morales*, le aseguró Herzog al mundo entero mientras tiraba de la correa del veloz coche para no perder el equilibrio. *Y es tan seguro que existen esas realidades como las moleculares y atómicas. Sin embargo, en nuestros días ya es necesario estar preparados para las peores posibilidades. En cuanto a esto, no tenemos opción...*

Esta era su estación. Salió del tren y subió la escalera. La puerta giratoria se revolvía tras él. Pasó rápido ante la cabina del cambio, donde estaba sentado un hombre bajo una luz del color del té cargado, y subió los dos tramos de escalera. Al salir al aire libre, se detuvo para respirar profundamente. Encima de él, el cristal floreado, gris y con alambres, y las luces de Broadway en la penumbra con un despliegue casi tropical. Allá abajo corría el Hudson, denso como el mercurio. En lo alto de las antenas de radio de New Jersey, unas luces rojas como pequeños corazones, latían eléctricamente. En medio de la calle, en unos bancos, se veía a unos viejos: en las caras, en las cabezas, las intensas huellas de la edad; piernas gordas de las mujeres y ojos cargados de los hombres, bocas hundidas y profundas arrugas. Era la hora normal de los murciélagos (Ludeyville), o de los volanderos pedazos de papel (Nueva York) que le hacían pensar a Herzog en los murciélagos. Un globo perdido volaba, oscuro y rápido, en el crepúsculo anaranjado del Oeste. Herzog cruzó la calle dando un rodeo para evitar una humareda de pollos asados y de salchichas. Moses se entretenía como siempre fijándose en la gente de la calle, su espíritu teatral y sus intérpretes: los homosexuales en travesti, pintados con gran originalidad, las mujeres con pelucas, las lesbianas tan machorras que había que esperar a que pasaran y mirarlas por detrás para estar seguro de su sexo, y gente con el pelo teñido con todos los matices imaginables... En casi cada rostro que pasaba aparecían signos de una interpretación personal del destino. Los ojos daban muy diversas versiones metafísicas y completaban el cuadro las viejas que seguían incansables la senda del antiguo deber.

Herzog había visto varias veces a George Hoberly (que había sido el amigo de Ramona antes que él), siguiéndole con la vista desde uno u otro de aquellos portales. Era delgado, alto, más joven que Herzog y correctamente vestido con trajes de Madison Avenue. Llevaba gafas oscuras y su rostro era fino y triste. Ramona, elevando la voz al decir, «nada», declaraba que no sentía nada más que piedad por él. Los dos intentos de suicidio de George la hicieron comprender probablemente la indiferencia que sentía por él. Moses había sabido por Madeleine que cuando una mujer deja a un hombre por su voluntad, es que está harta de él y dispuesta a eliminarlo por completo de su vida. Pero esta noche se le ocurrió pensar que, como Ramona ponía mucho interés en la manera de vestir de los hombres y trataba de influir en sus compras, era muy posible que Hoberly siguiera usando la ropa que ella le había aconsejado. Y George seguía teniendo cierto atractivo, como un reflejo de la felicidad y el amor que antes tuvo, lo mismo que el ratón sometido al llamado «experimento de la frustración». Incluso el que la llamase la policía y tener que salir corriendo hasta Bellevue de madrugada para acompañar a George después de un intento de suicidio de este, le producía a Ramona un gran fastidio. Esto de los suicidios no está al alcance de cualquiera y hay que hacer algo más que aspirar un poquito de gas o cortarse las venas. Se acerca rápidamente el día —pensó Herzog— en que solo la prueba de nuestra desesperación nos dará derecho a votar, en vez de tener que demostrar que poseemos medios económicos o que sabemos leer y escribir. Todo cambia, Herzog empezó a sentir una cierta impaciencia por ver a Hoberly, y ver de nuevo aquella cara minada por el sufrimiento, el insomnio, las noches de píldoras, tragos y rezos, por verle de nuevo las gafas oscuras y su sombrero casi sin ala. Un caso grave de amor no correspondido. Lo que hoy se llama «dependencia histérica». A veces, Ramona hablaba de Hoberly con gran simpatía. Pero eso era antes. Decía que la había hecho llorar con una de las cartas con que acompañaba a alguno de sus regalos. Seguía mandándole bolsos y perfumes y largos extractos de su diario íntimo. Incluso le mandó una gran cantidad de dinero, aunque ella entregó este dinero a tía Tamara. Esta abrió en el banco una cuenta corriente a nombre de él. Así, por lo menos, este dinero le produciría un pequeño interés. Hoberly le tenía cariño a la vieja. Y también le era simpática a Moses.

Subió en el ascensor al piso decimoquinto. Llamó al timbre de Ramona y se abrió inmediatamente la puerta. Esta rapidez era otra atención más que tenía con él. Le esperaba Ramona con la puerta entreabierta pero con la cadena echada, pues no quería verse sorprendida con la llegada de un hombre distinto. Cuando vio a Moses, abrió del todo y le cogió de la mano tirando de él hacia ella. Le ofreció la cara para que la besara. Herzog la encontró muy caldeada y le llegó una oleada de su perfume. Llevaba una blusa de satén blanco cortada para sugerir un chal que la envolviese y realzara su busto. Estaba muy colorada; no necesitaba ponerse colorete.

—Me alegro de verte, Ramona. Estoy muy contento —dijo. La apretó contra su costado, descubriendo en sí mismo una súbita ansia, un impaciente afán de contacto. La besó.

—Así, ¿estás contento de verme?

—¡Sí, sí, desde luego!

Ramona sonrió y cerró la puerta echando de nuevo el cerrojo. Llevó a Herzog de la mano por el vestíbulo sin alfombra, donde sus tacones altos marcaban militarmente el paso. Esto le excitaba a Herzog.

—Ahora —dijo Ramona— vamos a admirar a Moses, el elegante.

Se detuvieron ante el espejo, tan ornanental, de marco dorado.

—¡Vaya!, tienes un magnífico sombrero de paja. Y ¡qué chaqueta a rayas!

—¿Te parece bien?

—Claro que sí, hombre. Es una estupenda chaqueta. Con lo moreno que estás, pareces un indio.

—Pues podría hacerme del grupo Bhave.

—¿Qué es eso?

—Pues una gente que reparte grandes fincas entre los pobres. Yo quiero regalar Ludeyville.

—Antes de empezar a regalarlo todo, lo mejor es que me consultes. ¿Tomamos una copa? Si quieres, puedes lavarte mientras yo preparo la bebida.

—Me afeité antes de salir de casa.

—Pues vienes acalorado como si hubieras estado corriendo y se te ha ensuciado la cara.

Eso debía de ser del metro. O quizá fuese de las fogatas en la casa que estaban echando abajo.

—Sí, es verdad.

—Te daré una toalla, querido —dijo Ramona.

En el cuarto de baño, Herzog se dio la vuelta a la corbata dejándosela por detrás para que no se le metiese en el lavabo mientras se lavaba. Era un cuarto pequeño y lujoso con luz indirecta (una amabilidad para los rostros macilentos). El grifo, que era alargado, brillaba y el agua salió con fuerza. Herzog olió el jabón. *Muguet*. Sintió la frialdad del agua en las uñas. Recordó el antiguo ritual judío del agua para las uñas, y lo que manda el Haggadah: *Rachats!* («Te lavarás»). También era obligatorio lavarse cuando regresaba del cementerio (*Beth Olam*: La Mansión de la Multitud). Pero ¿para qué pensar ahora en cementerios y entierros?

Puso la cabeza debajo del grifo y lo dejó correr para echarse agua sobre los ojos cerrados, abriendo la boca con satisfacción. Debajo de los párpados le bailaban unos grandes discos de una brillantez iridiscente. En esos momentos, le estaba «escribiendo» una carta al filósofo Spinoza. *Usted dijo que los pensamientos que no están ligados de un modo causal, fastidian. Me parece que eso es cierto. La asociación de ideas no controlada, cuando el intelecto está pasivo, es una especie de servidumbre. O, mejor dicho, entonces es posible cualquier forma de servidumbre. Quizá le interese a usted saber que en el siglo XX la asociación incontrolada es considerada como el medio de descubrir los secretos más profundos de la psique...* Se dio cuenta de que, de nuevo, estaba «escribiendo» a los muertos. Actualizaba las sombras de los grandes filósofos. Pero, pensándolo bien, ¿por qué no se podía escribir a los muertos? Vivía con ellos tanto como con los vivos... quizá más; y, además, sus cartas a los vivos eran cada vez más mentales. Y, ¿qué era la muerte para lo inconsciente? Los sueños no la admitían. *Convencido de que la razón puede ir progresando firmemente desde el desorden hasta la armonía y que la conquista del caos no hay que comenzarla de nuevo cada día...* ¡Cómo desearía yo que fuese efectivamente así! ¡Ojalá fuera así!

En cuanto a su relación con los muertos, no estaba bien; porque Herzog estaba convencido de que había que dejar que los muertos enterrasen a sus propios muertos. Y que la vida solo era tal vida cuando la comprendía uno tan claramente como la muerte. Herzog abrió la alacena de las medicinas, que era muy grande. En el viejo Nueva York construían en gran escala. Fascinado, fue mirando los tarros que tenía allí Ramona: una crema refrescante para la piel, una loción, antisudorífico Bonnie Belle... Y luego, aquello que le «habían recetado», algo de color rojo que se tomaba dos veces al día cuando tenía mal el estómago. Lo olió; debía de tener belladona. También había píldoras para la menstruación dolorosa. De todos modos, a él le parecía que Ramona no debía de tener trastornos de esa clase. A Madeleine, en cambio, tenía él que meterla a toda prisa en un taxi para llevarla a St. Vincent cuando empezaba a pedir casi a gritos una inyección de Demarol. Seguía Herzog su inspección. Estas tenacillas, que parecían unos pequeños fórceps, debían de ser para rizar las pestañas. Recordaban a las tenazas para los caracoles en los restaurantes franceses. Curioseó otras cosas. Apretó con el pie el resorte del váter; el agua fluyó con fuerza, pero en silencio. Los váteres de los pobres, en cambio, siempre hacían mucho ruido. Se puso un poco de brillantina en las puntas, secas, de sus cabellos. Desde luego, tenía la camisa húmeda de sudor, pero ella llevaba encima el suficiente perfume para los dos. Y, ¿cómo estaba él, en resumidas cuentas? ¿Estaba guapo? Es inevitable que la belleza pase. La continuidad espacio-tiempo tiene sus exigencias y lo va deshaciendo a uno poquito a poco hasta que llega otra vez el vacío. Pero es preferible el vacío al tormento y al aburrimiento de un carácter incorregible que cae siempre en los mismos errores. Esos instantes de gracia y de dolor podían parecer eternos, de modo que si uno era capaz de captar la eternidad de los momentos dolorosos y darles un contenido diferente, lograría una revolución. Eh, ¿qué tal? ¡Vaya idea!

Liándose fuertemente la toalla en la mano, como un barbero, Herzog se secó la humedad de la raya del pelo y luego pensó que debía pesarse. Pero primero utilizó el váter para aligerarse un poco de orines y se quitó los zapatos, sin agacharse, para pesarse mejor. Se subió a la báscula con un suspiro de viejo. Entre sus pies la aguja marcó más de 170 libras. Estaba recuperando el peso que perdió en Europa. Metió los pies en los zapatos, con cierta dificultad, doblando la parte de arriba de los contrafuertes, y volvió a la salita de Ramona, que era, a la vez, donde dormía. Le esperaba con dos vasos de Campari. Tenía un sabor dulceamargo y olía un poco a gas, pero todo el mundo lo bebía y Herzog también lo bebió. Ramona había helado los vasos en la nevera.

—¡Salud!

—¡Sdrutch! —dijo Herzog.

—Tienes la corbata colgando por detrás —le advirtió ella.

—¿Sí? —Se la puso bien—. Se me olvidan las cosas. Un día, en la universidad, había ido yo a los servicios y, cuando regresé a la clase, llevaba los faldones de la chaqueta metidos en los pantalones. Me los había abrochado encima sin darme cuenta.

A Ramona le asombraba que Moses fuese capaz de contar semejante historia de sí mismo, y dijo:

—¡Qué horrible!

—No muy agradable, pero debió de resultar una liberación para los estudiantes ver así a su profesor. Este es mortal. Además, la humillación no lo destruía. Y esta enseñanza debió de ser para ellos más valiosa que las lecciones. Una de las jovencitas me dijo después que yo era muy humano y que mi actitud había sido un alivio para todos...

—Lo divertido es de qué modo tan completo lo explicas todo. Eres muy divertido. —Le sonrió muy cariñosa, enseñando sus anchos dientes. Sus tiernos ojos oscuros, enriquecidos por unas líneas negras, le sonreían. Y añadió—: Pero aún resulta más divertido cómo te las das de duro y despreocupado.

—¿Por qué es divertido?

—Porque lo haces para darte importancia. Cuando dices esas cosas, no eres de verdad tú. —Volvió a llenar los vasos y se puso en pie para irse a la cocina—. Tengo que cuidar el arroz. Te pondré un poco de música egipcia para que sigas contento. —Le ceñía la cintura una buena correa de cuero. Se inclinó sobre el gramófono.

—La comida tiene un olor delicioso —dijo Herzog.

Mohammed al Bakkar y su banda empezaron con los tambores y los tamboriles, y luego siguieron con unos tremendos rebuznos de los instrumentos de viento salpicados del bang-bang de las cuerdas. Una vocecita afeminada empezó a cantar: «Mi Port Said...». Herzog, solo, miraba los libros y programas de teatro, revistas y fotos. Enmarcada en un marco de Tiffany, había una fotografía de Ramona cuando tenía unos siete años, una niña muy modosita recostada en un sofá, con la manita en una sien. Herzog recordaba esta pose, pues era la habitual, hacía una generación, para retratarse. Todos los niños parecían pequeños Einstein. Todos los chicos y chicas aparentaban poseer una prodigiosa sabiduría. Con zarcillos, un medallón y una cierta sensualidad precoz que él recordaba muy bien en las niñas.

Empezó a dar campanadas el reloj de la tía Tamara. Herzog pasó a la otra salita, donde miró el rostro de vieja porcelana con largas arrugas doradas, como patillas de gato, y escuchó las finas y claras notas. Para tener un reloj como este había que llevar unas costumbres bien ordenadas y contar con una residencia permanente. Levantando la persiana de esta salita de gusto europeo, con sus cuadritos con vistas de Venecia y agradables cursilerías holandesas, podía ver el Empire State Building, el Hudson y la mitad de Nueva York, verde y plata, que empezaba a iluminarse eléctricamente. Pensativo, dejó caer la persiana. Se dijo que él también podía disfrutar de aquel tranquilo retiro, solo con pedirlo. Entonces, ¿por qué no lo tenía? Pues porque lo que hoy pudiera ser un asilo de paz, mañana podía convertirse en un calabozo. Escuchando a Ramona, todo parecía muy sencillo. Decía que entendía mejor que el propio Moses las necesidades de este. Ramona nunca vacilaba en expresarse con toda claridad y había algo de operístico y sin reserva en algunas de las cosas que decía. Por ejemplo, que sus sentimientos por él eran hondos y maduros y que tenía enormes deseos de ayudarle. Dijo a Moses que era mucho mejor persona de lo que él mismo creía. Un hombre de gran espíritu, guapo (no podía evitar encogerse cuando le oía llamarle guapo), pero triste, incapaz de apoderarse de lo que deseaba verdaderamente su corazón. Un hombre tentado por Dios, y que anhelaba la paz, pero empeñado en huir de su salvación, aunque a menudo la tenía muy a mano. Este Herzog, este hombre de múltiples dones, había pasado parte de su vida soportando en su cama a una hembra de poco talento, frígida, de efectos castradores, y le había dado su nombre, haciendo de ella instrumento de creación, y Madeleine le había tratado con desprecio y crueldad, como si hubiese querido castigarlo por haberse rebajado y humillado, por haberse acostado con ella y traicionado así las promesas de su alma. Lo que él debía hacer —proseguía Ramona con su estilo operístico, sin avergonzarse de hablar con tanta fluencia, y Herzog le admiraba esta soltura— era pagar su deuda por los grandes dones que había recibido: su inteligencia, su atractivo, su educación, y quedarse libre para poder captar el sentido de la vida, no con la desintegración, pues en ella nunca lo encontraría, sino prosiguiendo humildemente pero, a la vez, con un profundo orgullo, sus importantes estudios. Ella, Ramona, intentaba enriquecer la vida de Moses y darle lo que él andaba buscando donde no podía encontrarlo. Y esto lo podría hacer con el arte de amar, decía ella, un arte de amar que era el de los sublimes perfeccionamientos del espíritu. Lo que él tenía que aprender con ella, mientras aún estaba a tiempo, mientras aún poseía la fuerza viril y tenía intactas en lo sustancial sus facultades, era renovar el espíritu por medio de la carne (preciosa vasija en la que se hallaba el espíritu). Ramona —¡bendita fuera!— resultaba tan floreciente en esos sermones como lo estaba en su aspecto. ¡Qué oradora tan dulce era! Pero ¿dónde habíamos quedado? Ah, sí, en que tenía que continuar sus estudios y proponerse captar el sentido de la vida. Eso era lo fundamental. Cuando pensaba en que él, Herzog, había de poseer el sentido de la vida, se tapaba la cara con las manos para reírse.

Pero —y al pensar esto volvía a ponerse serio— comprendía que era él quien provocaba esos discursos con su aspecto. ¿Por qué gemía Sono cuando le decía: *«Oh, mon philosophe, mon professeur d'amour»*? Pues porque Herzog se portaba como un filósofo a quien solo le importaban las cosas más elevadas: la razón creadora, cómo devolver bien por mal, y toda la sabiduría de los viejos libros. Porque pensaba en las creencias y se preocupaba por ellas. (Ya que, sin estas, la vida humana solo es la materia prima de la transformación técnica, de la moda, del arte de gobernar, el comercio, la industria, la política, las finanzas, los experimentos, el automatismo, etc., etc. O sea, todo el inventario de desgracias que uno quisiera anular con la muerte. Sí, era cierto que Herzog parecía que actuaba como el filósofo de Sono.

Y, después de todo, ¿por qué estaba él aquí? Estaba aquí porque también Ramona lo tomaba en serio. Ella se creía capaz de restaurar el orden y la salud en la vida de él. Si Ramona hacía aquello, lo natural era que Herzog se casase con ella. Y la verdad era que llegaría a querer casarse con ella. Y sería esa unión realmente unificadora. Las mesas, las camas, la salita, el dinero, la ropa blanca y el automóvil, la cultura y el sexo constituían una sola red. Por fin, todo tendría sentido, todo sería lo que ella pensaba que debía ser. La felicidad era un absurdo e incluso una idea dañina, si no abarcaba todo eso. Pero en este caso excepcional y afortunado, en el que cada uno de ellos había experimentado lo morboso en sus peores manifestaciones y salido indemne por una especie de milagro, por un instinto de supervivencia y delicia que era, desde luego, religioso —Ramona decía que no podía hablar de su vida más que en términos del cristianismo de la Magdalena—, era posible la felicidad que lo abarca todo. En tal caso, era un deber; y, por el contrario, era una cobardía negarse a deshacer las acusaciones contra la felicidad (o sea, que era una ilusión monstruosa y egoísta, un absurdo), y resultaba una cobardía no hacerlo; era como rendirse a la maldad y capitular ante el instinto de muerte. Allí estaba un hombre que sabía lo que era resucitar de entre los muertos, y ella, Ramona, conocía también la amargura de la muerte y de la nulidad. ¡Sí, también ella! Pero, junto a Moses, estaba experimentando una verdadera resurrección. Y aunque, cuando se acostaba con ella, Moses podía analizar la delicia sensual, ninguna sublimación podía estorbar a aquella felicidad erótica, a aquel conocimiento de la carne por otra carne.

Moses, sin intentar siquiera sonreír, escuchaba con toda seriedad. E inclinaba la cabeza. Parte de lo que hablaba ella eran temas universitarios corrientes o de libros de divulgación, y en parte era sencilla propaganda matrimonial, pero, por mucho que se pudiera pensar que Ramona estaba tratando de convencerlo, lo cierto es que cuanto decía era auténtico y sincero. A Herzog le era simpática aquella mujer y la escuchaba con gusto. Todo era en ella bastante real. Y él la respetaba. En el corazón de Ramona había suficiente autenticidad.

Cuando Herzog pensaba en este renacer dionisíaco, se burlaba de sí mismo. ¡Un príncipe del Renacimiento erótico con sus prendas de macho! Y, ¿qué decir de los niños, sus hijos? ¿Qué tal les parecería tener una madrastra? Uno de ellos ya había tenido una, Madeleine. ¿Llevaría Ramona a Junie para que viera a Santa Claus?

—Ah, te has metido aquí —dijo Ramona—. A la tía Tamara le halagaría ver que te interesa su museo zarista.

—Me gustan estas habitaciones puestas a lo antiguo —dijo Herzog.

—¿Verdad que resulta conmovedor? Por cierto, que a la vieja le eres tú muy simpático.

—Yo también le tengo afecto.

—Suele decir que tú alegras la casa.

—¡Que yo...! —Sonrió.

—¿Por qué no? Tienes una cara que inspira confianza. ¿Por qué te molesta que te digan eso?

—He tenido yo la culpa de que tu tía se haya tenido que marchar. Al venir yo aquí...

—Te equivocas, a ella le encanta irse por ahí. Se arregla, se pone el sombrero y se marcha encantada a la estación. Y además... —cambió el tono de Ramona— necesita huir de George Hoberly. Este se ha convertido ahora en el problema de ella. —Durante unos instantes, Ramona estuvo decaída.

—Lo lamento. ¿Os ha dado mucho quehacer últimamente?

—Pobre hombre... Me da mucha lástima. Bueno, Moses, vamos, que la cena está lista y quiero que abras la botella de vino. —En el comedor, le entregó la botella (Pouilly Fuissé, bien frío) y el sacacorchos francés. Con hábiles manos y firme decisión, y mientras se le ponía colorado el cuello con el esfuerzo, Moses descorchó la botella. Ramona había encendido las velas. La mesa estaba decorada con puntiagudos gladiolos rojos sobre una gran fuente. En el alféizar de la ventana, las palomas se movían y se arrullaban: pero no tardaban en inmovilizarse de nuevo.

—Déjame que te sirva el arroz —dijo Ramona. Tomó la fuente de china con el borde de cobalto (la incesante expansión del lujo en todas las capas sociales desde el siglo XV, observada por el famoso Sombart, *inter alia*). Pero Herzog tenía hambre y la cena estaba deliciosa. (Ya tendría tiempo de hacerse austero.) Cuando probó la «remoulade» de camarones, se le saltaron las lágrimas. Lágrimas de un confuso y curioso origen.

—¡Estupendo! ¡Dios mío, qué bueno! —exclamó.

—¿Acaso no has comido en todo el día? —le preguntó Ramona.

—Desde luego, hace mucho tiempo que no veo comida como esta. ¡*Prosciutto* y melón persa! ¿Qué es esto? Ensalada de berros. ¡Formidable!

A ella le agradaba mucho este entusiasmo. Dijo:

—Anda, come.

Después de los camarones y la ensalada, le ofreció queso y bizcochos empapados en agua fría, helado, con sabor a ron, ciruelas de Georgia y uva. Luego, café y coñac. En la habitación contigua, Mohammed al Bakkar seguía cantando sus nasales e insinuantes canciones acompañado por los instrumentos de cuerda de su orquesta.

—¿Qué has hecho hoy? —le preguntó Ramona.

—¿Yo? Pues un poco de todo...

—¿Adónde fuiste en el tren? ¿Huías de mí?

—De ti no. Pero, seguramente, huía...

—Creo que aún me tienes un poco de miedo, ¿verdad?

—No, eso no. Es que estaba hecho un lío. Quería ser prudente...

—Estás acostumbrado a las mujeres difíciles; a luchar. Quizá te guste que te traten mal.

—Todos los tesoros están guardados por dragones. Así es como se sabe si merece la pena... ¿No te importa que me desabroche el cuello? Me parece que me aprieta en una arteria.

—Lo cierto es que volviste enseguida de tu viaje. ¿Fue quizá por mí?

Moses sintió la intensa tentación de mentirle, diciéndole: «Sí, Ramona, mi vida, he vuelto para estar contigo». La veracidad estricta podía resultar un padecimiento neurótico desagradable. Ramona contaba con la total simpatía de Moses; era una mujer de unos treinta y tantos años, a la que le había ido bien en el trabajo, que era independiente y podía permitirse el lujo de darles de comer así de bien a los caballeros amigos suyos. Pero en los tiempos en que vivimos, ¿cómo podía una mujer orientar su propio corazón para satisfacerse plenamente? En el Nueva York emancipado, el hombre y la mujer, pintorescamente ataviados como dos salvajes y pertenecientes a tribus hostiles, se enfrentan el uno al otro. El hombre quiere engañar y luego zafarse con toda libertad. La estrategia de la mujer es desarmarlo y retenerlo. Y esta es Ramona, una mujer que sabe cuidarse. Pero imaginemos lo que pasa cuando alguna jovencita, levantando hacia el cielo sus maquillados ojos, empieza a rezar: «Oh, Señor, no permitas que ningún hombre malo se aproveche de mí».

Además de lo cual, Herzog se dio cuenta de que comerse los camarones de Ramona, beberse su vino y sentarse luego en la salita para escuchar la lujuriosa música de Mohammed al Bakkar y sus especialistas de Port Said, sumergiéndose mientras en semejantes pensamientos, no era precisamente muy recomendable.

Pero, por lo menos, había algo que resultaba muy claro: buscar la propia realización en otro ser, en relaciones interpersonales, era un juego femenino. Y el hombre que va de mujer en mujer, aunque su corazón rebose de idealismo y de deseo de amor puro, ha entrado ya en los terrenos de la mujer. La caída de Napoleón hizo que los jovencitos ambiciosos llevaran su potencia al *boudoir*. Y allí empezaron a mandar las mujeres. Como Madeleine había hecho, como podía haber hecho fácilmente Wanda. Y Ramona, ¿qué? Herzog, que antes era un joven tonto y ahora, en cambio, era ya un tonto de bastante edad, al aceptar el plan de una *vida privada* (tolerado por las autoridades competentes) se convirtió en algo muy semejante a una concubina. Sono, con su mentalidad oriental, dejó esto muy claro. Herzog incluso había hecho chistes sobre esto con ella y había tratado de explicarle lo poco provechosas que le resultaban a él las visitas que le hacía. *Je bêche, je sème, mais je ne récolte point.* Era broma desde luego, era broma porque él nada tenía de concubina. Era un hombre difícil y agresivo. En cuanto a Sono, trataba de enseñarle cómo debía tratar un hombre a una mujer. El orgullo de pavo real, la lujuria del macho cabrío y la noble ira del león son la gloria de Dios y muestra de su sabiduría.

—No sé adónde ibas con tu maleta. Pero fueras a donde fueses, tu instinto fundamentalmente sano te hizo regresar. Tu instinto es más sabio que tú —dijo Ramona.

—Puede ser... —dijo Herzog—. Estoy pasando por un cambio de puntos de vista. Resulta que he estado trabajando para otros, para un cierto número de mujeres.

—Si puedes vencer ese puritanismo hebreo...

—Sí, y dejar de tener esta psicología de esclavo siempre en fuga...

—Es culpa tuya —dijo Ramona—. Siempre andas buscando mujeres dominantes. Trato de hacerte comprender que has encontrado en mí una mujer distinta.

—Ya lo sé —dijo Herzog— y tengo un gran concepto de ti.

—Creo que no me comprendes —insistió ella con un cierto resentimiento—. Hace un mes, aproximadamente, me dijiste que yo tenía montado una especie de circo sexual. ¡Como si fuese una acróbata!

—Pero, Ramona, si hablaba en broma... —dijo Herzog.

—Tu intención era recordarme que había tenido relaciones íntimas con demasiados hombres.

—¿Demasiados? No, Ramona. No lo creo así. Al contrario, me enorgullezco de que sigas conmigo.

—Esa idea de «seguir conmigo» te traiciona. Me irrita oírte decir eso.

—Ya sé. Quieres ponerme en un nivel más alto y despertar en mí el elemento órfico. Pero, si hemos de decir la verdad, he procurado siempre ser una persona mediocre. He cumplido con mi obligación, atendido a mis compromisos y esperado que me correspondan. Llegué a creerme que había llegado ya a un entendimiento secreto con la vida para ahorrarme lo peor. Una idea perfectamente burguesa. Y, de camino, me permitía el lujo de flirtear un poquito con lo trascendente.

—No es una cosa tan ordinaria casarse con una mujer como Madeleine o tener un amigo como Valentín Gersbach. De modo que no te hagas el hombre que ha llevado una vida vulgar.

Herzog estaba indignado, cada vez más, y trataba de calmarse. Desde luego, Ramona procuraba ser considerada y no decir cosas irreparables, pero él no había ido allí para eso. Además, estaba ya cansado de su propia obsesión. Y ella, por otra parte, también tenía muchas preocupaciones. El poeta ha dicho que la indignación es una especie de gozo, pero ¿lleva razón en esto? Hay momentos para hablar y momentos de callarse. Lo único verdaderamente interesante de todo aquel asunto era la íntima intención, por parte de Ramona, de insultarlo y el hecho de que estos insultos resultaban tan penetrantes y hechos a la medida. Es una cosa fascinante que el odio sea tan personal que casi resulte adorable. El cuchillo y la herida se duelen el uno del otro. Y, por supuesto, una gran parte de esto depende de la vulnerabilidad del atacado. Algunos lloran y otros aguantan el golpe en silencio. Con estos últimos puede escribirse la historia íntima de la humanidad.

Herzog se preguntó si sería capaz de guardarse para sí todo aquello esa noche. Esperaba que sí. Pero Ramona le estimulaba a veces a caer en ello. Era como si no solo le hubiese invitado a cenar, sino también a cantar.

—Sinceramente, a mí, Madeleine y Valentín no me parecen una pareja mediocre —dijo Ramona.

—Pues yo *nos* veo a los tres, ellos dos y yo, como personajes de comedia —replicó Herzog—, y yo tengo el papel de hombre bueno. Por cierto, dicen por ahí que Gersbach me imita; mi manera de andar, mis expresiones. Es un segundo Herzog.

—Pero lo cierto es que convenció a Madeleine de que él era superior al original —dijo Ramona bajando los ojos. A la luz de las velas, Herzog observó una momentánea inquietud en la expresión de ella. Quizá pensara que había carecido de tacto.

—Creo que la mayor ambición de Madeleine —dijo Herzog— es enamorarse. Esto es lo más gracioso de ella. Además, su estilo aparatoso, sus grandes gestos, sus tics nerviosos... Pero hay que reconocer que la condenada es guapa. Le chifla ser el centro de la atención de la gente. Su gran momento es cuando entra donde hay mucha gente contoneándose, llevando su aparatoso abrigo de pieles, y tan maquillada. Y cuando empieza a expandir su encanto suele hacer como un movimiento así, con la palma de la mano derecha. Se le mueve un poquito la nariz como un timón y entonces se le va levantando una ceja...

—Como la describes, resulta adorable —dijo Ramona.

—Todos nosotros hemos vivido en un alto nivel. Excepto Phoebe, que no hacía más que pasar.

—¿Cómo es?

—Pues tiene unas facciones atractivas, pero su cara resulta demasiado seria. Tiene algo de enfermera-jefe.

—¿No le interesabas tú? —preguntó Ramona.

—Su marido es un inválido. Claro que él sabe sacarle el máximo a su defecto, emocionalmente y, además, con sus sollozos y pamemas. Phoebe lo había comprado a bajo precio porque era un pobre mutilado; sí, en una fábrica. Si hubiera estado nuevo y perfecto, esa mujer nunca se lo habría llevado. Pero ella sabía cómo había sido «la pesca» y él también lo sabía; y lo sabíamos todos. Toda la gente culta conoce las leyes de la psicología. Era solo un locutor de radio cojo, pero Phoebe lo tenía para ella sola, y ese era el asunto. Luego llegamos Madeleine y yo y empezó en Ludeyville una vida de gran excitación y regocijo.

—A ella debió de fastidiarle mucho cuando él empezó a imitarte.

—Sí, pero, si iban a ponerme los cuernos, lo mejor para mí era imponerme yo en cierto modo. Es lo que se llama «justicia poética». La piedad filosófica tiene estudiado el estilo que se debe emplear en esos casos.

—¿Cuándo te diste cuenta por primera vez? —preguntó Ramona.

—Cuando Mady empezó a quedarse fuera de Ludeyville. Algunas veces, se estaba unos días en Boston. Decía solo que tenía que aislarse, quedarse sola algún tiempo para «pensar las cosas». Y se llevaba a la niña, que entonces era muy chiquita. Yo le pedía a Valentín que fuera a verla para convencerla.

—¿Fue entonces cuando empezó él a sermonearte?

Herzog trató de librarse de aquel rencor que el recuerdo había hecho brotar de nuevo. Pero quizá no pudiera dominarse.

—Todos me sermoneaban. Todos tenían algo que aconsejarme. Conservo las cartas que me escribía Madeleine desde Boston. También conservo cartas de Gersbach. Toda clase de documentos del abandono. Incluso guardo unas cartas que escribió Madeleine a su madre. Me las mandó esta por correo.

—Pero ¿qué decía Madeleine? —preguntó Ramona.

—Le gusta mucho escribir cartas. Tiene un estilo como el de lady Hester Stanhope. Primero, me decía que yo me parecía demasiado a su padre. Que cuando estábamos juntos en una habitación, yo me solía tragar todo el aire que había y no le dejaba ninguno a ella para respirar. Que yo era mandón, infantil, pesado con mis exigencias, sardónico, y una especie de matón psicosomático. Un asco de hombre.

—¿Dices «psicosomático»?

—Según ella, para dominarla, me las arreglaba para tener dolores de barriga y me salía con la mía poniéndome malo. Los tres me acusaban de estarme creando síntomas para fastidiarlos. Madeleine, Valentín y la mujer de este. Madeleine me dio una conferencia especial sobre la única base válida para el matrimonio. Según ella, el matrimonio es una relación tierna consecuencia del sobrante de sentimientos; en fin, todo eso. Incluso me dio una conferencia especial sobre la mejor manera de efectuar el acto conyugal.

—Increíble —exclamó Ramona.

—Creo que me repetía lo que había aprendido de Gersbach.

—No tienes que sufrir contándomelo todo —dijo Ramona—. Estoy segura de que te hizo pasarlo muy mal.

—Mientras tanto, se suponía que yo había de seguir trabajando en lo mío y convertirme en el Lovejoy de mi generación. Pero mis propósitos eran muy distintos: mientras más me aleccionaban Madeleine y Gersbach, más decidido estaba yo a llevar una vida tranquila y normal. Madeleine me acusaba de estar fingiendo esa calma para fastidiarla. Y me atribuía el propósito de quererla someter empleando una nueva táctica.

—¡Qué curioso! —exclamó Ramona—. Y, ¿cuál se suponía que era tu plan maquiavélico?

—Ella decía que me había casado con ella para que me «salvase» y que ahora me proponía matarla a mi manera porque no hacía lo que yo quería. Insistía en que me quería, pero que no estaba dispuesta a hacer lo que yo pretendía de ella porque eso era demasiado fantástico, y que por ello se iba a Boston otra vez para meditar allí tranquilamente sobre todo lo nuestro y encontrar una manera de salvar nuestro matrimonio.

—Ya comprendo.

—Una semana después, poco más o menos, vino a casa Gersbach a recoger algunas cosas de Madeleine. Decía que ella le había telefoneado desde Boston. Necesitaba su ropa. Y dinero. Gersbach y yo dimos un largo paseo por el bosque. Era un día de principios de otoño, un día de buen sol, maravilloso... Se ponía uno melancólico. Yo ayudaba a Gersbach porque el terreno era difícil para su pata de palo...

—Ya me lo figuro con sus andares de gondolero, como tú me lo has descrito. Y, ¿qué decía?

—Pues se lamentaba de que no podría soportar la terrible tensión que era para él hallarse en medio de este terrible problema entre las dos personas a quienes quería más en el mundo. Repitió que Madeleine y yo éramos más importantes para él que su mujer y su hijo. Y que yo le estaba haciendo pedazos. Según decía, iba a perder la fe en todo por culpa mía.

Ramona se rió y Herzog también.

—Y luego, ¿qué pasó? —preguntó ella.

—¿Luego? —repitió Herzog. Recordó el temblor del enérgico rostro de Gersbach, siempre tan arrebolado, una cara que al principio parecía brutal, hasta que empezaba uno a darse cuenta de la sutileza y la hondura de sus sentimientos—. Luego volvimos a la casa y Gersbach hizo unos paquetes con las cosas de Madeleine. Y cogió lo principal que había venido a buscar: el diafragma de ella.

—¡No es posible! —exclamó Ramona.

—Puedes creerlo.

—Pero lo dices, Moses, como si te pareciese natural.

—Lo que acepto es que mi idiotez los animaba a un nivel más alto de perversidad.

—¿No le preguntaste a tu mujer qué significaba que mandase a buscar una cosa tan íntima por medio de ese hombre?

—Lo hice, desde luego, pero ella me respondió que yo no tenía ya derecho a preguntarle. Presentó mi interés como una bajeza. Luego le pregunté si Valentín era ya su amante.

—¿Y qué demonios te respondió? —La curiosidad de Ramona había llegado al máximo.

—Que yo no podía comprender todo lo que Gersbach me había dado; cuánto amor, cuánta comprensión. Yo insistí: «Pero lo cierto es que se ha llevado ese preservativo del botiquín del cuarto de baño». Y ella me replicó: «Sí, y él se está toda la noche acompañándonos a June y a mí cuando viene a Boston. Valentín es el hermano que nunca tuve. Eso es todo». Por supuesto, no quise aceptar esta explicación y ella insistió:

«No seas disparatado, Moses. Ya sabes lo basto que es. No es mi tipo de hombre, en absoluto. Nuestra intimidad es de otra clase. Cuando utiliza el cuarto de baño de nuestro pisito de Boston, lo deja apestando. Conozco ya muy bien el olor de su porquería. ¡Eres capaz de pensar que puedo entregarme a un hombre cuya caca huele tan mal!». Esa fue su respuesta.

—¡Es horrible, Moses! ¿De verdad te contestó eso? ¡Qué mujer tan rara! Sí, es rarísima.

—Pues todo eso te demuestra lo bien que nos conocemos ella y yo, Ramona. Madeleine no ha sido para mí solo una esposa, sino toda una educación. A una persona buena, digna, llena de esperanza, diligente, racional y un poco infantil, como es Herzog, el cual considera a la vida humana como un tema, lo mismo que cualquier otro tema de investigación, hay que darle una buena lección. Y, desde luego, todo aquel que tome en serio la dignidad, la anticuada dignidad individual, tiene que darse un buen tropezón más pronto o más tarde. Es posible que la dignidad fuese importada de Francia. Luis XIV. El teatro. El mando, la autoridad. La ira, el perdón. La *majesté*. Era una ambición plebeya y burguesa heredar eso. Y todo ello está ahora en los museos.

—Yo creía que Madeleine era tan digna... —dijo Ramona.

—No siempre. Y no olvides que Valentín tiene también una gran personalidad; y que la conciencia moderna tiene una verdadera necesidad de hacer saltar en pedazos sus propias posturas. Enseña la verdad del ser humano. Emporca todas las pretensiones y todas las ficciones. Un hombre como Gersbach puede ser alegre. Inocente. Sádico. Instintivo, yendo sin cesar de un lado a otro; abrazando a sus amigos... Un hombre un poco tonto y que se ríe de sus propias gracias. Pero también, a veces, profundo. Va por ahí exclamando: «¡Te quiero!» o «¡Esto es lo que yo creo!». Y mientras se siente movido por estas profundas creencias es capaz de robar a un ciego. Es capaz de crearse unas realidades que nadie puede comprender. Antes comprenderá un radioastrónomo lo que sucede en el espacio a diez billones de años luz que las extrañas justificaciones que se fabrica un Gersbach en su cabeza.

—Todo esto te pone demasiado alterado —le interrumpió Ramona—. Te aconsejo que los olvides a los dos. Dime, ¿cuánto tiempo duraron esas estupideces?

—Años. Sí, varios años. Poco después de lo que te he contado, Madeleine y yo volvimos a vivir juntos. Pero entonces ya me arreglaban la vida ellos dos, Madeleine y Gersbach. Yo, ni me enteraba. Ellos lo decidían todo: dónde teníamos que vivir, dónde trabajaría yo, incluso los alquileres que debía pagar. Lo notable es que decidían incluso cómo había yo de arreglar mis problemas mentales. Ellos dos me señalaban mi tarea diaria en las labores de la casa. Y cuando decidieron que debía ya marcharme, entre los dos arreglaron los detalles, es decir, el dinero que debía yo darles. Estoy seguro de que Valentín estaba convencido de que él cuidaba mis intereses. Creo que impidió a Madeleine que hiciese nada relacionado conmigo. Él está convencido de que es un hombre bueno y que uno puede confiar en él. Es comprensivo y ya se sabe que cuando uno comprende, sufre más. Se tienen mayores responsabilidades, y ya se sabe que cuando se tienen responsabilidades, se sufre más. La cosa estaba clara: yo no podía cuidar de mi esposa, la pobrecilla. Por eso se ocupaba él de ella. Yo no era la persona adecuada para educar a mi propia hija. Él, que era un gran amigo mío, estaba dispuesto a encargarse de ello. Por compasión y por grandeza de alma, Valentín estaba dispuesto a cargar con esas obligaciones. Incluso está de acuerdo conmigo en que Madeleine es una psicópata.

—¡No es posible! —exclamó Ramona.

—Puedes creerlo. Me decía Valentín: «¡Se me parte el corazón cuando pienso en lo chalada que está la pobre!».

—¡Qué pareja tan rara!

—¡Y tanto! —dijo Herzog.

—Moses, por favor, no hablemos más de eso. Me parece que hay en todo ello algo que está muy mal. Algo muy malo para nosotros. Ven...

—Aún no lo sabes todo. Por ejemplo, lo de la carta de Geraldine, diciendo que se portan muy mal con la niña.

—Ya sé. Me la leíste. Por favor, Moses, deja todo eso.

—Pero, mujer... Bueno, como quieras, vamos a dejarlo —dijo Herzog—. Te ayudaré a quitar la mesa.

—No hace falta, hombre.

—Fregaré los platos.

—No; no te dejaré fregar nada. Eres mi invitado. Lo que voy a hacer es ponerlos en el fregadero. Mañana los fregaré.

Herzog siguió pensando en lo suyo. Se dijo: «Prefiero aceptar como motivo, no lo que entiendo perfectamente sino lo que solo entiendo en parte. Para mí, la absoluta claridad en las explicaciones, es una falsedad. Por lo pronto, de lo que estoy seguro es de que debo encargarme de June.

—No, no, Ramona, hay algo en el fregado que me calma. Por lo menos, me gusta hacerlo de vez en cuando. —Tapó el fregadero, echó el detergente en el agua y se remangó la camisa. Se negó a ponerse el delantal que le ofrecía Ramona. Le dijo—: No, no quiero delantal porque ya soy un veterano y no salpico.

Como hasta los dedos de Ramona eran sexuales, Herzog quería verla en las tareas domésticas. El paño de cocina resultaba completamente natural cuando ella lo manejaba, y sus gestos al secar los vasos, los cubiertos y los platos eran completamente naturales. Desde luego, no estaba haciéndose pasar por una hábil ama de casa. Era de verdad una mujer dispuesta. Herzog se había preguntado a veces si no sería la tía Tamara la que preparaba la *remoulade* de camarones antes de marcharse. Pero era evidente que Ramona era la que hacía siempre las comidas.

—Debías pensar en tu futuro —dijo Ramona—. ¿Qué plan tienes para el año próximo?

—He de trabajar en algo.

—¿En qué?

—No he decidido aún si me quedaré cerca de mi hijo Marco, en el Este, o volveré a Chicago para estar cerca de June.

—Escucha, Moses, hay que ser prácticos. ¿Acaso consideras como cuestión de honor, o algo así, no pensar con claridad? ¿Qué sales ganando con sacrificarte? Ya debías saber que no tiene cuenta sacrificarse. Ir a Chicago sería un error. Lo único que sacarías en limpio sería sufrir más.

—¿Estás de broma?

—Quizá y el sufrimiento es otra mala costumbre.

—En absoluto —dijo Herzog.

—No puedo imaginar una situación más masoquista. En Chicago, todos conocen ya tu situación. Te verías otra vez en el mismo lío: luchar, discutir, salir herido en tus sentimientos... Es demasiado humillante para un hombre como tú. ¿Qué sacarías en limpio? No te respetas a ti mismo lo bastante. ¿Quieres que te hagan trizas? ¿Es eso cuanto puedes ofrecerle a tu pequeña June?

—No, no. ¿Qué objeto tendría? Pero ¿es que puedo entregarles a esos dos mi niña? Ya leíste lo que contaba Geraldine. —Herzog se sabía de memoria esa carta.

—Sin embargo, no puedes quitarle la niña a la madre.

—Es mi hija. Es una Herzog. En cambio, para esos dos, incluso para la madre, es una extraña. Son tipos mentalmente ajenos a ella.

De nuevo estaba tenso. Ramona trató de sacarlo de su preocupación obsesiva.

—¿No me dijiste que tu amigo Gersbach se había convertido en una figura importante en Chicago?

—Sí, sí. Empezó en el programa cultural de la radio y ahora aparece en todas partes: en los comités, en los periódicos, da conferencias... Y también lecturas de sus poemas. Interviene en los templos. Se ha hecho miembro del Standard Club. Además, está incluso en la televisión. ¡Fantástico! Era tan provinciano que estaba convencido de que en Chicago solo hay una estación. Y ahora se ha convertido en un hombre de última hora. Recorre la ciudad en su Lincoln Continental. Y lleva una chaqueta de tweed de un color salmón de lo más llamativo.

—No debes pensar tanto en todo esto porque te trastorna —dijo Ramona—. Se te nota la excitación en los ojos.

—Gerbasch alquiló un teatro. ¿Te lo contó?

—No.

—Pues vendió entradas para una lectura de sus poemas. Mi amigo Asphalter me lo contó. Cobró cinco dólares por las butacas de delante y tres dólares detrás. Cuando leyó un poema sobre su abuelo, que era un barrendero de las calles, se emocionó y lloró. Nadie se podía marchar. La sala estaba cerrada con llave.

Ramona no pudo contener la risa y contagió a Herzog. Este soltó el agua del fregadero y retorció el estropajo. Fregó la pila. Ramona le dio una raja de limón para que se quitara el olor a pescado. Herzog se frotó las manos a la vez que exclamaba:

—¡Gersbach!

—Pero, escucha, hombre —le dijo Ramona, muy seria—. Tienes que dejar de preocuparte ya de todo eso y aplicarte a tu trabajo universitario.

—No sé. Tengo la impresión de que no puedo quitarme de encima lo que me ha ocurrido. ¿Qué he de hacer?

—Hablas así porque estás agitado. Pensarás de un modo muy distinto cuando te tranquilices.

—Quizá.

Ramona fue por delante hasta el dormitorio.

—¿Quieres más música de esa, egipcia? Sienta muy bien. —Se acercó al tocadiscos—. Y ¿por qué no te quitas los zapatos, Moses? Sé que en este tiempo te los sueles quitar.

—Sí, me alivia los pies quitármelos. Mira, ya los tengo desatados.

La luna se había levantado sobre el río Hudson. Deformada por el cristal de la ventana y por el aire del verano, flotaba sobre la corriente del río. Debajo, los techos eran largas y pálidas figuras. Ramona volvió el disco y una mujer empezó a cantar con la música de la banda de Al Bakkar «*Viens, viens dans mes bras, je te donne du chocolat*». Sentada en el cojín junto a él Ramona le cogió una mano:

—Pero lo que quisieron hacerte creer no es cierto.

—¿Qué quieres decir? —Esto era lo que él anhelaba oírle.

—Yo entiendo algo de hombres. En cuanto te vi, comprendí cuánto había en ti sin usar. Quiero decir, eróticamente. Incluso, sin tocar.

—A veces he sido un fracaso terrible. Un fracaso total.

—A algunos hombres habría que protegerlos... por la ley, si fuera necesario.

—¿Como los peces y la caza?

—Hablo en serio —dijo Ramona. Y Herzog se daba cuenta con toda claridad de lo amable que era ella con él. Le preocupaba que él sufriera. Sabía que sufría y en qué consistía este sufrimiento y le ofrecía el consuelo que él, evidentemente, había venido buscando—. Verás, es que ellos dos intentaban dejarte con la impresión de que estabas viejo y acabado. Pero deja que te explique una cosa. Un hombre viejo huele a viejo. Eso te lo puede decir cualquier mujer. Y cuando un viejo toma a una mujer en sus brazos, a ella le olerá a rancio y polvoriento, como ocurre con los trajes viejos que necesitan ventilarse. Si la mujer ha dejado que las cosas lleguen a ese punto y no quiere humillar al hombre cuando comprende que verdaderamente es ya viejo (en nuestros días la gente se disfraza muy bien y es difícil averiguarlo), lo más probable es que siga adelante y disimule. ¡Y eso es tan horrible! Pero, Moses, tú eres químicamente joven. —Ramona le pasó sus brazos desnudos en torno al cuello—. Tu piel tiene un olor delicioso... ¿Qué puede saber Madeleine de estas cosas? Ella no es más que una belleza empaquetada.

Herzog pensaba, sarcásticamente, hasta qué punto había complicado su vida que ahora —cuando envejecía, era vano, terriblemente narcisista y sufría sin la adecuada dignidad— buscaba consuelo en alguien que más bien lo necesitaba para sí que para dárselo a él. La había visto cuando estaba cansada, preocupada y débil, cuando tenía ojeras, cuando el pliegue de la falda le caía mal y tenía las manos frías, y también fríos los labios, tendida en su sofá, una mujer fatigada y bajita cuyo aliento tenía el ceniciento sabor del cansancio. Era la suya una historia de luchas y decepciones, una triste historia en cuya base estaban los sencillos hechos de la necesidad, de lo que una mujer necesita. Ella tiene la sensación de que yo estoy defendiendo a mi familia. Porque yo soy un tipo de los apegados a la familia y ella me quiere para la suya. Me atrae su idea de la conducta familiar. Ramona le estaba frotando los labios con los suyos. Se esforzaba por apartarlo (algo agresivamente) del odio y de una lucha fanática.

Con la cabeza echada hacia atrás, Ramona respiraba rápidamente, con excitación y proponiéndose ya algo. Él se echó hacia atrás, solo porque le cogió de sorpresa, cuando ella empezó a mordisquearle los labios. Ramona retuvo firmemente entre sus dientes el labio inferior de él, que sintió una oleada de excitación sexual. Estaba desabrochándole la camisa y le tocaba ya la piel. Se volvió sobre el cojín y se empezó a desabrochar la blusa por detrás, con la otra mano. Luego se abrazaron y él le dio unos golpecitos en el cabello. De la boca de Ramona brotaba el perfume de la barra de labios y el olor a carne. Pero, de pronto, interrumpieron los besos. Sonaba el teléfono.

—¡Qué fastidio, qué fastidio! —exclamó Ramona.

—¿Vas a contestar?

—No; es George Hoberly. Seguro. Debe de haberte visto llegar y quiere estropearnos las cosas. No vamos a dejarle que nos...

—Desde luego que no —dijo Herzog.

Ramona se acercó al teléfono y lo desenchufó en su base. Dijo:

—Ayer me hizo llorar otra vez.

—Lo último que he sabido es que te quería regalar un coche deportivo.

—Ahora está empeñado en llevarme a Europa. Es decir, quiere que yo le enseñe Europa.

—No sabía que ese hombre tenía tanto dinero.

—No lo tiene —dijo Ramona—. Ha de pedirlo prestado.

En el plan que él quiere, alojándose en los grandes hoteles, le costaría por lo menos diez mil dólares.

—No sé lo que se propone.

—¿Qué quieres decir? —Ramona encontraba algo extraño el tono de Herzog.

—Nada..., nada. Pero quizá crea él que tú tienes el dinero necesario para un viaje tan caro.

—El dinero nada tiene que ver con esto. En nuestras relaciones no hay nada de eso.

—Entonces, ¿qué hubo en esas relaciones? —insistió Herzog.

—Yo me figuré que quizá... —Sus ojos color avellana le dirigieron una extraña mirada; era un reproche—. ¿Quieres tomar esto en serio?

—¿Y qué hace ahí abajo, en la calle?

—No es culpa mía.

—Tenía mucho interés en ti y ha fracasado. Por eso, ahora se cree bajo una maldición y quiere matarse. Estaría mejor en su casa tomando cerveza y viendo a Perry Mason.

—Eres demasiado severo —dijo Ramona—. Quizá estés pensando que voy a dejarte por él y te sientas intranquilo. Quizá te creas culpable de haberlo desplazado y que eres el que lo sustituye a él.

Herzog, echado hacia atrás en el sillón, estuvo reflexionando. Por fin, dijo:

—Es posible. Y pienso que mientras en Nueva York soy el hombre que está en el piso, en Chicago estaría en la calle, como él.

—Hombre, tú no te pareces ni por asomo a George Hoberly —dijo Ramona con esa entonación musical que a él le gustaba tanto en ella. Cuando la voz le subía del pecho y cambiaba de tono en la garganta, le gustaba mucho a Herzog. Quizá otro hombre no reaccionase ante la intencionada sensualidad de esa voz, pero él sí—. Me compadezco de George. Por eso mismo, no han podido ser más que unas relaciones pasajeras. Pero tú, en cambio... Tú no eres de la clase de hombres de que una mujer se compadece. Desde luego, no eres débil, por muchos defectos que pudieras tener. Eres fuerte...

Herzog asintió con la cabeza. Una vez más le estaban soltando una conferencia. Y la verdad es que no le importaba. Era evidente que necesitaba que le diesen energía. Y, ¿quién con más derecho para ello que una mujer que le daba cobijo en su casa, camarones, vino, música, flores, simpatía, le había hecho sitio —por decirlo así— en su alma, y por último le ofrecía su cuerpo? Tenemos que ayudarnos unos a otros. Este mundo irracional en que vivimos y donde la misericordia, la compasión, el corazón (aunque esté un *poquito* recubierto de egoísmo) son todo ello rarezas y son a menudo despreciados y repudiados por cada generación de escépticos. La misma razón y la lógica, le obligan a uno a arrodillarse y dar las gracias cada vez que se recibe una pequeña muestra de auténtica amabilidad. La música seguía sonando en el tocadiscos. Rodeada por las flores de verano e incluso por el lujo, bajo la suave luz verde de la lámpara, Ramona le hablaba con seriedad y él contemplaba cariñosamente su cálido rostro, cuyo color era el de la madurez. Más allá, el ardiente Nueva York, una noche iluminada que no necesitaba a la Luna. La alfombra oriental, con sus fluidos diseños, ayudaba a alimentar la esperanza de que podrían quedar resueltas grandes preocupaciones. Herzog pasaba suavemente los dedos por la suave y fresca carne del brazo de Ramona. Él tenía abierta la camisa y ella le veía la carne del pecho. Escuchaba sonriente a Ramona. Esta tenía razón en mucho de lo que decía. Era una mujer lista, y aún mejor, una adorable mujer. Tenía un gran corazón. Y llevaba unas bragas de encaje negro. Esta vez no las había visto aún, pero sabía que las llevaba.

—Tienes una gran vitalidad —estaba diciendo ella ahora—. Y eres un hombre con una gran capacidad para amar. Pero debes procurar olvidar todas esas rencillas. Si no, acabarán contigo.

—Estoy convencido de que eso es verdad.

—Sé que piensas que teorizo demasiado. Pero también

yo me he llevado muchos palos en esta vida: un matrimonio terrible y toda una serie de pésimas relaciones con hombres. Escucha, tienes que recobrar tus energías, y es un pecado que renuncies a ellas. Empieza usándolas de nuevo.

—Te comprendo.

—Quizá sea cuestión de biología —dijo Ramona—. Tienes una poderosa constitución. ¿Sabes lo que digo? La panadera me dijo ayer que se me notaba un gran cambio. Me lo veía en la cara, en el brillo de los ojos, según me dijo. Y añadió: «Señorita Donsell, debe usted de estar enamorada». Yo comprendí enseguida que te lo debía a ti.

—Sí, es verdad, pareces otra —dijo Moses.

—¿Más bonita?

—Encantadora —dijo Moses.

Ramona se ruborizó aún más intensamente. Luego le tomó una mano a él y la introdujo por su escote mientras le miraba intensamente. Los ojos se le ponían fluidos. ¡Bendita mujer! ¡Qué placer le daba! Todo lo suyo le satisfacía: sus modos ruso-franco-argentino-judíos.

—Quítate tú también los zapatos —dijo él.

Ramona apagó todas las luces menos la lámpara verde junto a la cama. Murmuró:

—Enseguida volveré. —Y cerró suavemente la puerta.

Lo de «enseguida» era una manera de hablar. Tardó mucho en sus preparativos. Herzog estaba ya acostumbrado a esperar, veía la necesidad de estos preparativos y no se impacientaba. Las reapariciones de Ramona eran siempre teatrales y merecía la pena esperar por ellas. Sin embargo, sabía que ella quería hacerle aprender algo y por ser en él tan fuerte el hábito de la enseñanza, Herzog esperaba aprender de ella. Pero ¿cómo podía describir esta lección? Podía empezar con su propio desorden interno e indómito o con el hecho de que él se estremecía. ¿Y por qué? Pues porque dejaba que todo el mundo presionase en él. ¿Por ejemplo? Por ejemplo, para enseñarle lo que significa ser un hombre. En una ciudad. En un siglo. En la masa. O bien, transformado por la ciencia. O bajo el poder organizado. Sujeto a tremendos controles o condicionado por la mecanización. Después del último fracaso de las esperanzas radicales. En una sociedad que no era una comunidad y devaluaba al individuo. Debido al poder múltiple del número, de la masa que quitaba toda importancia al ser. A la sociedad organizada que se gastaba miles de millones contra los enemigos extranjeros y era incapaz de pagar lo que valía el sostenimiento del orden en el interior del país. Que permitía el salvajismo y la barbarie en sus grandes ciudades. Al mismo tiempo, había que contar con la presión de los millones de seres humanos que han descubierto lo que puede lograrse con el esfuerzo y el pensamiento concertados. Lo mismo que los megatones de agua dan forma a los organismos del fondo del mar. O como las mareas pulen las piedras. O los vientos, cuando ahuecan los acantilados. La hermosa supermaquinaria que abre una nueva vida para la innumerable humanidad. ¿Cómo negarles el derecho a la existencia? ¿Cómo pedirles que trabajen y pasen hambre mientras uno disfruta tan ricamente de los deliciosos y anticuados Valores? Tú, sí, tú mismo eres un hijo de esta masa y un hermano de todos los demás. O, si no, un ingrato, un diletante, un idiota. Y ya que lo preguntas, Herzog —se dijo Herzog—, así es como va todo. Por si fuera poco, ahí tienes un corazón herido y gasolina que te inunda los nervios. ¿Qué responde a todo esto Ramona? Lo que ella te aconseja, Herzog, es que recuperes la salud. *Mens sana in corpore sano*. De cualquier origen que sea, la tensión constitucional necesita del alivio sexual. Cualquiera que sea su edad, o su historia, condición, cultura o desarrollo en la vida, al hombre se le pone en erección su virilidad. Esta es buena moneda, legal en todas partes. Reconocida por el Banco de Inglaterra. ¿Por qué le dolían ahora sus recuerdos? F. Nietzsche decía que las naturalezas fuertes son capaces de olvidar lo que no pueden dominar. Aunque también dijo que el semen reabsorbido era el gran combustible de la creatividad. Hay que alegrarse cuando los sifilíticos predican la castidad.

¡Ojalá pueda tener un cambio de corazón, un cambio de corazón, un verdadero cambio de corazón!

En eso no había manera de engañarse. Ramona quería que él se dejase ir hasta el extremo (*pecca fortiter!*). ¿Por qué era él tan pacato al practicar el amor? Él solía disculparse diciendo que después de los desengaños que había sufrido, ya podía darse por contento de poderlo hacer aunque fuera solo como los misioneros protestantes. Ella replicaba que eso hacía de él una rareza en Nueva York. Y esa parquedad era siempre un problema para la mujer. Los hombres que parecían decentes, solían tener gustos muy especiales. Por su parte, Ramona estaba dispuesta a hacerle gozar como quiera que él prefiriese. Y Herzog replicaba que nunca lograría ella transformar un viejo arenque en un delfín. Era raro que Ramona se comportase como esas fulanas de las revistas atrevidas aunque justificase esta conducta alegando razones de lo más intelectual. Como era una mujer culta, le citaba a Cátulo y a los grandes poetas eróticos de todos los tiempos. Y, por si fuera poco, también a los clásicos de la psicología. Ahora estaba en el cuarto de baño preparándose alegremente, perfumándose y desnudándose. Quería gustarle. Herzog solo tenía que expresar su contento; en cuanto ella supiera que le gustaba, se haría más sencilla en la manera de atraerlo. Y ¡cuánto se alegraría Ramona de cambiar en esto y no tenerlo que encandilar! ¡Cuánto la tranquilizaría si le dijese «Ramona, ¿para qué te pones así?»! Pero entonces, ¿tendría que casarme con ella?

La idea del matrimonio lo ponía nervioso, pero pensaba en ello con mucha insistencia. Ramona tenía buenos instintos; era práctica, capaz, y nunca había de herirlo. Por ejemplo, cuando una mujer dilapidaba el dinero de su marido —y en esto estaban de acuerdo todos los psiquiatras— era capaz de castrarlo. En el aspecto práctico, Herzog no podía soportar el desorden y la soledad del soltero. A él le gustaba tener limpias las camisas, planchados los pañuelos y los zapatos bien compuestos, en fin, todo lo que despreciaba Madeleine. La tía Tamara quería que Ramona estuviera casada. En su mente debían de quedar algunas palabras *yiddish*: *shiddach*, *tachliss*... Podría ser un patriarca, y esto era lo que cualquier Herzog aspiraba a ser. El hombre de familia, padre, transmisor de vida, intermediario entre el pasado y el futuro, instrumento de la misteriosa creación, había pasado de moda. ¿Cómo era posible que los padres estuvieran anticuados? Solo podían estar para las mujeres viriloides, las desgraciadas machorras. En cambio, Ramona, aunque muy apegada a la cultura y se interesaba mucho por los libros y artículos de él, doctor en Filosofía de la Universidad de Chicago, lo que deseaba era ser frau professor Herzog. Divertido, se imaginó cómo llegarían de etiqueta a los *parties* del hotel Pierre, Ramona con largos guantes blancos y presentando a Moses con su voz encantadora y alta: «Mi marido, el profesor Herzog». Y también se veía a sí mismo; radiante de recién estrenado bienestar, nadando en dignidad, estaría muy amable con unos y otros. De vez en cuando se alisaría el cabello. ¡Qué gran pareja harían, ella con sus tics y él con los suyos! ¡Qué estupenda representación de vodevil! Ramona se vengaría de la gente que la había menospreciado. ¿Y él? Pues también él tendría la satisfacción de ver fastidiados a sus enemigos. *Yemach sh'mo!* ¡Que sus nombres sean borrados! Cavaron un pozo ante mis pies. Esperaban que caería en él. ¡Oh, Señor, rómpeles los dientes de su boca!

Le brillaban los ojos; los tenía, y toda la cara, de una expresión intensa y sombría. Se quitó los pantalones y se desabrochó todos los botones de la camisa. Se preguntó qué diría Ramona si él le propusiera trabajar con ella en la tienda de flores. ¿Por qué no? Así tendría un mayor contacto con la vida y trataría a mucha gente nueva. Las privaciones a que le había sometido su aislamiento de erudito habían sido demasiado para un hombre de su temperamento. Había leído recientemente que algunas personas solitarias de Nueva York de las que viven encerradas en sus habitaciones, llamaban a la policía porque sentían una tremenda necesidad de no seguir solos: «¡Envíen un coche de patrulla por amor de Dios! Sálvenme, tóquenme. Vengan y enciérrenme con alguien. ¡Que venga alguien, por favor!».

Herzog no podría asegurar decididamente que no deseaba terminar el estudio que tenía entre manos. El capítulo sobre el «Moralismo romántico» le había salido bastante bien, pero se había quedado embarrancado en el intitulado «Rousseau, Kant y Hegel». ¿No le vendría bien convertirse en un florista? Era un negocio de precios astronómicos, pero eso no dependía de él. Se veía a sí mismo con pantalones a rayas y zapatos de piel de Suecia. Tendría que acostumbrarse al olor de los abonos y de las flores. Hacía unos treinta y tantos años, cuando Herzog se estaba muriendo de pulmonía y peritonitis, sufrió, para colmo, un envenenamiento al respirar unas rosas rojas. Se las había mandado Shura, que, probablemente, las había robado. Este hermano suyo trabajaba entonces en una floristería de la calle Peel. Herzog pensó que ya podía resistir el olor de las rosas, tan perniciosas y de tan fragante belleza. Parece mentira que haya que tener una gran resistencia para la intensidad de ese aroma y que le pueda matar a uno.

En ese momento apareció Ramona. Abrió la puerta de golpe y se quedó allí quieta para que él la pudiera admirar en el marco iluminado del cuarto de baño, con el fondo de mosaicos. Venía desnuda hasta las caderas, y muy perfumada.

—¿Te gusto, Moses?

—¡Ramona, claro! ¿Para qué tienes que preguntarme? Me encanta verte.

Mirando hacia abajo, Ramona se rió muy bajito. «Sí, ya veo que te gusto.» Se echó hacia atrás el cabello al inclinarse para poder observar de más cerca el efecto que causaba en él su desnudez. Era evidente lo pronto que reaccionaba al ver sus pechos y sus caderas tan femeninas. Sus ojos, muy negros, miraban intensamente abiertos. Le cogió por una muñeca —tenía muy anchas las venas— y tiró de él hacia la cama.

—Moses, querido Moses. Dime que tú me perteneces como yo a ti. ¡Dímelo!

—Soy tuyo, Ramona.

—Solo mío.

—Solo.

—Gracias a Dios, Moses, que existe una persona como tú. Querido... ¡Oh, gracias a Dios!

Estaban ambos profundamente dormidos y Ramona completamente inmóvil. Herzog se despertó una vez —lo despertó un avión a chorro que iba a una velocidad increíble y a una enorme altura, pasando con un lancinante chillido—. Sin estar completamente despierto, Herzog saltó de la cama y se sentó pesadamente en un sillón de forro a rayas. Quería escribir otro de sus mensajes, este quizá a George Hoberly. Pero cuando pasó el penetrante ruido del avión, también desapareció su propósito. Sus ojos se llenaron de noche, de la tranquila, inmóvil y caliente noche, la ciudad y sus luces. Recordó la foto de la niña pensativa, en la habitación de al lado. Por fuera de la ropa de la cama salía una pierna de Ramona. La cara interna del muslo, con su riqueza de piel suave, y sus leves ondulaciones de carne, era sexualmente fragante. La carnosa curva del empeine era adorable. También tenía curvada la nariz. Los dedos de los pies, regordetes y muy juntos, descendían escalonadamente. Herzog la miraba sonriente y volvió a acostarse torpemente, medio dormido. Antes de dormirse le pasó una mano por su espeso cabello.

Acompañó a Ramona a la tienda después de desayunar. Ella llevaba un ajustado vestido rojo. Iban besándose y acariciándose en el taxi. Moses estaba muy contento y se reía mucho, diciéndose varias veces a sí mismo: «¡Es encantadora! Esta mujer me conviene». Se apearon en la avenida Lexington y se abrazaron en la acera (¿desde cuándo se portaban tan apasionadamente los hombres maduros en los sitios públicos?). El rojo de labios de Ramona había desaparecido ya y tenía la cara radiante, ardiendo y, mientras besaba a Moses, apretaba contra él sus pechos. El taxista y la señorita Schwartz, la ayudante de Ramona, contemplaban la escena.

¿Era quizá esta la manera de vivir?, se preguntó Herzog. ¿Había ya tenido bastante penas, había pagado su deuda al sufrimiento para haberse ganado ya el derecho a no preocuparse de lo que pudieran pensar los demás? Apretó más a Ramona y la sintió henchirse, como si le fuera a estallar el corazón en el cuerpo y el cuerpo en su vestido rojo tan ceñido. Ella le dio aún más besos perfumados. En la acera, ante el escaparate de la tienda de flores, había margaritas, lilas, pequeñas rosas, semilleros de tomates y pimientos para trasplantarlos, todo ello recién regado. También había una maceta perforada que dejaba un reguero de agua, la cual trazaba unos confusas formas en el cemento. A pesar de los autobuses, que emporcaban el aire con sus apestosos gases, Herzog percibía el fresco olor de la tierra y oía pasar a las mujeres que repiqueteaban el duro pavimento con sus tacones. Así, ante la diversión del taxista y el gesto de censura apenas contenido de la señorita Schwartz, que los miraba por entre las hojas, siguió besando la cara pintada y fragante de Ramona. Por la gran trinchera abierta de la avenida Lexington, los autobuses despedían veneno, pero las flores sobrevivían: rosas rojas, pálidas lilas. La pureza de las flores blancas, los tonos colorados, y todo ello cubierto por la fina capa dorada de la luz de Nueva York. Aquí, en la calle y hasta donde lo permitía su manera de ser y las circunstancias, Herzog probaba la vida que podría haber llevado de haber sido, simplemente, una criatura enamorada.

Pero en cuanto se halló de nuevo, esta vez solo, en el taxi, era de nuevo el inevitable Moses Elkanah Herzog. ¡Hay que ver lo que soy, hay que ver! Mientras el taxi avanzaba, él pensaba: Me caigo una y otra vez sobre las espinas de la vida y sangro. Y luego, ¿qué hago? Pues caerme sobre las espinas de la vida y sangrar. ¿Y un poco después? Entonces me tumbo en la cama, y me tomo unas breves vacaciones pero no tardo en caer sobre esas mismas espinas y me complazco en el dolor o sufro en la alegría. ¡Vaya usted a saber en qué consiste la mezcla! Pero ¿hay en mí algún bien que dure? ¿Nada más hay entre el nacimiento y la muerte que lo que puedo sacar de esta perversidad, solo un balance favorable de emociones desordenadas? ¿Ninguna libertad? ¿Solo impulsos? Y, ¿qué hay de todo el bien que guardo en el corazón; acaso nada significa este? ¿Se trata sencillamente de un chiste? ¿O es una falsa esperanza que le hace a uno sentir la ilusión de que uno vale algo? De modo que sigo luchando conmigo mismo. Pero este bien de ahora no es falso. Sé que no lo es. Lo juro.

Estaba otra vez muy excitado. Le temblaban las manos cuando abrió la puerta de su piso. Tenía la convicción de que debía hacer algo, algo práctico y útil y que debía hacerlo enseguida. Su noche con Ramona le había dado nuevas energías, pero esta fuerza renovada hacía revivir sus miedos; y con los demás, el miedo de que podía venirse abajo. Estaba convencido de que estos sentimientos tan intensos podían acabar desorganizándolo irremediablemente.

Se quitó la chaqueta y los zapatos; se aflojó el cuello de la camisa y abrió las ventanas. La corriente de aire cálido, con el olor contaminado del puerto, levantó las sucias cortinas y agitó la persiana de la ventana. Esta corriente de aire lo calmó un poco. No, el bien de su corazón no le valía de mucho pues aquí estaba en su piso, de vuelta de una noche de amor, con el labio inferior dolorido de tantos mordiscos y besos, aquí estaba otra vez con sus cuarenta y siete años y con sus problemas menos resueltos que nunca, y ¿qué más podía presentar a su favor el Día del Juicio? Había tenido dos esposas, tenía dos hijos; había trabajado mucho en sus tareas de erudición y su vieja maleta estaba atestada, como un duro cocodrilo, con su manuscrito incompleto. Mientras él se dejaba ir, otros llegaron con las mismas ideas. Hacía dos años, en Broadway, un profesor de Berkeley llamado Mermelstein le había «pisado» el tema y todo lo que él pretendía decir, y había logrado lo mismo que él se proponía: sobrepasar y hacer polvo a todos los que trabajaban en lo mismo, dejándolos a todos atrás, como él mismo se había propuesto. Mermelstein era un hombre listo y un excelente erudito. Y debía de estar libre de todas las trabas personales que fastidiaban a Herzog, mereciendo así un lugar importante en la comunidad humana. En cambio él, Herzog, había cometido algún pecado contra su propio corazón, mientras se proponía encontrar una gran síntesis.

Lo que este país necesita es una buena síntesis de cinco centavos.

¡Qué catálogo de errores! Por ejemplo, sus luchas sexuales. En esto se había equivocado por completo. Fue a hacerse un poco de café y se ruborizó mientras medía el agua en la copa graduada. Porque estaba pensando que el individuo histérico es quien permite que sea polarizada su vida entre simples antítesis como fuerza-debilidad, potencia-impotencia, salud-enfermedad. Se siente desafiado pero es incapaz de luchar contra la injusticia social y, por demasiado débil, pelea contra las mujeres, contra los niños, contra sus «desgracias». Basta fijarse en un caso como el de George Hoberly, siempre gimoteante. Herzog lavó su anillo en el café de la taza. ¿Por qué se precipitaba Hoberly febrilmente a las tiendas de lujo de Nueva York para comprarle regalos íntimos a Ramona? Pues porque se sentía aplastado por el fracaso. Véase cómo un hombre somete toda su vida a alguna labor extremada, incluso mutilándose o matándose en la esfera que él elige. Esta era antes la esfera política; ahora es la sexual. Quizá Hoberly estuviese convencido de que no había satisfecho a Ramona en la cama. Pero esto no parece una causa probable. Una mujer como Ramona no considera irremediable un trastorno del miembro, ni siquiera la *ejaculatio praecox*. Si acaso, estas humillaciones la harán reaccionar en algún sentido o la intrigarán haciendo brotar su generosidad. No; Ramona era muy humana. Lo que no quería en modo alguno era que ese tipo tan desesperado la cargase con todas sus debilidades. Es posible que un hombre como Hoberly quiera, al quedar destrozado, dar testimonio del fracaso de la existencia individual. Hoberly quiere demostrar que esas relaciones *no pueden funcionar*. Lleva el amor hasta el absurdo pretendiendo desacreditarlo para siempre. Y de ese modo sirve aún con mayor devoción a ese Leviatán de la organización. Pero había otra posibilidad: que un hombre en el que estallan necesidades no reconocidas, imperativos, deseos de actividad y de hermandad, a quien desespera su afán de realidad y de Dios, no pueda esperar y se arroje alocadamente sobre cualquier cosa que parezca una esperanza. Y Ramona, precisamente, parece una esperanza; ha elegido serlo. Y de esto sabía algo Herzog pues él mismo había dado a la gente la esperanza, algunas veces. Emitiendo un mensaje secreto: «*Confía en mí*». Esto era, probablemente, simple cuestión de instinto, de salud o de vitalidad. Lo que lleva a un hombre de mentira en mentira, o le induce a dar esperanza a otros, es precisamente su vitalidad. Me parece, pensaba Herzog, que lo que hago es inflamarme con mi drama, con el fracaso, la renuncia, la distorsión, inflamarme voluptuosamente, estéticamente, hasta lograr el clímax sexual. Y este clímax parece como una decisión y una respuesta a muchos problemas «más elevados». Mientras pueda yo confiar en Ramona en su papel de profetisa, de eso se trata. Ella ha leído a Marcuse, a N. O. Brown, a todos esos neofreudianos. Quiere hacerme creer que el cuerpo es un «hecho espiritual», el instrumento del pecado para el alma. Ramona es encantadora y adorable, incluso muy conmovedora, pero sus teorías son una peligrosa tentación. Solo puede conducir a errores más «intelectuales».

Contempló cómo batía el café la rajada cúpula del filtro (movimiento comparable al de sus pensamientos contra su cráneo). Cuando estuvo lo bastante negro llenó la taza y aspiró su aroma. Decidió escribirle a Daisy diciéndole que visitaría a Marco el día de los Padres pero sin manifestar debilidad alguna. ¡Ya estaba bien de debilidades! También decidió hablar con el abogado Simkin. Inmediatamente.

Debía de haber llamado a Simkin antes, pues conocía sus costumbres. El coloradote y gordo solterón, tan maquiavélico, vivía con su madre, su hermana viuda y varios sobrinos y sobrinas en el Central Park West. Su piso era lujoso pero él dormía en un catre militar en la más pequeña de las habitaciones. Sobre su mesilla de noche había una gran pila de libros de leyes y allí leía y preparaba sus casos, hasta altas horas de la noche. Las paredes estaban cubiertas de arriba abajo con cuadros expresionistas abstractos sin enmarcar. A las seis de la mañana se levantaba e iba en su Thunderbird a un pequeño restaurante del East Side. Sabía de los sitios más auténticos: chinos, griegos, birmanos, las cuevas más sombrías de Nueva York. Herzog le había acompañado muchas veces. Después de un buen desayuno, Simkin se iba a su oficina y allí le gustaba tumbarse en el sofá negro Naugahyde, cubriéndose con la manta afgana que le había hecho su madre, y escuchaba música de Palestrina o Monteverdi mientras elaboraba sus estrategias legales y mercantiles. A las ocho o así se afeitaba las grandes mejillas y, hacia las nueve, después de haberle dejado instrucciones a su personal, salía para asistir a las subastas y visitar las exposiciones.

Herzog marcó el número y encontró a Simkin en su despacho. Al instante —era de ritual— Simkin empezó a quejarse. Era junio, el mes de las bodas, y dos jóvenes miembros de aquella firma de abogados estaban ausentes. Nada menos que de viaje de bodas. ¡Qué idiotas!

—Bueno, profesor —dijo—, no le he visto desde hace mucho tiempo. ¿Qué se trae usted entre manos?

—En primer lugar, quiero preguntarle si me puede usted aconsejar. Después de todo, usted es amigo de la familia de Madeleine.

—Digamos, mejor, que me relaciono con ellos. A usted, en cambio, le tengo simpatía. Ningún Potritter necesita mi simpatía, y menos que todos ellos, esa arpía de Madeleine.

—Recomiéndeme usted otro abogado si no quiere encargarse de esto.

—Los abogados resultan caros. Usted no está nadando en dinero, creo yo.

Claro que no, pensó Herzog. Simkin siente curiosidad y le gustaría saber lo más posible de mi situación. ¿Acaso es que me siento ofendido? Ramona quiere que consulte con su abogado. Pero podría ligarme de nuevo a algo. Además, el abogado de Ramona querría proteger a esta de mí.

—¿Cuándo está usted libre, Simkin? —preguntó Herzog.

—Escuche: elegí dos cuadros de un pintor yugoslavo... Pachích. Acaba de llegar del Brasil.

—¿Podemos comer juntos?

—Hoy no.

—Con media hora tendremos bastante.

—Podemos almorzar en Macario's. Apuesto lo que quiera a que nunca ha oído usted hablar de ese sitio... Claro, estaba seguro de que no. —Le gritó a su secretaria—: Tráigame ese artículo donde Earl Wilson habla del restaurante de Macario's. ¿Me ha oído usted, Tilly?

—¿Estará usted ocupado todo el día, Simkin?

—Tengo que ir a los tribunales. Esos abogados jóvenes que trabajan conmigo, con sus mujercitas recién estrenadas mientras yo tengo que luchar aquí solo contra el *Molochhamovos*. ¿Sabe usted lo que cobran en casa de Macario's por servir *spaghetti al burro*? Adivínelo.

Herzog pensó que lo mejor era seguirle la corriente. Calculó un poco. Se frotó las cejas con el pulgar y el índice:

—¿Tres dólares con cincuenta?

—¿Esa es la idea que tiene usted de los sitios caros? ¡Cinco dólares y cincuenta centavos!

—¡Dios mío! Y, ¿qué ponen en ese plato para cobrar tanto?

—Está salpicado con polvo de oro, no con queso. En serio, Herzog, tengo que intervenir mañana en un juicio. Yo; yo mismo, porque ya le he dicho que no cuento estos días con mis jóvenes compañeros. Y ya sabe usted que detesto las salas de audiencia.

—Déjeme que le recoja en un taxi y que le lleve a donde tiene que ir.

—Pero es que he de esperar aquí, en la oficina, al cliente. Verá usted lo que vamos a hacer: si me queda tiempo luego... Pero, me parece que está usted muy nervioso. Mi primo Wachsel está en la oficina del fiscal. Le hablaré de su caso de usted... Y, por lo pronto, mientras no llega ese que espero, ¿por qué no me va contando de qué se trata?

—Pues, de mi hija.

—¿Quiere usted pleitear para conseguir su tutela?

—No es precisamente eso sino que estoy preocupado por ella. No sé cómo sigue la niña.

—Además de eso, supongo que querrá usted vengarse.

—Envío con regularidad el dinero para la madre y la niña, siempre pregunto por June y pido que me la dejen ver, pero nunca recibo ni una palabra de respuesta. Himmelstein, el abogado de Chicago, me dijo que no tengo ni la menor probabilidad de ganar un pleito sobre el derecho a la custodia. Pero es que no tengo idea alguna de cómo están cuidando y educando a la niña. Lo único que sé es que la encierran en el coche cuando les molesta. ¿Hasta qué serán capaces de llegar?

—¿Cree usted que Madeleine no es una buena madre?

—Claro que lo creo, pero no me decido a meterme entre la madre y la hija.

—¿Sigue viviendo Madeleine con ese tipo, aquel amigo de usted? —preguntó Simkin—. ¿Recuerda usted cuando se fue a Polonia el año pasado e hizo testamento? Nombró usted a ese hombre ejecutor testamentario y tutor de la niña.

—¿Hice yo eso?... Sí, ahora lo recuerdo. Sí, creo que sí.

Herzog oyó en el teléfono una tosecita significativa del abogado. Estaba claro que era una tos fingida. Pero ¿cómo echarle eso en cara? Al mismo Herzog le hacía gracia su fe sentimental en sus «mejores amigos» y no podía remediar el pensar en lo mucho que debía de haber contribuido a que Gersbach se divirtiese con su credulidad y buena fe. Herzog pensó que, evidentemente, él no estaba muy capacitado para velar por sus intereses; a diario demostraba su incompetencia en los asuntos materiales. ¡Qué estúpido!

—Me sorprendió mucho cuando le eligió usted como el hombre de su mayor confianza —dijo Simkin.

—¿Es que sabía usted algo?

—No, pero había algo en su aspecto, en su manera de vestir, en su vozarrón y su falso *yiddish*. Es un tremendo exhibicionista. No me gustaba la manera que tenía de hacerle a usted carantoñas. Incluso le besaba a usted, lo recuerdo...

—Eso era por su exuberante personalidad rusa...

—Por supuesto; no estoy diciendo que sea exactamente un marica —dijo Simkin—. Pero ¿es seguro que Madeleine está liada con ese deslumbrante tutor? Por lo menos, podía usted investigar. ¿Por qué no contrata usted los servicios de algún investigador privado?

—¿Un detective? ¡Naturalmente, es una gran idea!

—¿Le parece a usted acertado?

—¡Claro que sí! ¿Cómo no se me habrá ocurrido a mí antes?

—Pero ¿tiene usted el dinero suficiente para eso? Ahora sale carísimo contar con un detective privado.

—Empezaré a trabajar de nuevo dentro de unos cuantos meses.

—Aun así, no sé si podrá... ¿Cuánto gana usted? —Simkin hablaba de lo que ganaba Herzog con un acento de tristeza. Pobres intelectuales, tan maltratados siempre. Parecía extrañarle que Herzog no se lamentase de su suerte. Pero Herzog seguía aceptando como normales los sueldos de la época de la Depresión.

—Puedo pedir dinero prestado.

—Los investigadores privados cuestan mucho. Se lo explicaré a usted. —Simkin hizo una pausa—. Las nuevas corporaciones han creado una nueva aristocracia bajo la presente estructura de impuestos. Los coches, los aviones, las suites de los hoteles, los restaurantes, los teatros, etc... están a unos precios que los hace prohibitivos para el hombre que gana poco. Eso ocurre también con el precio de la prostitución. Incluso con los médicos; ahora cuesta mucho más estar enfermo. En cuanto a las socaliñas de los seguros, los impuestos a los bienes inmobiliarios, etc..., yo podría contarle a usted muchas cosas. Pero todo está ahora mucho mejor organizado. Las grandes compañías tienen su propio servicio secreto, espías científicos que roban a otras compañías secretos industriales. Por eso, los detectives ganan muchísimo para impedir esos robos o descubrir a los culpables, y cuando ustedes, los que ganan poco, quieren utilizarlos, se encuentran con una gente muy mal acostumbrada. Además, muchos chantajistas vulgares, se llaman a sí mismos «investigador privado». Ahora, escúcheme, puedo darle a usted un buen consejo. ¿Lo quiere usted?

—Sí, diga. Pero... —Herzog vacilaba.

—¿Quiere usted decir «pero ¿qué habrá ideado este hombre?». Escuche. Supongo que es usted la única persona en Nueva York que ignora las calumnias que me lanzó Madeleine. Y eso que yo era para ella como un tío suyo. La chica, viviendo siempre entre gente de teatro, era como una muñequita asustada. A mí me daba lástima Mady. Le regalaba muñecas, la llevaba al circo y, cuando luego ingresó en Radcliffe, pagué su ropa. Pero luego, cuando la convirtió al catolicismo ese monseñor, intenté hablar con ella y me llamó hipócrita y bandido. Dijo que yo era un arribista y que me había aprovechado de las amistades de su padre para medrar. Que no era más que un ignorante judío. ¡Ignorante yo! Debería haber sabido que me dieron la medalla de oro en latín, en 1917. Muy bien. Pero luego, una primita mía, una muchachita epiléptica, que era inmatura e inocente (parecía un ratoncito) y no podía cuidar de sí misma... más vale no entrar en detalles... fue insultada por Madeleine.

—¿Qué le hizo?

—Esa es una larga historia.

—De modo —dijo Herzog— que ya no protege usted a Madeleine. Nunca me enteré de que hubiese dicho algo contra usted o su primita.

—Es posible que lo haya olvidado usted. Créame que me infirió heridas morales muy hondas. Pero no se preocupe por eso. Yo soy un viejo acaparador de dinero y no pretendo tener derecho a la santidad, pero... En fin, así va el mundo de frenético. Quizá usted nunca se entere de estas cosas, ya que está absorto en la Verdad, el Bien y lo Bello, como herr Goethe.

—Bueno, Harvey, sé que no soy un realista. Me falta la energía necesaria para hacer todos los juicios que un hombre tiene que hilvanar si quiere ser realista. ¿Qué consejo iba usted a darme?

—Tenemos que pensar en algo ya que aún no viene mi apestoso cliente. Si realmente desea usted iniciar un proceso...

—Himmelstein me dijo que un jurado me miraría mis pelos canos y esto le bastaría para dar un fallo contrario a mí. Quizá podría teñirme el cabello.

—Por lo pronto, cuente con un buen abogado de una de las grandes firmas. Evite que haya ante el Tribunal muchos judíos vociferantes. Dele a su pleito dignidad. Luego, hace usted que vayan a declarar los principales: Madeleine, Gersbach, la señora Gersbach; sí, que declaren bajo juramento. Basta con que sepan que cometerán perjurio si no dicen la verdad. Si el interrogatorio está bien llevado, estoy dispuesto a aconsejar al abogado que usted lleve y dirigir todo el proceso entre bastidores. No tendrá usted que teñirse ni un solo cabello.

Herzog secose con la manga el sudor que le brotaba de la frente. De pronto tenía un terrible calor. Y al sudor, le salía también el perfume del cuerpo de Ramona que él había absorbido con el ejercicio del amor. Lo tenía mezclado a sus propios olores.

—¿Me sigue usted?

—Sí, le escucho, continúe —dijo Herzog.

—No tendrán más remedio que sincerarse y ellos mismos le harán a usted ganar. Le podemos preguntar a Gersbach cuándo empezó su asunto con Madeleine, cómo se las arregló para que usted lo llevase y colocara en el Medio Oeste... Porque fue usted quien le abrió camino allí, ¿no?

—Sí, le dieron la colocación por mí. Y les alquilé la casa. Incluso me ocupé de que les instalaran el aparato que deshace y elimina la basura. Medí las ventanas para que Phoebe decidiese si podía llevar de Massachusetts sus cortinas.

Simkin lanzó una de sus exclamaciones de asombro y dijo:

—Bueno, pero ¿con qué mujer está viviendo ese Gersbach?

—Eso de verdad que no lo sé. Me gustaría poderle interrogar yo mismo. ¿Podría yo llevar el interrogatorio en el juicio?

—No es factible, pero el abogado puede hacer las preguntas que usted haya preparado. Podrá usted crucificar a ese inválido. Y, en cuando a Madeleine, hasta ahora se ha salido siempre con la suya, y ni siquiera le entra en la cabeza que tenga usted derechos. ¡Se vendría abajo y se aplastaría!

—Muchas veces pienso que si ella se muriera, me devolverían a mi hija. Yo sería capaz de ver el cadáver de mi mujer sin piedad.

—Ellos, por su parte, tratan de asesinarlo a usted —dijo Simkin—. Desde luego, ya usted me entiende, es una manera de hablar. —Herzog comprendió que sus palabras sobre la imaginaria muerte de Madeleine habían excitado a Simkin y habían avivado su curiosidad por lo que él pudiera decirle. Quiere darme a entender que ahora mismo me siento yo capaz de asesinarlos a los dos. Pues, sinceramente, es verdad. Lo he ensayado mentalmente con una pistola y una navaja; no he sentido horror ni culpabilidad. Nada en absoluto. Y antes no era capaz de imaginarme ese crimen. De modo que quizá sea capaz de matarlos. Pero no se lo diré a Harvey. Simkin prosiguió—: En el juicio, usted probará que esa pareja sostiene unas relaciones adúlteras (él sigue casado) y que su hijita, la de usted, está expuesta a esas vergonzosas escenas. En sí misma, la intimidad sexual no es condenatoria. Un tribunal de Illinois le dio la custodia de sus hijos a una fulana profesional porque, aparte de la vida que llevaba, había apartado siempre a sus criaturas de los lugares donde ella ejercía su profesión. Créame, los tribunales no esperan acabar con la revolución sexual de nuestra época.

Herzog escuchaba mientras miraba con gesto duro por la ventana. Trataba de aliviar los espasmos de su estómago y las extrañas sensaciones que le angustiaban el corazón. El teléfono parecía recoger el sonido rítmico, fino y rápido de los latidos de su corazón. Quizá fuera solo un reflejo nervioso de sus tímpanos. Era como si le temblasen las membranas.

—Comprenda usted —insistió Simkin— que todos los periódicos de Chicago hablarían del caso.

—Yo nada tengo que perder. Se puede decir que en Chicago me han olvidado. El escándalo perjudicaría a Gersbach, a mí no —dijo Herzog.

—¿Y de qué modo podría afectarle a él?

—Muy sencillo. Gersbach está en todos los sitios de Chicago y cultiva allí a todas las personas importantes: clérigos, profesores, periodistas, gente de televisión, jueces federales, ilustres damas... Ahora organiza nuevas combinaciones en la tele. Por ejemplo, mete en un mismo programa a Paul Tillich, Malcolm X y Hedda Hopper.

—Yo creía que ese tipo era un poeta y un locutor de radio. Ahora parece más bien uno de los mandamases de la televisión.

—Es un poeta que comunica a las masas.

—No comprendo lo que trae entre manos este Gersbach.

—Yo se lo explicaré a usted. Es como un agente para la popularidad de los demás, un mánager de las élites. Da la sensación, a las personas más diversas, de que tiene precisamente lo que ellos andan buscando para brillar y ser aún más conocidos. Él ofrece sutileza a los sutiles. Calor a los ardientes. Dureza a los duros. Hipocresía a los maleantes. Atrocidad a los atroces. Cualquier cosa que apetezca un corazón, él la tiene. Es un plasma emotivo que puede circular en cualquier sistema.

Simkin quedó encantado con esa inspirada oratoria. Herzog estaba seguro de ello. Incluso se daba cuenta de que el abogado le estaba «dando cuerda». Pero esta convicción no lo desanimó. Y prosiguió:

—He procurado verlo como un tipo concreto y bien definido. ¿Es un Iván el Terrible? ¿O es un Rasputín? ¿O quizá podría ser algo así como el Cagliostro del pobre? ¿Es un político, un orador, un rapsoda? ¿Podría ser como un *shaman* siberiano? Por cierto, estos suelen ser andróginos, maricas...

—¿Quiere usted decir que todos esos filósofos que se ha pasado usted tantos años estudiando quedan todos ellos anulados por un Valentín Gersbach? —dijo Simkin—. ¿Tantos años estudiando a Spinoza, a Hegel...?

—Me toma usted el pelo.

—Lo siento, Herzog, no era un buen chiste.

—No me importa. Además, yo no puedo responder por los filósofos. Quizá la filosofía del poder, Thomas Hobbes, pueda analizar a ese hombre. Pero cuando pienso en Valentín, en modo alguno pienso en la filosofía sino en los libros que yo me trazaba de muchacho, los libros donde se habla de las revoluciones francesa y rusa. Y en películas mudas como la *Mme. Sans Gêne*, de Gloria Swanson. O en Emil Jannings como general zarista. Veo las masas asaltando palacios e iglesias y saqueando Versalles, pateando en desiertos de crema o echándose el vino por las pecheras y vestidos de terciopelo púrpura, apoderándose de coronas, mitras y cruces...

Cuando hablaba así, Herzog lo sabía muy bien, se veía otra vez dominado por aquella fuerza excéntrica y peligrosa que otras veces se había apoderado de él. Ahora se sentía incapaz de contenerse y soltaba brillantes parrafadas. Pero le parecía que en cualquier momento podía oír un «crack» y saltar hecho pedazos. Tenía que interrumpir esto. Oía a Simkin riéndose bajito y sin parar y, probablemente, tendría la palma de una mano apoyada sobre su gordo pecho y le habrían salido unas arruguitas satíricas en torno a sus ojos y a sus peludas orejas.

—El resultado de la emancipación es la locura. Y la libertad ilimitada para elegir y representar una tremenda variedad de papeles, con una gran cantidad de energía en bruto...

—Estoy seguro de que usted no se identifica en serio con Versalles ni con el Kremlin ni, en general, con el Antiguo Régimen, ¿verdad? —dijo Simkin.

—No, no, claro que no. Solo son metáforas, y probablemente no son buenas. Solo he querido dar a entender que Gersbach lo prueba todo. Por ejemplo, ya que me quitó mi mujer, ¿por qué tenía, además, que sufrir en lugar mío mi agonía? ¿Por qué hasta eso lo hacía mejor que yo? Y si es una figura excepcional de amante trágico, ¿para qué tiene además que hacerse pasar por el mejor de los padres y el más cariñoso de los maridos? Su esposa asegura que Valentín es un marido ideal. Su única queja era, cuando yo los trataba, que estaba encima de ella todas las noches sin faltar una, y ella, la pobrecilla, no podía estar siempre vibrando.

—¿A quién se quejaba?

—Pues a su mejor amiga, por supuesto. A Madeleine. ¿A qué otra persona iba a decirle semejantes intimidades? La verdad es que Valentín es un buen padre de familia junto con todo lo demás que es. Solo él se daba cuenta de cómo debía de estar yo separado de mi hijita, y me escribía todas las semanas hablándome de ella. Estos informes eran muy fieles y puntuales. Emanaba de ellos un sincero cariño. Hasta que supe que era precisamente él quien me estaba causando el dolor del que él mismo me consolaba con sus cartas.

—¿Qué hizo usted entonces?

—Lo busqué por todo Chicago. Por último, le envié un telegrama desde el aeropuerto del que me iba. Quería haberle dicho que lo mataría en cuanto le echara la vista encima. Pero la Western Union no acepta esa clase de mensajes. De modo que le telegrafié las palabras *Dirt Enters At The Heart (El polvo penetra en el corazón)* cuyas iniciales forman la palabra DEATH (Muerte).

—Estoy seguro de que esa amenaza lo sacó de quicio.

—No sé —siguió telefoneando Herzog sin sonreír—. Es supersticioso. Como dije, es un buen padre de familia. En su casa es el que hace todos los trabajos prácticos. Compra la ropa a los niños y va a Hillman's para hacer otras adquisiciones. Lleva su bolsa de la compra. Además, es un deportista, y, según él mismo dice, fue campeón de boxeo cuando estudiaba en Oneonta, a pesar de su pierna de palo. Con los jugadores de pinacle, juega al pinacle; con los rabíes, es Martín Buber, y cuando está con los de la Sociedad de Madrigales de Hyde Park, canta madrigales.

—Bueno —dijo Simkin—, en resumen, es un psicópata en ciernes, jactancioso y exhibicionista. Un caso clínico. Es un tipo judío inconfundible. Uno de esos tipos alborotadores con una voz estentórea. Y, ¿qué coche usa ese poeta promotor?

—Un Lincoln Continental.

—¡Vaya, vaya!

—Pero en cuanto cierra, de un golpe, la portezuela de su Continental, empieza a hablar como Carlos Marx. Le oí en el Auditórium. Hablaba ante un público de dos mil personas. Era un coloquio sobre el antisegregacionismo, y Gersbach estuvo atacando a la sociedad rica. Eso es lo que suele ocurrir. Si tiene usted un buen sueldo y un retiro asegurado y, por qué no, algún dinerito en acciones, ¿por qué no ser también muy avanzado en política? La gente ilustrada se apropia de lo mejor que puede hallar en los libros y se mete dentro de ellos lo mismo que algunos cangrejos se embellecen con las algas marinas. Y luego, Gersbach contaba con aquel público cómodo de comerciantes y profesionales que solo se preocupaban de sus asuntos y negocios pero que nada sabían de todo lo demás e iban a escuchar a los conferenciantes para aprender algo y les impresionaba oírlos expresarse con fogosidad y confianza. Gersbach, agitando la cabeza como una llamarada, con una voz resonante como una bolera y la pierna de palo batiendo el suelo de madera, entusiasmaba a aquellas gentes... Para mí, ese hombre es una rareza, una cosa sorprendente, algo así como un niño mongólico cantando *Aida*. Pero para aquel público...

—Está usted perdiendo el tino, Herzog —le interrumpió Simkin—. ¿Por qué demonios empieza usted ahora a hablar de ópera? Tal como lo describe usted, veo claramente que ese tipo es una especie de actor, y, en cuanto a Madeleine, de sobra sé que es una actriz. Eso lo he comprobado desde hace mucho tiempo. Pero, tómelo con calma, amigo. No le conviene a usted exaltarse. Se come usted vivo.

Moses se había callado y cerró los ojos unos momentos. Luego dijo:

—Quizá sea cierto...

—Espere, Herzog, creo que ha llegado mi cliente.

—No se preocupe usted, no le entretendré más. Deme usted el número de su primo y ya le veré a usted luego.

—Sí, este asunto no puede demorarse.

—No; tengo que tomar una decisión hoy mismo.

—Bueno, procuraré sacar un poco de tiempo para que charlemos.

—Con quince minutos me basta —dijo Herzog—. Prepararé todas mis preguntas.

Mientras Herzog apuntaba el número de Wachsel, pensaba que quizá, lo mejor que podía hacer era dejar de pedirle a la gente consejo y ayuda. Quizá cambiasen las cosas cuando él aprendiera a valerse por sí mismo. Volvió a copiar, más claramente esta vez, el número de Wachsel. Aún no había colgado, ni el abogado tampoco y oyó cómo le gritaba Simkin a su cliente.

Por fin, colgó. Se desabrochó la camisa y la dejó caer al suelo. Luego, dejó correr el agua del fregadero y se lavó. Cerró el grifo del agua caliente y notó cómo se enfriaba el agua del lavabo. Se la echó sobre la cabeza y el cuello. Sus intensos pensamientos y sentimientos le hacían temblar.

Irguió su chorreante cabeza y se la secó con la toalla. Sacudió la cabeza para recobrar en lo posible la calma. Mientras lo hacía, pensó que esto de ir al cuarto de baño para rehacerse, era una de sus costumbres. Solía pensar que en este sitio se hallaba más seguro de sí mismo. Recordaba que, durante unas semanas, en Ludeyville, le pedía a Madeleine que se dejase hacer el amor en el suelo del cuarto de baño. Ella accedía pero Herzog se daba cuenta de que estaba furiosa cuando se tendía en el suelo de losetas. De aquello podrían haberse beneficiado mucho las relaciones entre ambos. En estas ocurrencias se emplea el poderoso intelecto humano cuando no tiene nada que hacer. Y ahora recordaba cómo caía la lluvia de noviembre sobre su casa, a medio pintar, de Ludeyville. Los cazadores disparaban en el bosque a los ciervos —bang, bang, bang—, regresando a casa cargados con los animales muertos. Mientras, Herzog sabía que su yacente esposa lo estaba maldiciendo de todo corazón. Él trataba de darle un aire cómico a su lujuria, para hacer ver lo absurdo que era aquel ejercicio erótico, la forma más condenable de lucha humana, esencia de la esclavitud.

Entonces, de pronto, recordó Moses algo completamente distinto que había ocurrido un mes después, en la casa de Gersbach en las afueras de Barrington. Gersbach estaba encendiendo las velas de la Chanukah para su hijito, Ephraim, farfullando la bendición hebrea y luego bailando con el chico. Ephraim estaba ya preparado para acostarse, y Valentín, vigoroso y saltarín, sin que su defecto físico le restase agilidad (ese era su gran atractivo: estar mutilado y no hacer caso alguno de este defecto, pues nunca se mostraba abatido por ser cojo), bailaba, daba patadas, batía las manos y movía la vistosa cabellera toscamente pelada por detrás. Saltaba y miraba a su hijito con fanática ternura. Sus ojos, oscuros y ardientes, lanzaban destellos. Cuando miraba así, parecía concentrársele en los ojos todo el color de su cara. Pude haber comprendido entonces, al ver las miradas que le dirigía Mady y su espontánea risa, mientras él jadeaba de entusiasmo... Era una mirada honda. Está enamorada de ese farsante. Y Herzog, pensando en esto, se llamó a sí mismo «grotesco», impulsivamente y con dolor.

Mientras se ponía la camisa, hizo planes para ver a su hijo el día de los Padres. El autobús para Catskill salía del West Side a las siete de la tarde y hacía el viaje en menos de tres horas. Recordó que dos años antes había estado dando vueltas por el polvoriento campo de juego junto a otros padres y niños; recordó también las bastas tablas de los barracones, las cansadas cabras, los arbustos pelados, y los espaguetis servidos en platos de papel. Hacia la una estaría ya cansadísimo y el tiempo de espera hasta que llegaba el autobús, resultaba pesado, pero debía hacer por Marco todo lo que dependiese de él. En cuanto a Daisy, esta visita suya le ahorraría hacer uno de los viajes. También ella había tenido dificultades, pues su vieja madre se había vuelto senil. Herzog lo sabía por varias fuentes y le afectaba que su ex suegra, tan guapa, dominantona y tan «mujer moderna» (era sufragista), con sus lentes y su abundante cabello cano, estuviese ya chocheando. A la vieja se le había metido en la cabeza que Moses se había divorciado de Daisy porque esta era una fulana —se inventaba ella— con carnet amarillo y todo. Polina, completamente despistada, se había hecho rusa de nuevo. Había pasado cincuenta años en Zanesville, Ohio, cuando le suplicó a Daisy que «no fuese más con hombres». Daisy tuvo que oír esto todas las mañanas después de llevar el niño al colegio y cuando se disponía para salir a trabajar. Daisy era muy consciente y trabajadora, y con un gran sentido de la responsabilidad. Estaba empleada en el tinglado de los sondeos Gallup. Para que Marco tuviese una buena infancia, se esforzó para que la vida en la casa resultara alegre, pero ella no servía para eso, y los loros, las plantas, los peces dorados y las reproducciones llamativas de Braque y Klee —cuadros del Museo de Arte Moderno— parecían aumentar su tristeza. Tampoco logró vencer su pena con las costuras de las medias siempre en su sitio justo, su limpieza y el cuidado que ponía en arreglarse las cejas con el lápiz para dar a sus ojos una expresión más animada. De nada le servía arreglarse. Después de limpiar la jaula de los pájaros, de alimentar a estos y regar las plantas, tenía aún que ocuparse de las manías de su anciana madre. Y Polina le rogaba incesantemente que renunciase a su «vida vergonzosa». Para ella, si Herzog se había divorciado, solo pudo ser por eso. Primero se lo ordenaba. Pero luego le suplicaba humildemente. «Por favor, Daisy, te lo ruego, no vayas más con hombres.» Y por último, se arrodillaba —con gran dificultad— y se lo pedía de rodillas. Era una vieja de anchas caderas, con unas trenzas blancas colgándole, una cara alargada y fina y con mucha delicadeza femenina aún en sus facciones. Los lentes le colgaban de un cordón de seda. «No puedes seguir así, hija mía.»

Daisy intentaba levantarla del suelo.

—Muy bien, mamá, te lo prometo.

—Sé que te esperan los hombres en la calle.

—No, no, mamá.

—Sí, hombres, lo sé muy bien. Esta es una desgracia social de nuestra época. Tienes que dejar de hacer esas cosas. Si continúas así, tendrá que volver Moses.

—Muy bien, mamá, pero levántate. Mamá, te prometo que dejaré ese oficio.

—Hay otras maneras de ganarse la vida, hija mía. Por favor, Daisy, te suplico que dejes eso.

—Nunca más lo haré, mamá. Ven, siéntate aquí.

Temblorosa y torpe de movimientos, con sus deformadas caderas y débiles rodillas, Polina se levantaba del suelo y, guiada por su hija, se instalaba de nuevo en su silla.

—Los rechazaré a todos, mamá... —decía Daisy—. Ven, mamá, te pondré la televisión. ¿Quieres ver lo de cocina? ¿Dione Lucas o el Club del Desayuno?

El sol cruzaba las persianas. Las tembloteantes imágenes de la pequeña pantalla parecían amarillentas. Y la gris y gentil Polina, aquella vieja de rectos principios, se ponía a hacer punto delante de la televisión.

Iban a visitarla las vecinas. La prima Asya llegaba desde el Bronx de vez en cuando. Los jueves estaba allí la asistenta. Pero Polina, que tenía ya ochenta años, tuvo que ser recluida en un asilo de ancianos en Long Island. ¡Así terminan los más enérgicos caracteres!

Oh, Daisy, cuánto lamento que tu pobre madre...

Una desgracia tras otra, pensó Herzog. Le escocían las mejillas después de afeitarse y se las frotó con loción para el afeitado, secándose luego los dedos en los faldones de su camisa. Se puso la corbata, la chaqueta y el sombrero y salió a toda prisa por las sombrías escaleras hasta la calle. El ascensor era demasiado lento. Pronto encontró un taxi. El chófer, un puertorriqueño, se estaba arreglando su fino pelo negro con un peine de bolsillo.

Moses se dio cuenta de que no se había puesto la corbata y lo hizo cuando ya estuvo sentado en el asiento trasero.

El taxista se volvió y lo observó descaradamente.

—¿Adónde vamos?

—A la Audiencia.

El taxi arrancó en dirección hacia Broadway. El taxista le observaba por el espejo retrovisor. Herzog se inclinó hacia delante y descifró el nombre que había sobre el taxímetro: «Teodoro Valdepeñas».

—Esta misma mañana a primera hora —dijo Valdepeñas— me pareció ver en la avenida Lexington un tipo vestido como usted, exactamente con esa misma clase de chaqueta, que no se despinta. Y el sombrero.

—¿Le vio usted la cara?

—No... la cara no se la vi. —El taxi recorría Broadway y se dirigió a buena velocidad hacia Wall Street.

—Y, ¿en qué sitio de Lexington?

—Hacia los sesentas.

—¿Qué hacía ese tipo?

—Pues besaba a una fulana vestida de rojo. Por eso no pude verle la cara. ¡Amigo, cómo la besaba! ¿Era usted?

—Debo de haber sido yo.

—¿Qué me dice usted de eso? ¿Es casualidad o no es casualidad? —Valdepeñas dio unos golpecitos de entusiasmo con la palma de la mano izquierda sobre el volante—. Pues, sí, señor, es un caso entre millones de ellos. Subió a mi taxi un fulano de La Guardia y lo dejé en el setenta y dos de Lexington. Entonces le veo a usted comiéndose a besos a una fulana y, dos horas después, vuelve usted a tomar mi taxi.

—Eso es tan raro como pescar el pez que se tragó el anillo de la reina.

Valdepeñas se volvió levemente para observar a Herzog por encima del hombro.

—Pues aquella mujer estaba estupenda, sí señor. ¿Era su esposa?

—No. No estoy casado. Y ella tampoco.

—Pues hace usted pero que muy bien, sí señor. Ya que está uno puesto en marcha, por qué pararse. Créame, yo nunca ando ya con jovencitas. A mí deme usted una mujer de treinta y cinco años. A esa edad empiezan ya a ser sensatas.

Es el mejor género, se lo digo yo... ¿Adónde me dijo usted que iba?

—A los tribunales.

—¿Es usted un abogado? ¿O acaso un poli?

—¿Cómo quiere usted que sea un policía llevando esta chaqueta?

—Hombre, los polis de la secreta se ponen lo que les gusta. Yo no me meto en cómo se arreglan. Allá cada uno. Escuche, el mes pasado me entusiasmé con una muchacha. Cuando llegó el momento, se tumbó en la cama y se puso a leer una revista y a mascar chicle. Me dijo: «Anda ya, hazme algo». Yo me enfadé. «Mira rica, Teddy está aquí contigo. Sobran las revistas y el chicle.» La chica dijo: «Muy bien, a ver si terminamos de una vez». ¿Qué le parece a usted? ¿Acaso es así como debe portarse una mujer con un hombre? Me enfadé y le reñí: «Escúchame bien, criatura, yo me doy prisa cuando llevo a los clientes en el cacharro pero aquí lo que quiero es mucha tranquilidad. Tendría que partirte los dientes por hablar así».

Herzog se rió ante aquella manera de hablar.

—De modo que hace usted muy bien escogiéndolas mayorcitas —dijo Valdepeñas—. Porque no es usted un chico.

—No, no lo soy.

—Una mujer de más de cuarenta años sabe apreciar esas cosas. —Detuvo el coche. Un tipo sin afeitar, de mandíbulas fuertes y arrogantes, esperaba con un trapo sucio en la mano para limpiar los parabrisas de los coches que pasaban, y luego tendía la mano en espera de una propina—. Mire usted cómo opera ese aquí —dijo Valdepeñas—. He visto cómo escupen en los coches esos vagos del Bowery. Que no se atreva a tocar mi taxi. ¡Aquí tengo algo con que romperte la cabeza! —le gritó.

Sobre Broadway caía la pesada sombra del verano. Despachos de segunda mano y sillas giratorias, así como viejos archivadores verdes... se veían por las ventanas abiertas... Y penetraron por el Nueva York financiero, imponente y sin sol. Un poco más allá estaba Trinity Church. Herzog recordó que le había prometido a Marco llevarle a ver la tumba de Alexander Hamilton.

Valdepeñas hablaba aún cuando Herzog le pagó. Ya no escuchaba al taxista. Se despidieron como antiguos conocidos.

—Hasta que nos veamos otra vez, Valdepeñas.

Herzog se volvió para contemplar el edificio, tan grande y viejo, de los tribunales. El viento formaba remolinos de polvo sobre las anchas escaleras. Al subir por ellas, Herzog encontró un ramito de violetas, que había tirado una mujer. Quizá una recién casada. Quedaba en las flores un poco de perfume que a él le hizo recordar a Massachussets, a Ludeyville. Por entonces estarían ya abiertas las peonías y las celindas estarían fragantes. Madeleine solía echar en el váter un desodorante de lilas. Estas violetas le olían ahora a lágrimas de mujer. Las tiró a un cubo de basura, con la esperanza de que no las hubiese arrojado antes una mano desengañada. Por la puerta giratoria, pasó al vestíbulo y buscó en el pequeño bolsillo de su camisa el papelito doblado donde tenía apuntado el número del teléfono de Wachsel. Aún era temprano para llamarle.

Sobrado de tiempo, Herzog vagó por los enormes y oscuros corredores del piso de arriba donde unas puertas giratorias acolchadas y con pequeñas ventanillas ovaladas daban paso a las salas de los tribunales. Miró por una de estas: los anchos asientos de caoba parecían cómodos. Entró, quitándose respetuosamente el sombrero y haciendo una inclinación de cabeza al magistrado que no le hizo caso alguno. El juez, ancho y calvo, todo él voz resonante, apoyaba un puño sobre unos documentos. La sala, de adornado techo, era inmensa, y las paredes, sombrías. Cuando uno de los policías abría la puerta que había detrás del banquillo, se veían los barrotes de las celdas que había en la misma Audiencia. Herzog cruzó las piernas (con un cierto buen estilo, pues Herzog no dejaba de ser elegante ni siquiera cuando se rascaba) y miraba con ojos sombríos, atento a lo que ocurría en la sala, ladeando levemente la cara al disponerse a escuchar, tendencia que había heredado de su madre.

Al principio no parecía estar ocurriendo en la sala nada interesante. Un pequeño grupo de abogados y clientes hablaban, como si nada tuviese mucha importancia, sobre los asuntos pendientes, y quedaban de acuerdo en los detalles. Elevando su voz, el magistrado interrumpió a los que hablaban.

—Un momento, por favor. ¿Dice usted que...?

—Dice que...

—Quiero oír lo que está diciendo este hombre... ¿De modo que decía usted...?

—No, señor, no he dicho nada.

—¿Qué ha querido usted decir antes? Abogado defensor, ¿qué ha pretendido decir su cliente?

—Mi cliente alega, señor, que es inocente.

—Yo no...

—Señor juez —dijo la voz de un negro, sin insistencia—, lo hizo él.

—... arrastró a este hombre, borracho, en la avenida de St. Nicholas hasta el sótano... ¿cuál es la dirección exacta...? con la intención de robarle. —Esta era la voz de bajo del magistrado, leyendo, que dominaba a los murmullos de la sala. Tenía un abierto acento neoyorquino.

Desde su sitio, en la parte de atrás de la reservada al público, Herzog distinguía ahora al acusado en aquel juicio. Era un negro con sucios pantalones marrones. Parecían temblarle las piernas con energía nerviosa. Parecía estar a punto de arrancar en una carrera. Estaba un poco arqueado, con sus anchos pantalones cacao, como a punto de lanzarse desde la línea de partida. Pero a unos tres metros de él estaban las brillantes barras de la celda. El demandante llevaba la cabeza vendada.

—¿Cuánto dinero tenía usted en los bolsillos?

—Sesenta y ocho centavos, señoría —dijo el vendado.

—Y, ¿le obligó a usted a entrar en el sótano?

El acusado dijo:

—No, señor.

—No le he preguntado a usted. Estese con la boca cerrada. —El magistrado estaba fastidiado.

El herido volvió la cabeza vendada. Herzog vio un rostro negro, seco, de anciano, y los ojos enrojecidos.

—No, señor, es que me dijo que me daría de beber.

—¿Le conocía usted?

—No, señor, pero me dio de beber.

—Y, ¿fue usted con este desconocido al sótano... en la dirección indicada? Alguacil, ¿dónde están esos papeles? ¿Qué ocurrió en ese sótano? —Estudió los papeles que le había pasado el alguacil.

—Ese hombre me pegó, señoría.

—¿Sin advertencia alguna? ¿Dónde se había situado? ¿Detrás de usted?

—No pude darme cuenta. Me empezó a brotar la sangre, que me tapó los ojos. No podía ver.

Las tensas piernas del acusado ansiaban la libertad. Estaban dispuestas a salir corriendo.

—Y, ¿le quitó los sesenta y ocho centavos?

—Lo agarré y empecé a chillar. Entonces, me dio otro golpe.

—¿Con qué golpeó usted a este hombre? —preguntó el magistrado al acusado.

—Señoría —dijo el abogado—, mi cliente niega haberlo golpeado. Son conocidos. Habían estado bebiendo juntos.

El negro vendado, con la cara enmarcada por las vendas, labios muy gruesos y los ojos enrojecidos, se quedó mirando al abogado y dijo:

—No lo conozco de nada.

—Cualquiera de esos golpes podía haberlo matado —dijo el juez.

—Asalto con intento de robo —oyó Herzog. Y el juez añadió—: Por otra parte, doy por cierto que el demandante estaba borracho.

Es decir, el hombre vendado estaba bien empapado en whisky cuando se había caído encima del polvo de carbón. El criminal se preparó para salir de la sala. Sus pantalones voluminosos y ridículos encerraban la misma tensión de corredor reprimido. El policía que le acompañaba parecía casi amable mientras lo llevaba a la celda. Tenía la cara grasienta, como hinchada. Mantuvo la puerta abierta y lo hizo pasar dándole una palmadita en la espalda.

Un nuevo grupo se hallaba ante el juez. Un policía secreta testificaba: «A las siete treinta y ocho de la tarde, en un urinario de la Gran Central Station... este hombre (y aquí el nombre) se hallaba en el nivel inferior de "caballeros" y, de pie en el espacio adyacente tendió la mano y la colocó sobre mi órgano sexual. Al mismo tiempo, dijo...». Este detective estaba especializado en lavabos masculinos y era una especie de cebo. Por la rapidez y tono experto del testimonio, se notaba que era rutinario. «Por tanto, lo detuve por ofensa pública a la moral.» Antes de que el policía hubiese terminado de citar las ordenanzas por su correspondiente número, el juez iba diciendo: «¿Culpable... inocente?».

El acusado era un joven extranjero, alto —un alemán—, que llevaba una larga chaqueta de cuero muy apretada con un cinturón y la cabeza llena de rizos. Tenía colorada la frente. Resultó ser un interno de un hospital de Brooklyn. En este caso sorprendió el juez a Herzog, el cual lo había tomado por uno de esos bastos y vulgares magistrados políticos ignorantes y malhumorados, siempre dispuestos a convertirse en espectáculo para los desocupados del público (y esta vez, para Herzog, entre ellos). Pero, tirándose con las dos manos del cuello de su negra túnica, demostrando con este gesto —pensó Herzog— que deseaba que se callase el abogado del acusado, dijo:

—Es preferible que advierta usted a su cliente que, si se declara culpable, no volverá a practicar la Medicina en Estados Unidos.

Aquella masa de carne que surgía de la abertura de la toga

del magistrado, aquella cara casi sin ojos, o con ojos de ballena, era, al fin y al cabo, una cabeza humana. La voz hueca e ignorante, era también una voz humana. No se destruye la carrera de un hombre porque haya cedido a un impulso en esa apestosa caverna bajo el Gran Central, esa cloaca de la ciudad donde ninguna mente humana puede hallarse segura de su estabilidad y donde unos policías tientan y atrapan a unos desgraciados. En su conversación con él sobre temas sexuales, el chófer Valdepeñas le había recordado que los policías andaban por ahí vestidos de mujer para atraer a pervertidos sexuales y detenerlos. Y si podían hacer esto, ¡vaya usted a saber de qué más serían capaces! Las facultades de invención de la policía... Herzog era decididamente contrario a este perverso desarrollo de la coacción legal. Las prácticas sexuales, fueran de la clase que fuesen, eran un asunto privado, con tal de que no afectasen al orden público y, sobre todo, que no se ejerciesen con niños. Esta excepción de los niños, era fundamental para Herzog. Nunca con niños. En eso había que ser inflexibles.

Mientras, observaba con la mayor atención. Proseguía el caso del médico interno y luego aparecieron ante el juez las personas implicadas en un intento de robo. El acusado era un muchacho de rostro curiosamente arrugado y si algunos de sus rasgos eran feminoides, otros en cambio resultaban lo bastante masculinos. Llevaba una camisa verde manchada. Su larga cabellera teñida era estropajosa y sucia. Tenía los ojos claros y redondos. Sonreía con una alegría vacía; no, peor que vacía. Su voz, cuando respondía a las preguntas, resultaba chillona, fría como el hielo, y afectadísima.

—¿Nombre?

—¿Qué nombre, señoría?

—El nombre que tiene usted.

—¿Mi nombre de chico o el de chica?

—Ah, ya comprendo... —El magistrado, dándose cuenta de lo que podía esperar de aquel caso, recorrió el público con una mirada. *Escucha bien esto, que va a ser un espectáculo*. Moses se inclinó hacia delante.

—Bueno —dijo el juez—, ¿qué es usted, un muchacho o una chica?

—Depende de para qué me quieren. Unos necesitan un chico y otros una chica.

—¿Qué es lo que quieren?

—Sexo, señoría.

—Y, ¿cuál es su nombre de muchacho?

—Aleck, señoría. Y también soy Alice, según los casos.

—¿Dónde trabaja usted?

—Por la Tercera Avenida, en los bares. Solo tengo que sentarme y esperar.

—¿Así se gana usted la vida?

—Es que soy una prostituta, su señoría.

El público, los policías y los abogados contenían la risa y al propio juez le divertía extraordinariamente aquella escena. Solo había una persona que permanecía muy seria: una mujerona de fuertes brazos al aire, que estaba en pie.

—¿No le convendría a usted más, para su asunto, lavarse?

—Con la porquería resulta mejor, juez. —La helada voz de soprano había respondido rápida y agudamente. El magistrado parecía muy satisfecho. Tendió sus grandes manos, juntando las palmas y preguntó—: Bueno, ¿de qué se le acusa?

—Intento de atraco, con una pistola de juguete, en una tienda de la calle Catorce llamada Notions and Drygoods. Le dijo a la cajera que le entregase el dinero y ella lo golpeó y desarmó.

—¡Una pistola de juguete! ¿Dónde está la cajera?

Era la mujerona de los fuertes brazos. Su expresión era de una seriedad tan exagerada que resultaba cómica. Tenía la nariz respingona y la cabeza llena de ricitos canosos.

—Soy yo, señoría. Marie Poont.

—¿Marie? Es usted una mujer valiente —dijo el juez— y toma usted las decisiones con rapidez. Cuénteme lo que sucedió.

—Pues verá usted. Ese, metiéndose la mano en el bolsillo,

hacía como si tuviera ahí una pistola de verdad, para asustarme, y me tendió un saco para que se lo llenara de dinero.

—Un espíritu fuerte y sencillo, pensó Herzog—. Enseguida comprendí que era un truco y que no tenía pistola de verdad.

—¿Qué hizo usted?

—En la tienda tenía a mano un bate de béisbol, señoría. En la tienda se venden. Entonces cogí uno y le di un golpe en el brazo.

—¡Hizo usted muy bien! ¿Fue eso lo que ocurrió, Aleck?

—Sí, señor —respondió el marica con su voz clara y aguda. Herzog intentó adivinar el secreto de esta especie de alegría. Este Aleck parecía estarle devolviendo al mundo comedia por comedia, chiste por chiste. Con su pelo teñido, como de lana de cordero, y sus ojos redondos, con restos aún de maquillaje, los ajustados y provocativos pantalones y con algo ovejuno incluso en su vengativa alegría, era un actor ideal. Con su perversa fantasía, desafiaba a una mala realidad como si quisiera decirle al magistrado: «La autoridad de usted y mi degeneración vienen a ser una sola y misma cosa». Sí, debía de ser algo así, decidió Herzog. Sandor Himmelstein afirmaba con rabia que todo ser humano es una puta. Desde luego, el magistrado no se había ofrecido, al pie de la letra, a nadie, pero debía de haber hecho todo lo necesario, dentro de la estructura del poder, para que lo nombrasen juez. Y nada había en él que permitiese negar esas acusaciones. Su rostro revelaba una falta absoluta de ilusiones sin necesidad de hipocresía. En cambio, aquel teñido y perseguido Aleck, que también tenía sus ideas...

A este Aleck le perjudicaba su ficha de narcóticos. Era de esperar. Necesitaba el dinero para comprar sus raciones.

—Y eso fue lo que ocurrió, señoría —dijo Aleck—. Antes de empezar, estuve a punto de renunciar porque me asustó esta señora. Yo sabía muy bien que podía darme un disgusto. De todos modos, lo intenté.

Marie Poont solo hablaba cuando la invitaban a ello. Tenía la cabeza inclinada hacia delante.

El juez dijo:

—Aleck, le condeno a usted de cuatro a cinco años.

¡A la tumba, Aleck! ¿Qué te parece, Aleck? ¿Aprenderás a ser una persona seria? ¿Y qué podía esperar de un cambio de vida? Ahora volvía a la celda y se despidió con grandes alardes de amabilidad: «¡Adiós, adiós a todos; bai-bai!» con su voz chillona y helada. Le empujaron.

El magistrado movía la cabeza. Estos maricas, ¡qué gente! Sacó un pañuelo y se secó el sudor levantando la cara. En ella le dieron las luces de la sala. Sonreía. Marie Poont seguía esperando y él le dijo:

—Gracias, señorita, puede usted marcharse.

Herzog descubrió que había estado sentado con las piernas elegantemente cruzadas, apoyado en el muslo el doblado borde ovalado de su sombrero, con su chaqueta a rayas abrochada y tirante por su posición forzada. Había estado contemplándolo todo con su mirada inteligente, agradable y simpática, y recordaba la cancioncilla: «Hay moscas en mí, hay moscas en ti, pero no hay moscas en Jesús». Este, que parecía tan extraordinario y humano, quedaría fuera de la jurisdicción policíaca, inmune a todas las formas inferiores de sufrimiento y castigo. Herzog cambió de postura en el banco y se metió la mano en un bolsillo del pantalón. ¿Tendría una moneda para telefonear? Ya era hora de que llamase a Wachsel. Pero no pudo alcanzar las monedas (¿acaso estaba más gordo?) y se puso en pie. En cuanto estuvo de pie, se dio cuenta de que le pasaba algo. Sintió como si algo terrible, como una súbita inflamación, se le hubiera metido en la circulación de su sangre y le picase y quemase en las venas, en la cara, en el corazón. Sabía que se había puesto muy pálido y le latía violentamente la cabeza. Vio que el magistrado se quedaba mirándole, como si creyese que Herzog debía hacerle una inclinación de cabeza al salir de la sala... Pero él le volvió la espalda y salió a toda prisa al corredor, empujando las puertas basculantes. Se abrió el cuello de la camisa, después de luchar con el botón de su camisa nueva, que estaba muy sujeto. Le corría el sudor por la cara. Al acercarse a la ventana abierta, ancha y alta, respiró profundamente. Tenía una verja de metal en su base y, a través de esta, pasaba una corriente de aire más fresco, y el polvo circulaba silenciosamente por los huecos de la persiana verdinegra. Algunos de los más queridos amigos de Herzog, por no citar su tío Arye, habían muerto al fallarles el corazón, y algunas veces había temido también Herzog que le diera un ataque. Pero no; en verdad, era muy sano y fuerte, y no... Pero ¿qué estaba diciendo? Terminó, sin embargo, la frase que había comenzado a pensar... no tenía esa buena suerte. Debía vivir. Había de cumplir su tarea en este mundo, fuera esta la que fuese.

Disminuyó el ardor que había sentido en el pecho. Fue como si tragase un buche de veneno. Ahora comprendía que ese veneno lo llevaba dentro. Estaba convencido de ello. Pero ¿qué lo producía? ¿Debía suponer que algo, que se hallaba dentro de él, estaba antes bien y ahora se le había estropeado? ¿O se trataba de algo que originariamente era malo? ¿Acaso era su propia maldad? Haber visto a unas personas en manos de la Ley, le había desquiciado. La frente enrojecida del médico interno, las piernas temblorosas del negro, le habían producido una horrible impresión. Pero también le escamaba su propia reacción. Había gente, como Simkin, por ejemplo, o el doctor Himmelstein, o el doctor Edvig, que suponían que Herzog era muy simplón, que sus sentimientos eran más bien infantiles. Y que, por ello, no había tenido que sufrir la pérdida de ciertos sentimientos, lo mismo que al ganso favorito se le perdona la vida. Sí, ¡un ganso favorito! Eso era él. Simkin parecía tenerle la misma compasión que a aquella sobrina suya, que era epiléptica y a la que Madeleine, según decía él, había insultado. Que lástima de jóvenes judías, pensó Herzog, educadas a base de piano y de labores de punto. Y hoy he venido aquí para entrar en contacto con un mundo diferente. Ese es, evidentemente, mi propósito.

He leído mi contrato pensando solo en lo que me convenía. Pero, de las partes contratantes, solo he sido la secundaria. Es evidente que sigo creyendo en Dios. Aunque nunca lo reconozco. Pero ¿qué otra cosa puede explicar mi conducta y mi vida? De modo que puedo reconocer cómo van las cosas aunque solo sea porque, de otro modo, yo mismo no puedo ser explicado. Mi conducta implica que hay una barrera contra la cual he estado empujando desde el principio, toda mi vida, con la convicción de que es necesario seguir empujando, y también convencido de que, con ello, acabaré logrando algo. Quizá llegue un momento en que podré pasar. Siempre debo de haber tenido esa idea. ¿Es eso fe? ¿O es, simplemente, infantilismo, la espera de que será uno recompensado si realiza bien la tarea que le señalan? Si busca uno la explicación psicológica, infantil y clásicamente depresiva, de ello se trata. Pero Herzog no creía que la explicación más tímida era precisamente la más verdadera. Los impulsos más ansiosos, el amor, el apasionamiento que enferma a un hombre, esa es la realidad. ¿Cuánto podré resistir esos empujones internos? El muro exterior de este cuerpo se vendrá abajo con esos empujones. Toda mi vida esforzándome por derribar esos límites y la fuerza de los anhelos reprimidos, vuelve con toda su fuerza como el aguijón cargado de veneno. ¡El mal, el mal, el mal...! Era el amor característico, excitado o extático, que se convierte en el mal.

Era natural que estuviese dolorido. Aunque solo fuese porque, a lo largo de su vida, les había pedido a tantas personas, empezando, naturalmente, por su madre, que le mintiesen. Las madres mienten a sus hijos porque estos se lo piden a su manera. Pero quizá se hubiera dejado impresionar su madre por la honda melancolía, su propia melancolía, que veía en él. Eran los suyos los ojos de toda su familia, ojos luminosos. Y aunque recordaba con amor el triste rostro de su madre, no estaba seguro, ni mucho menos, de haber deseado alguna vez que esa pena se perpetuase. Sí, era la pena de toda una raza, la actitud de esta respecto a la felicidad y a la muerte. Este sombrío caso humano, el de Herzog, este duro destino de sumisión al destino de ser humano, y este espléndido rostro suyo, tan sensible, llevaban grabadas las respuestas de los más finos nervios de su madre a la grandeza de la vida, rica en dolor y en muerte. Sí, era guapa, no se podía negar. Pero él, de niño, esperaba que eso cambiaría. Cuando llegamos a estar en mejores términos con la muerte, los seres humanos llevamos una expresión diferente. Cambiaremos de aspecto. Eso ocurrirá *cuando* nos hagamos a la idea.

Pero no hay que creer que ella mintiera siempre para que su hijo no sufriese. Herzog recordaba que una tarde, a última hora, lo llevó hasta la ventana de la fachada porque él le había hecho una pregunta sobre algo de la Biblia: cómo fue creado Adán del polvo del suelo. Yo tenía entonces seis o siete años. Y mi madre estaba a punto de darme la prueba de cómo había ocurrido aquello. Llevaba un vestido marrón y gris. Su cabello era espeso y negro, salpicado ya con mechones grises. Tenía algo que enseñarme por una ventana. La nieve de la calle reflejaba la luz, pero el día estaba oscuro. Las ventanas tenían unos marcos de color: ámbar, amarillo, rojo, e imperfecciones en los fríos cristales. Sarah Herzog abrió una mano y me dijo: «Fíjate bien, y sabrás de qué estaba hecho Adán». Frotó con un dedo la palma de esa mano, hasta que apareció algo que era oscuro sobre la piel de profundas arrugas, unas partículas que al niño le parecieron tierra. «¿Ves? Es verdad.» Ahora, ya un hombre muy mayor, en el presente, parado ante un gran ventanal que no tenía colores y que parecía una fantástica vela fuera de la sala del Magistrado, Herzog hizo lo mismo que había hecho ella. Frotó, sonriente, en la palma de la mano, y algo como aquella cosa oscura fue apareciendo en ella. Permanecía ahora mirando a través de la verja metálica. Quizá mi madre me ofreciese esta prueba, en parte, por un espíritu de comedia. Es el ingenio que solo se puede tener cuando se ve ya la muerte muy de cerca, cuando uno se da cuenta de lo que realmente es un ser humano.

Era la semana en que murió, también en invierno. Aquello ocurrió en Chicago, y Herzog tenía unos dieciséis años de edad, casi un jovencito ya. Fue en el West Side. Ella se estaba muriendo. Evidentemente, Moses no quería intervenir en las ceremonias. Era ya un librepensador. Ya conocía bien a Darwin, Haeckel y Spencer. Él y Zelig Koninski (¿qué habría sido de aquel joven dorado?) desdeñaban la biblioteca del barrio. Compraban gruesos libros de todas clases, por treinta y nueve centavos, en la librería Walgreen —*El mundo como voluntad y como representación*, *La decadencia de Occidente...*—. ¡Y tantas otras cosas! Herzog frunció las cejas en su esfuerzo por recordar. Papá trabajaba por las noches y dormía de día. Si lo despertaban se enfurecía. Pero poco a poco fue cambiando de trabajo y había instalado su oficina, con una mesa despacho de esas que tienen un cierre que se enrolla arriba. Se había hecho contratista y tenía su sector frente a la casa de putas de los negros, entre los trenes de carga. Se había afeitado el bigote. Entonces fue cuando mamá empezó a morirse. Yo estudiaba por las noches de invierno, en la cocina, *La decadencia de Occidente*. La mesa camilla estaba cubierta por un hule.

Fue un tremendo mes de enero. Las calles estaban cubiertas con una capa de hielo como el acero. La nieve se reflejaba en el helado suelo de los patios traseros, donde caía la sombra de los toscos porches de madera. Bajo la cocina estaba el cuarto de los hornos. Un negro que tenía la barba llena de pedacitos de carbón, se encargaba de encender la calefacción y su delantal era un basto saco. La pala raspaba en el cemento y luego sonaba al chocar contra la boca del horno. Luego se llevaba las cenizas en viejas cestas que habían servido para los melocotones. Yo solía rozarme con las lavanderas allá abajo, en el cuarto de los lavanderos. Pero Spengler me fascinaba con su *Decadencia de Occidente* y me sumergía y casi me ahogaba en sus siniestras visiones oceánicas. Primero estaba la Antigüedad, por la que suspira toda la humanidad, ¡la bella Grecia! Luego la Era Mágica y la Fáustica. Supe que yo, como judío, era un mago nato y que nosotros los magos habíamos tenido ya nuestra Edad de Oro, pasada para siempre. Por mucho que me esforzase, nunca comprendería al mundo cristiano ni al fáustico, que para siempre me serían ajenos. Disraeli *creyó* que podría comprender y dirigir a los ingleses, pero estaba totalmente equivocado. Lo mejor que podía yo hacer era resignarme y someterme al destino. Yo era judío y, por tanto, una reliquia, lo mismo que los lagartos son reliquias de una gran edad de reptiles. Vivimos en una época de agotamiento espiritual. Todos los antiguos sueños han sido ya soñados. Todo esto me irritaba; me hacía arder de indignación. Sí, yo también ardía como aquel horno del sótano, pero leía cada vez más, enfermo de tanta indignación.

Cuando levanté aquella noche la vista del denso texto y de su insidiosa pedantería y tenía ya el corazón infectado de ambición y corroído por los microbios de la venganza, entró mamá en la habitación. Había visto luz por debajo de mi puerta y había venido hasta allí cruzando toda la casa desde su habitación de enferma. Habían tenido que cortarle el cabello durante su enfermedad y eso daba un extraño aspecto a sus ojos. O, al contrario, lo cortos que tenía sus cabellos le hacía más fácil transmitirme sin palabras: *Hijo mío, esto es la muerte.*

Preferí no leer este texto en sus ojos.

—Vi la luz —me dijo—. ¿Qué estás haciendo tan tarde?

Pero los moribundos solo disponen de determinadas horas para sus cosas. Solo me compadeció, a mí que iba a ser enseguida su huérfano, y comprendió que yo era un gesticulador, un ambicioso, un tonto; la pobre pensaba que me gastaría la vista y las energías que debía reservar para un cierto día en que se me exigirían cuentas.

Pocos días después, cuando ya no podía hablar, aún intentaba consolar a Moses. Lo mismo que cuando, allá en Montreal, él sabía que su madre estaba ya sin respiración de tanto tirar del trineo y sin embargo no se levantaba para quitarle ese peso. Moses entró en su habitación cuando ya se estaba muriendo. Llevaba debajo del brazo sus libros de estudio y empezó a decirle algo. Ella se limitó a levantar las manos y enseñarle las uñas. Las tenía azules. Él se las miró fijamente y ella empezó a mover despacio la cabeza, arriba y abajo, como diciéndole: «Sí, Moses, me estoy muriendo ya». Se sentó en el borde de la cama. Ella le dio unos golpecitos en la mano. Lo hizo lo mejor que pudo, pues sus dedos habían perdido ya la flexibilidad. A él le pareció que, por debajo de las uñas, los dedos de su madre eran ya como el verde limo de las tumbas. ¡Había empezado ya a transformarse en tierra! Herzog no se atrevía a mirarla; escuchaba el deslizarse de los trineos de los chicos en la calle y los chirridos de las ruedas de los carros de los buhoneros en el duro hielo, los broncos pregones del vendedor de manzanas y el tintineo de su balanza de acero. El vapor murmuraba en el tubo de escape. Y la cortina estaba echada.

En el corredor, cerca de la sala donde había estado presenciando los juicios, se metió ambas manos en los bolsillos y se encogió de hombros. Los dientes le rechinaban. Siempre había sido un joven inexperto con la cabeza llena de libros. Luego pensó también en el entierro. ¡Cómo lloraba Willie en la capilla! Su hermano Willie, al fin y al cabo, era el sentimental de la familia. Pero... Moses movió la cabeza para librarse de aquellos pensamientos. Mientras más pensaba, peor era su visión del pasado.

Esperó su turno en la cabina telefónica. El aparato, cuando por fin lo tuvo en la mano, estaba húmedo de tantas bocas y oídos como lo habían usado. Herzog marcó el número que Simkin le había dado. Wachsel dijo que Simkin no le había llamado, pero si Mr. Herzog tenía la amabilidad de ir allí y esperar, sería lo mejor. «No, gracias, volveré a telefonear», dijo Herzog. No servía para esperar en las oficinas. Nunca había sido capaz de esperar.

—¿No sabe usted si estará en otro lugar del edificio?

—Sí, sé que está aquí —dijo Wachsel—. Tengo idea de que va a defender una causa criminal. Quizá le vea en la sala...

Espere usted. —Y Wachsel leyó una lista de números de salas donde podía estar Simkin.

Herzog apuntó unos cuantos números de estos. Dijo:

—Daré una vuelta y miraré a ver si lo encuentro. En caso contrario, le llamaré a usted otra vez dentro de media hora, si no le importa.

—No, no; puede usted llamarme cuando quiera. ¡Estamos aquí todo el día! Por cierto, ¿por qué no lo busca usted en el piso octavo? Le será fácil dar con él porque al Pequeño Napoleón, con esa voz tan resonante que tiene, se le oye a través de los muros más gruesos.

En la primera sala donde entró, siguiendo aquellos consejos, había un juicio con jurado y mucho público en los brillantes bancos de madera. A los pocos minutos, había olvidado a Simkin por completo.

Una pareja joven, una mujer y el hombre con el que ella había estado viviendo en un hotel muy malo de las afueras, eran juzgados por haber asesinado al hijito de ella, de tres años. La mujer había tenido aquel niño de otro hombre, que la había abandonado, dijo el abogado en su presentación. Herzog observó los viejos, canosos y arrugados que eran todos aquellos abogados, gente de otra generación y de un ambiente muy distinto del de los jóvenes abogados. Eran hombres tolerantes y vivían confortablemente. Los acusados podían ser fácilmente identificables por su atuendo y expresión abatida. El hombre llevaba una chaqueta, manchada y arrugada, con cierre de cremallera. Y ella, pelirroja, un vestido casero de tela marrón estampada. Ambos estaban sentados en una actitud de tontos y parecían impávidos ante los testimonios. Él tenía largas patillas rubias, como su bigote, y ella, pómulos pecosos y los ojos hundidos.

La mujer procedía de Trenton y era inválida de nacimiento. Su padre era mecánico en un garaje. Ella había estudiado hasta el cuarto grado y tenía, como nivel de inteligencia, I. Q. 94. De pequeña la habían tenido abandonada; el preferido era un hermano suyo varón. Fea, triste, sin gracia, llevando una bota ortopédica, era delincuente desde muy joven. El abogado defensor —suave, simpático y atento— contaba la conmovedora historia de la muchacha, cuya versión escrita estaba sobre la mesa del juez. Había sido una muchacha siempre irritada e incontrolable, desde muy pequeña. Allí estaban los testimonios escritos que habían enviado sus profesores. También había informes médicos y psiquiátricos, y un informe neurológico sobre el cual tenía especial interés el abogado en llamar la atención de la Sala. Este documento demostraba que su clienta había sido diagnosticada por medio de un encefalograma, del que resultaba que sufría una lesión cerebral capaz de alterar radicalmente su conducta. Estaba comprobado que padecía unos violentos ataques epileptoides de rabia; se sabía que su resistencia a las emociones controladas por el lóbulo afectado era muy pequeña. Como quiera que era una pobre inválida, la habían molestado mucho, y los muchachos adolescentes habían abusado de ella sexualmente. Desde luego, su ficha en los tribunales de menores estaba muy recargada. Su madre la detestaba y se había negado a asistir al juicio diciendo: «Esa no es mi hija. Nos lavamos las manos ante lo que pueda pasarle». A la acusada la dejó embarazada, a la edad de diecinueve años, un hombre casado que vivió con ella varios meses y que, al enterarse de que estaba así, la abandonó para volver con su mujer y sus hijos. La joven se había negado a entregar a su hijo para que lo adoptasen y vivió algún tiempo con él en Trenton y luego se trasladó a Flushing, donde trabajaba como cocinera para una familia, y también hacía la limpieza. Un fin de semana conoció al hombre que ahora estaba también acusado con ella y que entonces era portero de una casa de comidas de la avenida Columbus, y decidió irse a vivir con él al hotel Montcalme, de la calle Ciento tres. Herzog había pasado con frecuencia por aquel sitio. Se podía oler la miseria de aquel llamado «hotel» desde la calle. Por las ventanas abiertas salía el olor a porquería: desperdicios, sucia ropa de cama, desinfectantes, matacucarachas... Moses sentía seca la boca y, para oír mejor, se inclinó hacia delante.

El perito médico había pasado a declarar como testigo. ¿Había visto el cadáver del niño? Sí. ¿Tenía que presentar un informe a la Sala? Sí. Dio la fecha y las circunstancias en que había reconocido al niño. Era un hombre carnoso, calvo y con una voz engolada. Tenía sus notas en ambas manos como un cantante. Era un testigo experto, profesional. Dijo que el niño había nacido normalmente constituido, pero que se había resentido de la escasa alimentación. Había en él indicios de raquitismo y tenía ya los dientes muy raros, pero que esto podía ser un síntoma de que la madre había tenido toxemia en el embarazo. ¿Había en el cuerpo del niño algunas señales insólitas visibles? Sí, parecía como si al niño le hubiesen apaleado ya a esa edad. ¿Una vez o repetidas veces? A su juicio, repetidamente. Tenía rasgado el cuero cabelludo. Y unos grandes cardenales en el trasero, en las piernas y en todo el cuerpo. ¿Dónde eran peores las señales de estas palizas? En la barriguita, y peor aún en la zona de los genitales, donde le habían pegado, al parecer, con algo capaz de rasgarle la piel, quizá una hebilla de metal o el tacón del zapato de una mujer. Y, ¿qué anormalidades encontró usted en el interior del cuerpo?, siguió preguntando el fiscal. Había dos costillas rotas, una de ellas desde hacía más tiempo. La más reciente había afectado el pulmón. El hígado del niño estaba partido y la hemorragia causada por esto debió de constituir la causa inmediata de su muerte. También había una lesión cerebral. «Entonces, en su opinión, ¿la muerte del niño fue violenta?», preguntó el fiscal. «Esa es mi opinión. Hubiera bastado con el daño causado al hígado.»

Todo esto le pareció a Herzog excepcionalmente bajo de tono, como si le hubieran puesto sordina. Todos ellos —el abogado, la madre, el basto amigo de esta, el juez, los testigos, el fiscal— se conducían con un gran control y mucha suavidad. ¿Acaso era esta calma inversamente proporcionada al horror del crimen?, pensaba Herzog. El juez, los jurados, el abogado, el fiscal y los acusados parecían tener secas las fuentes de la emoción. ¿Y él? ¿Cómo reaccionaba él? Pues allí estaba, sentado, oyéndolo todo y dándole vueltas a su duro sombrero de paja. Lo agarró con fuerza y se sintió asqueado. El borde dentado del ala le dejaba señales en los dedos.

Prestó juramento un testigo. Era un hombre de unos treinta y cinco años o así. Vestía un traje Oxford gris, de verano, con inconfundible corte de la avenida Madison. Su cara era redonda, carnosa, de grandes carrillos, pero su cabeza se elevaba poco por encima de las orejas y un corte de pelo a cepillo se la aplastaba aún más. Hacía unos gestos muy finos y, al sentarse, se tiró de las perneras de los pantalones para no arrugárselas, se estiró los puños de la camisa y se inclinaba hacia delante para responder a las preguntas del abogado defensor y del fiscal, con una mesurada y grave cortesía, muy masculina. Tenía los ojos oscuros. Se identificó como comerciante en el ramo de persianas. Herzog había leído muchos anuncios de esta especialidad. El testigo vivía en Flushing. ¿Conocía a la mujer acusada? Se le pidió a ella que se pusiera en pie y lo hizo. Era bajita y tenía el cabello pelirrojo oscuro, rizado, los grandes ojos hundidos; la piel, pecosa; los labios, gruesos y pintados, muy sombríos.

Sí, el testigo la conocía. La mujer había vivido en casa de él durante ocho meses, pero no había estado exactamente como criada, no, pues era una pariente lejana de su esposa, que la compadecía y le dejó una habitación de la casa. Él le había preparado como un pequeño piso en el ático y aquella mujer pudo disponer así de un cuarto de baño para ella sola y acondicionamiento de aire. Él lo hacía por su mujer. Naturalmente, le pidieron que ayudase en los trabajos de la casa, pero ella se iba por ahí con frecuencia y les dejaba el niño, a veces durante varios días. ¿Supo él que ella hubiese maltratado al niño en alguna ocasión? Lo que sabía era que el niño nunca estaba limpio. Nadie quería nunca cogerlo en brazos porque se ponía uno hecho un asco. La esposa del testigo tuvo que curar varias veces al niño, pues la madre lo tenía abandonado. Este era muy tranquilo y nada exigente, siempre deseando irse con la madre, el pobrecillo. Estaba siempre asustadito y olía muy mal. ¿Podría el testigo dar más datos sobre la actitud de la madre respecto al niño? Pues el testigo recordaba que un día habían ido en su automóvil a visitar a la abuela y se detuvieron en el restaurante de Howard Johnson. Todos encargaron lo que iban a comer. La acusada pidió un gran sándwich y, cuando se lo sirvieron, no le dio al niño absolutamente nada. Entonces él mismo, indignado, hizo comer al pequeño de lo que le habían servido a él.

¡Decididamente, no puedo comprender!, pensó Herzog cuando este hombre mesurado y caritativo regresó a su sitio con la cabeza baja y las mofletudas mejillas temblando de emoción. No puedo... Pero esta es la dificultad con que tropieza la gente que pasa su vida estudiando a la humanidad y, por tanto, se figura que una vez que se ha descrito en los libros la crueldad, ya se ha terminado. Pero él sabía muy bien que los seres humanos no iban a vivir de tal manera que los Herzog de nuestra época pudieran comprenderlos.

No tuvo tiempo para seguir pensando en esto. Ya habían tomado juramento al testigo siguiente. Era el empleado del tugurio pomposamente llamado «hotel» Montcalme. Un soltero de unos cincuenta años, de anchas arrugas, labios colgantes, cabello que parecía teñido, mejillas estropeadas y voz profunda y melancólica con un ritmo que caía al final de cada frase. Sí, las frases caían, caían, hasta que las últimas palabras se perdían en un desgranarse de sílabas. Al mirarle la piel, pensó Herzog: «Este ha sido alcohólico». Además, había en su habla un cierto deje de marica. Dijo que no había perdido de vista a aquella «desgraciada pareja». Tenía alquilada una habitación. La mujer cobraba algo del Auxilio por ser coja. El hombre carecía de ocupación remunerada fija. Varias veces había ido la policía al Montcalme a preguntar por él. Pero ¿podía decir algo a la Sala sobre el trato que daban al niño? Lo primero que podía decir era que el pequeño berreaba a más y mejor. Los huéspedes se quejaban. Pero, cuando él investigaba, se encontraba con que el niño estaba encerrado en un armario. La explicación que le había dado el acusado era que lo metían allí por disciplina. Así aprendería a no dar la lata. Pero, hacia el final de su vida, el pequeño lloraba mucho menos. Sin embargo, el mismo día de su muerte, hubo mucho escándalo. El testigo oyó caer algo al suelo, y chillidos en el tercer piso. Tanto la madre como el niño estaban gritando. Alguien se divertía con el ascensor, de modo que él tuvo que subir a pie la escalera. Llamó con los nudillos en la puerta de la habitación de los acusados, pero como la mujer estaba chillando tanto, no lo oía. De modo que el testigo abrió y entró. ¿Tenía que contar allí, delante de todos, lo que vio? Pues vio a la mujer con el niño en brazos. Creyó que ella lo estaba abrazando para que no se asustase. Pero entonces vio, con gran asombro, que ella arrojaba a la criatura contra la pared. Esto producía el ruido que le había llamado la atención abajo. ¿Había alguien más en la habitación? Sí, también estaba el otro acusado, tendido en la cama fumando. ¿Y seguía chillando el niño cuando él lo vio? No, la última vez que la mujer lo tiró contra la pared, se quedó tumbado en el suelo, inmóvil. ¿Les habló entonces el testigo? Dijo que le aterró la cara alocada de la mujer y que parecía tener la cara hinchada. La acusada se ponía muy colorada, roja y chillaba con todas sus fuerzas. Él se fijó en que daba patadas en el suelo con la pierna de la bota ortopédica y él se asustó mucho porque temió que le golpease en los ojos con los ganchos de la bota. Entonces salió de la habitación y llamó a la policía. Al poco tiempo, bajó el hombre y le explicó que aquella criatura era un niño-problema. La mujer no podía acostumbrarlo a pedir que lo pusieran a hacer pis y caca. Enloquecía a la madre porque siempre estaba hecho un asco. Y, ¡toda la noche llorando! Estaba aún hablando, el hombre que ahora es el acusado, y él, cuando llegó la patrulla. ¿Y encontraron al niño? Sí, estaba ya muerto cuando llegaron los policías.

—¿Hay repreguntas? —dijo el juez. El abogado defensor hizo un gesto negativo con sus largos y pálidos dedos, y el juez decidió—: Bueno, entonces esto será todo.

Cuando la acusada se levantó, Herzog hizo lo mismo.

Tenía que moverse, tenía que marcharse de allí. De nuevo hubo de preguntarse si se iría a poner malo. ¿O es que se le había metido dentro el terror del niño? De todos modos, se sintió agarrotado como si las válvulas de su corazón no funcionasen y la sangre estuviese volviendo a sus pulmones. Anduvo con paso rápido, pero pesado. Antes de salir, se volvió para ver la fina cabeza del juez, cuyos labios se movían silenciosamente mientras leía uno de los documentos.

Al llegar al corredor, se dijo a sí mismo: «Oh, Dios mío», y al intentar hablar notó en la boca un líquido ocre que tuvo que tragar. Tropezó con una mujer que se apoyaba en un bastón. Con cejas y cabello muy negros, aunque se veía que era vieja, le señaló hacia abajo con el bastón en vez de hablar. Herzog vio que la mujer llevaba una protección de yeso en el pie con un armazón de metal, y que tenía pintadas las uñas de los pies. Luego, tragándose la horrible saliva, dijo: «Lo siento». Tenía un fuerte y repulsivo dolor de cabeza, taladrante, insoportable. Sentía como si se hubiera acercado demasiado a un incendio y se hubiera chamuscado los pulmones. La mujer no parecía dispuesta a hablar, pero no le dejaba ir. Sus ojos, prominentes, severos, seguían reteniéndole allí con una mirada escrutadora y profunda, que parecía decirle que era un tonto. Silenciosamente, *Qué tonto es este hombre*. Moses, con el sombrero metido debajo del brazo, la chaqueta a rayas rojas, el cabello revuelto, los ojos hinchados, esperaba que ella se apartase y le dejase marchar. Por fin, la mujer, con toda su impedimenta —el bastón, el yeso, los ganchos—, se alejaba por el moteado pasillo y Herzog pudo concentrarse. Con toda su energía —mente y corazón— trató de obtener algo para el niño asesinado. Pero ¿qué? «Con toda su energía», nada podía sacar en limpio para ese niño que estaba ya bajo tierra. Lo único que experimentaba Herzog ahora eran sus *sentimientos humanos*, en los que nada útil encontraba. ¿Y si sintiese el impulso de llorar? ¿O de rezar? Se apretó la palma de una mano contra la de la otra. Y, ¿qué sentía? Nada, sino a sí mismo, a sus propias manos temblorosas y pinchazos en los ojos. ¿Qué había en la América pos... poscristiana por lo que él pudiese rezar? ¿Acaso la Justicia... y la Misericordia? ¿Rezar para que desapareciese la monstruosidad de la vida, el sueño perverso que era la vida? Abrió la boca para aliviar la presión que sentía. Otra vez estaba retorcido, hecho un guiñapo, una y otra vez.

El niño chillaba, se aferraba con sus dos manitas a la joven que era su madre y que lo lanzaba una y otra vez contra la pared. Esa mujer tenía vello pelirrojo en las piernas. Y su amante, de gran mandíbula y vistosas patillas, contemplaba la escena desde la cama. Se acostaban para copular y se levantaban para matar. Algunos matan y luego lloran. Otros, ni siquiera eso.

Ya no podía quedarse en Nueva York. Tenía que ir a Chicago para ver a su hija, y enfrentarse con Madeleine y Gersbach. No fue una decisión que tomara después de meditarla, sino que le llegó por las buenas. De pronto, decidió hacerlo, y en paz. Volvió a su casa y se cambió de ropa. Se quitó aquella ropa tan espectacular con la que se había estado divirtiendo y se puso su viejo traje de «seersucker» (tela india de rayas azules y blancas). Afortunadamente, no había deshecho las maletas cuando regresó de la casa de campo. Así, le bastaron unos minutos para repasar y cerrar la maleta y salir del piso. Era característico en él que decidiera actuar sin saber claramente lo que iba a hacer, e incluso reconociendo que no tenía control sobre sus impulsos. Esperaba que cuando estuviese allí, con una atmósfera más clara, comprendería por qué había emprendido el vuelo.

El superjet le llevó a Chicago en noventa minutos, recto hacia el oeste, de acuerdo con la rotación del planeta y dándole una ampliación de la tarde y de la luz del sol. Abajo se iban formando nubes blancas. Y allí estaba el sol, que nos protegía contra todo lo que se pudiera desintegrar en el espacio. Herzog contemplaba el vacío azul y el intenso brillo del inmenso aparato. En los baches, Herzog apretaba los dientes de arriba contra el labio inferior. No era que tuviese miedo a ir en avión, pero se le ocurrió pensar que si el aparato se estrellaba, sencillamente, hiciese explosión (como había ocurrido sobre Maryland recientemente, cuando salieron disparadas las figuras humanas como guisantes a los que se está pelando), Gersbach se convertiría en el tutor de June. A no ser que Simkin rompiese el testamento. *¡Querido Simkin, agudo Simkin, rompa usted ese testamento!* También quedarían dos pólizas de seguro, una de ellas hecha por Herzog padre a nombre de su hijo Moshe, que era él. Era curioso en lo que se había convertido aquel joven Herzog, arrugado, lleno de perplejidad, de corazón dolorido... Me estoy diciendo a mí mismo la verdad. Y el cielo es mi testigo. La azafata le ofreció una bebida, pero él no la quiso. Negó con un movimiento de cabeza. Se sentía incapaz de mirar el lindo rostro de la muchacha, que parecía tan sana.

Al aterrizar, Herzog retrasó su reloj. Se apresuró a salir por la puerta 38 y siguió por el largo corredor hasta el despacho donde alquilaban automóviles. Para identificarse, tenía una tarjeta del American Express, su licencia de conductor en Massachusetts y sus papeles de profesor de la universidad. Si a él le hubiera presentado alguien tan diversas direcciones —y, para colmo, esa persona se hubiera presentado con un traje tan sucio y arrugado como el que él llevaba— se hubiese escamado. La empleada era una mujer de amplio pecho, chata y con muchos ricitos en la cabeza. Herzog sonrió levemente a esta mujer, que le atendía con buenos modales. La empleada solo le preguntó si deseaba un convertible o un coche de cubierta dura. Él eligió uno de estos últimos, de un color azul, y al poco tiempo iba ya conduciéndolo, procurando no perderse entre el verdoso brillo de las lámparas de la calle y el polvoriento crepúsculo iluminado por letreros que le eran extraños. Por fin, entró en la corriente del gran tráfico. Por esa zona, podía ir a sesenta millas por hora. No conocía esa parte nueva de Chicago. El apestoso y tierno Chicago, que se vaciaba en el fondo de su antiguo lago. Y este lóbrego oeste anaranjado y la bronca confusión de los trenes y las fábricas, los gases y el hollín en el verano reciente. De la ciudad venía una gran masa de tráfico, por el lado contrario del que recorría Herzog. Iba mirando los nombres de las calles, que empezaban a serle familiares. Después de la calle Howard, estaba ya en la ciudad propiamente dicha y ya por allí sabía él perfectamente el camino. En Montrose, salió del Empressway, torciendo en dirección este, y se dirigió hacia donde había vivido su padre, una casita de dos pisos, de ladrillo, que estaba en una fila de casas que se habían construido con un mismo plano. El jardincillo delante de la casa le hizo recordar a su padre, cuando el viejo se hizo propietario hacia el final de su vida. Le entretenía mucho regar las flores con una larga manguera. Las ventanillas de su recta nariz se abrían con delicia para aspirar el olor de la tierra regada. Esta era la casa donde Herzog padre había muerto hacía pocos años, una noche de verano. De pronto se sentó en la cama y dijo: *Ich shtarb!* Y se murió. Aquella sangre suya, tan viva, se inmovilizó en los arrugados conductos de su cuerpo. ¡Dios mío, cómo se deshace el cuerpo y deja solo los huesos, y luego también estos se convierten en polvo en ese sitio tan superficial donde metemos los cuerpos! Y así, humanizado, este planeta, en su galaxia de estrellas y mundos, pasa de un vacío a otro infinitesimal.

En todo caso, aquí estaba la casa de su padre, donde ahora vivía su viuda, la viejísima madrastra de Herzog, totalmente sola en aquel museo de la familia. La casa pertenecía a los Herzog, pero ninguno de ellos la quería. Shura era un multimillonario, y lo hacía notar de sobra. Willie había prosperado mucho con el negocio de materiales de construcción que dejó el padre. Poseía un buen número de esos camiones con tremendos cuerpos cilíndricos para mezclar cemento por el camino hacia los enormes rascacielos en construcción. Hellen, aunque su marido no era tan rico ni estaba tan bien situado como Willie, gozaba de un holgado bienestar. Ya era raro que hablase de dinero. ¿Y él, Moses? Pues tenía unos seiscientos dólares en el banco. Para él era suficiente dinero. No eran para él la pobreza, el desempleo, los suburbios, el robo, los tribunales, el horror del «hotel» Montcalme (donde habían matado a aquella criatura), con su olor a porquería, a chinches... Cuando se le antojaba, podía tomar el avión a Chicago, alquilar un Falcón azul y conducirlo hasta la casa donde había vivido su padre. Así, se daba cuenta, con toda claridad, de su posición en la escala de prerrogativas: de bienestar, de insolencia, de mentira, si se prefiere llamarla de este modo. Y no se trata solo de su posición. Es que también les había proporcionado a los amantes un magnífico Lincoln Continental para que pudieran encerrar en él a la niña —la hija de él— y dejarla allí llorando mientras ellos dos se peleaban.

Herzog estaba pálido y tenía la boca apretada. Subió los escalones de la fachada cuando ya apenas había luz y tocó el timbre. Este tenía, en el centro, una luna creciente que se encendía por la noche.

Sonó el timbre en el interior de la casa. Era un xilófono de metal que tocaba «Bailamos alegremente», menos las dos notas finales. Herzog tuvo que esperar mucho. La vieja, Taube, había sido siempre lenta, incluso cuando tenía cincuenta y tantos años, de movimientos muy pausados y pesados, totalmente distintos de los de los Herzog, que eran ágiles y todos ellos habían heredado la viveza y elegancia de su padre, que había pasado por esta vida como en una especie de desfile de una sola persona. Moses pensó que le tenía afecto a Taube. La mirada indecisa de los redondos y saltones ojos de la vieja quizá fuese una consecuencia de una decisión radical de ser lenta, de llevar a lo largo de toda su vida un programa de dilación y calma. Como arrastrándose, iba cumpliendo todos los fines que se proponía. Incluso para comer o beber, era muy lenta. No se llevaba el vaso a los labios sino que se inclinaba hacia este. Y hablaba muy despacio, como para dar mayor intención a su agudeza. Cuando guisaba, parecía como si las cosas se le resbalasen de los dedos, pero no podía dudarse de que era una excelente cocinera. Aunque su lentitud de movimientos pudiera hacer creer que no sabía jugar a las cartas, lo cierto era que solía ganar. Todas las preguntas las hacía dos o tres veces y, cuando le respondían, repetía bajito las respuestas como para recordarlas. Con la misma despaciosidad se peinaba, se lavaba la dentadura falsa, o masticaba los higos o los dátiles que tomaba para hacer bien la digestión. Cuando fue envejeciendo, se le fue quedando colgante el labio inferior y le engordó el cuello en su base, de modo que avanzaba siempre la cabeza. Estaba ya muy viejecita, ochenta años pasados, y no tenía buena salud. Padecía de artritis y tenía una catarata en un ojo. Pero, a diferencia de Polina, su claridad mental era absoluta. No cabía duda que su lucha con Herzog padre, peleón y cada vez más irritable a medida que envejecía, le había fortalecido el cerebro.

La casa seguía a oscuras y cualquier otro que no hubiera sido Herzog, se habría marchado dando por cierto que Taube no estaba en casa. Sin embargo, él siguió esperando, convencido de que acabaría abriendo. En su juventud, la había visto tardar cinco minutos en abrir un botellín de soda, y cuando hacía pan tardaba una hora en extender la masa sobre la mesa.

Por fin, la oyó llegar. Vio los sobrios ojos de Taube, que aún eran más oscuros ahora, y más salientes. La puerta de invierno, de cristales, seguía separándola de Moses. Este sabía que también la tendría cerrada. Los viejos, ella y Herzog padre, solían encerrarse, suspicaces y temerosos, en su propia casa. Además, Moses sabía que la luz le daba por detrás y Taube no le reconocería. Además, él no era el mismo Moses de antes. Pero la verdad es que aunque la anciana lo miraba con gran atención y extrañeza, como si fuera un desconocido, ya lo había reconocido. A pesar de su extremada lentitud para todo, la inteligencia la tenía muy viva y rápida.

—¿Quién es?...

—Soy Moses...

—No le conozco a usted. ¿Dice que es Moses? ¿Qué Moses?

—Tía Taube, soy yo, Moses Herzog. Moshe.

—¡Ah, eres tú, Moshe!

Los deformados dedos abrieron el último cerrojo. Cuando Herzog tuvo cerca el rostro de su madrastra, se impresionó al verla tan vieja y arrugada. Al entrar él, la vieja levantó sus débiles brazos para abrazarlo.

—Moshe, ven aquí... Encenderé una luz. Cierra la puerta, Moshe.

Herzog cerró y luego buscó la llave de la luz del vestíbulo. La bombilla era muy débil y la pantalla era de un color rosado, tan anticuada que le recordó el *ner tamid*, la luz vigilia de la sinagoga. Cerró la puerta de la calle sobre la regada fragancia de los arriates. La casa llevaba mucho tiempo cerrada y olía un poco a rancio y al barniz de los muebles. Allí estaba todo, a la media luz de la salita, como antes: la araña de débiles luces —el secreter y las mesitas, el sofá de brocado con su brillante funda de plástico, la alfombra oriental, las cortinas perfectas y rígidas sobre las ventanas...—. Descubrió, sobre la consola del fonógrafo, un retrato de su hijo Marco, cuando era mucho más pequeño, sentado en un banco con las rodillas al aire. Estaba encantador con su carita tan animada y su cabello negro peinado hacia atrás. Y junto a esta foto estaba la de él mismo, tomada cuando se graduó. Estaba guapo pero algo mofletudo. En su rostro tan joven se notaban las exigencias de un ingenuo orgullo. En aquel retrato ya era él un hombre por su edad, pero solo por los años pues, a juicio de su padre, era aún tercamente no europeo, es decir, inocente por propia voluntad. Entonces se empeñaba Herzog en no reconocer al mal. Pero no podía negarse a experimentarlo. Por eso tenían los otros que hacérselo a él, y luego él los acusaba de maldad. Había también un retrato de Herzog padre en su última encarnación —de ciudadano americano—, guapo, bien afeitado, sin nada ya de aquella petulante y turbada masculinidad, de su impetuosidad y sus protestas apasionadas de otros tiempos. Sin embargo, a Moses le producía una tremenda impresión ver la cara de su padre en la casa donde había vivido este.

Tante Taube —nunca le dijo «mamá»— se acercaba con

pasos muy lentos. En la casa no había ninguna fotografía de ella. Por lo menos, a la vista. Moses sabía que, a pesar de su prognatismo a lo Habsburgo, la tía Taube había sido una mujer guapísima. E incluso a sus cincuenta años, cuando él la conoció como viuda Kaplitzky, tenía unas cejas impresionantes y unas trenzas de color castaño brillante y su figura era muy atractiva. A ella no le gustaba que le recordasen su pasada belleza ni su antigua energía.

—Deja que te mire —le dijo, plantándose ante él. Aunque tenía los ojos como hinchados, su mirada era firme. Él la miró, recordando cómo era treinta años antes, y se esforzó por que no se le notase el horror que sentía. Adivinó que si había tardado tanto en abrirle era porque se había estado poniendo la dentadura falsa. La tenía nueva pero mal hecha. Tenía los dedos desfigurados, con pellejos sueltos que le tapaban parte de las uñas. Pero llevaba estas pintadas. Y, ¿cómo le encontraba ella de cambiado?

—Aj, Moshe, has cambiado.

Él limitó su respuesta a un movimiento afirmativo de cabeza.

—Y tú, ¿cómo estás, Tante Taube?

—Ya lo ves; una muerta viva.

—¿Vives sola?

—Me acompañaba una mujer, Bella Ockinoff, la de la pescadería. Tú la conocías. Pero no era limpia.

—Ven, Tante, siéntate.

—Oh, Moshe —dijo—, no me puedo sentar, no puedo estar de pie, ni me puedo acostar. Ya casi estoy como Papá. Mejor dicho, Papá está mejor que yo.

—¿Tan mal va eso? —Herzog debía de haber mostrado más emoción de lo que él suponía, pues vio que ahora le observaba ella agudamente, como si no creyera que él se interesaba por ella y tratase de descubrir algo en lo que él estaba pensando. ¿O acaso era la catarata lo que le daba aquella expresión tan rara? Herzog la llevó por un codo hasta el sillón y él se sentó en el sofá cubierto de plástico. Debajo del tapiz colgado en la pared. Pierrot. Clair de Lune. Venecia a la luz de la Luna. Toda aquella falsa tontería que le solía deprimir en sus días de estudiante. Ahora ya no le producía efecto alguno. Ya era otro hombre y reclamaban su atención cosas muy distintas. Comprendió que la anciana trataba de descubrir para qué había ido él. Se daba cuenta de que Moses estaba muy agitado y notó que le faltaba su habitual vaguedad en la conversación, aquel aire orgulloso de estar pensando en otras cosas con el que solía envolverse en otro tiempo Moses E. Herzog, doctor en Filosofía. *Aquellos días se marcharon para siempre.*

—¿Trabajas mucho ahora, Moshe?

—Sí.

—¿Te ganas bien la vida?

—Ah, sí, por supuesto.

La vieja inclinó la cabeza un momento. Herzog la vio el cuero cabelludo y su fino cabello gris. Exiguo. El organismo había dado de sí cuanto podía.

Ella habló luego de la casa y Herzog comprendió que quería darle a entender que tenía derecho a vivir en aquella propiedad de los Herzog aunque, por el hecho de seguir viviendo le privase a él de entrar en posesión de la casa de su padre.

—Muy bien, Tante Taube. Desde luego, no tienes que preocuparte por nada de eso.

—¿Qué?

—Que sigas viviendo aquí y no te preocupe de quién es la casa.

—No estás bien vestido, Moshe. ¿Qué pasa? ¿Te van mal las cosas?

—No; es que me he puesto un traje viejo para el viaje.

—¿Tienes asuntos en Chicago?

—Sí, Tante.

—¿Están bien los niños? ¿Y Marco?

—Está en el campamento.

—¿No se ha vuelto a casar Daisy?

—No.

—¿Tienes que pagarle algo?

—No mucho.

—¿No fui yo una mala madrastra para vosotros? Dime la verdad.

—Fuiste una madrastra muy buena. Fuiste buenísima para nosotros.

—Hice todo lo que pude —dijo la anciana, y Moses recordó en aquellos instantes el difícil e importante papel que esta mujer había desempeñado en la vida de Herzog padre como la paciente viuda Kaplitzky, que estuvo casada con un importante comerciante de ese apellido. El matrimonio no tuvo hijos y ella adoraba a su marido y llevaba un rico medallón con pequeños rubíes, y viajaba en coches-salón Pullman —en el Portland Rose, en el Siglo Veinte— o en primera clase del *Berengaria*. En cambio, como segunda señora Herzog, no llevó una vida cómoda. Tenía buenas razones para lamentar la pérdida de Kaplitzky. Siempre le llamaba, recordándolo, «*Gottseliger* Kaplitzky». Y una vez le había confiado al joven Herzog: «*Gottseliger* Kaplitzky no quería que yo tuviese hijos. El médico había dicho que sería perjudicial para mi corazón. Y, cada vez, Kaplitzky se cuidaba de todo. Siempre tomaba precauciones. Yo ni siquiera miraba».

Herzog no pudo evitar una risita al recordar aquello. A Ramona le haría mucha gracia aquel «Yo ni siquiera miraba». Ella, en cambio, siempre miraba, y de cerca, mientras retenía un mechón de cabellos que se le caía sobre la frente, y se le ponían las mejillas encendidas, muy divertida por la timidez de él. Como la última noche cuando, al abrazarlo... Tenía que telefonearle. Ramona no comprendería su desaparición. Entonces, empezó a latirle la cabeza. Recordó por qué estaba allí.

Se hallaba sentado en el sitio donde su padre, el año antes de su muerte, le había amenazado con matarlo, enfurecido contra él por el dinero. Herzog se había quedado sin un céntimo y rogó a su padre que le garantizase un préstamo. El viejo lo sometió a un minucioso interrogatorio acerca de su trabajo, sus gastos, su hijo... Solía perder la paciencia con Moses. Por aquella época yo vivía en Filadelfia solo, tratando de decidirme (¡ya no había nada que decidir!) entre Sono y Madeleine. Quizá mi padre hubiera oído decir que yo estaba a punto de convertirme al catolicismo. Alguien lanzó ese rumor; quizá fuera Daisy. Yo estaba entonces en Chicago porque papá me había llamado. Quería hablarme de los cambios que iba a introducir en su testamento. Pensaba sin cesar —de día y de noche— en cómo dividiría sus bienes según los méritos de cada uno de nosotros y cómo utilizaríamos el dinero. En varias ocasiones me telefoneó para decirme que debíamos vernos para hablar de aquello. Por fin, fui, y me pasé despierto toda la noche en el tren. En cuanto llegué, me llevó a un rincón y me dijo: «Quiero que sepas, de una vez para todas, que tu hermano Willie es una excelente persona. Cuando yo muera, él actuará como hemos convenido entre los dos». «De acuerdo, papá», le dije.

Pero cuando me hablaba solía perder los estribos con mucha frecuencia y cuando estuvo a punto de matarme con su pistola fue porque no podía ya soportar el verme. Le sacaba de quicio aquella mirada mía de frío orgullo. No puedo echárselo en cara.

Era la insoportable mirada despectiva de la élite, pensó Herzog mientras su madrastra iba describiendo lenta y prolijamente sus males. Papá no podía tolerarle a su hijo menor que lo mirase con aquella superioridad. Habían pasado los años por mí. Y, del modo más tonto, me había pasado el tiempo planeando estupideces. Esto hacía sufrir a mi padre, que no era de esos hombres que se embotan al llegar a la vejez. No, su desesperación era consciente, aguda y continua. Y de nuevo sintió Moses una punzada de dolor al pensar en su padre.

Estuvo escuchando un buen rato a Taube su relato del tratamiento de cortisona. Pero los ojos de esta, aquellos ojos luminosos y sumisos que habían domesticado a Herzog padre, no miraban ya a Moses sino a un punto más allá de este, y él se sintió en libertad para recordar aquellos últimos días de su padre. Habían ido juntos a Montrose para comprar cigarrillos. Era el mes de junio, cálido como este de ahora, y había una brillante luminosidad. Papá no estaba hablando con mucho sentido. Decía que se debía haber divorciado de la viuda Kaplitzky —seguíamos llamándola así— hacía ya diez años, pues él había tenido la ilusión de gozar libremente de los últimos años de su vida —su idioma *yiddish* se hacía más confuso y estropajoso en estas conversaciones— pero que debía resignarse a tener su herradura en una forja apagada. *A kalte kuzhnya, Moshe. Kein fire.* El divorcio era imposible porque él le debía demasiado dinero. «Pero tú tienes dinero ahora, ¿no?», le preguntó Moses, que era muy divertido con él. Su padre se detuvo y se le quedó mirando fijamente. Moses se impresionó mucho al comprobar a la plena luz del día cuánto se había estropeado. Pero algunas de las facciones de su padre, increíblemente vívidas, conservaban todo su antiguo poder sobre Moses: su recta nariz, el entrecejo arrugado, los tonos castaños y grises de los ojos... Dijo: «Necesito mi dinero. ¿Acaso me lo proporcionarías tú, si me faltase? Todavía puedo sobornar durante mucho tiempo al Ángel de la Muerte». Luego flexionó levemente sus rodillas y Moses supo interpretar el sentido de aquella vieja señal (siempre había sabido qué significaban los gestos y actitudes de su padre). Aquella leve flexión indicaba que estaba a punto de revelar algo de una gran sutileza. Murmuró: «No sé cuándo me tocará la hora». Empleó el antiguo término *yiddish* para el confinamiento de una mujer: *kimpet*. Moses no sabía qué decir, y su voz, cuando por fin habló, fue un susurro: «No te atormentes, papá». El horror del segundo nacimiento en manos de la muerte, le abrillantaba los ojos y tenía los labios fuertemente apretados. Entonces habló de nuevo Herzog padre: «Tengo que sentarme, Moshe. Este sol es demasiado fuerte para mí». De pronto se había puesto muy colorado, y Moses, llevándolo por un brazo, le hizo sentarse al borde de un prado. La expresión del viejo revelaba que se sentía herido en su orgullo de macho. «Incluso a mí se me hace inaguantable hoy el calor», dijo Moses. Y se colocó entre su padre y el sol.

—Quizá me decida a ir el mes que viene a St. Joe a los baños —estaba diciendo Taube—. Al Whitcomb. Es un hermoso sitio.

—No irás sola, ¿verdad?

—No; también Ethel y Mordecai quieren ir.

—¿Cómo está Mordecai? —preguntó Herzog para que ella no dejase de hablar.

—¿Cómo va a estar con la edad que tiene?

Moses la escuchó atentamente hasta que ella estuvo de nuevo lanzada en su «monólogo» y entonces él pudo reanudar tranquilamente los recuerdos de su padre. Aquel día habían almorzado en el porche trasero y allí fue donde empezó la riña. A Moses le parecía que él estaba allí, quizá, como un hijo pródigo reconociendo sus faltas y pidiendo al viejo que lo perdonase, y por eso era natural que el padre no viese en el rostro de su hijo más que un gesto tonto de súplica, algo que le resultaba incomprensible. Por eso el padre gritó: «¡Idiota!». Y luego: «¡Ternero!». Luego comprendió que debajo de la paciente mirada de Moses brillaba una irritada petición de cuentas. Y le chilló: «¡Vete de aquí! ¡No te dejaré nada! ¡Todo irá a Helen y Willie! ¡Eres un cuervo de casa de putas!». Moses se levantó y, cuando ya se alejaba, le gritó su padre: «Vete y no se te ocurra venir a mi entierro».

—Muy bien; quizá no venga.

Era demasiado tarde. La tía Taube le había advertido que se estuviera callado. Para ello, había levantado las cejas que, por entonces, aún las tenía pobladas. El padre se levantó dando tumbos y, con el rostro deformado por la ira, corrió para coger su pistola.

—¡Vete, vete ahora! Ya vendrás más adelante. Te llamaré —le había dicho Taube a Moses en un susurro, y él, reacio a marcharse, quemado por dentro, dolido sobre todo porque no se le reconocía su desgracia en la casa de su padre (su monstruoso egotismo siempre estaba reclamando su parte) se fue alejando pesadamente.

—¡Deprisa, deprisa! —le decía Taube tratando de hacerle salir rápido por la puerta principal, pero el viejo Herzog los alcanzó. Llevaba la pistola en la mano.

Gritó: «¡Te mataré!». Lo que sobresaltó a Moses no fue la amenaza en sí misma, pues no creía a su padre capaz de matarlo, sino esa impresionante y renovada energía de que daba muestras. La había recuperado en su rabia, aunque le podía costar la vida. Moses pensó que aquel cuello con las venas en tensión, aquel rechinar de dientes, el horrible color de su cara, e incluso aquella manera de levantar la pistola y apuntarle, con un típico movimiento militar ruso, eran preferibles a aquel hundimiento físico que había tenido durante el paseo que dieron para comprar los cigarrillos. Herzog padre no había nacido para ser compadecido.

—¡Vete, vete! —insistió Tante Taube. Moses lloraba.

—Quizá mueras tú antes que yo —gritó el padre.

—¡Papá!

Oyendo a medias la descripción que estaba haciendo su madrastra, hablando lentamente, del próximo retiro del primo Mordecai, Herzog creyó volver a oír aquel impresionante grito. *Papá... Papá.* ¡Qué gallina eras, Moses! El viejo, alocadamente trataba de mostrar la energía que a ti te faltaba. ¡Atreverse a ir a aquella casa con la afectada blandura cristianizada del hijo que ha sufrido mucho! Mejor hubiera sido que se hubiera convertido abiertamente, como Mady. Entonces el padre tendría que haber apretado el gatillo. Aquellos violentos gestos eran mortales para él; a su avanzada edad, merecía que su hijo le evitase esos terribles disgustos.

Luego, Moses, con los ojos irritados de llorar, esperó un taxi mientras su padre paseaba como un demente ante sus ventanas mirando con desesperación a su hijo. Tiró la pistola al suelo. Quién sabe si Moses no había acortado la vida de su padre dándole aquel tremendo disgusto. O quizá, al contrario, el estímulo de la ira le sirvió para alargársela. No podía morirse y dejar así a aquel Moses a medio hacer.

Se reconciliaron al año siguiente. Luego empezó todo igual. Y después... la muerte.

—¿Te hago un poco de té? —le preguntó Tante Taube.

—Sí, por favor. Me gustaría tomar un poco de té si puedes hacérmelo. Mientras, me gustaría echar una ojeada a la mesa-despacho de papá.

—¿La mesa de papá? Está cerrada. ¿Quieres echar un vistazo? Todo lo que hay allí es para vosotros, sus hijos. Puedes llevarte la mesa cuando quieras.

—¡No, no! —exclamó Herzog—. No necesito la mesa misma. Es que pasaba por aquí delante, viniendo del aeropuerto, y pensé: «¿Cómo estará Tante Taube?». Y ahora que estoy aquí, me gustaría echar una ojeada al despacho. Sé que no te importa.

—¿Quieres algo, Moshe? La última vez que estuviste aquí, te llevaste la cajita de plata de tu madre.

Se la había dado a Madeleine.

—¿Está aún ahí la cadena del reloj de papá?

—Creo que se la llevó Willie.

—Entonces, ¿qué hay de los rublos? —dijo Herzog—. Me gustaría dárselos a Marco.

—¿Rublos?

—Mi abuelo Isaac compró rublos zaristas durante la Revolución y siempre han estado en la mesa del despacho.

—¿En el despacho? Desde luego, nunca los he visto.

—Me gustaría ver lo que hay en la mesa mientras tú haces el té, Tante Taube. Dame la llave.

—¿La llave? —Poco antes, había estado hablando con mayor rapidez, pero ahora volvió a arrastrar las palabras, siguiendo su característica táctica de dejar pasar el tiempo.

—¿Dónde la guardas?

—¿Dónde? ¿Dónde la he puesto? ¿La tendré en el tocador de Papá o en algún otro sitio? Déjame hacer memoria. Ahora nunca me acuerdo de nada...

—Yo sé dónde está —dijo Herzog, poniéndose en pie de pronto.

—¿Lo sabes tú? ¿Dónde está?

—En la cajita de música, donde tú la guardabas siempre.

—¿Dices que en la cajita...? Sí, Papá la cogió de allí. Recuerdo que la sacó para guardar en la mesa-despacho los cheques de seguridad social cuando nos los mandaron. Dijo que todo el dinero...

Moses había acertado.

—No te preocupes. Yo la encontraré —dijo— y tú, mientras, puedes ir haciendo el té. Tengo mucha sed. Ha sido un día de mucho calor y se me ha hecho muy largo.

Cogiéndola por su flácido brazo, la ayudó a levantarse. Se estaba saliendo con la suya; una pobre victoria que podía tener peligrosas consecuencias. Dejando a su madrastra, fue hasta la alcoba de su padre. Habían quitado de allí la cama de él y quedaba solo la de su esposa. Moses aspiró el aire cargado, que olía a viejo, y encontró enseguida la cajita de música. En aquella casa solo tenía que consultar su memoria un momento para encontrar lo que quisiera. El mecanismo de la cajita se puso a funcionar en cuanto él levantó la tapa. El pequeño cilindro daba vueltas y las espinillas sacaban las notas de *Figaro*. Moses sabía la letra.

Nel momento
Della mia cerimonia
lo rideva di me
Senza saperlo.

Sus dedos reconocieron la llave.

La anciana Taube, desde la oscuridad, fuera del dormitorio, le preguntó:

—¿La encontraste?

Él respondió:

—Aquí está. —Lo dijo muy bajito, para no estropear las cosas, con voz suave. Después de todo, la casa era de ella. Era una grosería invadirla como estaba haciendo él. No es que se sintiera avergonzado de hacerlo sino que reconocía con toda objetividad que no estaba bien. Pero no tenía más remedio que hacerlo.

—¿Quieres que ponga la tetera?

—No, deja, yo mismo puedo hacerme una taza de té.

Oyó los pasos lentos alejándose por el pasillo. Iba a la cocina. Herzog volvió enseguida a la salita, que había servido de despacho. Las cortinas estaban echadas. Encendió la lámpara que estaba junto a la mesa-despacho. Al buscar el interruptor, rasgó la antigua seda de la pantalla y salió de ella un fino polvillo. Estaba seguro de que el color de la pantalla se llamaba «rosa viejo». Abrió el secreter de madera de cerezo levantando con las dos manos la persiana de madera que lo cubría. Se aseguró primero de que Taube había llegado a la cocina. En los cajones reconoció todo lo que allí había: cuero, papel, oro... Rápido y tenso, con las venas saltonas en la cabeza y los tendones tensos en las manos, rebuscó y encontró lo que deseaba: la pistola de su padre. Una vieja pistola con el cañón de níquel plateado. Papá la había comprado para tenerla en casa de la calle Cherry, en los tiempos del ferrocarril. Moses abrió el arma. Tenía dos balas. Perfectamente. La cerró rápidamente y se la guardó en el bolsillo de pecho, donde le abultaba demasiado. Se sacó la cartera y se guardó esta en el bolsillo trasero del pantalón, sustituyéndola en el de pecho con la pistola. Se abrochó el bolsillo de atrás para que no se le cayese la cartera.

Empezó a buscar los rublos. Los encontró en un pequeño compartimiento con viejos pasaportes y cintas selladas con cera, que parecían coágulos de sangre. *La bourgeoise Sarah Herzog avec ses enfants, Alexandre, huit ans, Hélène, neuf ans, et Guillaume, trois ans*, firmado por el conde Adelberg, *Gouverneur de Saint Petersbourg*. Los rublos estaban en un gran billetero. Con ellos jugaba él hacía cuarenta años. Pedro el Grande con una llamativa cota de mallas, y una espléndida e imperial Catalina. A la luz de la lámpara vio las marcas. Al recordar cómo jugaban Willie y él con aquellos billetes, Herzog lanzó una de sus cortas risas. Luego hizo un nido con esos billetes en su bolsillo de pecho y metió dentro la pistola. Pensó que así se notaba menos el arma.

—¿Has encontrado ya lo que buscabas? —le preguntó Taube desde la cocina.

—Sí —y puso la llave sobre la mesita de metal esmaltado.

Pensó que se equivocaba al considerar como ovejuna la expresión de Taube. Esta tendencia a figurarse las cosas nublaba su claridad de juicio e iba a fastidiarle algún día. Quizá se acercaba ya ese día y esta misma noche necesitara de toda la claridad de su alma. La pistola le pesaba en el pecho. Pensándolo bien, aquellos labios protuberantes, los grandes ojos saltones y la arrugada boca, eran efectivamente ovejunos y parecían advertirle que se exponía demasiado en su proyecto de destrucción. Taube era una veterana en la supervivencia y había luchado con buen éxito contra la atracción de la tumba, manteniendo a distancia a la misma muerte mediante su lentitud en todo. Todo había decaído en ella excepto su astucia y su increíble paciencia; y en Moses volvía a ver al padre de este, el hombre que había sido su marido, nervioso y siempre apresurado, impulsivo, doliente... Cuando Moses se acercó a ella en la cocina, los ojos de la anciana parpadearon. Murmuró:

—¿Tienes muchas dificultades? No lo pongas aún peor.

—No pasa nada, Tante. He de ocuparme de unos asuntos... Creo que no podré esperar por el té...

—Te he preparado la taza de Papá para ti.

Moses bebió agua del grifo en la taza que había sido de su padre.

—Adiós, Tante Taube, que sigas bien —y la besó en la frente.

—¿Recuerdas que te ayudé aquella vez? —dijo ella—. No deberías olvidarlo. Ten cuidado, Moshe.

Salió por la puerta trasera; era más fácil marcharse por allí. La madreselva crecía a lo largo de la cañería como en tiempos de su padre y estaba fragante por la noche, casi demasiado. ¿Hay algún corazón que pueda petrificarse del todo?

Aceleró el motor al cambiar la señal luminosa que le había detenido, tratando de decidir cuál era el camino más corto para la avenida Harper. Por el nuevo Ryan Expressway iría muy rápido pero le haría pasar por lo más denso del tráfico de la calle Cincuenta y uno Oeste, donde la gente se paseaba o la cruzaba en sus coches. Era mucho mejor el bulevar Garfield. Sin embargo, no estaba seguro de poder encontrar el camino por el parque Washington una vez fuese noche cerrada. Decidió seguir por Edén hasta la calle del Congreso y, de esta, al Outer Drive. Sí, esto sería lo más rápido. Todavía no había decidido lo que haría cuando llegase a la avenida Harper. Madeleine le había amenazado con hacerle detener si se atrevía a asomar las narices por las proximidades de su casa. La policía tenía su fotografía, pero todo eso era una manifestación más de la paranoia de Madeleine, la puesta en marcha de unos poderes imaginarios que a él habían llegado a impresionarle. Entre Madeleine y él había ahora una realidad, una niña, June. Entre tanta cobardía, tanto fraude y porquería entre un padre chapucero y una fulana liosa que era la madre, ¡había algo puro y genuino, esa hijita que él tenía! Se dijo a sí mismo, casi gritando, mientras subía la rampa del Expressway, que nadie le haría daño a su niña. Aceleró la marcha del coche. El hilo de la vida se tensaba en él. Y temblaba alocadamente. Herzog no temía tanto que se le partiera como dejar de hacer lo que debía. Fue aumentando la velocidad del pequeño Falcon y pensó que se exponía demasiado. Un enorme camión le pasó por su derecha. Se daba cuenta de que no era esta la ocasión de arriesgarse a que le pusieran una multa —precisamente cuando llevaba una pistola en el bolsillo— y levantó el pie del pedal. Mirando a izquierda y derecha, se dio cuenta de que el nuevo Expressway atravesaba viejas calles que él conocía. Vio los grandes depósitos de gas y la parte trasera de una iglesia polaca en cuya ventana iluminada se exhibía un Cristo envuelto en brocados como si estuviera en un escaparate.

No parecía ilógico que se valiera de la eximente o atenuante de locura pasajera, ya que se le había hecho soportar lo peor como consecuencia del divorcio: los motes insultantes, el viajar continuamente de un lado a otro, la pena, incluso el destierro en Ludeyville. Aquella propiedad había de ser como su manicomio particular. Y, por último, su mausoleo. Pero, también le habían hecho algo más a Herzog, algo de incalculables consecuencias. No todos tienen la oportunidad de matar con una conciencia limpia. La pareja le había abierto el camino para un asesinato justificado. Merecían morir. Él, Herzog, tenía derecho a matarlos. Incluso sabrían por qué morían; nada tenía que explicarles. Cuando él apareciese ante ellos, tendrían que someterse. Gersbach inclinaría la cabeza y derramaría unas lagrimitas por sí mismo. Como Nerón: *Qualis artijex pereo*. Madeleine gritaría y lanzaría terribles maldiciones. Serían gritos de odio, el elemento más poderoso de su vida, muchísimo más fuerte en ella que cualquier otro motivo. En el plano espiritual, era ella la que lo había asesinado a él, Herzog, y a ello se debía el que pudiese ahora disparar contra ella o estrangularla. Sentía en sus brazos y en sus dedos, y hasta en su corazón, la dulce violencia de estrangular; horrible y suave, el orgiástico placer de matar. Sudaba intensamente. Tenía la camisa mojada y fría bajo los brazos. A la boca le venía un sabor a cobre, un veneno metabólico, un gustillo insípido pero mortal.

Cuando llegó a la avenida Harper, aparcó a la vuelta de la esquina y entró en el sendero que pasaba por detrás de la casa. La arenilla se extendía sobre el asfalto; sus pasos resonaban por culpa de los cristales rotos y la grava que había por el sucio camino. Avanzó con mucho cuidado. Las vallas traseras eran viejas por este sector. Una vez más, aquel día, vio madreselva. E incluso rosas, que aparecían de un rojo muy oscuro en el crepúsculo. Tuvo que cubrirse la cara al pasar ante el garaje a causa de las pinchantes eglantinas que colgaban sobre el sendero desde el tejado muy inclinado. Cuando se introdujo en el patio, se detuvo unos instantes hasta que pudo ver por dónde iba. Debía cuidar de no tropezar con un juguete o alguna herramienta tirados en el suelo. Sus ojos se humedecían con el fluido muy claro pero que le deformaba algo la visión. Se pasó las yemas de los dedos por los ojos y luego se los secó en la solapa de la chaqueta. Habían salido las estrellas, unos puntos violeta enmarcados por los tejados de las casas, las hojas, los hilos telegráficos... Ahora distinguía bien el patio. Vio los tendederos y en ellos unas bragas de Madeleine y las camisitas y los vestidos de su hija, y medias diminutas. Acercándose más, miró hacia el iluminado interior de la cocina. ¡Allí estaba Madeleine! Se le cortó la respiración al verla. Llevaba puestos unos *slacks* y una blusa sujeta con un ancho cinturón rojo de cuero y metal, que él le había regalado. Mientras se movía entre la mesa de la cocina y el fregadero, le colgaba, suelto, su cabello tan suave. Lavaba los platos con su característico y eficaz estilo, un poco brusco. Herzog la estuvo mirando mientras ella aparecía de perfil junto al fregadero. Con la cabeza agachada, como abstraída en la espuma del fregado después de la cena, y dejaba el agua a la temperatura que deseaba. Herzog podía ver desde allí el color de sus mejillas y casi el azul de sus ojos. Mientras más la contemplaba, más alimentaba su rabia hasta ponerla al rojo vivo. No era probable que ella pudiera oírle desde allí en el patio porque no habían subido los cristales, los que él había puesto en el otoño anterior en la parte trasera de la casa.

Pasó al corredor exterior. Afortunadamente, los vecinos no estaban en casa y Herzog no tenía que preocuparse de sus luces. Ya había visto a Madeleine. Era ahora a su hijita a quien quería ver. El comedor se hallaba vacío, la característica vaciedad de después de comer: botellas de Coca-Cola, servilletas de papel... Luego se veía la ventana del cuarto de baño, más alta que las demás. Recordaba que había empleado un bloque de cemento para empinarse y tratar de quitar la persiana del cuarto de baño hasta que había renunciado a este empeño al darse cuenta de que no había cierres exteriores para sustituirla. Por tanto, aún se hallaba allí la persiana. Y el bloque de cemento estaba exactamente donde él lo había dejado entre los lirios del valle, a la izquierda de la vereda. Colocó la piedra en su sitio, y los ruidos que hacía se disimulaban con el sonido del agua en el baño. Se subió en ella, apoyando el costado contra el muro. Procuró disimular el sonido de su respiración abriendo la boca. En el baño, cayéndole aún encima el agua del grifo, relucía el cuerpecito de su hija. ¡Su niña! Madeleine le había dejado más largo el pelo y ahora, para bañarse, lo tenía atado con una banda de goma. Herzog se derretía de ternura al verla y se cubría la boca con la mano para ahogar cualquier exclamación de emoción que se le pudiese escapar. La niña levantó la cara para hablarle a alguien que Herzog no podía ver. Oyó que decía algo, pero con el ruido del chorro de agua no podía entenderla. La cara de June era la misma cara de su padre, los grandes ojos negros eran como los suyos, eran los *mismos* suyos, y la nariz era la de él y la del padre de él, y de la tía Zipporah, así como la boca era la de Willie, el hermano de él, y la boca era la suya propia. En cuanto a ese matiz melancólico que tenía la niña en su belleza, sin duda era de la madre de Moses, Sarah Herzog, siempre pensativa y ladeando la cabeza como para observar a la vida que tenía en torno. Conmovido, el padre la miraba, respirando con la boca mientras se cubría la cara con la mano. Pasaban junto a él bichos voladores cuyos gordos cuerpos se estrellaban contra los cristales de la ventana pero sin atraer la atención de los que estaban dentro.

Luego salió una mano que cerró el grifo, una mano de hombre. Era Gersbach. ¡Iba a bañar a la hija de Herzog! ¡Gersbach! El pecho de este aparecía ahora a la vista de Herzog. Surgió ahora todo él junto al baño, inclinándose, irguiéndose, volviendo a hacer una reverencia... Luego, con gran dificultad, empezó a arrodillarse, y Herzog le vio el pecho, la cabeza, mientras se acomodaba. Apoyado contra la pared, y con la barbilla sobre el hombro, Gersbach —ahora lo veía muy bien Herzog— se remangaba la camisa sport, y se echaba hacia atrás su espesa y brillante cabellera. Cogió el jabón, y Herzog le oyó decir cariñosamente: «Bueno, niña, deja de hacer monadas», pues June se reía, salpicaba el agua, y arrugaba la nariz a la vez que enseñaba sus lindos dientecitos blancos. «Estate quieta», insistía Gersbach. Aunque ella chillaba, él le limpió las orejas con una felpa empapada y le lavó la cara. Le metía un pico por los orificios de la nariz y le frotaba los dientes. Hablaba con autoridad pero cariñosamente y la seguía bañando entre sonrisas y cómicos gruñidos. La enjabonaba por todo el cuerpecito y sumergía los barquitos de juguete para fregarle a ella la espalda mientras chillaba y se revolvía y se contorsionaba. La verdad era que aquel hombre lavaba a la niña con ternura. Quizá fuera falsa su apariencia. Pero él nunca tenía expresiones *verdaderas*. Todo era en él teatral. Su rostro era basto, solo carne sexual. Mirando por la camisa abierta, Herzog vio la carne suave cubierta de denso vello. La barbilla de Gersbach, saliente y aguda, daba la impresión de un hacha de piedra, un arma brutal. Y como contraste, tenía los ojos sentimentales, la enhiesta cresta del pelo y su voz caliente con una peculiar fraudulencia y grosería. Allí estaban, pues, los rasgos odiados. Pero ¡había que ver cómo se portaba con June, con qué alegría, juguetón y paciente, y se divertía tirándole a la niña el agua por encima! La dejó que se pusiera el gorro de baño de su madre, el gorrito floreado, y las flores se extendían por la cabeza de la niña. Luego Gersbach le ordenó que se pusiera en pie y ella se inclinó un poco para que él le pudiese lavar su cosita. El padre los estaba mirando y sintió un vuelco en el corazón, pero aquello duró muy poco. June volvió a sentarse. Gersbach le echó por encima agua limpia, se levantó con dificultad y desplegó la toalla de baño. Secó a la nena por todos lados de una manera rápida y eficaz. Después le puso los polvos de talco con una borla de gran tamaño. La niña brincaba de puro contenta. «Basta ya de locuras», le dijo Gersbach. «Ahora ponte el pijama.»

La niña salió del baño y desapareció de la vista de Herzog. Aún vio este unas leves nubecillas de polvos de talco que flotaban sobre la cabeza inclinada de Gersbach. Mientras soltaba el agua del baño y lo fregaba con la mano, se le movía la pelambrera rojiza. Hubiera sido una buena ocasión para que Herzog lo matase. Su mano izquierda tocó la pistola, que estaba metida entre los rublos, como arropada por ellos. Hubiese podido matar a Gersbach mientras este echaba en el rectángulo de la esponja amarilla el polvo para limpiar el baño. En la recámara de la pistola había dos balas... Pero seguirían allí. Herzog se daba cuenta de ello. Descendió muy lentamente de su piedra y pasó de nuevo, sin hacer ruido alguno, a través del patio. Vio a su niña en la cocina mirando a Mady y pidiéndole algo. Herzog pasó por la portezuela de la valla, a la vereda. Lo de disparar su pistola no era ya más que un pensamiento.

El alma humana es anfibia y yo le he tocado ambos lados. ¡Anfibia! Vive en más elementos que los que yo pueda llegar a conocer. Y doy por cierto que en esas remotas estrellas hay materia en proceso formativo, que creará seres aún más raros que nosotros. Suelo creer que, porque se nota que June es una Herzog, está más cerca de mí que de ellos. Pero ¿cómo va a estar cerca de mí si yo no participo en nada de su vida? Esos dos grotescos actores del amor lo tienen todo. Y, por lo visto, yo creo que si la niña no tiene una vida parecida a la mía, si no está educada por las normas del «corazón» características de los Herzog, y todas esas cosas, no llegará a ser un verdadero ser humano. ¡Qué tontería! Al pensar así, parezco un irracional; sin embargo, una parte de mi mente considera eso como una evidencia que no hay quien la mueva. Pero ¿qué demonios puede mi hija aprender de ellos? ¿Qué puede aprender de ese Gersbach cuando se pone tan azucarado, venenoso y repulsivo, que no parece un individuo sino un fragmento de la multitud? ¡Matarlo! ¡Qué pensamiento tan absurdo! En cuanto Herzog vio a la persona real, al Gersbach de carne y hueso bañando a la niña, la realidad de esta escena y la ternura que el bufón ponía en la hija de él —la hija de Herzog—, la violencia que este pensaba cometer se le aparecía como puro *teatro*, como un acto de lo más ridículo. No estaba dispuesto a hacer una tontería semejante. Solo el odio a *sí* mismo podía inducirle a arruinar su vida solo porque tenía el corazón «destrozado». ¿Cómo demonios podían destrozarle el corazón a él esa pareja? Parándose unos momentos en la vereda, se felicitó a sí mismo por su buena suerte. Recuperó la respiración normal. ¡Y qué gusto daba respirar con normalidad! Solo por eso merecía la pena haber dado aquel paseo.

¡Piensa!, anotó para sí mismo cuando estuvo de nuevo en el Falcon utilizando un bloc bajo la lamparilla del mapa. *Los demógrafos opinan que por lo menos la mitad de los seres humanos que han nacido están vivos en este siglo. ¡Qué momento para el alma humana! Las características halladas en el «pool» genético han reconstituido, con probabilidad estadística, todo lo mejor y todo lo peor de la vida humana. Todo eso lo tenemos en torno a nosotros. Así, Buda y Lao Tsé deben de caminar por alguna parte de la Tierra. Y Tiberio y Nerón. Todo lo horrible, todo lo sublime, y también todas las cosas que aún no han sido imaginadas. Y también usted, visionario en parte de su tiempo, alegre y trágico mamífero. Usted y sus hijos y los hijos de sus hijos... En la Antigüedad, el genio del hombre se reducía casi solo a metáforas. Ahora, en cambio, se transforma en hechos. Francis Bacon. Instrumentos...* Luego, con inexpresable regocijo, añadió, *Mi tía Zipporah le dijo a Papá que nunca podría él disparar contra alguien su pistola y que nunca podría actuar en compañía de los «teamsters», carniceros, matones, gamberros y demás. «Eres un dorado caballerito.»* ¿Se creía capaz de acertarle a alguien en la cabeza con una bala? ¿Sería, simplemente, capaz de disparar?

Moses podía jurar que su padre no había apretado el gatillo de su pistola ni una sola vez en toda su vida. Solo amenazaba. Y a mí me llegó a amenazar con la pistola. Entonces me defendió Taube. Ella me salvó. ¡Querida tía Taube! ¡Una fragua enfriada! ¡Pobre Papá Herzog!

Pero, a pesar de su renuncia a la acción violenta, aún no había terminado. Tenía que visitar a Phoebe Gersbach. Esto era esencial. Decidió no telefonearle, pues así le daría la oportunidad de defenderse e incluso de negarse a verlo. Se dirigió en el coche derecho a la avenida Woodlawn, una tétrica y característica parte de Hyde Park. Era *su* Chicago; una zona maciza, amorfa, desangelada, con olor a fango y decadencia, a porquería. Fachadas manchadas de hollín, piedras de la *nada* arquitectónica, triples porches insensatamente adornados con enormes urnas de cemento destinadas a las flores pero que solo contenían colillas que se pudrían y otras porquerías; escaleras traseras grises, cemento con parches y por cuyas rajas crecía la hierba; imponentes protecciones de cuatro por cuatro varas para proteger a la mala hierba que crecía con pujanza. Y en estos espaciosos, cómodos y desaliñados pisos vivía gente liberal y benévola (estas eran las cercanías de la universidad) y Herzog se sentía allí, verdaderamente, como en su casa. Porque él era, en realidad, tan del Medio Oeste y tan poco claro como aquellas mismas calles. Pero todo ello resultaba típico y nada faltaba allí, ni siquiera el rechinar de los patines de ruedas que raspaban el pavimento por debajo de las nuevas hojas del verano. Dos astrosas chiquillas patinaban bajo la verde transparencia de los faroles y agitando sus breves falditas, y lucían cintas en el cabello.

Al llegar a la verja de donde vivía Gersbach, sintió un resquemor de conciencia, pero se dominó y recorrió el sendero del jardincillo. Llamó al timbre, Phoebe se acercó enseguida. Dijo en voz alta: «¿Quién es?» y, al ver a Herzog por el cristal, se quedó silenciosa. ¿Estaría asustada?

—Soy un viejo amigo —dijo Herzog. Transcurrieron unos momentos y Phoebe, aunque tenía una expresión de firmeza en la boca, vaciló y Moses tuvo que preguntar:

—¿Es que no me vas a dejar pasar? —Y lo dijo con un tono que hacía inconcebible que se le negase la entrada. De todos modos, él insistió—: No te quitaré mucho tiempo —dijo ya cuando entraba—. Pero es que tenemos unas cuantas cosas de que hablar.

—Ven a la cocina, ¿quieres?

—Desde luego, mujer... —Phoebe no quería que la sorprendieran hablando con Herzog en la habitación delantera ni que los oyese el pequeño Ephraim, que estaba ya en su dormitorio. Una vez ambos en la cocina, le pidió a Herzog que tomase asiento y cerró la puerta. La silla que miraban los ojos de Phoebe cuando invitó a sentarse a Herzog, era la que estaba junto al refrigerador. Aquella silla no podía verse desde la ventana de la cocina. Herzog sonrió apagadamente al sentarse. Del exagerado recato de la actitud de ella, deducía Herzog que a Phoebe le estaría latiendo alocadamente el corazón, y que estaría aún más violento que el suyo propio. Era una persona que sabía controlarse muy bien —era jefa de enfermeras— y procuraba por todos los medios mantener una apariencia de mujer de negocios a la que van a proponer la compra de algo. Llevaba puesto el collar de cuentas de ámbar que él le había traído de Polonia. Herzog se abrochó bien la chaqueta para tener la seguridad de que no asomaba por dentro —en el bolsillo de pecho— la culata de la pistola. Ver un arma acabaría de asustarla.

—Bueno, ¿cómo estás, Phoebe?

—Estamos todos muy bien.

—¿Cómodamente instalados? ¿Te gusta Chicago? ¿Sigue yendo el pequeño Ephraim a la Lab School?

—Sí.

—¿Y el Templo? Ya sé que Val grabó un programa con el rabí Itzskowitz. ¿Qué título le puso? Ah, sí: «El judaísmo hasídico», Martín Buber, *Yo y Tú*. ¡Todavía con Martín Buber! Val anda siempre muy metido con los rabíes. Ya sabes, cuando un niño dice *yo y tú*, hay que corregirle enseguida: «*Tú y yo*, niño». Quizá quiera Val hacer un cambalache de esposa con un rabí. Pero tú tienes que decir alguna vez: «De aquí no paso». No lo vas a aguantar todo.

Phoebe, que seguía de pie, no contestó ni hizo comentario alguno a esto. Pero se veía que tampoco lo tomaba a broma. Herzog prosiguió:

—Quizá creas que me marcharé antes si tú no te sientas. Ven, Phoebe, siéntate. Te aseguro que no he venido aquí para armar escándalo. Aparte del natural deseo de ver a una antigua amiga, al venir aquí no he traído más que un propósito...

—En realidad, tú y yo no somos amigos de mucho tiempo.

—Desde luego, no, si te fijas por el calendario. Pero recuerda qué grandes amigos éramos en Ludeyville. Claro, tú solo calibras la amistad por la duración, en el sentido bergsoniano, la *durée*. En ese sentido nos conocemos mucho, somos muy amigos. Algunas personas están *sentenciadas* a ciertas relaciones. Quizá cualquier relación entre seres humanos sea una alegría o una sentencia.

—Pues tú —habló por fin Phoebe— te ganaste tu propia sentencia. Tú te lo has buscado todo. Llevábamos una vida feliz y tranquila hasta que Madeleine y tú os metisteis en Ludeyville y me obligasteis a aguantar vuestras cosas...

—Bueno, Phoebe, más vale que digas todo lo que piensas. Eso es lo que yo quiero. Siéntate otra vez. No te alteres. No quiero disgustos. Tú y yo tenemos un problema en común.

Phoebe negó de un modo tajante esta última apreciación de Herzog. Movió la cabeza y replicó con excesiva energía y una mirada terca:

—Yo soy una mujer sencilla. Valentín, en cambio, es de la mejor parte de Nueva York.

—¡Bah! No es más que un paleto. De las grandes ciudades no ha aprendido más que los vicios de fantasía. En cambio, antes no sabía ni marcar un número en el teléfono. He tenido que ser yo quien lo lleve al pobre, paso a paso, por el camino de la degeneración; yo: Moses E. Herzog.

Envarada y vacilante, ladeó el cuerpo a su manera abrupta. Luego tomó la decisión contraria y, con la misma brusquedad, se volvió hacia él. Era una mujer bonita pero rígida, muy rígida, huesuda y sin confianza en sí misma. Por fin, dijo todo lo que le andaba por la cabeza:

—Nunca entendiste ni una palabra de lo que es él en realidad. A él le fascinaste tú. Te adoraba. Quiso convertirse en un intelectual porque deseaba ayudarte. Comprendió la cosa tan terrible que habías hecho al abandonar tu situación en la universidad y qué disparate hacías encerrándote en el campo con Madeleine. Se convenció de que ella te estaba arruinando e hizo cuanto pudo para ponerte de nuevo en el buen camino. Leía todos los libros que a ti te interesaban para que pudieses hablar con alguien, Moses. Porque tú necesitabas ayuda, elogios, afecto... Nunca te parecía bastante. Por eso lo agotaste. Al pobre casi lo mataste con el esfuerzo que tenía que hacer para seguirte.

—¿Sí? ¿Y qué más? ¡Qué interesante! —exclamó Herzog.

—Y parece que aún quieres más. ¿Qué pretendes ahora de él? ¿Por qué has venido? ¿Todavía quieres más jaleo?

Herzog ya no sonreía, y dijo:

—Algo de eso que has dicho es bastante cierto, Phoebe. Llevas razón al decir que nuestra vida en Ludeyville era disparatada. Pero me tomas el pelo al querer hacerme creer que vuestra vida, la de tu marido y tú, era completamente normal en Barrington hasta que llegamos Mady y yo con el atractivo del teatro y con los libros, y la vida mental de «alto nivel», con ideas formidables y haciendo burbujas de jabón con épocas históricas enteras. Tú te asustas porque nosotros dos —sobre todo, Mady— dábamos una nueva confianza en sí mismo a tu marido. Mientras fue simplemente un locutorcillo cojitranco, y por mucho que se las diera de ser un gran personaje, a ti no te importaba porque lo manejabas bien. Porque, a pesar de sus extravagancias y tonterías, era *tuyo*. Luego, se hizo más audaz. Dio más alcance a su exhibicionismo. Bueno, reconozco que soy un idiota. Incluso tenías razón para despreciarme aunque solo fuera porque yo no me daba cuenta de lo que estaba ocurriendo y con ello aumenté la carga que pesaba sobre ti. Pero ¿por qué no decías algo? Tú eras testigo de lo que pasaba. Y continuó durante años sin que tú dijeras nada. Yo no habría sido tan indiferente si hubiera visto que a ti te estaba sucediendo lo mismo que a mí. De ese modo habría yo dado más importancia a cómo me trataban.

Phoebe vaciló en hablar y palideció aún más. Por fin, respondió:

—No es culpa mía que tú te niegues a entender cómo viven otras personas. Tus ideas te lo impiden. En cambio, una persona débil como yo no puede elegir otro camino. Yo nada podía hacer por ti; y, sobre todo, el año pasado. Por entonces, acudía yo a un psicoanalista, el cual me aconsejó que, en este asunto, me mantuviese alejada. Y, sobre todo, que me apartase de ti y de todos tus trastornos. Me dijo que yo no era lo bastante fuerte para meterme en esas preocupaciones; y ya sabes que es cierto, no soy fuerte.

Herzog pensó un poco en ello. Sí, en verdad, Phoebe era débil. Pero decidió concretar lo que había ido allí a resolver:

—Vamos a ver, Phoebe, ¿por qué no te divorcias de Valentín?

—No veo ninguna razón para eso. —Su voz se había hecho, inmediatamente, más enérgica.

—¿Acaso no te ha abandonado?

—¿Val? ¿Abandonarme a mí Val? No sé por qué dices eso. ¡Qué ocurrencia!

—Entonces, ¿dónde está ahora? (Esta tarde, en este mismo instante.)

—Pues en el centro. Con sus asuntos.

—No me vengas con historias, Phoebe. Sabemos muy bien, tú y yo, que Valentín vive con Madeleine. ¿Vas a negármelo?

—Claro que lo niego. No puedo comprender de dónde has sacado una idea tan fantástica.

Moses se apoyó con un brazo en el refrigerador, moviéndose en la silla, y sacó el pañuelo, mejor dicho, el pedazo del trapo de la cocina que cogió en su piso de Nueva York. Se secó el sudor de la cara.

—Si pidieras el divorcio —explicó— como tienes pleno derecho, podrías acusar de adulterio a Madeleine. Yo me ocuparé de buscarte el dinero necesario. Tomaré a mi cargo todos los gastos del proceso. Quiero que me den a June. ¿No lo comprendes? Entre tú y yo podríamos ganarles. Has dejado que Madeleine te trate como un juguete.

—Otra vez estás hablando como un demonio, Moses.

Cada vez estaba más obstinada, dispuesta a seguir su propio plan. Nunca le daría la razón a Herzog.

—¿No quieres —dijo este— que me concedan la custodia legal de mi hija?

—Todo eso me da igual. No es asunto mío.

—Pero supongo que tú, por tu parte, tienes también un problema serio. Una pelea de gatas, por el macho. Ella te vencerá porque es una psicópata. Ya sé que tú tienes energías de reserva. Pero ella está chiflada y las chifladas siempre ganan en estas cosas. Además, Valentín no quiere que tú lo recuperes.

—Te aseguro que no entiendo lo que estás diciendo.

—Él perderá su valor para Madeleine en cuanto tú te retires. Ella lo que quiere es quitártelo, pero si tú renuncias a él, ya no le interesará. Después de una victoria completa, tendrá que tirarlo. Ella lo que necesita es fastidiar.

—Valentín viene a casa todas las noches. Nunca trasnocha por ahí. Incluso cuando yo me entretengo en la calle y no me encuentra en casa, se pone frenético. Telefonea a toda la ciudad.

—Quizá eso que dices, Phoebe, no sea más que el deseo que tiene Valentín de no encontrarte, y a ti te parece preocupación cariñosa. Si murieses en un accidente, él lloraría un poco, reuniría sus cosas y se mudaría ya del todo a casa de Madeleine, o, por lo menos, mientras ella lo soportase.

—Por tu boca habla el demonio, Moses. Te aseguro que mi hijo va a seguir teniendo junto a él, y aquí en casa, a su padre. Lo que pasa es que tú quieres todavía a Madeleine.

—¡Yo! En absoluto. Ya se ha terminado para siempre

todo aquel histerismo. Que la aguante otro. Puedes creerme, me alegro mucho de haberme librado de ella. Ni siquiera la desprecio ya. Y no me importa todo el dinero que me ha sacado y que sigue metiendo en el banco. Que se lo quede. Le doy mi bendición a esa bruja. ¡Buena suerte y adiós para siempre! La bendigo y le deseo una vida muy ocupada, agradable, teatral y provechosa para ella. Que tenga todo lo que anda buscando. Incluso el *amor*. La mejor gente se enamora y ella es de las mejores mujeres; por eso quiere a ese tipo, tu marido. Los dos *se quieren*. Sin embargo, no es lo bastante buena para educar y atender como es debido a la niña...

Moses sentía compasión por Phoebe. Gersbach y Madeleine se aprovechaban de lo débil que era ella. Gersbach; y Madeleine a través de Gersbach. Pero Phoebe, por su parte, tenía el firme propósito de ganar la partida. Debía de resultar inconcebible para ella que una persona se propusiera lograr tan modestos fines, tan poca cosa, y no los consiguiera. ¿Cómo se puede aspirar a la comida, ir al mercado, el lavado y planchado de la ropa, cuidar al hijito, y encima perder? La vida no podía ser tan indecente como para negarle esas aspiraciones a una mujer. ¿Sería posible? Otra hipótesis: la frialdad sexual era su arma, su fuerza; manejaba peligrosamente la superioridad del superego. Otra: se basaba en la hondura creadora de la degeneración en nuestro tiempo, reconocía que los vividores «emancipados» cultivaban todos los vicios más refinados y, si los podían satisfacer, estaban contentos; y por eso ella aceptaba su situación de pobre neurótica de la clase media, sexualmente fría y con las armas de la atracción embotadas. Para ella, Gersbach no era un hombre vulgar como los demás y por esa riqueza de carácter, por su extraordinaria personalidad que poseía, por sus tendencias erótico-espirituales, o Dios sabe por qué asquerosa metafísica, necesitaba dos o más mujeres. Y entonces, quizá tuviesen esas mujeres —en este caso dos, ella y Madeleine— que cederse este pedazo de carne para satisfacer necesidades muy diversas. Una, para practicar la cópula con tres piernas, una de él y dos de la que le correspondiese. La otra, para mantener la paz doméstica.

—Phoebe —dijo Herzog—, admito que tú seas débil, pero en el fondo, ¿qué clase de debilidad es esa tuya...? Perdóname, pero me hace gracia. ¿Por qué tienes que negarlo *todo* y mantener una apariencia perfecta, como si no pasara nada? ¿Es que no puedes admitir ni siquiera un poquito?

—¿Y qué ventaja sacarías de eso? —preguntó cortante—. Por otro lado, ¿qué estarías dispuesto a hacer por mí?

—¿Yo? Pues te ayudaría... —comenzó a decir. Pero se contuvo porque era verdad que no le podía ofrecer demasiado. Realmente, le era inútil. En cambio, ella podía seguir siendo la mujer de Gersbach. Este iba a su casa, ella le guisaba, le planchaba la ropa, él le firmaba cheques... Sin él, Phoebe no podría existir, ni guisar, ni hacer las camas. Tendría que salir del trance en que vivía. Entonces, ¿qué? ¿Qué le ofrecía él, Herzog, a cambio?

—Lo que no comprendo es por qué vienes a mí si lo que quieres es que te den la custodia de tu hija. O haces algo tú mismo para conseguirlo, o renuncias a ello. Pero yo no te voy a servir para nada. Ahora, déjame, por favor, Moses.

En esto también tenía mucha razón. Debía reconocerlo. En silencio, la estuvo mirando con gesto duro. La nativa y constante tendencia de su mente, que actuaba ya sin restricciones, le hacía hallar un significado en las pequeñas marcas sin sangre de la cara de Phoebe. Como si la muerte hubiese tratado de morderla y hubiera encontrado que aún no estaba madura para acabar con ella.

—Bueno, gracias por este rato de charla, Phoebe. Me voy ya. —Se levantó de la silla. En la expresión de Herzog había una suave amabilidad, muy rara en él. Con torpeza, le tomó una mano a Phoebe y ella no pudo moverse lo bastante rápida para que no se la besara. Luego, la atrajo más hacia sí y la besó en la frente.

—Tienes razón, esta visita era innecesaria. —Ella apartó su mano.

—Adiós, Moses. —Se lo dijo sin mirarlo. No sacaría más de ella, aunque añadió—: Sí, te han tratado como a una basura. Es verdad. Pero ya ha pasado todo. Deberías marcharte lejos. Ahora solo te queda apartarte de todo eso.

La puerta estaba ya cerrada.

Migajas de decencia, lo único que nosotros los pobres podemos ofrecernos unos a otros. No es de extrañar que la vida «personal» sea una humillación, y que uno sea un individuo despreciable. El proceso histórico, al ponernos trajes en el cuerpo, zapatos en los pies y carne entre los dientes, hace infinitamente más por nosotros con ese método indiferenciado que cualquier persona pueda hacer especialmente por uno, escribió Herzog ya sentado en el Falcon alquilado. *Y como quiera que esas mercancías son los dones de una planificación y un trabajo anónimos, lo que el intencionado Bien puede hacer (cuando los buenos son aficionados) es lo que nos debe preocupar. Especialmente si, en interés de la salud nuestra benevolencia y amor exigen ejercicio, ya que esa criatura es emotiva, apasionada, expresiva y vive en relación con los demás seres humanos. Es una criatura de bien definidas peculiaridades, una telaraña de intrincadas relaciones sentimentales e ideas que ahora se acercan ya a un nivel de organización, y de automatismo en que puede aspirar a librarse de la dependencia humana. La gente practica ya, con anticipación, su futura condición. Mi tipo emotivo es arcaico. Pertenece a las etapas agrícola o pastoril...*

Herzog ni siquiera sabía qué podían significar esas generalidades. Estaba muy excitado —en un estado fluido— e intentaba recobrar la serenidad mediante su hábito de la meditación y de escribir sus pensamientos. La sangre le había invadido la psique y, por lo pronto, se había liberado ya o había enloquecido. Pero entonces comprendió que no necesitaba realizar un cuidadoso trabajo intelectual abstracto, es decir, el género de trabajo en el que él se había sumergido siempre como si luchase por su propia supervivencia. Pero, por otra parte, el no pensar es inevitable, fatal. ¿Acaso he llegado a creer que me moriría cuando dejase de pensar? Ahora veo que lo realmente de locura es creer eso.

Se propuso pasar la noche en casa de Luke Asphalter y le llamó desde una cabina telefónica de la calle para invitarse.

—¿No te estorbaré? ¿Tienes ahí a alguien contigo? ¿No? Necesito que me hagas un favor muy especial. No puedo telefonear a Madeleine para que me deje ver a la niña. Me cuelga en cuanto reconoce mi voz. ¿Quieres llamar tú y conseguir que me deje sacar de paseo a mi hija, mañana?

—Desde luego —dijo Asphalter—. La llamaré ahora mismo y te podré dar la respuesta cuando llegues aquí. ¿Es que se te ha ocurrido así, de pronto? ¿No lo tenías planeado?

—Gracias, Luke, por favor, hazlo ahora mismo.

Salió de la cabina pensando en que, necesariamente, tenía que descansar esta noche, dormir un poco. Al mismo tiempo, le atemorizaba la idea de tumbarse y cerrar los ojos porque al día siguiente quizá no pudiese recobrar su estado de conciencia libre, intenso y simple. Por eso siguió conduciendo lentamente, deteniéndose en Walgreen's, donde compró una botella de Cutty Sark para Luke y juguetes para June: un periscopio para niños mirando por el cual pudo luego ver, en el piso de Luke, por encima del sofá y los rincones; y una pelota de playa que se hinchaba soplando. Incluso sacó tiempo para ponerle un telegrama a Ramona desde la amarillenta oficina de la Western Union en Blackstone, calle Cincuenta y tres. *Asuntos de negocios en Chicago dos días*, fue su mensaje, *mucho cariño*. Podía estar seguro de que ella buscaría consuelo mientras él estuviese fuera y no se desesperaría por el «abandono» de él como él lo habría estado si, de pronto, se hubiera quedado sin poderla localizar a ella. Ella no sufría, como él, aquel terror infantil de la muerte que había obligado a su vida a tomar aquellas formas tan curiosas.

Todo le parecía ahora excepcionalmente claro. ¿Y qué creaba esta claridad? Algo que se hallaba en el mismísimo final de la línea. ¿Acaso era la muerte? No, la muerte no era lo incomprensible que aceptaba su corazón. No, ni mucho menos.

Se detuvo a contemplar la fina manecilla que recorría la esfera del reloj de pared, el amarillento moblaje anticuado... No era extraño que las grandes compañías tuvieran tantas ganancias: elevadas tarifas, viejo material, falta de competidores. Ya no funcionaba el Telégrafo Postal... Era seguro que le sacaban más provecho a estos viejos muebles que Herzog padre obtenía de esa misma clase de muebles en la calle Cherry. Era enfrente de la casa de fulanas. Cuando la *madame* no pagaba a los policías lo que estos esperaban, arrojaban por las ventanas a la calle las camas de las putas, desde las ventanas del segundo piso. Las mujeres lanzaban tremendos chillidos y maldiciones negras cuando las metían en la camioneta. Herzog padre, hombre de negocios, meditaba sobre estas cosas, que le eran ajenas, del vicio y la brutalidad y miraba, moviendo la cabeza, a los policías y a las mujeres gordas, bárbaras y chillonas y contemplaba aquellos muebles adquiridos en saldos. Así nació mi fortuna ancestral.

Cerca de la casa de Asphalter había un garaje, en el que metió Herzog el coche alquilado. Estaba seguro de que a la niña le gustaría mucho el periscopio. En aquellos almacenes de la avenida Harper había mucho que ver y la nena lo pasaría muy bien si la llevaba allí.

Asphalter salió a recibirlo a la escalera.

—Te he estado esperando.

—¿Pasa algo malo? —dijo Herzog.

—No, hombre, no. No te preocupes. Recogeré a June mañana a mediodía. Va por las mañanas a una «miga». Allí solo juega.

—Estupendo —dijo Herzog—. ¿No has tenido dificultades, entonces?

—¿Con Madeleine? No, en absoluto. Desde luego, ella

no quiere verte. Pero, por otra parte, puedes estar con tu hija cuanto quieras.

—Claro, no quiere que me presente con un mandato del tribunal. Legalmente, está en una posición muy dudosa con ese sinvergüenza en la casa. Bueno, vamos a ver cómo estás tú. —Entraron en el piso, donde la luz era mucho mejor—. Vaya, Luke, veo que te has dejado crecer una buena barba.

Nervioso y tímido, Asphalter se tocó la barbilla a la vez que desviaba la mirada.

—Supongo —dijo Herzog— que es la compensación por tu súbita y lamentable calvicie —añadió en tono de broma.

—Es que estoy pasando por una depresión —explicó Asphalter—. He creído que me vendría bien un cambio de «imagen»... Perdona, tengo todo esto revuelto.

Asphalter había vivido siempre en un desorden de estudiante. Herzog recorrió la habitación con la mirada.

—Oye, si vuelvo a estar boyante, te compraré unas estanterías, Luke. Ya es hora de que te libres de estas canastas para guardar libros. Comprendo, sin embargo, que esta literatura científica es muy pesada y no hay donde meterla. Pero, hombre, ¡si has puesto sábanas limpias en la cama plegable del estudio, en mi honor! Has sido muy amable conmigo, Luke.

—Eres un viejo amigo.

—Gracias —dijo Herzog. Y, sorprendido, tropezó con cierta dificultad para hablar. Una inesperada oleada sentimental le subió a la garganta. Se le humedecieron los ojos. Herzog sabía lo que era aquello: «Otra vez el amor blandengue», pensó. Sí, era el viejo sentimentalismo. Tenía que recuperar el control y enfriarse. Se sintió mejor cuando logró superar aquel repentino ataque de blandenguería.

—Luke, ¿recibiste mi carta?

—¿Tu carta? ¿Acaso me has enviado alguna? Yo sí te he escrito; eso, desde luego.

—Pues no me ha llegado. Qué raro. Y, ¿qué me decías?

—Pues te hablaba de un empleo. ¿Te acuerdas de Elías Tuberman?

—¿El sociólogo que se casó con la profesora de gimnasia?

—Déjate de bromas. Me refiero al director general de la Enciclopedia Stone. Tiene un millón de dólares para la revisión general de la obra, pues la quieren poner al día. A mí me ha encargado la biología. Y te busca a ti para que le lleves todo lo de historia.

—¿A mí?

—Me dijo que había leído de nuevo tu libro sobre el Romanticismo y la Cristiandad. Cuando lo leyó por primera vez, en los años cincuenta, parece que se cegó y no supo apreciarlo. Pero ahora dice que es un monumento.

Herzog se había puesto muy serio. Inició varias respuestas y no terminó ninguna de ellas.

—No sé si aún soy un erudito —dijo por fin—. Cuando me divorcié de Daisy, por lo visto, dejé de ser un investigador. Creo que Madeleine me quitó eso también. Sí, entre ella y Gersbach me lo quitaron todo. Valentín se apoderó de mis modales elegantes y ella, Mady, se convirtió en la profesora. ¿No está ahora preparándose para los ejercicios orales?

—Efectivamente.

Recordando la muerte del mono de Asphalter, dijo Herzog:

—¿Qué te pasa, Luke? No se te habrá pegado la tuberculosis de tu mono favorito, ¿verdad?

—No, no; me he puesto periódicamente la prueba de tuberculina.

—Creo que fue una locura por tu parte darle al mono —¿cómo se llamaba? ah, Rocco— la respiración artificial de boca a boca. Fue demasiada excentricidad.

—¿También te contaron eso?

—Desde luego. ¿Cómo, si no, iba a haberme enterado? Lo que no comprendo es cómo lo supieron en los periódicos.

—Muy sencillo. Uno de esos hijos de..., los de Fisiología, cobraba unos dólares por su espionaje.

—¿Para quién espiaba?

—Para el *American*.

—¿No sabías que el mono estaba tuberculoso?

—Sabía solo que estaba enfermo, pero no tenía idea de qué. Y no podía suponer que su muerte había de afectarme tanto. —Herzog no estaba preparado para la solemnidad con que Asphalter hablaba de este asunto. Su reciente barba era variopinta pero tenía los ojos aún más negros que el cabello que había perdido—. Yo creía que Rocco era para mí un juguete y me impresionó darme cuenta de lo mucho que significaba para mí. Pero comprendí que ninguna otra muerte en el mundo me podría afectar tanto como la de ese mono. Tuve que preguntarme si la muerte de mi hermano podría hacerme un efecto tan terrible como la de Rocco. Creo que no. Por lo visto, todos estamos un poco locos. Pero...

—¿No te importa que me sonría? —se disculpó Herzog—. Es que no puedo remediarlo.

—Lo comprendo. ¿Qué otra cosa puedes hacer?

—Un hombre puede hacer cosas peores que querer a su mono —dijo Herzog—. *Le coeur a ses raisons*. Ya conoces a Gersbach. Era un gran amigo mío. Y Madeleine lo *ama*. ¿De qué puedes avergonzarte? Es una de esas comedias emotivas como esta otra de Madeleine, Gersbach y yo. ¿Has leído una historia que publicó la revista *Collier's* sobre un hombre que se casó con una chimpancé? *My Monkey Wife (Mi esposa simia)*. Una excelente historia.

—Me quedé muy deprimido —dijo Asphalter— y aún no me he repuesto. Me he pasado dos meses sin dar golpe en mi trabajo, y he tenido que alegrarme de no tener hijos ni esposa para no verme obligado a ocultarles mis sollozos.

—¿Y todo por ese mono?

—Dejé de ir al laboratorio. Tomé muchos tranquilizantes, pero no podía seguir abusando de eso. Por último, he tenido que soportar mi desgracia con valor.

—¿Fuiste a consultar al doctor Edvig? —le preguntó Herzog riéndose.

—No, no, a Edvig no. Pero sí a otro reductor de cabezas. Solo iba dos horas a la semana. El resto del tiempo me lo pasaba temblando. He leído algunos libros, siempre con la esperanza de hallar alguna solución. ¿Has leído la obra de esa mujer, Tina Zokóly, sobre lo que debe hacerse en esas crisis?

—No. ¿Qué dice?

—Receta algunos ejercicios mentales.

Moses estaba interesado:

—¿En qué consisten?

—El principal de ellos le enfrenta a uno con su propia muerte.

—¿Cómo se hace eso?

Asphalter trataba de mantener un tono conversacional, descriptivo y corriente. Evidentemente, era un tema del que resultaba muy difícil hablar. Sin embargo, era irresistible.

—Se imagina uno que ya se ha muerto —comenzó Asphalter.

—Ya. Lo peor ha ocurrido ya. Y luego, ¿qué pasa? —Herzog volvió la cabeza como para oír mejor. Escuchaba a Asphalter intensamente. Tenía las manos entrelazadas, sobre un muslo; los hombros caídos, como con cansancio, y los pies vueltos hacia dentro. La habitación, polvorienta e inundada, libros tirados por todas partes, tenía una lámpara de pinza sujeta en el borde de una de las grandes cestas con libros... El suave movimiento de las hojas en los árboles de la calle le producía a Herzog un efecto sedante. *Cosas verdaderas en forma grotesca*, estaba pensando. Él sabía, por experiencia, lo que era eso. Comprendía muy bien a Asphalter.

—De modo que el golpe definitivo ha caído ya sobre uno. Ha terminado la agonía —dijo Asphalter—. Estás muerto y has de yacer como un muerto. ¿Qué hay en el ataúd? Pues un relleno recubierto con seda.

—¡Ah, ya comprendo! Tienes que ir reconstruyéndolo todo. Debe de ser muy duro. Ya comprendo... —suspiró Moses.

—Se necesita práctica. Tienes que sentir y no sentir, ser y

no ser. Estás presente y, a la vez, ausente. Uno por uno, van acercándose a mirar las personas que han figurado en tu vida. Tu padre. Tu madre. Todos aquellos quienes has querido. Y todos los que has odiado.

—Y luego, ¿qué? —Herzog estaba interesadísimo, absorto y miraba a Asphalter cada vez más oblicuamente.

—Entonces te preguntas: ¿Qué debo decirles ahora? ¿Qué siento por ellos? Por supuesto, en esas circunstancias, nada tendrás que decirles que no sientas de verdad. Además, como estás muerto, no se lo dices a ellos, sino a ti mismo. Es realidad, no ilusiones. La verdad, no las mentiras habituales. Todo ha terminado.

—De modo que se trata de enfrentarse con la muerte. Eso es de Heidegger. ¿Y qué se consigue con todo eso?

—Mientras miro desde mi ataúd, al principio solo veo mi muerte y mis relaciones con los vivos; las que tuve con ellos cuando vivía. Pero luego surgen otras cosas, cada vez.

—¿Y no te empiezas a cansar?

—No, no. Una y otra vez, veo las mismas cosas. —Luke se reía nerviosa y dolorosamente—. ¿Nos conocíamos ya tú y yo cuando mi padre tenía aquella casa de putas en West Madison Street?

—Sí, por entonces nos veíamos en la escuela.

—Cuando la Depresión, tuvimos que mudarnos nosotros, la familia, a aquella casa. Mi padre se reservó un piso del ático. El Teatro Haymarket estaba unas cuantas puertas más allá. ¿Lo recuerdas?

—¿Donde ponían revistas atrevidas? Claro que me acuerdo, Luke. Yo solía hacer novillos en el colegio para ir a ver las obritas donde se daban tantos coscorrones.

—Bueno, pues yo, lo primero que recuerdo es el incendio que estalló en aquel edificio. Mi hermano y yo envolvimos en mantas a nuestros hermanitos y nos pusimos en la ventana. Entonces llegaron los bomberos y nos salvaron. Nos bajaron uno por uno. La última fue mi tía Rae. Pesaba cerca de cien kilos. Cuando la sujetó un bombero para bajarla, se le levantó la falda. El pobre hombre estaba muy colorado con el esfuerzo de llevar aquel peso. Recuerdo que tenía una cara grande, de irlandés. Yo estaba ya abajo y vi bajar hacia mí aquel enorme culo, el tremendo trasero de mi tía, cada vez más cerca. Pero también recuerdo la gran palidez de sus mejillas y su aire indefenso que inspiraba compasión.

—Y, ¿son estas escenas las que evocas cuando juegas a los muertos? Una vieja tía culona a la que salvaron de morir quemada.

—No te rías —dijo Asphalter, que también sonreía, pero forzadamente—. Sí, esa es una de las cosas que suelo ver. Y también las fulanas que trabajaban en aquellas farsas groseras que daban en el edificio de al lado. Mientras duraba una película que ponían, de Tom Mix, las mujeres se aburrían en sus camerinos y salían a la calle a jugar al béisbol, que las entusiasmaba. Eran todas ellas unas mujeronas muy fuertes y groseras que necesitaban ejercicio. Yo me sentaba en la acera y las veía jugar.

—Pero, mientras esperaban, ¿tenían ya puestos los vestidos con los que actuaban?

—Sí, estaban ya preparadas para cuando terminase la película. Iban con mucho colorete y los labios con mucho rojo. Con los movimientos violentos del béisbol se les agitaban mucho las tetas. Moses, te juro que...

Asphalter se apretaba con las palmas de la mano sus barbudas mejillas y le tembló la voz. Tenía como asombrados sus negros ojos. Sonrió penosamente. Luego echó hacia atrás su silla para apartarla de la luz. Quizá estuviese a punto de llorar. Ojalá no llore, pensó Herzog. Sentía afecto por él.

—No te dejes vencer por ese disgusto, Luke. Ahora, escúchame. Quizá pueda yo decirte algo sobre esto. Sí, te diré cómo veo yo tu problema. Un hombre puede decir: «De ahora en adelante, diré siempre la verdad». Pero la verdad parece estarle escuchando y se escapa en cuanto le oye decir eso. Se esconde. Hay algo divertido en la condición humana y es que la inteligencia se burla de sus propias ideas. Por eso, Tina Zokóly, la autora de ese libro, también debe de haber estado de broma.

—No lo creo.

—Entonces, lo que ella propone no es más que el antiguo *memento mori*, la calavera que tenía el monje sobre la mesa, puesta al día. Y, ¿qué se saca de todo eso? Vamos a parar al existencialismo alemán que te dice el bien que hace una buena ración de horror, que te salva de la distracción, te da libertad y te hace auténtico. Dios ya no existe. Pero la Muerte sí. Eso te dicen. Y vivimos en un mundo solo preocupado por el placer y en el que la felicidad funciona a base de un modelo mecánico. Todo lo que has de hacer es abrir la ventana y coger al vuelo la felicidad. Por eso, los teóricos hablan de la tensión de la culpa y del pánico como correctivo. Pero la vida humana es mucho más sutil que todos sus modelos, incluso que los ingeniosos modelos alemanes. ¿Crees que necesitamos estudiar las *teorías* del miedo y de la angustia? Esa Tina Zokóly es una tonta. Te dice que practiques eso de figurarte muerto y tu inteligencia le responde con ingenio. Pero, en verdad, estás llevando las cosas a un extremo absurdo. Lo tuyo es lo ridículo hasta el extremo de la angustia. Cada vez lo pones más amargo. Total, acabas viendo monos, culos y coristas jugando al coro.

—Esperaba que hablaríamos de esto —dijo Asphalter.

—No abuses de ti tanto, Luke, y déjate ya de esos planes fantásticos contra tus verdaderos sentimientos. Sé que eres bueno y que tienes un gran corazón. Además, tienes fe en el mundo. Y el mundo te dice que debes buscar la verdad en combinaciones grotescas. También te advierte que debes alejarte de todo consuelo si aprecias en algo tu honor intelectual. Para esa teoría, la verdad es el castigo, y te dicen que debes aguantarla como un hombre. Te dicen que la verdad te atormentará el alma porque tu inclinación de pobre ser humano es mentir y vivir de mentiras. De modo que si tienes en tu alma algo más que espera a ser revelado, nunca te lo enseñará esa gente. ¿Para qué has de figurarte que estás en un ataúd y practicar esos ejercicios con la muerte? No hace falta nada de eso, pues en cuanto el pensamiento empieza a profundizar, lo primero a donde llega es precisamente a la muerte. Los filósofos de nuestro tiempo querrían poner de nuevo en práctica el anticuado terror a la muerte. La nueva actitud que considera a la vida como una pijada sin importancia alguna, que no merece que nadie se angustie por ella, amenaza al corazón mismo de la civilización. Pero no es cuestión de sentir horror ni nada que se le parezca... Sin embargo, ¿qué pueden hacer los pensadores y humanistas sino esforzarse por hallar las palabras más convenientes? Aquí me tienes a mí, por ejemplo, que ando siempre buscando la realidad en el idioma. Quizá lo que de verdad me gustaría sería convertirlo todo en lenguaje para obligar a Madeleine y a Gersbach a tener una *conciencia*. Esa es una buena palabra para tu caso. Tengo que mantener tirantes las tensiones sin las cuales los seres humanos no pueden ya ser llamados humanos. Si no sufren, se alejan de mí; es como si me los borrasen. Por eso, para evitar que se escapen, he inundado al mundo con cartas. Los quiero ver en forma humana. Para ello, conjuro todo su ambiente y los cojo en medio de este. Pongo todo mi corazón en esas construcciones mentales. Pero no son más que eso: tinglados que yo armo.

—Sí, pero tú tratas con seres humanos. Yo, en cambio, ¿a quién puedo referirme? ¿A Rocco?

—Escucha, Luke, hemos de atenernos a lo que de verdad importa. Yo estoy convencido de que el sentido de hermandad es lo que hace humano al hombre. Cuando los predicadores del terror te dicen que «el otro» es lo único que te aparta de tu libertad metafísica, debes apartarte de ellos para no escucharlos más. La cuestión real y esencial es la de cómo nos emplean otros seres humanos y cómo los utilizamos nosotros a ellos. Sin este verdadero empleo de nuestro ser, nunca temeremos a la muerte, sino que la estaremos cultivando. Y cuando la conciencia no comprende claramente para qué se vive y para qué se muere, solo consigue dañarse y ridiculizarse. Que es lo que te pasa a ti por culpa de Rocco y de Tina Zokóly y como hago yo escribiendo cartas impertinentes. Con todo esto me da vueltas la cabeza. ¿Dónde está la botella de Cutty Sark? Necesito un trago.

—Lo que necesitas es dormir. Tienes mala cara.

—No, no; estoy estupendamente —dijo Herzog.

—De todos modos, tengo que hacer algunas cosas. Procura dormirte. No he acabado de calificar los ejercicios de mis alumnos.

—Llevas razón. Creo que voy a caer como un tronco —dijo Moses—. Por cierto, la cama tiene muy buen aspecto.

—Te dejaré dormir hasta tarde. Tendremos tiempo de sobra para todo —dijo Asphalter—. Buenas noches, Moses. —Se estrecharon la mano.

Por fin, pudo abrazar a su hija, que le apretó las mejillas con sus manitas y le besó. Herzog tenía verdadera hambre de sentirla junto a sí, de respirar su fragancia infantil, de poder mirarle sus ojos negros, de tocarle el cabello y la piel. Estrechó su huesudo cuerpecillo, tartamudeando:

—June, preciosa, ¡cuánto te he echado de menos! —Su felicidad le resultaba dolorosa. Y ella, con inocencia y con el puro o amoroso instinto de las niñitas, besó en los labios a su cansado y gastado padre, lleno de microbios.

Allí estaba también Asphalter, que había llevado a la niña, sonriente, pero un poco raro, sudándole la calva, y su nueva y variopinta barba parecía darle calor y molestarle. Se hallaban en la larga escalera gris del Museo de Ciencias, en el parque Jakson. Entraban muchos niños que llegaban en autobuses, rebaños blanquinegros, pastoreados por sus padres y maestros. Las puertas de cristal con bordes de bronce relucían al abrirse y cerrarse, y todos aquellos cuerpecitos, oliendo a leche, benditas cabezas de todos los matices y formas, promesa del mundo futuro —pensaba el benévolo Herzog—, del bien y del mal futuros, salían y entraban a toda prisa.

—¡Mi June guapa! Papá te ha echado mucho de menos —repitió Herzog.

—¡Papá!

—¿Sabes, Luke? —Herzog hablaba a borbotones y ponía

una cara a la vez feliz y contraída—, Sandor Himmelstein me dijo que esta niña me olvidaría. Estaría pensando en los Himmelstein, que no son de fiar.

—¿Los Herzog están hechos de mejor barro? —dijo Asphalter, en tono interrogativo. Pero su intención era amable, cortés. Y añadió—: Bueno, nos podemos encontrar aquí mismo a las cuatro en punto.

—¿Solo tres horas y media? ¡Qué mujer, qué manera de regatear el tiempo! En fin, muy bien, no reñiremos por eso. No quiero ya más conflictos con ella. Mañana será otro día.

¿Qué clase de educación le daba Madeleine a la niña? ¿Acaso iba a convertirla en otra belleza melancólica como Sarah Herzog, destinada a parir hijos que ignorasen el alma de ella y el Dios de su alma? ¿O encontraría la humanidad una nueva senda dejando anticuada (y él se alegraría mucho de ello) la manera de ser de él? ¿Abandonaba él a su niña en manos de aquella mujer para que la dejara convertirse en otra lujuriosa? En Nueva York, cuando pronunciaba una conferencia, le había dicho un joven jefe de empresa que se había levantado como movido por un resorte: «¡Profesor, el Arte es para los judíos!». Al ver ante él a esta niña fina y esbelta, pero violenta de ademanes, Herzog respondía ahora a aquella interrupción: «Pues solía ser la usura». Pensó que ese es el nuevo realismo.

—Luke, gracias, la niña y yo estaremos aquí a las cuatro. No te pases todo este tiempo preocupado, por favor.

Moses entró con la niña en el Museo para ver la incubación de los pollitos.

—¿Te mandó Marco una tarjeta, nena?

—Sí, del campamento.

—¿Sabes quién es Marco?

—Mi hermano. Es mayor que yo.

De modo que Madeleine, por muchas que fuesen sus locuras, no estaba tratando de apartar a la niña de los Herzog.

—¿Has entrado alguna vez en la mina de carbón que hay aquí en el Museo?

—Me dio miedo.

—Y los pollos, ¿te gusta verlos?

—Ya los he visto.

—¿No quieres volver a verlos?

—Sí, sí, me gustan mucho. El tío Val me trajo a verlos la semana pasada.

—¿Conozco yo, hija, al tío Val?

—Oh, papá, ¡qué tonto eres! —y le hizo unas caricias en el cuello a su padre.

—¿Quién es?

—Es mi padrastro, papá. Lo sabes muy bien, tonto.

—¿Fue el que te dejó encerrada en el coche?

—Sí, ese.

—Y tú, ¿qué hiciste?

—Lloré, pero no mucho tiempo.

—¿Te gusta el tío Val?

—Sí, es muy divertido. Pone unas caras muy graciosas imitando a la gente. ¿Sabes tú poner caras graciosas?

—Tengo demasiada dignidad para hacer monadas.

—Pero tú sabes contar mejores historias.

—Creo que sí, bonita.

—Aquella del chico y las estrellas. Esa sí que era buena.

Herzog se alegró de que la nena recordase sus mejores historias infantiles. Asintió con la cabeza, mirándola con cariño y asombro, agradecido.

—¿Cuál, la del niño de las pecas?

—Sí, eran como el cielo.

—Es que cada peca era exactamente como una estrella y el niño las tenía todas: la Osa Mayor, la Osa Menor, Orión, los Gemelos, Betelgeuse, la Vía Láctea... Aquel niño tenía en la cara todas las estrellas, cada una en su verdadera posición.

—Pero tenía también una estrella que nadie conocía.

—Por eso lo llevaron a todos los astrónomos.

—Yo he visto a los astrónomos en la televisión, papá.

—Y los astrónomos dijeron: «¡Vaya, vaya; qué interesante coincidencia! Aquí tenemos un pequeño fenómeno».

—Más, más, cuéntame más.

—Por fin, llevaron al niño a que lo viera Hiram Shpital-nik, que era viejo, viejo, viejo, muy arrugadito y bajito, con una larga barba que le llegaba a los pies. Vivía en una sombrerera. El tatarabuelo Shpitalnik salió de su escondite con un telescopio y miró por él la cara de Rupert.

—¡Sí, sí, papá, el niño se llamaba Rupert!

—El pequeñito y viejísimo Shpitalnik hizo que sus abejas lo auparan para poder mirar bien por el telescopio y miró todo el tiempo que quiso y dijo que aquello que había en la cara del niño era *una estrella de verdad*, un descubrimiento importante. Precisamente, él había estado buscando aquella estrella sin encontrarla y... Mira, aquí están los pollos.

Colocó a la niña apoyada en la barandilla, a su izquierda, para que no fuera a rozarse con la pistola, que seguía envuelta en el rollo de rublos del bisabuelo. Aún los tenía en el bolsillo interior de la chaqueta, el de la derecha.

—Los pollitos son amarillos —dijo la niña.

—Aquí los tienen calentitos y relucientes. ¿Ves ese huevo que se mueve? El pollito está tratando de salir. Pronto aparecerá rompiendo la cáscara su piquito. Fíjate bien.

—Papá, ¿por qué no te afeitas ya en nuestra casa?

Tenía que endurecerse. No quería dejarse enternecer con aquella ingenua pregunta de June. Pues, si no se endurecía, ocurriría lo que el salvaje dijo del piano: «Le pegas unos mamporros y llora». Había que acabar con ese arte judío de las lágrimas. Herzog respondió con palabras mesuradas:

—Tengo la máquina de afeitar en otro sitio. ¿Qué dice Madeleine de eso?

—Dice que tú no quisiste vivir ya con nosotros.

Procuró que la niña no le notase su indignación:

—¿Eso dice? Bueno, debes saber que yo siempre quiero vivir contigo. Pero es que no puedo.

—¿Por qué?

—Pues, hija, porque soy un hombre y los hombres tienen que trabajar y andar por el mundo.

—El tío Val también trabaja. Escribe poemas y se los lee a mamá.

Herzog puso una cara regocijada.

—Espléndido, hija, espléndido. —De modo que Madeleine tenía que escuchar aquellas estupideces. El mal arte y el vicio mano a mano—. Muy bien, me alegro de saberlo.

—Se pone muy raro cuando los lee.

—¿Y no llora?

—Sí, claro, siempre.

El sentimiento y la brutalidad, paralelamente. Nunca el uno sin la otra, lo mismo que los fósiles y el petróleo. Esta noticia era estupenda. Qué felicidad oír esto.

June había inclinado la cabeza. Se llevó los puños a los ojos.

—¿Qué te pasa, nena?

—Mamá me dijo que no debía hablar del tío Val.

—¿Por qué?

—Dijo que te ibas a enfadar muchísimo si te hablaba de él.

—Tonta, ¿no ves que no me enfado? Si me estoy riendo como un loco. ¿No lo ves? Pero, en vista de eso, de acuerdo, no hablaremos de él. Prometido, ni una palabra.

Como padre experimentado, esperó prudentemente hasta que llegaron al coche para decir:

—¡Tengo unos regalos para ti ahí dentro!

—¡Ay, papá, qué bien! ¿Qué me has traído?

Con el fondo del vasto y sombrío Museo de Ciencias, June parecía tan luminosa, tan nueva (sus dientes de leche, sus salpicadas pecas, los ojazos muy abiertos por la expectación, y el frágil cuello) y Herzog pensó que esta niña heredaría este mundo de los grandes instrumentos, de los principios de física y de la ciencia aplicada. Tenía sobrado cerebro para merecerlo. Ya estaba Herzog lleno de orgullo, y veía en ella otra Madame Curie. Le entusiasmó el periscopio. Enseguida empezó a manejarlo sentada en el coche. Pasado el puente del Outer Drive, se apearon del mismo y pasearon por la orilla del lago. Él la dejó que se quitase los zapatos y se metiese en el agua hasta los tobillos. Después le secó los pies en los faldones de su camisa quitándole cuidadosamente la arena que se le había quedado entre los dedos. Le compró luego una caja de Criacker Jack que ella se comió sentada en la hierba. Los dientes de león habían florecido y eran un puro estallido de seda; el césped estaba mullido, no húmedo como en mayo ni seco y duro como en agosto, cuando el sol lo requemaba. La segadora mecánica describía círculos, afeitando las pendientes y soltando incesantes recortes verdes, que se esparcían como una rociada. Iluminada desde el sur, el agua era de un maravilloso y fresco azul; el cielo descansaba sobre el suave horizonte encendido, muy claro excepto hacia Gary, por donde las columnas de humo de las fábricas de acero manchaban el paisaje con sus humaredas bermejas y sulfúricas. Herzog pensó que, por entonces, las praderas de Ludeyville, que llevaban dos años sin cortar, debían de ser ya simples henares, y lo más probable sería que los cazadores y amantes locales estarían invadiéndolos de nuevo, rompiendo cristales de las ventanas y encendiendo hogueras.

—Quiero ir al Acuario, papá —dijo June—. Mamá dijo que me llevarías a verlo.

—¡Ah, dijo eso! Bueno, hija, vamos a verlo.

El Falcon se había recalentado al sol. Herzog abrió las ventanillas para que se enfriase. Ahora tenía un número extraordinario de llaves y debía ordenarlas mejor en los bolsillos; si no, nunca encontraba la que necesitaba. Eran las llaves de su piso de Nueva York, la llave que le había dejado Ramona, una de su departamento de la universidad y la llave del piso de Asphalter, así como varias de Ludeyville y otras.

—Debes sentarte en la parte de atrás, rica. Procura que no se te levante el vestido, porque así te protegerás contra el calor del plástico, que debe de estar ardiendo.

El aire del Oeste era más seco que el del Este. Los agudos sentidos de Herzog percibían esta diferencia. En aquellos días de casi delirio y de pensamientos fugitivos e incontrolados, unas intensas corrientes intuitivas habían agudizado sus percepciones, o quizá proyectasen a su alrededor algo de sí mismo. Como si pintase a su entorno con la humedad y el color de su boca, su sangre, el hígado, los intestinos, los genitales... Por este procedimiento confuso y mezclado, percibía entrañablemente a Chicago, que le era familiar desde hacía treinta años. Y con los elementos de la ciudad, gracias a este arte peculiar de sus propios órganos, creaba su versión de ella. Allí donde los gruesos muros y las deformadas losas del pavimento en barriadas de los negros despedían sus malos olores. El Farther West, con sus industrias, la South Branch con sus apestosas alcantarillas y brillante con su capa de dorado fango; los corrales para el ganado, cerrados; los altos y rojos mataderos en triste decadencia; y la vulgaridad de los bungalows y los canijos parques; y grandes zonas comerciales; y los cementerios después de estos: Waldheim, con sus tumbas para los Herzog pasados y presentes; las Reservas Forestales para los jinetes, sendas para los amantes, horribles asesinatos; aeropuertos, canteras, y, por último, campos de trigo. En todo esto, infinitas formas de actividad. La realidad. Moses debía ver la realidad. Quizá tenía la buena suerte de no tenerla que ver toda para así darse cuenta mejor de la que veía, para no quedarse dormido si intentaba abrazar a una realidad tan inmensa. Estar bien despierto y abarcar lo más posible, la conciencia penetrante y muy amplia, era su especialidad, su destino. Vigilancia. Si sacaba algún tiempo para llevar a su pequeña June a ver los peces, ya se las arreglaría para cumplir a su manera la misión de vigilar. Y este día era precisamente —hizo un esfuerzo para reconocerlo y admitirlo— como aquel otro del entierro de su padre. También entonces estaba el tiempo florido: rosas, magnolias... Moses, la noche anterior, había estado llorando mucho, pero había dormido. El aire despedía una turbadora fragancia y él había tenido unos sueños lujuriosos, malos, dolorosos y espléndidos, interrumpidos por el raro éxtasis de la polución nocturna. Es curioso cómo la muerte pone ante los encadenados instintos el aliguí de la libertad; y los hijos de Adán, signos de compasión, han de responder con sus cuerpos y almas a extrañas señales. Gran parte de mi existencia la he empleado esforzándome en vivir de acuerdo con ideas más coherentes. E incluso sé cuáles son esas ideas.

—Papá, tenemos que volvernos aquí. Sí, aquí es donde da siempre la vuelta el tío Val.

—Muy bien —dijo Herzog, y en el retrovisor pudo observar cuánto le había fastidiado a la niña darse cuenta de que otra vez había citado a Gersbach.

—Oye, hija, si dices algo del tío Val delante de mí, yo nunca iré a contarlo. Nunca te pregunto sobre él, pero tú no tienes que preocuparte si se te escapa nombrarlo. Es una tontería. Pero, si tú y yo tenemos algún secreto, no importa en absoluto.

—Yo sé muchos secretos —dijo la niña, que estaba detrás de él en el coche—. El tío Val es muy simpático.

—Claro que lo es.

—Pero a mí no me gusta porque no huele bien.

—¡Ja, ja, ja! Bueno, le compraremos un tarro de perfume y haremos que huela estupendamente.

Cuando subieron la escalera del Acuarium, Moses llevaba a su hija de la mano y se sentía como el padre en cuya fuerza y buen juicio podía confiar la pequeña. Hacía mucho calor en el patio central del edificio. Daba el sol de lleno. El estanque, las lujuriantes plantas y el dulce aire tropical en que se movían los peces, obligaron a Moses a reaccionar para no reblandecerse. Tenía que conservar toda su energía.

—¿Qué quieres ver primero?

—Las tortugas grandotas.

Subieron y bajaron por las oscuras avenidas doradas y verdes.

—Este pez pequeñito, tan rápido, se llama el jumu-ju-muu-eli-eli. Y este, de movimientos vacilantes, es una raya que tiene dientes y lleva veneno en la cola. Estos otros son lampreas, que aprietan sobre otros peces esas bocas que tienen y chupan hasta que los matan. Ese que ves allí es el pezarcoiris. En esta nave del acuárium no hay tortugas, pero ¿qué es eso que hay allí? ¿Tiburones?

—Yo vi los delfines en Brookfield —dijo June—. Llevan gorras de marinero y tocan una campana. Saben bailar poniéndose sobre sus colas, y juegan al baloncesto.

Herzog se la llevó de allí. Estas salidas suyas con los niños, quizá porque estaban impregnadas de tanta emoción, resultaban siempre agotadoras. Con frecuencia, después de haber estado un día con Marco, Moses había tenido que ponerse una compresa sobre los ojos y tumbarse en la cama. Parecía su sino ser el padre al que «visitan» sus hijos o ser él quien los visita a ellos, aunque fuera sacándolos a pasear, era su maldición tener que ser como una aparición seguida de una rápida desaparición, en la vida de sus hijos. Pero tenía que vencer esa especial susceptibilidad suya al recibir a sus hijos para despedirlos enseguida. Para Moses E. Herzog, mientras abrazaba a su hija sin dejar de mirar, a través del verde acuoso, a los suaves tiburones colmilludos, esa emoción no era más que tiranía. Por primera vez tuvo una idea diferente sobre la manera cómo Alexander V. Herzog había organizado el entierro de Herzog padre. No hubo solemnidad religiosa alguna en la capilla. Los amigos de Shura, prosopopéyicos y tostados por el sol del golf, los banqueros y los presidentes de las sociedades formaban un imponente muro de carne, tan llenos en los hombros, manos y mejillas como despoblados en la cabeza. Luego hubo el cortejo. El ayuntamiento había enviado una escolta de motociclistas en reconocimiento de la importancia cívica de Shura Herzog. Los guardias iban delante tocando las sirenas apartando coches y camiones para que pasara el cortejo y para que no tuviera este que respetar las señales del tráfico. Nadie llegó nunca a Waldheim con tal rapidez. Moses le dijo a su hermano Shura: «Mientras vivió, Papá tuvo a los guardias a su espalda, y ahora...». Helen, Willie y los cuatro niños, en la limusina, rieron bajito de su observación. Luego, cuando bajaban el ataúd y Moses y los otros lloraban, le dijo su hermano Shura: «No te portes como un maldito inmigrante». Desde luego, le hacía pasar malos ratos cuando estaba con sus amigos de golf y los presidentes de las sociedades. Quizá ya estuviese equivocado. El buen americano era él. Yo sigo llevando encima la polución europea y estoy infectado por sentimientos del Viejo Mundo, como el Amor, la Emoción Filial y todas esas viejas ilusiones soporíferas.

—¡*Ahí* está la tortuga! —gritó June. La tortuga emergió de las profundidades del tanque de agua con su córneo escudo pectoral. La puntiaguda cabecita se movía perezosamente y sus ojos eran de una infinita indiferencia. Las aletas se movían muy despacio, dando contra el cristal. Las grandes escamas eran de un amarillo con pintas rojizas.

Para poder comparar, se acercaron luego a las tortugas del río Mississippi en el estanque central. Tenían los costados con rayas rojas y dormitaban sobre sus maderos o bien chapoteaban en compañía de unos silúridos en un fondo cubierto con helechos y salpicado de monedas que les tiraba la gente.

La niña estaba ya harta y lo mismo su padre.

—Creo que ahora iremos a que tomes un sándwich —dijo Moses—. Es hora de comer. —Salieron del aparcamiento con bastante cuidado. Herzog se dio cuenta después del cuidado que había puesto en la operación porque iba con la niña. Pero al salir el Falcon alquilado, no había contado con la larga curva del norte donde los vehículos tomaban velocidad. Un pequeño camión Volkswagen venía detrás de él. Tocó los frenos pensando disminuir la velocidad y dejar pasar al camión, pero los frenos eran demasiado nuevos y respondían exageradamente, de modo que el Falcon se detuvo en seco y el pequeño camión lo empujó por detrás contra un poste de teléfonos. June chilló y se agarró a los hombros de su padre, que, con el empellón, se había doblado hacia delante, contra el volante. ¡La niña!, pensó; pero no era por la niña por quien tenía que preocuparse. Por el grito de esta sabía que no estaba herida; solo asustada. En cambio, él estaba tumbado sobre el volante y se sentía muy débil, radicalmente débil. Se le enturbió la visión y comprendió que se estaba mareando por momentos. Oía los gritos de June, pero no se podía volver hacia ella. Se comunicó a sí mismo que se estaba muriendo, y se desmayó.

Lo tendieron en la hierba. Oyó una locomotora muy cerca. Tenía que ser del Illinois Central. Y luego parecía irse alejando. Al principio veía bailarle unas manchas en los ojos, pero se transformaron enseguida en motas iridiscentes. Se le habían enrollado los pantalones arriba y sintió que tenía mojados los muslos.

—¿Dónde está June? —preguntó—. ¿Dónde está mi hija?

Se incorporó y vio a su lado dos policías negros, que lo estaban mirando. Tenían en las manos su cartera, los rublos zaristas y, por supuesto, la pistola. Ya estaba listo. Cerró de nuevo los ojos. Le volvieron las náuseas cuando pensó en qué lío se había metido, pero preguntó otra vez por la niña:

—¿Está bien la pequeña?

—No le ha pasado nada.

—Ven aquí, June. —Se echó hacia delante y la niña se lanzó a sus brazos. Mientras la tocaba y besaba la asustada carita de la nena, sintió un agudo dolor en el costado.

—No te preocupes, hija. Papá está descansando un momento, pero no es nada.

Pero June lo había visto tumbado en la hierba, perdido el conocimiento. Apenas habían pasado el nuevo edificio que había a continuación del Museo. Mientras los guardias le registraron los bolsillos, él permaneció inmóvil, desmayado y parecía muerto. La niña se había asustado mucho al ver a su padre tan pálido y tieso y él mismo se asustó al volver en sí, pues se sentía muy débil y raro. Al sentir que le picaban las raíces del cabello, creyó que este se le había vuelto blanco de repente, como dicen que pasa en casos como este. Los guardias le estaban concediendo unos momentos para que se repusiera. La luz azul del coche de la patrulla giraba lanzando sus destellos. El conductor del pequeño camión que había empujado al Falcon, miraba irritado a Herzog.

Los polis le habían cogido. Sus serias y silenciosas miradas le estaban comunicando que lo tenían ya entre sus manos y si esperaban aún era porque él seguía teniendo abrazada a su hija. Era demasiado pronto para ser duros con él. Y Herzog, tratando de ganar tiempo, aparentaba estar más mareado de lo que realmente se hallaba. Los guardias podían ser muy desagradables e incomprensivos. Los había visto actuar. Pero de eso hacía mucho tiempo. Quizá hubieran cambiado en tanto tiempo. Había un nuevo comisario. El año anterior, a Herzog le correspondió el asiento de al lado de Orlando Wilson en la Conferencia de los Narcóticos. Se habían estrechado la mano. Desde luego, esto no tenía importancia alguna y, además, nada pondría más en contra suya a aquellos dos gigantescos guardias negros que darles a entender que él tenía influencia. Para ellos, aquello era tan solo una parte de su deber diario, y con los rublos y la pistola que le habían encontrado, Herzog no podía esperar que lo fuesen a soltar por las buenas. Además, estaba el Falcon azul estrellado contra el poste. El tráfico seguía fluyendo y la carretera estaba llena de flamantes coches.

—¿Usted Moses? —dijo uno de los negros. Ya estaba; era el tono de fatal familiaridad que emplean los polis cuando ha perdido uno la inmunidad.

—Sí, yo soy Moses.

—¿Esta es su nena?

—Sí, mi hijita.

—Más vale que se ponga usted el pañuelo en la cabeza. Tiene pequeña herida, Moses.

—¿Sí? —Esto explicaba por qué le picaba la cabeza. Incapaz de encontrar su pañuelo, mejor dicho, el pedazo de paño de cocina, se quitó la corbata de seda y se envolvió con ella la cabeza de manera que el lado ancho le quedase sobre la parte superior—. Nada; no tiene importancia —dijo. La niña escondía su cabecita en su hombro—. Siéntate con papá, hija mía. Siéntate en la hierba a mi lado. A papá le duele un poco la cabeza. —La pequeña obedeció. Su docilidad, el cariño que le tenía, su compasión y ternura, le conmovían. Le puso una mano abierta en la espalda en un movimiento instintivo, como para protegerla. Sentado en la hierba y echado hacia delante, se sujetaba la corbata a la cabeza.

—¿Tiene usted permiso para esta pistola, Moses? —preguntó uno de los negros y frunció sus grandes labios como esperando la respuesta. Mientras, con una uña, se cepillaba los pelillos de su bigote. El otro guardia hablaba con el conductor del Volkswagen, el cual estaba muy enfadado. De cara afilada y con la nariz aguileña y enrojecida, miraba a Moses, irritado—: Supongo que le quitarán a ese el permiso de conducir, ¿no? —Moses pensó que si estaba en una mala situación era solo por culpa de la pistola y el camionero quería aprovecharse de esta circunstancia. Advertido por esta indignación, Herzog prefirió adoptar una actitud prudente. El guardia volvió a preguntarle, tuteándolo ya:

—Te he preguntado, y te lo vuelvo a preguntar, Moses, si tienes permiso para esta pistola.

—No, señor, no lo tengo.

—Aquí hay dos balas. Arma cargada, Moses.

—Oficial, esa era la pistola de mi padre. Se murió, y ahora me la llevaba a Massachusetts. —Sus respuestas eran breves y daba muestras de la mayor paciencia de que era capaz. De todos modos, estaba seguro de que tendría que repetir la historia una y otra vez.

—¿Qué dinero es este?

—No vale, oficial. Es como el dinero de los Confederados aquí en Estados Unidos. Dinero para el teatro. Solo un recuerdo.

Sin carecer de simpatía, la cara del guardia negro también expresaba un cansado escepticismo. Tenía los labios muy gruesos, y su boca gruesa y callada se abría en una especie de sonrisa. Los labios de Sono también ponían una expresión parecida a la de este negro cuando ella le preguntaba por las demás mujeres que hubo en su vida. Herzog, procurando darse plena cuenta de su situación lo más inteligentemente que podía, reconoció que se le había venido encima una gran responsabilidad y que tenía mucho miedo. Desde luego, había muchas cosas de que le podían incriminar pero era seguro que un guardia como este no era el más indicado para clasificarlo. Incluso en una situación como esta, seguramente había una cierta satisfacción en esta reflexión pues su humana tontería era muy tenaz. «Señor, que los ángeles alaben tu nombre. El hombre es un insensato, sí, un insensato. La locura y el pecado juegan estas malas pasadas...» A Herzog le dolía la cabeza y no podía recordar, ni aun alterándolos, más versículos. Se quitó la corbata de la cabeza. No tenía sentido dejársela puesta. Se le pegaría a la sangre y le arrancaría el coágulo. June apoyaba su cabeza en los muslos de su padre. Él le protegía del sol los ojos.

—Tenemos que anotar los datos de este accidente. —El guardia, con sus relucientes pantalones, se puso en cuclillas junto a Herzog. La culata de su pistola y su cartuchera en el cinturón, tenían muy diferente aspecto que el basto pistolón de Herzog padre y colgaban de su gorda y ancha cadera.

—No veo aquí el título de este Falcon.

El pequeño automóvil estaba abollado por los dos extremos y el capot se había quedado abierto como la cáscara de un mejillón. El motor no podía estar muy averiado. No se había derramado nada.

—Es alquilado —explicó Herzog—. Lo tomé en O'Hare. Los papeles están en el compartimiento de los guantes.

—Tenemos que apuntar aquí los datos. —El guardia abrió una carpeta y empezó a anotar en el grueso papel de un formulario con su lápiz amarillo.

—¿Qué velocidad llevaba el coche cuando salió de este aparcamiento?

—Iba como un caracol de despacio. A cinco u ocho millas por hora. Justamente, estaba saliendo.

—¿No viste, Moses, que se acercaba este hombre?

—No, la curva lo ocultaba. Lo supongo, no lo sé seguro. Pero él se lanzó encima cuando yo llegaba a la carretera. —Se inclinó hacia delante tratando de suavizar su dolor de costado. Estaba dispuesto a no hacerle ya caso a esta molestia. Dio unas palmaditas en la mejilla de June—. Por lo menos, ella no está herida. Menos mal —dijo.

—Yo la saqué por la ventanilla trasera. La puerta se atrancó. La saqué y está muy bien. —El negro del bigotillo frunció las cejas y parecía querer dejar bien claro que no tenía que darle explicaciones a Herzog (un hombre con una pistola cargada no merece explicaciones) pues era la posesión en que se hallaba de esa pistola con dos balas lo que justificaba los cargos contra él, no el accidente.

—Me habría saltado los sesos si le hubiese ocurrido algo a ella.

Al guardia que estaba en cuclillas, a juzgar por su silencio, nada le importaba lo que Moses pudiese haber hecho. Hablar de cualquier uso del revólver, aunque fuera contra sí mismo, no era lo más indicado en aquellas circunstancias. Pero Moses se hallaba aún algo mareado y atontado, y se veía a sí mismo como descendiendo en espiral durante los últimos días y luego, el choque, por no decir la desesperación, de este último golpe. La cabeza seguía dándole vueltas. Decidió terminar con estas tonterías pues, si no, iba a empeorar las cosas aún más. Se había precipitado a Chicago para proteger a su hija y había estado a punto de matarla en aquel idiota accidente. Había venido para acabar con la influencia de Gersbach y darle a su hija el beneficio de su propio ser —el hombre, el padre, etc...— y lo único que había conseguido era estrellarse contra un poste. Para colmo, la criatura había visto cómo le sacaban y se desmayaba, se hería en la cabeza, y los guardias le quitaban los rublos y la pistola. No, ya no tenía utilidad alguna ese sistema suyo de emplear la debilidad, o la enfermedad para defenderse durante toda su vida (alternando con la arrogancia); su método de conservar el equilibrio —el giroscopio de Herzog— no servía ya para nada. Parecía haber acabado ya con todo eso.

El conductor del camión Volkswagen, que vestía un mono verde, estaba dando su versión del accidente. Moses trataba de descifrar las letras que llevaba bordadas aquel hombre con hilo amarillo por encima de su bolsillo superior. (¿Era de la compañía del gas?) No podía decirlo; y lo único de que estaba seguro era de que el hombre le estaba echando toda la culpa a él, desde luego. Era un tipo muy inventivo, de ingenio creador. Su relato se hacía más profundo a cada momento. Oh, la grandeza de la autojustificación, pensó Herzog. ¡Cómo inspiraba a estos mortales, incluso a los más brutos! Las arrugas del cuero cabelludo del camionero seguían una diferente pauta que las de su frente. Se podía averiguar por dónde había ido la línea de su cabellera cuando la hubiese tenido poblada. Ahora no le quedaban más que unos pelillos sueltos.

—Me salió por delante, cruzándose, por las buenas. ¿Por qué no le hacen ustedes la prueba del alcoholismo? Porque conducía como un borracho.

—Bueno, escucha, Harold, ¿qué velocidad llevabas tú?

—¿Yo? ¡Jesús! Iba muy por debajo del límite autorizado de velocidad en este sitio.

—Muchos de estos conductores de las grandes compañías, echan siempre la culpa a los coches particulares —dijo Herzog.

—Primero se atravesó, y luego echó el freno.

—Pues, amigo, le diste un buen golpe.

—Eso es verdad, pero yo creo que...

El mayor de los dos guardias, que había dado la razón a su compañero, señaló dos, tres, cinco veces con el extremo de su lápiz, que tenía fijada una gomita de borrar, antes de pronunciar otra palabra. Apuntaba a la carretera y quería que todos se fijasen en ella. (A Herzog le pareció estar viendo a los cerdos de Gadarene, multicolores y relucientes, a punto de arrojarse por el precipicio, pero que aún no se habían tirado.) Me parece, Harold, que tú lo empujaste. Creo que este quiso dejarte paso. Pero frenó demasiado fuerte y tú le embestiste.

Ya he visto en tu licencia que has cometido dos violaciones del reglamento del tráfico.

—Es cierto, y por eso he tenido tanto cuidado esta vez.

—Dios haga que la indignación no te queme el cuero cabelludo, Harold. Esa rojez te sienta muy mal; parece el paladar de un perro.

—Me parece que si no hubieras estado muy encima de su coche, no le habrías dado tan fuerte. Hubieras debido dar la vuelta y haberle cogido por la derecha. A ti hay que ponerte multa, Harold.

—Y a ti, Moses, hay que llevarte —dijo luego, dirigiéndose a Moses—. Debes dar cuenta de eso...

—¿De esta vieja pistola?

—Cargada...

—Bueno, eso no tiene importancia. No tengo antecedentes, nunca me han encerrado.

Esperaron a que Herzog se levantase. Mientras, el chófer del pequeño camión lo miraba furioso, frunciendo sus cejas pelirrojas, y, bajo aquella taladrante mirada, Herzog se puso en pie y recogió a su hija. Esta dejó caer al suelo el sujetador del cabello al levantarse. Se le soltó el cabello, que cayó libre, sobre las mejillas, muy largo. Moses no se podía volver a agachar para buscar el clip de concha de tortuga. Se abrió del todo la portezuela del coche de la patrulla, aparcado en una cuesta, para que entrase. Ahora sabía ya por experiencia lo que era estar custodiado. Nadie había sido robado y nadie fue asesinado; sin embargo, Herzog sintió que se cernía sobre él la sombra densa y mortal de la detención. No podía librarse, sobre todo, de la autoacusación. Podía muy bien haber dejado aquella arma en la bolsa, que seguía utilizando, de la compañía aérea, y que se había quedado debajo del sofá en el piso de Asphalter. Cuando se puso la chaqueta aquella mañana y sintió el extraño bulto en el bolsillo de pecho de su chaqueta, podía haber acabado allí mismo con su quijotismo. Porque, para ser sinceros, había que reconocer que él no era un Quijote, ¿verdad? Un Quijote imitaba a los grandes modelos. Y él, ¿a qué modelos imitaba? Un Quijote era un cristiano, y Moses E. Herzog no era cristiano. Vivía en los posquijotescos y poscopernicanos Estados Unidos, donde una mente evolucionando en plena libertad por el espacio, podía descubrir relaciones que ni siquiera podía prever un hombre del siglo XVII encerrado en su pequeño universo. Ahí radicaba su ventaja de hombre del siglo XX. Solo que ahora caminaban por la hierba hacia la giratoria lucecita azul. Había cogido el revólver (con un propósito tan intenso como difuso) porque él era el hijo de su padre. Estaba casi seguro de que Jonah Herzog, temeroso de la policía, de los impuestos y de los matones, no podría huir de estos enemigos. Los antiguos Herzog, con sus almas, sus chales y barbas, nunca habrían tocado un revólver. Pero estos eran hombres desaparecidos, arcaicos, y Jonah, por muy poco dinero, había comprado el arma. Moses, esta mañana, había pensado: «¡Demonios!, ¿por qué no?» y, abotonándose el bolsillo interior de la chaqueta, había subido al automóvil alquilado.

—¿Qué vamos a hacer con este Falcon? —le preguntó a uno de los guardias. Pero estos le empujaron diciéndole—: No te preocupes, Moses. Ya cuidaremos del coche.

Y precisamente en aquellos momentos llegaba la grúa para llevarse el automóvil accidentado. También llevaba una luz azul giratoria.

—Por favor —dijo Moses—. Tengo que llevar a mi chica a su casa.

—No te preocupes, hombre. Con nosotros no pasa peligro.

—Es que tengo que devolverla a las cuatro.

—¡Qué ocurrencia... devolverla! Y, ¿a quién? Bueno, de todos modos, no te preocupes, te quedan casi dos horas.

—Supongo que esto no durará más de una hora. Pero, les agradecería mucho que me permitiesen ocuparme primero de la niña.

—Anda, no te pares, Moses... —le insistió el mayor de los

patrulleros con una tétrica amabilidad. Y le empujaba hacia el coche de la patrulla.

—Es que la pequeña no ha almorzado.

—Tú estás peor que ella.

—Bueno, vamos de una vez.

Moses se encogió de hombros y arrugó la corbata manchada de sangre tirándola luego a la carretera. El corte que se había hecho no tenía importancia; ya había dejado de sangrar. Ayudó a June a subir al coche y, cuando estuvo instalado en el recalentado asiento de plástico, se subió su hija sobre sus muslos. ¿Es esta, por casualidad, la realidad que buscabas, Herzog, con tanta seriedad? ¿Es esto hallarse al nivel de la gente vulgar, llevar una vida ordinaria? ¿No puedes decidir por ti mismo qué realidad es auténtica? Cualquier filósofo te dirá que está basada, como cualquier juicio racional, en las pruebas comunes. Pero aquella manera tan peculiar de hacerlo, era perversa. Aunque tan solo era humana. Era lo de quemar la casa para asar al cerdo. Que es precisamente el procedimiento que sigue siempre la humanidad para asar a los cerdos.

Le explicó a June:

—Vamos a dar un paseo, querida. —Ella asintió con la cabeza pero no habló ni una palabra. Tenía la cara sin lágrimas ya, pero sombría y esto era peor. Esa actitud hería a su padre. Como si no tuviese bastante con Madeleine y Gersbach, debía padecer por este amor a su hija, con estas caricias y besos, periscopios y angustiosas emociones. Y ella tenía que haberlo visto sangrando por la cabeza. Le molestaban los ojos y tuvo que cerrarlos y apretárselos con el pulgar y el índice. Los guardias cerraron las portezuelas con fuerza. El motor empezó a gruñir y el coche se puso suavemente en movimiento. Empezó a correr el seco y rico aire del verano, que olía a los gases de escape, lo cual agravó el mareo y las náuseas de Herzog. Cuando el automóvil abandonó la orilla del lago, Moses abrió los ojos sobre la fealdad de la calle Veintidós. Reconoció la amarillenta fealdad de la calle Veintidós y el familiar as-

pecto del Chicago veraniego. ¡Chicago! Moses olió el caliente hedor de los productos químicos y las tintas de la fábrica
Donnelly.

June había visto cómo registraban los guardias los bolsillos
de su padre. A su edad, esos detalles se graban hondamente.
Y todo era muy bonito o, por el contrario, horrible. Herzog
pensó que él, por su parte, tenía muy grabadas las cosas que
sangraban o hedían. Se preguntó si su hija las percibiría con la
misma intensidad. Por ejemplo, él no podía olvidar cómo
mataban a los pollitos ni cuando sacaban a las gallinas de los
gallineros, y tenía bien presentes la porquería y el serrín, el
calor y el almizcle, y cuando degollaban a las aves y estas
quedaban con la cabeza colgando. Sí, aquello era en la calle
Roy, cerca de la lavandería china donde agitaban los tíquets
de color bermellón en los que figuraban unos símbolos negros. Y aquello era cerca del camino —el corazón de Herzog
empezó a latir fuerte; se sentía febril— donde le había asalta-
do un hombre una pegajosa noche de verano. El hombre le
tapó la boca, poniéndose detrás de él. Le susurró algo mientras se bajaba los pantalones. Tenía los dientes podridos y la
cara sin afeitar. Entre los muslos del chico aquella cosa horrible, sin piel, pasaba y volvía a pasar, adelante y atrás, adelante y atrás, hasta que se puso espumeante. Los perros de los
patios traseros saltaban contra las vallas, ladraban y aullaban, mientras el maleante sujetaba a Moses apretándole por
el interior del codo. Temía que aquel tipo lo matase. Podía
estrangularlo. No tenía por qué saberlo pero se lo figuraba.
Por eso se había quedado inmóvil. Por fin, el hombre se abrochó su guerrera y dijo: «Te voy a dar un níquel pero tengo
que cambiar este dólar». Le enseñó el billete y le dijo que le
esperase allí, sin moverse. Moses vio cómo se alejaba el hombre por el fango del sendero, inclinado, con su largo abrigo
militar. Andaba rápidamente, aunque con pies doloridos. Sí,
eran unos pies malos, malvados, recordaba Moses. Pero el
hombre iba casi corriendo. Los perros habían cesado de la-
drar y él esperó con miedo a moverse. Por último, se puso bien

sus mojados pantalones y se marchó hacia su casa. Se sentó un poco en los escalones de la entrada y luego acudió a la cena familiar como si nada hubiera ocurrido. ¡Nada! Se lavó las manos en la pila de la cocina a la vez que Willie y se sentó a la mesa. Tomó la sopa como si tal cosa.

En fin, hay un famoso consejo, un gran consejo, a pesar de que está en alemán: hay que olvidar lo que no se puede soportar. Los fuertes pueden olvidar. Pero, sin duda es imposible irse quitando de encima pesadillas, y Nietzsche tenía razón cuando hablaba de esto. Los blandos tienen que endurecerse.

Amo a mis hijos, soy mucho para ellos y les causo pesadillas. A esta niña la tuve de mi enemiga. Pero la quiero. Aún ahora, verla, oler su pelo, me hace temblar de puro amor. ¿No es misterioso cuánto quiero a esta hija de mi enemiga? Pero un hombre no necesita la felicidad *para sí mismo*. No, porque el hombre puede resistir cualquier cantidad de tormento que le inflijan, el tormento que le llega en los recuerdos con sus males familiares y la desesperación. Y esta es la historia no escrita del hombre, su nunca vista y negativa realización, su energía para actuar sin satisfacción para sí mismo con tal de que tenga algo de grande en el que su ser y todos los seres, puedan ser incluidos.

Pero todo esto tenía que terminar. Y con *esto* se refería a cosas como este viaje en el coche de la policía. Su idea filial (que en realidad era china), de llevar en un bolsillo un feo e inútil revólver. Odiar y estar en condiciones de hacer algo porque se odia. El odio es respeto por sí mismo. Si quiere usted ir por entre la gente con la cabeza erguida...

Ya estaba aquí la calle South State. Allí los distribuidores de películas, que tenían en ella sus oficinas, solían colgar multicolores carteles anunciadores: Tom Mix arrojándose por un precipicio (no le pasaba nada). Ahora esta es solo una calle vacía donde venden artículos de vidrio para los bares.

Pero ¿cuál es la filosofía de esta generación? No que Dios ha muerto. Eso ya ha dejado de decirse desde hace mucho tiempo. Quizá deba decirse ahora que la Muerte es Dios. La generación actual cree —este es su gran pensamiento— que nada que sea fidedigno, vulnerable y frágil, puede durar ni tener verdadera fuerza. La Muerte espera estas cosas lo mismo que un suelo de cemento espera a una bombilla que está a punto de caerse. La brillante caparazón de cristal pierde con un estallido su pequeño vacío y eso es todo lo que pasa, aparte del ruido. Y así es como nos enseñamos unos a otros la metafísica. «¿Crees que la Historia es la historia de los corazones enamorados? ¡Qué idiota eres! Mira esos millones de muertos. ¿Acaso puedes sentir compasión por ellos? ¡Ni hablar! Son demasiados para que puedas sentirlo. Los quemamos, los enterramos. La Historia es historia de la crueldad, no del amor, como creen los blandos. Hemos tratado de averiguar quién es fuerte y admirable y hemos visto que nadie lo es. Solo queda el practicismo. Si el viejo Dios existe, debe de ser un asesino. Y es que el dios verdadero es la Muerte. Así es y no hay que hacerse cobardes ilusiones. Herzog se «oía» a sí mismo pensar esto, Tenía las manos húmedas; soltó el brazo de June. Quizá lo que le hubiera hecho desmayarse no fuese el accidente sino la premonición de esos pensamientos. Sus náuseas eran solo aprensión, excitación y la insoportable intensidad de esas ideas.

Se detuvo el coche. Como si hubiese ido a la comisaría en una lancha, Moses salió vacilante del vehículo, como mareado. Proudhom dice: «Dios *es* el mal». Pero después de buscar en las entrañas de la revolución mundial la *foi nouvelle*, ¿qué ocurre? La victoria de la muerte, no la de la racionalidad, no la de la fe racional. El gran poder resulta ser nuestra asesina imaginación, la humana imaginación, que empieza acusando a Dios de asesinato. En el fondo de todo este desastre se halla la actitud resentida del ser humano, y de esto ya no quiero saber más. Es más fácil dejar de existir que acusar a Dios. Mucho más sencillo. Y más limpio. Pero, ¡basta ya!

Los guardias lo escoltaron —iba acompañado de la niña— hasta el ascensor, que parecía tener sitio para un escuadrón. Subieron con ellos dos hombres que iban detenidos y la pareja de guardias que los llevaban. Herzog sabía que esta comisaría era un sitio horrible. Entraban y salían hombres armados. Como le ordenaron, siguió por el corredor al policía negro de las manazas y las anchas caderas. Los otros iban detrás de él. Necesitaría un abogado, y pensó, naturalmente, en Sandor Himmelstein. Se rió al pensar en lo que diría Sandor. El propio Sandor empleaba métodos policíacos y una «buena» psicología, lo mismo que en la Lubianka, lo mismo que en el mundo entero. Primero se portaba brutalmente y luego, cuando lograba los resultados que iba buscando, se podía permitir ser más amable.

Ahora lo habían llevado ante un sargento negro. Era un hombre de muchos años, muy arrugado. Era de un color amarillento oscuro, como de oro negro. Habló con los guardias que habían detenido a Herzog y luego miró la pistola, cogió las dos balas, murmuró unas preguntas al poli de los pantalones brillantes, y este, para contestarle muy bajito, se inclinaba sobre él.

—Bueno, usted —le dijo a Moses después de haberse puesto los lentes de estilo Ben Franklin con fina montura de oro. Cogió la pluma—. Nombre.

—Herzog... Moses.

—¿La inicial de en medio?

—E. Elkanah.

—Dirección.

—No vivo en Chicago.

El sargento, con buena paciencia profesional, insistió:

—¿Dirección?

—Ludeyville, Massachusetts y Nueva York. Bueno, muy bien, Ludeyville, Massachusetts. Sin número de calle.

—¿Esta niña es hija suya?

—Sí, señor, es mi hijita June.

—¿Dónde vive la niña?

—Aquí en la ciudad, con su madre, en la avenida Harper.

—¿Está usted divorciado?

—Sí, señor. Vine a ver a la niña.

—Bueno, Moses, está usted detenido. ¿No iría usted bebido? Diga la verdad. ¿No echó usted unos tragos hoy?

—Anoche sí bebí, pero he dormido bien esta noche. Hoy no he tomado ni una gota. ¿Quiere usted hacerme una prueba de alcoholismo?

—No será preciso. No hay acusación contra usted por infracción de los reglamentos del tráfico. Está usted detenido por llevar esta pistola.

Herzog le bajó a su hija el vestido.

—Es un recuerdo familiar. Lo mismo que ese dinero.

—¿Qué clase de dinero es este?

—Es ruso, de la Primera Guerra Mundial.

—Vacíese los bolsillos, Moses. Ponga aquí sus cosas para que las pueda revisar.

Sin protestar, Herzog depositó su dinero, blocs de notas, plumas, el pedazo de trapo de cocina que llevaba como pañuelo, el peine de bolsillo y el montón de llaves.

—Creo que lleva usted demasiadas llaves, Moses.

—Sí, señor, pero puede identificarlas todas ellas.

—Muy bien. No hay ley alguna contra las llaves si no se es ladrón.

—La única llave de Chicago es esta con una señal roja. Es la del piso de mi amigo Asphalter. Estoy citado con él para las cuatro frente al Museo Rosenwald. Tengo que llevarle a la niña a esa hora.

—Bueno, no son las cuatro todavía, y aún no puede usted ir a ninguna parte.

—Me gustaría telefonearle para advertirle que no podré ir a tiempo. No quiero hacerle esperar.

—Pero, Moses, ¿por qué no lleva usted la niña directamente a la madre?

—Verá usted... es que no nos hablamos. Hemos tenido demasiados líos.

—Me da la impresión de que le tiene usted miedo.

Esta observación molestó a Herzog. Esas palabras se proponían irritarlo. Pero ahora no se podía permitir enfadarse.

—No, señor, no es eso.

—Entonces, es posible que sea ella la que le tiene miedo a usted.

—Convinimos que un amigo común recogería a la niña y me la traería. No he visto a esa mujer desde el otoño pasado.

—Muy bien, lo que vamos a hacer es llamar a su amigo y también a la mamá de la nena.

Herzog exclamó:

—¡No la llame usted!

—¿No? —El sargento le sonreía de un modo extraño y se relajó unos momentos en su silla como si ya le hubiera sacado lo que andaba buscando—. Pues sí, señor, la traeremos aquí y veremos lo que nos dice ella sobre usted. Si tiene quejas contra usted, la situación de usted será peor que solo por llevar ilegalmente la pistola. Entonces, su caso será más grave.

—No hay nada que pueda ser castigado en mis relaciones con la que fue mi esposa. Y eso lo puede usted comprobar en los archivos, sin necesidad de hacerla venir aquí. Yo tengo que dar el dinero para la niña y nunca dejo de hacerlo en las fechas señaladas. Eso es todo lo que puede decirle a usted la señora Herzog.

—¿Dónde compró usted este revólver?

Era la insolencia natural de los polis. Ya estaba otra vez dándole vueltas al asunto de la pistola. Pero Herzog no perdió la calma.

—No la compré. Pertenecía a mi padre. Y los rublos también.

—¿Es que es usted sentimental?

—Eso es. Soy un cabrón sentimental. Podemos llamarlo así.

—Y ¿se siente usted sentimental con estas cositas también? —Y el viejo poli tocó, una tras otra, las dos balas—. Bueno, haremos esas llamadas telefónicas. Jim, apunta los nombres y los números de los teléfonos.

Hablaba a uno de los guardias que habían llevado a Herzog. Durante todo este interrogatorio se había quedado allí de pie pasándose el borde de una uña por los pelos del bigote y frunciendo los labios.

—Es mejor que coja usted mi agenda; esta, la colorada. Y, por favor, no me la deje por ahí. Mi amigo se llama Asphalter.

—Y el otro apellido es Herzog —dijo el sargento—. En la avenida Harper, ¿no? —Moses asintió. Miraba los gruesos dedos que hojeaban las páginas de su agenda parisién forrada en cuero y llena de anotaciones garrapateadas y de manchas. Dijo:

—Me dejará usted en mal lugar si llama a la madre de la niña. —Realizaba el último intento para convencer al sargento—. ¿No sería igual que mi amigo Asphalter viniese aquí?

—Sigue, Jim.

El negro señalaba las direcciones con lápiz rojo. Moses se esforzaba por darle a su mirada un aire natural, sin desconfianza ni súplica, es decir, procuraba que su actitud no revelase un excesivo interés personal. Recordaba que antes era él una de esas personas que confían en el poder de una mirada suplicante, la mirada que borra todas las diferencias de condición y con la que un ser humano abre su corazón a otra persona. El reconocimiento de la esencia por la esencia. Ahora se sonreía de esa ingenuidad. ¡Qué fantasías! Si intentase mirarle dulcemente a los ojos, el sargento le tiraría a la cara la agenda. De modo que era inevitable que Madeleine fuese allí. Bueno, pues que fuese. Quizá, después de todo, fuera eso lo que él deseaba, una oportunidad para hablar con ella. Serio y pálido, Herzog miraba fijamente al suelo. June cambió de postura en sus brazos, con lo que le rozó las costillas y le causó mucho dolor.

—Papá lamenta mucho todo esto, rica —dijo—. La próxima vez iremos a ver los delfines. Quizá nos hayan traído mala suerte los tiburones.

—Siéntese si quiere —le invitó el sargento—. Parece que tiene usted flojas las piernas, Moses.

—Me gustaría telefonear a mi hermano para que me mande un abogado. A no ser que no necesite un abogado. Porque si tengo que dejar una fianza...

—Desde luego, tiene usted que darla, pero aún no sé cuánto. Aquí hay muchos en el mismo caso. —E hizo un gesto que abarcaba a toda la gente que esperaba apoyada en la pared. Moses se volvió y los fue mirando. Cerca de él había dos hombres que, por su aspecto, se veía que era gente de medios.

Ya le habían visto el billete del avión, las llaves, las plumas, los rublos, los blocs y la cartera. El automóvil de su propiedad, que estaba accidentado en el Drive, le habría servido para la fianza. Pero ¿un coche alquilado? Y allí estaba él, que era un hombre de otro estado, sucio y sin corbata. Nadie se fiaría de él para una fianza de unos centenares de dólares. Aunque, si no es más que eso, puedo solucionarlo yo sin fastidiar a Willie ni a Shura. Hay gente que siempre inspira confianza. Yo nunca fui de esos. Y es por mis sentimientos. Un hombre con un corazón apasionado, no se puede confiar mucho en él. Si me pidieran que diera mi opinión sobre mí mismo, no lo haría de modo diferente.

Recordó cómo lo echaban del campo de juego cuando llegaba la pelota y él la fallaba porque estaba meditando sobre algo. Le gritaban: «¡Oye! ¡Dedos de manteca! ¿Estás contemplando las mariposas?». Aunque callado, también él participaba en la irrisión que él mismo producía.

Tenía abrazada a su niña y sentía cómo le latía el corazón aceleradamente a la pequeña. Rápida y débilmente.

—Vamos a ver, Moses, ¿por qué llevaba usted una pistola cargada? ¿Para matar a alguien?

—Claro que no. Y, por favor, sargento, no me gusta que la niña oiga esas cosas.

—Recuerde que es usted quien ha dado lugar a todo esto, no yo. De modo que, ¿deseaba usted asustar a alguien? ¿O le tiene usted rabia a alguna persona?

—No, sargento. Solo me proponía utilizar como pisapapeles esa vieja pistola de papá. Se me olvidó quitarle las balas. No se me ocurrió porque no estoy acostumbrado a manejar armas. ¿Me permite usted hacer una llamada telefónica?

—Calma, calma. Por ahora, siéntese ahí tranquilamente

mientras me ocupo de otras cosas. Tiene usted que esperar a que llegue la mamá de la niña.

—¿Puede mandar a comprar un bote de leche para mi hija?

—Dele aquí a Jim el dinero. Él la irá a buscar.

—June, ¿la quieres con una pajita? —La niña asintió con la cabeza y Herzog dijo—: Sí, por favor, con una pajita.

—Papá.

—Dime, June.

—No me has contado lo del más-más, que es muy gracioso.

Estuvo unos instantes sin recordar de qué se trataba. Por fin, cayó en ello:

—Ah, ¿te refieres a aquel club de Nueva York donde todos los socios son lo más que hay en cada cosa?

—Sí, ese es el cuento.

Estaba sentada entre sus rodillas en la silla. Él procuró hacerle más sitio.

—Pues, verás. En esa sociedad todos los que pertenecen a ella tienen que ser lo más, lo mejor, en cada actividad o de cada tipo físico. Por ejemplo, hay el calvo de más pelo y el peludo más calvo.

—Y la más gorda de las mujeres delgadas.

—Sí, y también la más delgada de las gordas. El enano más alto y el gigante más bajo. Todos los tipos humanos entran en la asociación. El más débil de los hombres fuertes y el más fuerte de los hombres débiles. El más tonto de los listos y el más listo de los tontos. El más estúpido de los sabios y el más sabio de los ignorantes. También hay en ese club gente como los acróbatas lisiados y las bellezas feas.

—Y, ¿qué hacen, papá?

—Pues, los sábados por la noche dan unas cenas con baile. Luego celebran un concurso.

—Sí, para poderlos distinguir.

—Exactamente. Y si eres capaz de distinguir el más peludo de los calvos del más calvo de los peludos, ganas un premio.

Bendita, ¡cómo disfrutaba con las tonterías que le decía su padre! Sí, tenía que distraerla. June apoyó la cabeza sobre su hombro y le sonrió, con cara de mareada, enseñándole los dientecitos.

La habitación estaba muy cargada, pues la tenían completamente cerrada y había mucha gente. Herzog tuvo que enterarse del caso de los dos hombres que habían subido en el ascensor con él. Una pareja de policías de la secreta daban testimonio. Pronto comprendió Herzog que eran de la Brigada del Vicio. Habían llevado también una mujer. Herzog no se había fijado antes en ella, si es que estaba también allí. ¿Una prostituta? Sí, evidentemente, a pesar de su aire respetable de clase media. Olvidando sus propias preocupaciones, Herzog se puso a escuchar con todo interés. Uno de los policías de la secreta estaba diciendo:

—Se estaban atizando en la habitación de esta mujer.

—Tómate la leche, hija mía —dijo Herzog—. ¿Está bien fría? Tómatela tranquilamente, querida.

—¿Usted los oyó desde el pasillo? —preguntó el sargento—. Y, ¿de qué se trata?

—Pues que este hombre estaba gritando a propósito de un par de zarcillos.

—¿Qué zarcillos? ¿Esos que lleva ahora la mujer? ¿De dónde los había sacado usted?

—Oiga, señor, los pendientes eran míos. Se los había comprado precisamente a este hombre.

—Claro, sería a plazos y no se los pagaba usted.

—Él se los cobraba bien.

—Ah, ya comprendo —dijo el sargento—. Se los estaba cobrando en especie.

—Pero lo que pasó —explicó uno de los policías de la secreta— es que se llevó a casa de la mujer a este otro individuo, y cuando estuvo con ella, el otro quiso que le dieran a él los diez dólares del trato para irse cobrando los pendientes porque ella se los debía. Pero ella se negó a entregarle el dinero que acababa de ganar.

—¡Sargento! —exclamó el segundo hombre—. Yo no sé nada de esto. No soy de Chicago.

Era de la ciudad de Nínive. Tenía espesas cejas. Moses lo miraba con interés y, de vez en cuando, procuraba desviar hacia otros temas la atención de su hijita. La mujer, a pesar de los chafarrinones de su pintura, le resultaba extrañamente familiar. Sí, a pesar de aquel verde esmeralda en torno a los ojos, del pelo llamativamente teñido, y de su nariz orgullosa... Estaba deseando hacerle una pregunta, pero no se atrevía. ¿Había asistido de pequeña al instituto MacKinley? ¡Había cantado en el club Glee! ¡Yo también estaba en aquel instituto! ¿No te acuerdas de mí? ¿No te acuerdas de Herzog, que pronunció el discurso de fin de curso de nuestra clase, y hablé de Emerson?

—Papá, la leche no sube.

—Es que has masticado la paja, June.

—Tenemos que irnos, sargento —dijo el hombre que había vendido la joya a la fulana—. Tenemos gente esperándonos en casa.

¡Las que esperaban eran las esposas!, pensó Herzog. Siempre esperan las esposas.

—¿Ustedes dos son parientes? —preguntó el sargento.

El que había vendido la joya, respondió:

—Es mi cuñado, que ha venido de Louisville a visitarnos.

Las esposas, una de ellas hermana de aquel hombre, esperaban. Y también él, Herzog, estaba esperando, anticipadamente mareado solo con pensar que vendría su ex esposa. Pero ¿sería efectivamente esta mujerona la Carlota que cantaba en el club Glee aquella «adaptación» de Wagner intitulada «Una vez más, con gusto». No, era imposible. Cuando la miraba uno ahora, tenía que preguntarse cómo habría alguien a quien le apeteciese darle un achuchón a una mujer como ella. Pero Herzog sabía muy bien por qué. Había que ver aquellos tremendos pechos muy juntos y las piernas de venas muy salientes. Los pechos parecían haber sido lavados y dejados sin planchar. Y aquella mirada de arenque, y su bocaza... Pero Herzog sabía por qué una de estas mujeres podía atraer. La explicación era muy sencilla: porque hacían cosas sucias, eso era todo. Porque dominaban una sabiduría lujuriosa.

Entró rápida, diciendo: «¿Dónde está mi hija...?». Entonces vio a June sentada sobre las piernas de Herzog y cruzó ligera la habitación hasta allí.

—¡Ven aquí, hija! ¡Ven enseguida con tu madre! —Le quitó el recipiente de la leche y lo tiró a un lado. Inmediatamente, tomó en brazos a la pequeña. Herzog sentía latirle la sangre con violencia en los tímpanos, y notaba una gran presión en la parte de atrás de la cabeza. Era necesario que Madeleine le viese pero la mirada de esta parecía por completo ausente, como si Herzog no estuviera allí. Se apartó fríamente de él y preguntó—: ¿Está bien la niña? —Sin dirigirse a nadie en particular. Estuvo tocando a su hija, con manos nerviosas, para convencerse de que no le había ocurrido nada. El sargento hizo una señal a Herzog. Él se acercó, y Mady y él se pusieron, enfrentándose, cada uno a un lado de la mesa del sargento.

Madeleine llevaba un vestido azul claro y el cabello le caía suelto por detrás. La palabra propia para descifrar su actitud era *dominante*. Al entrar, había venido repiqueteando los tacones de modo claramente audible en el bullicio de la sala. Herzog le miró fijamente los ojos azules, su perfil bizantino, los labios pequeños y la barbilla que presionaba sobre la carne de debajo. Estaba muy colorada, lo cual era en ella señal de que su conciencia funcionaba activamente. A él le pareció descubrir en el rostro de su ex mujer un incipiente embastecimiento. Ojalá no se equivocase. En efecto, deseaba que algo de la bastedad y grosería de Gersbach se le «pegase» a ella. ¿Por qué no podía ser esto posible? Y observó también que, sin duda alguna, a Madeleine se le había puesto más ancho el trasero. Se imaginó que los apretones y sobos de él, eran la causa de ello. Era un fenómeno conyugal natural... o más bien, erótico.

—Señora, ¿es este el padre de la niña?

Madeleine seguía negándose a reconocer su presencia.

—Sí —dijo por fin—. Me divorcié de él. No hace mucho tiempo.

—¿Vive él en Massachusetts?

—No sé dónde vive. No es asunto mío.

A Herzog le producía admiración la perfección del dominio de sí misma que tenía Madeleine. Nunca vacilaba. Cuando había recogido el recipiente de cartón de la leche, supo enseguida dónde tenía que tirarlo a pesar de que solo llevaba un momento allí. Ni un instante de duda. Y seguro que ya habría hecho un inventario completo de los objetos que había en la mesa del sargento incluyendo los rublos y, por supuesto, la pistola. Nunca la había visto pero pudo identificar enseguida las llaves por la anilla del llavero y se habría dado cuenta ya de que la pistola pertenecía a Herzog. ¡Este conocía tan bien sus modales, su estilo patricio, el tic de la nariz, la alocada mirada clara y orgullosa! Al interrogarla el sargento, Moses, incapaz de contener sus asociaciones de ideas, se preguntó si aún seguiría emanando de ella aquel olor a secreciones femeninas... la íntima suciedad que la caracterizaba. Nunca volverían a ejercer su poder sobre él aquella agridulce fragancia de ella, sus llameantes ojos azules, sus punzantes miradas, ni la boquita siempre dispuesta al placer. Sin embargo, solo con mirarla, le entraba dolor de cabeza. Le latía rápida aunque regularmente el pulso en las sienes, como los émbolos de una máquina. La estaba viendo con una claridad intensa: la suavidad de sus pechos, muy a la vista por el escote cuadrado del vestido, la finura de las piernas, el matiz indio de la piel de estas. La cara, sobre todo la frente, la tenía demasiado tirante para su gusto. Y en ella radicaba todo el peso de su severidad. Tenía lo que los franceses llaman *le front bombé*. Lo que se desarrollaba tras ella, era absolutamente indescifrable. ¿Lo ves, Moses? No nos conocemos el uno al otro. Incluso aquel Gersbach, llamémosle como queramos, charlatán, psicópata, con sus ojos ardientes y sus bastas mejillas, también es incognoscible. Y, por lo visto, a mí tampoco me conocen. Pero cuando a un hombre se le hacen toda clase de trastadas, los malvados que lo fastidian dan por cierto que conocen muy bien a ese hombre. Cuando me dejan tirado como una basura, es porque creen conocerme a fondo. ¡Estos dos *me conocían*! Y estoy de acuerdo con Spinoza (espero que no le molestará) en que pedirle lo imposible a cualquier ser humano, ejercer el poder donde no puede ser ejercido, es tiranía. Perdónenme, por tanto, señora y caballero, pero me niego a aceptar el concepto que tienen ustedes de mí. Ah, esta Madeleine es una extraña persona capaz de ser tan orgullosa pero, a la vez, tan poco limpia —tan hermosa y, al mismo tiempo, desfigurada por la rabia—, una mente tan mezclada de diamante puro y de basto cristal... Pero, en fin, tenéis que dejarme a un lado... excepto en lo que se refiere a June. Por lo demás, estoy dispuesto a dejarles a ustedes el campo libre en cuanto pueda retirarme. Adiós a todos.

—En fin, ¿la trata a usted mal? —Herzog que, a la vez que pensaba en sus cosas, había estado oyendo, como lejana música de fondo, lo que decía el sargento, le oyó ahora claramente hacer esta pregunta. Entonces le dijo secamente a Madeleine:

—Por favor, ten cuidado con lo que dices. No tengamos más dificultades de lo inevitable.

Ella no le hizo caso.

—Sí, me ha fastidiado mucho.

—¿La ha amenazado a usted? —preguntó el sargento.

Herzog, esperaba, tenso, la respuesta de ella. Por otra parte, no debía temer pues ella había de ser prudente por la pensión que le pasaba, y Madeleine era una mujer de mucho sentido práctico, muy astuta. Pero la violencia de su odio era como para temer que lo echase todo a rodar.

—No, a mí directamente no. No le he visto desde octubre.

—Si a usted no, ¿a quién?

Estaba claro que Madeleine se proponía debilitar la posición de Moses. Sabía muy bien que sus relaciones íntimas con

Gersbach podían permitirle a su ex marido llevarla ante los tribunales para quitarle la custodia de la niña. Pero se proponía audazmente sacar el mayor partido posible de la debilidad de él, de su idiotez.

—Su psiquiatra creyó oportuno advertirme.

—¿Qué creyó oportuno advertirte? ¿De qué? —exclamó Herzog, indignado.

Ella seguía dirigiéndose solo al sargento:

—Me dijo que estaba preocupado. Si quiere usted hablar con él, es el doctor Edvig. Consideró necesario advertirme...

—¡Edvig es un cerdo! ¡Es un insensato!

Madeleine estaba muy colorada; tenía la garganta como hinchada y de un color cuarzo rosa, curioso matiz que daba a sus ojos un tono especial. ¡Herzog sabía muy bien lo que eso significaba en ella: la felicidad! ¡Sí!, pensó Herzog, Madeleine lo estaba pasando bárbaramente. Le sacaba al error todo el partido posible.

—¿Reconoce usted esta arma? —le preguntó el sargento a ella mientras daba delicadamente vueltas a la pistola en la palma de su mano, como si tuviera en ella un pez vivo, una perca, por ejemplo.

La radiante mirada de Madeleine se posó con deleite en el arma. El placer que reflejaba su expresión era más intenso que el de sus momentos de gozo sexual.

—Es de él, ¿verdad? —preguntó—. ¿Y también las balas? —Su mirada revelaba un verdadero gozo íntimo. Enseguida apretó los labios.

—Tenía encima esta arma. ¿La conoce usted?

—No, pero no me sorprende que la llevase.

Moses miraba ahora a June. Esta tenía otra vez la carita muy seria y fruncía el entrecejo.

—¿No ha presentado usted alguna denuncia contra este Herzog?

—No —dijo Mady—, no he llegado a hacerlo. —Respiró hondamente. Moses sabía qué significaba aquello. Madeleine se preparaba para lanzarse de cabeza a algo.

—Sargento —intervino Herzog—. Ya le dije a usted que no había ninguna denuncia presentada. Pregúntele a ella si le ha faltado alguna vez el cheque que he de darle todos los meses.

Madeleine dijo:

—He dado su fotografía a la policía de Hyde Park.

Moses, para advertirle que estaba llevando aquello demasiado lejos, exclamó:

—¡Madeleine!

—Cállese, Moses —le ordenó el sargento—. Y, ¿para qué hizo usted eso, señora?

—Por si él rondaba la casa. Para tomar precauciones.

Herzog movió la cabeza, en parte para sí mismo. Hoy había cometido la clase de error que pertenecía a una época anterior. Aunque, desde luego, ya no solía caer en semejantes tonterías. Pero tenía que pagar por lo anterior. ¿Cuándo te harás, de una vez, un hombre sensato?, se preguntó ¿cuándo llegará ese día?

—¿Acaso ha estado alguna vez fisgoneando alrededor de su casa, señora?

—Nunca se le ha visto por allí, pero estoy segura de que ha estado espiándome. Es muy celoso y arma muchos líos. Tiene un temperamento terrible.

—Pero ¿nunca ha firmado usted una queja contra él?

—No, pero confío en que se me protegerá contra cualquier clase de violencia.

Madeleine hablaba con voz aguda y seca, y Herzog observó cómo la miraba el sargento mientras ella hablaba como si por fin empezase a descubrir en aquella mujer su característica altanería. El hombre cogió de la mesa sus lentes de cristales en forma de tabletas. Luego dijo, con calma:

—Señora, no habrá ninguna clase de violencias.

Sí, pensó Herzog, el sargento está empezando a darse cuenta de la mujer que tiene delante. Entonces, intervino:

—Nunca he pensado utilizar esa pistola más que como pisapapeles.

Entonces, por primera vez, se dirigió Madeleine a Herzog señalando con un rígido índice las dos balas que estaban sobre la mesa:

—Una de esas era para mí. ¡No lo niegues!

—¿Eso crees? No sé de dónde sacas semejante idea. Y, ¿para quién era la otra bala?

Herzog había dicho esto con toda frialdad, en tono de gran calma. Estaba haciendo todo lo posible para sacar a la superficie la auténtica Madeleine, la Madeleine que él conocía. Ella palideció al oír aquello y se le empezó a mover la nariz un poco. Empezaba a comprender que debía dominar la ferocidad de su mirada y su tic nervioso de la nariz. Poco a poco se le fueron empequeñeciendo los ojos y se fue acentuando su palidez. Él creía interpretar estos signos. Sencillamente, expresaban el intenso deseo de que él muriese. Sencillamente eso. Aquello era infinitamente más que un vulgar odio. Era un consciente voto por su no existencia, pensó Herzog, y se preguntó si el sargento sería capaz de comprender esto.

—Bueno, ¿para quién crees que sería ese imaginario tiro?

Ella seguía callada y con el mismo aspecto.

—Señora —dijo el sargento—, por hoy, ya hemos concluido. Puede usted marcharse y llevarse a su niña.

—Adiós, June —dijo Moses—. Ahora te vas a casa. Papá te verá pronto. Dame un besito en la mejilla. —Sintió los labios de su hija. Por encima de un hombro de su madre, que la llevaba en brazos, tocó a su padre, le dijo—: Dios te bendiga —y añadió, mientras Madeleine se la llevaba—: Volveré.

—Ahora voy a acabar con usted, Moses.

—¿Tengo que dejar la fianza? ¿Cuánto?

—Trescientos dólares. Pero, dinero americano, no esta broma.

—Quisiera que me dejase usted telefonear.

Mientras el sargento le indicaba que cogiera de la mesa una de sus propias monedas, Moses pudo observar qué expresiva cara policíaca tenía aquel hombre. Quizá tuviese sangre india —puede que cherokee u osage— y un antepasado irlandés o quizá dos. La piel dorada y oscura de aquel viejo tenía profundas arrugas descendentes; su nariz austera y sus labios prominentes le daban un aire impasible, y en la cabeza unos abundantes ricillos canosos, muy pequeñitos, le daban un aire de dignidad. Sus rugosos dedos señalaron la cabina telefónica.

Herzog, cansado, como vaciado de toda su personalidad, marcó el número de su hermano. Estaba agotado, pero no vencido. Por alguna razón, estaba convencido de haber obrado bien. Desde luego, se había metido en un lío y su hermano Will tendría que sacarlo de allí pagando la fianza. Sin embargo, no se sentía en absoluto vencido sino, por el contrario, como si se hubiera liberado de algo. Quizá estuviese demasiado cansado para desesperarse. Los melancólicos excesos de la fatiga, le daban una ligereza de corazón temporal, y en el fondo estaba casi alegre.

—¡Diga!

—¿Está en casa Will Herzog?

Se reconocieron mutuamente la voz.

—¡Mose! —dijo Will.

Herzog no pudo evitar que la voz de su hermano le emocionase. Sus más hondos sentimientos salieron de nuevo a la superficie al oír el antiguo tono, el nombre familiarmente acortado. Quería a Will, a Helen, incluso a Shura, aunque los millones de este le hubiesen alejado. Moses rompió a sudar por el cuello en cuanto se encerró en la cabina.

—¿Dónde has estado, Mose? La vieja llamó anoche. Me dijo que habías ido a verla. Luego, no pude dormir. ¿Dónde estás?

—Elya —dijo Herzog empleando el nombre familiar de su hermano—, no te preocupes. No he hecho nada serio, pero estoy en la Comisaría número once.

—¿Te han detenido?

—No ha sido más que un accidente de tráfico sin importancia. Pero me retienen aquí hasta que pague trescientos dólares de fianza y no traigo dinero.

—Por amor de Dios, Mose. Nadie te ha visto desde el verano pasado. Estábamos preocupadísimos. Enseguida estoy ahí.

Esperó en la celda donde lo metieron con otros dos detenidos. Uno estaba borracho y dormía; tenía la ropa toda manchada. El otro era un muchacho negro que aún no tenía barba. Vestía un traje de color chillón y unos vistosos zapatos de caimán. Al entrar, Herzog dijo «hola» pero el chico prefirió no responder. Estaba hundido en su desgracia y desvió la mirada. A Moses le dio lástima. Se apoyó en los barrotes, esperando. Le bastaba apoyar la mejilla sobre las barras para darse cuenta de que se hallaba en el «lado malo» de ellas. Y allí estaban el tazón del váter, el camastro de metal y las moscas en el techo. Herzog pensó que aquella no era la esfera de *sus* pecados. Simplemente, pasaba por allí mientras seguía en las calles la sociedad americana con la que él solía vivir. Sentose tranquilamente en el camastro. Pensó que, desde luego, se marcharía de Chicago inmediatamente y solo regresaría cuando estuviese en condiciones de beneficiar a June, de servirle realmente para algo bueno en su vida. Ya no atisbaría más por las ventanas, ya no haría más estupideces como aquella noche ni más penosos encuentros como aquel último con Madeleine. El bullicio que llegaba de las celdas y corredores, los malos olores, la angustia de las caras de los detenidos, aquellos tipos, como este borracho dormido y con los pantalones empapados de orines.

Sentado lo más cómodamente que le permitía el dolor de sus costados, Herzog incluso tuvo ganas de reanudar sus apuntes. No eran muy coherentes ni lógicos pero le fluían con naturalidad. En realidad, siempre trabajaba así Moses E. Herzog y ahora escribía apoyándose en las rodillas, con viva impaciencia: *Querido Edvig*, anotó rápidamente, *me dio usted una valiosa información al explicarme que las neurosis se gradúan por la incapacidad para tolerar las situaciones ambiguas. Acabo de leer, en los ojos de Madeleine, cierto veredicto: «Los cobardes no tienen derecho a la vida». Su trastorno es la supercla-ridad. Permítame usted sostener que sirvo ahora mucho más*

*para las ambigüedades. Sin embargo, ahora puedo decir que
me he librado de la principal ambigüedad que afecta a los intelectuales: y es que los individuos civilizados odian a esa civilización que hace posible sus vidas. Lo que les atrae es una imaginaria situación humana inventada por su propio genio y que
para ellos es la única realidad humana verdadera. ¡Qué extraño! Pero la parte de toda sociedad mejor considerada y más inteligente suele ser precisamente la más desgraciada. Sin embargo, su función social es la ingratitud. ¡Y ahí tiene usted una
ambigüedad...! Querida Ramona, te debo muchísimo. Me doy
plena cuenta de ello. Aunque quizá no regrese inmediatamente
a Nueva York, me propongo mantener el contacto contigo.
¡Dios mío! ¡Misericordia! ¡Dios mío...! «Rachaim olenu... Me-
lek Maimis...» ¡Oh, tú, Rey de la Muerte y de la Vida!*

Cuando salían de la comisaría de policía, su hermano comentó:

—Lo curioso es que no pareces demasiado trastornado
por todo eso que te pasó.

—No, Will, no lo estoy.

Por encima de ellos y de la cálida oscuridad de la tarde,
surcaban el cielo las largas estelas doradas de los reactores; y
la confusión de las luces, al norte de la calle Doce, subía y bajaba formando una masa pálida que parecía cerrar la calle.

—¿Cómo te encuentras? —preguntó Will.

—Muy bien —dijo Herzog—. ¿Qué aspecto tengo?

Su hermano dijo discretamente:

—No te vendría mal un poco de descanso. ¿Por qué no
nos paramos para que te vea mi médico?

—No creo que sea necesario. Esta heridita de la cabeza
me dejó de sangrar casi enseguida.

—Pero he notado que no has dejado de llevarte la mano al
costado. Veo que te sigue doliendo. No seas loco, Mose.

Will era un hombre serio, que quería mucho a su hermano pero no alardeaba de ello, un hombre agudo y tranquilo,

más bajo que él. Tenía más cabello y más negro que Moses. En una familia de seres apasionadamente expresivos, como Herzog padre y la tía Zipporah, Will contrastaba por su estilo más tranquilo, observador y reticente.

—¿Cómo sigue la familia, Will? ¿Y tus niños?

—Estupendamente... Y tú, ¿cómo te ha ido?

—No juzgues por las apariencias, hermano. Me encuentro muy bien, créeme. ¿Recuerdas cuando nos perdimos en el lago Wandawegs? ¿Te acuerdas de cómo íbamos chapoteando y hundiéndonos en el fango, cortándonos los pies con aquellas cañas? Aquello sí que era peligroso. Pero lo mío de ahora no tiene importancia.

—¿Qué andabas haciendo con la pistola?

—Sabes muy bien que soy tan poco capaz de disparar contra alguien como lo era papá. Tú te llevaste la cadena del reloj, ¿no? Recordé que en el buró guardaba aquellos rublos y, de camino, cogí también el revólver. Eso es todo. Comprendo que no debí guardármelo. Fue una imprudencia y, por lo menos, debía de haberle quitado las balas. Fue uno de esos impulsos tontos. En fin, más vale olvidarlo.

—Muy bien —dijo Will—, no quiero echarte eso en cara. No se trata de eso.

—Sí, ya sé a qué te refieres, Will. —Herzog tuvo que bajar la vista para controlarse mejor—. Estás preocupado por mí. Yo también te quiero.

—Sí, Mose, lo sé.

—No me he portado muy sensatamente. Comprendo que, desde tu punto de vista... Bueno, desde el punto de vista de cualquier persona sensata... Te llevé al despacho a Madeleine para que la vieras antes de casarme con ella. Comprendía que no te pareció bien. Pero te aseguro que yo tampoco creía que debía hacerla mi mujer. Y lo más notable es que a ella tampoco le parecía yo bien para marido.

—Entonces, ¿por qué os casasteis?

—Dios ata toda clase de cabos sueltos. ¿Quién sabe por qué? Dios no se preocupó por mi bienestar ni por mi valioso ego. Luego, gasté todo mi dinero en la casa de Ludeyville. Fue una locura.

—Eso, quizá no. Es una finca, al fin y al cabo. ¿Has intentado venderla? —Will tenía gran fe en los bienes inmuebles.

—¿A quién se la iba a vender? ¿Cómo me las iba a arreglar?

—Que la ofrezca un agente. Quizá vaya yo por allí y le eche un vistazo.

—Te lo agradeceré mucho, hermano —dijo Herzog—. Aunque creo que ningún comprador en sus cabales querrá ni tocarla.

—Entonces, Mose, déjame que llame al doctor Ramsberg para que te vea. Luego vienes a casa y cena con nosotros. Será una alegría para todos.

—¿Cuándo podrás venir a Ludeyville?

—Tengo que ir a Boston la semana que viene. Luego, Muriel y yo vamos a hacer un viaje al Cabo.

—Pues podéis pasar por Ludeyville. Cae cerca del Turnpike. Me haréis un gran favor viniendo. Tengo que vender la casa.

—Cena con nosotros y hablaremos de todo.

—Will... no. No estoy preparado. Mírame. Estoy hecho un asco y les haré a todos en tu casa una pésima impresión. Les haré el efecto de un sucio corderito perdido. —Se rió—. No, Will, ya iré otro día, cuando me encuentre normal. Ahora parece como si acabara de llegar de trabajar en el campo. O como un sucio emigrante antes de haberse podido lavar. Lo mismo que nosotros cuando llegamos del Canadá a la vieja estación de Baltimore y Ohio. ¿Te acuerdas, en el Michigan Central? Dios mío, ¡qué asquerosos íbamos!

William no compartía la afición de su hermano a los recuerdos de la infancia. Era ingeniero, contratista y constructor; una persona equilibrada y razonable, un hombre sensato al que apenaba ver a su hermano en tal estado. Tenía la cara acalorada e inquieta. Se sacó un pañuelo de un bolsillo de su bien cortado traje y se lo pasó por la frente, las mejillas, bajo sus grandes ojos característicos de los Herzog.

—Lo siento, Elya —dijo Moses, más tranquilo.

—Hombre...

—Déjame que me tranquilice un poco. Ya te veo preocupado por mí. Créeme que lamento alterarte, pero te aseguro que en realidad me encuentro muy bien.

—¿De verdad? —dijo Will mirando a su hermano con pena.

—Sí; puedes creerlo. Lo que pasa es que me ves en circunstancias muy desfavorables. Estoy sucio, con aire de atontado, acabado de salir bajo fianza... Pero todo será muy diferente en el Este la semana que viene. Te veré en Boston, si quieres. En cuanto me reponga. Ahora, nada puedes hacer por mí... más que tratarme como a un niño. Y eso no está bien.

—Escucha, hermano —dijo Will—, no te estoy juzgando. No tienes que venir a casa conmigo, si eso te violenta. Aunque allí estarás siempre como en tu casa, en familia. De todos modos, ahí tengo el coche —y señaló a su coche, que había dejado al otro lado de la calle. Era un Cadillac azul oscuro—. Lo que sí quiero es que vengas conmigo al médico. Quiero tener la tranquilidad de que no te ha pasado nada en el accidente. Luego puedes hacer lo que te parezca mejor.

—Muy bien; de acuerdo. Pero estoy seguro de que no me ha pasado nada.

De todos modos, no se sorprendió mucho cuando el médico le dijo que tenía una costilla rota.

—No ha afectado al pulmón —dijo el doctor—. Bastará que se quede usted seis semanas, o cosa así, con esparadrapo. En la cabeza necesita usted un par de puntos. No tiene usted más desperfectos, amigo. Y nada de ejercicios violentos en una temporada. Nada de levantar pesos, de manejar el hacha, o cosas así. Ya me ha dicho Will que es usted hombre de campo. ¿Tiene usted una finca en los Berkshires?

El médico, que tenía el cabello canoso echado hacia atrás y una mirada aguda, apretaba los labios para no sonreír.

—La finca está en malas condiciones. A muchas millas de la sinagoga más próxima —dijo Herzog.

—¡Vaya, veo que su hermano es un bromista! —exclamó el doctor Ramsberg. Will sonrió levemente. Al estilo de Herzog padre, el médico estaba cruzado de brazos y echaba todo el peso del cuerpo sobre un solo pie. Tenía la elegancia natural del viejo pero no sus excentricidades. No tenía tiempo suficiente para permitírselas, pensó Herzog, pues su trabajo se lo impedía. Las lámparas redondas y pequeñas de la habitación parecían girar. Y a Herzog le parecía estar girando con ellas mientras el médico le ponía los esparadrapos muy firmes sobre su pecho.

—Creo que a mi hermano le vendría bien un buen descanso —dijo Will—. ¿No le parece a usted, doctor?

—Sí, es verdad, parece estar muy agotado.

—Voy a pasarme una semana en Ludeyville —dijo Moses.

—Lo que usted necesita —dijo el médico— es meterse en la cama. Un reposo completo.

—Sí, sé que produzco mala impresión, pero en realidad reaccionaré enseguida.

—Sin embargo —intervino el hermano de Moses— me preocupas.

Un bruto cariñoso. Un hombre sutil, mimado y cariñoso. Eso era Herzog. ¿Para qué sirve en este mundo? Su gran anhelo es servir. Pero ¿dónde lo necesitan? Que le enseñen el camino para que pueda hacer su sacrificio a la verdad, al orden, a la paz. ¡Qué misteriosa criatura este Herzog! Extrañamente adornado con olorosos esparadrapos, dejaba que su hermano Will le ayudara a ponerse la camisa.

Llegó a su casa de campo a la tarde siguiente, después de tomar un avión hasta Albany y, desde allí, un autobús que le llevó a Pittsfield, y por último un taxi hasta Ludeyville. Asphalter le había dado la noche antes un poco de Tuinal. Durmió perfectamente y se encontró mucho mejor, a pesar de la tirantez de los esparadrapos en las costillas.

La casa estaba a dos millas más allá del pueblo, en las colinas. En los Berkshires hacía un tiempo espléndido. El aire estaba luminoso, los arroyos llenos, densos los bosques y el verde nuevo. En cuanto a los pájaros, la finca de Herzog parecía haberse convertido en su santuario. Bajo los rollos ornamentales del porche, descansaban los abadejos. El olmo gigantesco no había acabado de morirse y las oropéndolas vivían aún en él. Herzog hizo que el chófer detuviera el taxi en el musgoso camino bordeado de rocas. No estaba seguro de si se podría llegar hasta la misma casa. Pero no había árboles caídos cortando el camino, y aunque gran parte de la grava se había amontonado con las tormentas y los deshielos, el taxi podía haber pasado fácilmente. Sin embargo, Moses le despidió pues no le importaba subir la breve cuesta que faltaba hasta la casa. Tenía ya las piernas ágiles y su pecho estaba bien protegido por su armadura de esparadrapo. Había comprado algo de comer en Ludeyville. Además, si los cazadores y merodeadores no se las habían comido, quedarían en el sótano bastantes provisiones en lata. Hacía dos años, había hecho conservas de tomates y frambuesas, y antes de salir para Chicago, había guardado bien, en el sótano, botellas de whisky y de vino. Desde luego, la electricidad la habían cortado pero quizá pudiera hacer funcionar la vieja bomba de mano. En cuanto al agua, siempre había la de la cisterna. Podía guisar al fuego de la chimenea. En ella tenía viejos garfios y trébedes. La casa estaba espléndidamente rodeada por emparrados, árboles, flores y maleza, y su corazón temblaba al contemplar esta espléndida vegetación. ¡La locura de Herzog! Era aquello un monumento a su sincera y enamorada idiotez, a los reconocidos defectos de su carácter, símbolo del afán judío por asentarse sólidamente en la blanca y protestante América anglosajona. («La tierra fue nuestra antes de que nosotros fuésemos de la tierra» como dijo aquel sentencioso viejo el día de la inauguración.) Pero, ya está bien de divagaciones. Lo cierto es que estoy ya aquí, en mi casa. ¡*Hineni*! ¡Y qué maravillosa está hoy! Se detuvo en el florido patio, cerró los ojos ante la fuerza del sol y las deslumbrantes ráfagas de color y aspiró la mezcla de aromas de las campanillas de catalpa, las madreselvas, la tierra, las ceborrinchas y las múltiples hierbas. Los ciervos o los amantes habían yacido en este césped cerca del olmo porque estaba aplastado. Herzog dio una vuelta en torno a la casa para ver si estaba muy estropeada. Por lo menos, no había ventanas rotas. Todas las persianas cerradas por dentro se hallaban en buen estado. Solo algunos de los carteles que había puesto advirtiendo que aquella propiedad estaba bajo la protección de la policía, habían sido derribados. El jardín era una densa masa de espinosas cañas, rosas y bayas, que crecían revueltas y entrelazadas. El aspecto de todo esto no incitaba a lamentar el descuido sino que hacía pensar en algo que ya no tenía remedio, algo que estaba así de abandonado desde siempre. Herzog pensó que nunca tendría ya la energía ni el deseo de lanzarse a tales trabajos. Nunca más tendría ganas de martillear, pintar, reparar, regar o podar. Nunca más. Solo estaba allí para echar una ojeada a las cosas, sin meterse en ningún trabajo.

La casa estaba tan mustia como él lo había esperado. Abrió unas cuantas ventanas y los postigos de la cocina. Echó a un lado restos de hojas, agujas de pino e insectos muertos. Lo que necesitaba, inmediatamente, era un buen fuego. Había llevado fósforos. Una de las ventajas de la madurez es que se hace uno más práctico en estas cosas, se convierte uno en un hombre previsor. Desde luego, tenía una bicicleta, podía ir al pueblo a comprar lo que se le hubiera olvidado. Por lo pronto, recogió unos leños de pino y encendió la lumbre. Al desprenderse la corteza, aparecieron varias clases de insectos: gorgojos, hormigas, arañas de largas patas... Y en la chimenea quizá hubiera pájaros o ardillas. Les dio todas las oportunidades para que se escapasen. Las ramas negras y secas empezaron a arder con llamas amarillas. Amontonó más leños y prosiguió su inspección de la casa.

El alimento enlatado estaba intacto. Había algunas latas de conservas compradas por Madeleine (siempre las mejores), sopas, pudin indio, aceitunas y otros víveres ennegrecidos que el propio Moses había comprado en las ventas de los excedentes de los víveres del ejército: guisantes, pan en conserva, y cosas así. Hizo un inventario con una especie de ensoñadora curiosidad, recordando su aspiración a bastarse a sí mismo: la lavadora, el secador, la instalación de agua caliente, formas puras blancas y relucientes en las que había empleado los dólares de su difunto padre, los dólares de feo color verde, laboriosamente reunidos y contados con desgana, repartidos a su muerte entre sus herederos. Bueno, bueno, no debía de haberme mandado a la escuela para aprenderme los emperadores muertos. «Mi nombre es Ozymandias, rey de reyes: Contempla mis obras, oh tú, poderoso, y desespérate!»; pero el bastarse a sí mismo, la soledad, la gentileza, era todo ello tan tentador y había sonado a algo tan atractivo, parecía sentarle tan bien al sonriente Herzog en principio... Era solo después cuando se descubría las trampas que hay en esos ocultos cielos. *La conciencia desempleada*, escribió Herzog cuando estaba en la despensa. *Yo me crié en una época en que estaba muy extendido el desempleo y no creía que hubiese nunca trabajo para mí. Por último, fueron apareciendo las colocaciones pero de todos modos, mi conciencia siguió desocupada. Y después de todo,* continuó escribiendo sentado ya junto a la lumbre, *el intelecto humano es una de las fuerzas que mueven al universo. Es perjudicial que permanezca sin empleo. Casi se podría llegar a la conclusión de que el aburrimiento que producen tantos arreglos humanos (la vida de familia en la clase media, por ejemplo) tiene la finalidad histórica de liberar al intelecto de las nuevas generaciones, destinándolas a la ciencia. Pero una terrible soledad de toda la vida es, simplemente, el plancton del que se alimenta Leviatán... Tengo que volver a pensar en esto. El alma exige intensidad. Al mismo tiempo, la virtud aburre a la humanidad. Leer de nuevo a Confucio. Si continúa aumentando su población, el mundo debe prepararse para volverse chino.*

La presente soledad de Herzog no parecía contar, por lo alegre que era. Miró por la grieta del váter donde solía encerrarse a leer la edición de diez centavos de Dryden y Pope. Leía «Yo soy el perro de Su Majestad en Kew» o «Los grandes ingenios de seguro que casi están aliados con la locura». Allí, en la misma posición que años antes, se hallaban la rosa que solía consolarlo, tan bella, tan roja (casi tan «genital» por su imaginación) como siempre. Algunas de las cosas buenas de esta vida vuelven a producirse. Estuvo un largo rato mirando por la raja que había entre la pared y la madera de la puerta. Allí seguían viviendo los mismos saltamontes enamorados de las tinieblas (ortópteros gigantes) y metidos en el retrete de albañilería y madera chapeada. Al encender una cerilla, los dejó al descubierto. Entre las tuberías.

Era extraño este recorrido que había hecho por su propiedad. En su dormitorio encontró los restos de su labor erudita esparcidos por la mesa y las estanterías. Las ventanas estaban tan descoloridas que parecían manchadas de yodo y las madreselvas de fuera casi habían cerrado las persianas con el lento pero constante empuje de su crecimiento. En el sofá halló la prueba de que aquel sitio había sido, desde luego, visitado por amantes. Irían demasiado cegados por la pasión para buscar dónde estaban los dormitorios. Pero les quedaría una deformación de la espina dorsal por haber usado los sillones de Madeleine, que eran antigüedades. Por alguna razón particular, le agradaba a Herzog que esta habitación hubiera sido elegida por los amantes para gozar, allí entre pilas de notas eruditas. Encontró largos cabellos de mujer en los brazos curvos de una butaca y trató de imaginarse caras, cuerpos y olores. Gracias a Ramona no necesitaba sentir envidia, pero, al mismo tiempo, era completamente natural que envidiase un poco a los jóvenes que habían estado allí. En el suelo estaba tirado uno de los tarjetones que él empleaba para sus notas. En él había escrito: *Si hemos de hacer justicia a Condorcet...* No se creía capaz de seguir leyendo y puso el tarjetón boca abajo sobre la mesa. Por ahora, de todos modos, Condorcet tendría que encontrar otro defensor. En el comedor estaban los preciosos platos que Tennie quería, bordeados en rojo con hueso de China, y que realmente eran muy bellos. No los necesitaría. A los libros, cubiertos con muselina, nadie los había tocado. Levantó la protección y los fue mirando sin gran interés. Entró luego en el cuarto de baño y se entretuvo viendo las cosas que Madeleine había comprado en Sloane's: unas jaboneras de plata y relucientes barras para las toallas, demasiado pesadas para que se sostuviesen clavadas en la pared, incluso después de haberlas sujetado con muletillas. La ducha, para agradar a Gersbach (que en Barrington no tenía) estaba provista, previsoramente, de una barandilla. «Si vamos a instalar una ducha, hagámosla de manera que Valentín pueda utilizarla», había dicho Madeleine pensando en la cojera de él. Al recordar esto, Herzog se encogió de hombros a la vez que lanzaba un bufido. Enseguida atrajo su atención un extraño olor que salía de la taza del váter y, al levantar la tapa de madera, vio esqueletos y plumas de pájaros que habían hecho allí sus nidos después de que retiraron el agua y luego se habían quedado como en una tumba cuando la tapadera cayó sola. Moses miró con tristeza aquella pequeña tragedia de pajaritos. Este accidente le apretaba un poco el corazón. Tenía que haber una ventana rota en el ático por la que entraban los pájaros, dedujo Herzog de aquel triste hallazgo y de otros nidos que aparecieron por la casa. Encontró unos búhos en su dormitorio, posados en el dosel rojo que habían salpicado de cagaditas. Les dio la oportunidad de escapar y, cuando se marcharon, buscó un nido que pudieran tener por allí. En efecto, encontró a los búhos pequeñitos en el gran dispositivo que sostenía la lámpara sobre la cama donde Madeleine y él habían conocido tanto odio y tanta miseria (también alguna delicia). Sobre el colchón había muchos restos de nidos que se habían caído: pajas, hilachas de lana, pelusa, trocitos de carne (de ratones) y excremento. Este era el lecho del amor. No queriendo molestar a las chatas criaturillas que recorrían el colchón, Herzog llevó su colchón matrimonial al cuarto de June. Abrió más ventanas, y el sol y el aire del campo penetraron a la vez. Le sorprendía sentirse tan contento. ¿Contento? ¡No debía ser tan templado al expresar lo que sentía! ¡Era pura alegría! Se daba cuenta, quizá por primera vez, lo que suponía verse libre de Madeleine. ¡Gozo, tremendo gozo solo de saber que estaba libre de ella! Había terminado su servidumbre, y su corazón se deshelaba, mejor dicho, se le caían las costras de la angustia. La ausencia de esta mujer, su ausencia no más, era, sencillamente, dulzura y ligereza para el espíritu. Para ella, en la comisaría, había sido un inmenso placer verle a él sufriendo, y para él, en Ludeyville, era una delicia, pura delicia, tenerla a ella alejada de su carne, como algo que ha estado teniéndole a uno inválido y dolorido y que de pronto desaparece. ¡Una deliciosa alegría! *Mi querido, sabio e imbécil Edvig: Quizá la simple desaparición del dolor sea una gran parte de la felicidad humana. En sus niveles más elementales y estúpidos, donde de vez en cuando vuelve a abrirse una válvula…* Volvieron a brillar aquellas extrañas luces, las de los ojos de Herzog, con tanta frecuencia apagadas por la capa de protectora quitina de la melancolía, el subproducto de su laborioso cerebro.

Le costó algún esfuerzo darle la vuelta al colchón sobre el suelo del dormitorio de June, una vieja habitación. Tuvo que echar a un lado los juguetes abandonados ya por la nena, sus mueblecillos y, entre ellos, un tigre de peluche, con ojos azules —un suave tigre—, una sillita y un traje para la nieve, en perfectas condiciones. Reconoció también el biquini de la abuela, unos *shorts*, las pesitas para hacer gimnasia y, entre otras rarezas, una manopla para el baño donde Phoebe había bordado las iniciales de él, Herzog. Fue, lo recordaba, un regalo de cumpleaños. Quizá con aquel detalle quisiera Phoebe darle a entender que solía tener sucias las orejas. Herzog empujó la manopla con el pie. Salió corriendo una cucaracha. Tendido en el colchón bajo la ventana abierta, recibía en la cara el sol. Le llegaban los aromas de las flores y el murmullo del follaje de los árboles sacudidos por el aire.

Fue allí, hasta que el sol dejó de entrar en la habitación, donde Herzog empezó, en serio, con el corazón ya tranquilo, a pensar en otra serie de cartas.

Querida Ramona. ¿Solo «querida»? Vamos, Moses, ábrete un poco más. *Queridísima Ramona. Qué mujer tan excelente eres.* En este punto se detuvo para pensar si debía decirle que estaba otra vez en Ludeyville. Desde Nueva York podía llegar allí en tres horas en su Mercedes. *¡Bendita seas por tus cortas pero perfectas piernas, bendita seas por tus sólidos y suaves pechos, por tus dientes tan bien formados y por tus rizos y cejas de gitana. La devoradora de hombres,* escribió en español. Decidió fechar su carta en Chicago y pedirle a Lucas que la echase al correo. Lo que Herzog necesitaba ahora era paz y claridad. *Espero que no te haya molestado mi desaparición. Sé que no eres una de esas mujeres convencionales a las que se tarda un mes en desenfadar por haber faltado a una cita. Tenía que ver a mi hija y a mi hijo. Este se halla en el Campo Ayumah, cerca de Catskill. Este verano me está resultando muy movido. Me han ocurrido algunas cosas interesantes. No quiero todavía hacer afirmaciones definitivas, pero, por lo menos, puedo asegurarte que no he dejado de reafirmarme* *ni de centrar mis sentimientos. La luz de la verdad nunca está muy lejos, y ningún ser humano es demasiado corrompido ni despreciable para que no pueda recibirla.* No sé por qué no voy a poder hablarle así a Ramona. *Pero aceptar la ineficacia en la vida de uno, el destierro a la vida estrictamente personal, el confusionismo... Porque la última cuestión, que es también la primera, la de la muerte, nos ofrece las interesantes alternativas de desintegrarnos por nuestra propia voluntad como prueba de nuestra «libertad» o el reconocimiento de que debemos una vida humana a esta pasajera existencia, sin que pensemos en el vacío. (Después de todo, no tenemos un conocimiento positivo de ese vacío.)*

Pero ¿debo decirle todo esto a Ramona? Algunas mujeres creen que las está uno cortejando en cuanto les habla uno de cosas serias. Y lo que ella quiere es tener un niño. Su gran deseo sería aparejarse con un hombre que le hablara así: *Trabajo. Trabajo. Trabajo. Verdadero y significativo trabajo...* Se interrumpió. Pero Ramona era una trabajadora consciente. Le gustaba su trabajo. Al recordar a Ramona miró, sonriendo cariñosamente, al colchón soleado.

Querido Marco: He venido a nuestra casa de Ludeyville para ver cómo andan por aquí las cosas y descansar un poco. Este sitio, en realidad, se conserva bastante bien. Quizá te guste pasar aquí algún tiempo conmigo, solos tú y yo, cuando termines la temporada del campamento de verano. Hablaremos de esto el día de los Padres. Espero con impaciencia que llegue esa ocasión de verte. Tu hermanita, a la que vi ayer en Chicago, es muy animada y está tan bonita como siempre. Recibió tu tarjeta.

Supongo que recordarás lo que hablamos sobre la Expedición Antártica de Scott, y cómo fue vencido el pobre Scott en el Polo por Amundsen. Parecías muy interesado por esto y, por cierto, es un tema que siempre me conmueve. Entre los hombres que iban con Scott, había uno que se marchó y se perdió. Quería darles a los otros una posibilidad de salvarse. Estaba enfermo, tenía los pies casi helados y no podría haber resistido mucho más. Y recordarás que, por casualidad, encontraron un montón de sangre helada, la sangre de uno de los caballitos que habían matado y lo contentos que se pusieron de poder deshelarla y bebérsela. El buen éxito de Amundsen se debió a que hubiera utilizado perros en vez de ponies. Los perros más débiles, los mataron y sirvieron para alimentar a los otros perros, más fuertes. Si no, la expedición habría fracasado. Muchas veces me ha preocupado una cosa, y es que, a pesar del hambre que tenían, los perros se resistían a comer al oler la carne de los suyos. Los expedicionarios los despellejaban antes de dárselos a comer a los perros resistentes.

Quizá pudiéramos hacer, tú y yo, un viaje por el Canadá, aunque solo sea para sentir el verdadero frío. Podríamos visitar Ste. Agathe, en los Laurentians. Espérame el día 16, ya preparado. Iré temprano.

Querido Luke. Ten la amabilidad de echar al correo estos sobres que te envío. Espero que se te haya pasado tu depresión. Creo que tus visiones de tu tía rescatada por el bombero y de las fulanas jugando a la pelota son signos de elasticidad psicológica. Puedo predecir tu curación. En cuanto a mí... En cuanto a ti, pensó Herzog, ¡cómo le vas a explicar cómo te sientes ahora! No se alegraría al saberlo. Más te vale callar ahora tu exaltación. Todo lo que se le ocurrirá pensar es que te has vuelto loco.

Pero si enloquezco, mejor para mí.

Querido profesor Mermelstein. Quiero felicitarle por su espléndido libro. Creo que, en ciertos aspectos, me ha vaciado usted y esto me enfurece. Me pasé un día entero odiándole a usted por haber hecho superfina una gran parte del trabajo que ya tenía hecho (¿Wallace y Darwin?). Sin embargo, sé muy bien cuánto trabajo y paciencia ha tenido usted que poner en ese trabajo, ¡cuánto estudio, ahondamiento y cuánta labor de síntesis! Esto me ha dejado admirado. Cuando esté usted dispuesto a preparar una nueva edición revisada —o quizá un nuevo libro— tendré mucho gusto en hablar con usted sobre ese tema. En mi libro anterior (que usted tuvo la amabilidad de citar) dediqué toda una parte al Cielo y al Infierno del Romanticismo apocalíptico. Quizá no lo haya hecho a satisfacción de usted, pero no debía usted haberlo dejado a un lado tan por completo. Debería usted haber echado una ojeada a la obra de ese bruto y gordo Egbert Shapiro: «De Lutero a Lenin. Historia de la Psicología revolucionaria». Por cierto que las gruesas mejillas de Shapiro le daban un gran parecido con Gibbon. Es un valioso libro y me impresionó mucho la parte titulada «Mileniarismo y Paranoia». No debería ignorarse que los modernos sistemas de poder se parecen a esta psicosis. Por otra parte, hay publicado por ahí un grueso volumen sobre ese tema —es una obra disparatada y horrenda— y su autor es uno que se llama Banowitch. Es un libro inhumano y lleno de hipótesis paranoides como la de que las multitudes son fundamentalmente caníbales, que las personas que están en pie aterrorizan secretamente a las que están sentadas, que los dientes mostrados al sonreír son las armas del hombre, y que al tirano le enloquecen los cadáveres (¿posiblemente comestibles?) que va dejando en torno a él. Parece completamente cierto que dejar por ahí cadáveres ha sido la más trágica realización de los dictadores modernos y de sus seguidores (Hitler, Stalin, etc.). Esto lo ponía, sobre todo, para hacer un experimento y descubrir si a Mermelstein le quedaban aún restos del viejo estalinismo. *Pero ese tipo, Shapiro, es un excéntrico y lo cito solo como un caso límite. ¡Cómo nos atraen a todos los casos extremos y las apocalipsis, los incendios, ahogados, estrangulados y demás. Mientras más se desarrollan nuestras moderadas y tranquilas clases medias, básicamente éticas, mejor éxito tienen los extremos radicalismos. La templada y prudente veracidad y la exactitud no parecen tener en nuestro tiempo ningún atractivo. ¡Y es justamente lo que necesitamos ahora! (Mi padre solía decir, con amargura: «Cuando un perro se está ahogando, le ofrecemos una taza de agua». En todo caso, si había leído usted mi capítulo sobre el Apocalipsis y el Romanticismo, debería usted haber prestado mayor atención a ese ruso que admira usted tanto. ¿Se llama Isvolsky?) Me* refiero al hombre que ve a las almas de las mónadas como legiones de condenados, sencillamente atomizados y pulverizados, una tormenta de polvo en el Cielo, y que nos advierte que Lucifer es quien quedará encargado de la humanidad colectivizada, desprovista de todo carácter espiritual y verdadera personalidad. No niego que eso tenga algún sentido, en un sitio o en otro, pero me preocupa que esas ideas, debido a la pizca de sugestiva verdad que hay en ellas, nos lleven a todos a las mismas viejas iglesias y sinagogas, en las que no se puede respirar. A veces, me ha fastidiado encontrar en su libro de usted, citas y referencias tomadas al vuelo o sin citar la procedencia y la utilización de serias creencias de otros autores solo como si fueran metáforas. Me gustó el capítulo intitulado «Interpretaciones del sufrimiento» y también el llamado «Hacia una teoría del aburrimiento». Hay en esas páginas una investigación seria y una buena interpretación. En cambio, me parece que trata usted a Kierkegaard frívolamente. Me atrevo a afirmar que Kierkegaard quiso dar a entender que la verdad ha perdido su vigor entre nosotros y que hemos de aprenderla de nuevo mediante horribles sufrimientos y espantosos males. Para que la humanidad recobre la seriedad, hará falta que los eternos castigos del Infierno vuelvan a ser una realidad. Yo no creo en esto. Aparte de que cuando las gentes seguras, de vida confortable, tienen esas convicciones y se dedican a jugar a las crisis, al apocalipsis y la desesperación, me siento asqueado. Debemos quitarles de la cabeza que vivimos en un tiempo condenado y que estamos aquí solo esperando el final de todo para todos cuando todo eso de que oímos hablar no son más que tonterías de las revistas de moda. Hay que dejarse esos juegos porque las cosas están ya bastante mal en este mundo para que vengamos con apocalipsis a todas horas. Las gentes están siempre asustándose unos a otros, a todas horas, lo cual es un lamentable ejercicio moral. Pero, para llegar al punto principal, hemos de decir que la defensa y el elogio del sufrimiento nos lleva por una dirección equivocada y aquellos de nosotros que seguimos leales a la civilización, no debemos se-

guir ese camino. Hay que tener la energía necesaria para sacarle partido al dolor, para arrepentirse y para iluminarse; hay que tener la oportunidad e incluso el tiempo para ello. Para los que sienten la religión, el amor al sufrimiento es una forma de gratitud que se experimenta o bien una oportunidad de experimentar el mal y de transformarlo en bien. Creen que el ciclo espiritual podrá ser completado en la existencia de un hombre, y que este utilizará de un modo u otro su sufrimiento, aunque solo sea en los últimos momentos de su vida, cuando la misericordia de Dios le recompense con una visión de la Verdad y el hombre morirá transfigurado. Pero este es un ejercicio especial. La verdad es que el sufrimiento más corriente quiebra al hombre, lo aplasta y no le ilumina en absoluto. Sé que mi sufrimiento, si está bien que hable yo de esto, ha sido con frecuencia una especie de forma enriquecida de vida, un esfuerzo por mantenerme verdaderamente despierto, un antídoto contra la ilusión y, por tanto, no puedo aspirar a que se me conceda un crédito moral por eso. Estoy dispuesto a abrir mi corazón sin más entrenamiento en el dolor. Por eso, no necesito una teología del sufrimiento. Amamos demasiado las apocalipsis, y la ética de las crisis y el florido extremismo con su emocionante lenguaje. Perdóneme, pero no quiero eso. Ya he tenido toda la monstruosidad que pudiera haber apetecido. Hemos llegado a una época en la historia de la humanidad en que podemos preguntar, refiriéndonos a ciertas personas: «¿Qué es esta Cosa?». ¡Ya estoy harto de eso! ¡No más! Soy sencillamente un ser humano, más o menos. Incluso estoy dispuesto a dejar en manos de usted lo del «más o menos». Puede usted decidirlo en lo que a mí se refiere. Porque usted le tiene gran afición a las metáforas. Su obra, que por otra parte es admirable, la estropean las metáforas. Estoy seguro de que me aplicará usted a mí una imponente metáfora. Pero no olvide usted decir que nunca le recetaré a nadie el sufrimiento ni pediré que el Infierno nos haga serios y verídicos. Incluso estoy convencido de que la percepción del dolor por el hombre se ha hecho demasiado refinada. Pero ese es otro tema que requeriría ocuparse de él extensamente.

Muy bien, Mermelstein. Vaya usted por ahí, y no peque más. Y Herzog, que se había quedado un poco acoquinado con su extraña diatriba, se levantó del colchón (el sol no daba ya allí) y se fue de nuevo al piso de abajo. Comió unas rebanadas de pan y guisantes de una lata que había abierto, en un sándwich. Luego sacó fuera de la casa una hamaca y dos sillas plegables.

Así empezó su semana final de cartas. Paseó por su finca, entre árboles, y acabó de redactar sus cartas, ninguna de las cuales echó al correo, pues no estaba dispuesto a pedalear hasta la oficina de Correos y contestar en el pueblo a las preguntas sobre la señora Herzog y la pequeña June. Sabía muy bien que los grotescos hechos de todo el escándalo Herzog se habían divulgado por el pueblo desde la centralita de teléfonos y que eran la comidilla de la vida imaginativa de Ludeyville. Las veces que había hablado por teléfono con su mujer, nunca se había contenido, pues se hallaba demasiado agitado. Y Madeleine era demasiado señora para preocuparse por lo que pudieran oír los pueblerinos. De todos modos, ella no se llevaba ningún descrédito. El que hacía siempre el ridículo, para la gente, era su marido.

Querida Madeleine. ¡Eres una mujer de cuidado! ¡Bendita seas! ¡Qué criatura! Cuando se pintaba los labios, después de cenar en un restaurante, se miraba, como en un espejo, en la hoja de un cuchillo. Herzog recordó encantado este detalle. Y tú, Gersbach, bienvenido seas junto a Madeleine. Disfrútala, gózala. Pero no me lograrás a mí a través de ella. Lo siento; sé que me buscabas en la carne de Madeleine. No me encontrarás porque ya no estoy en su carne.

Queridos señores: El tamaño y el número de las ratas en la ciudad de Panamá, cuando pasé por ella, me asombró. Vi a una de ellas que tomaba el sol al borde de una piscina. Y otra me miraba desde una raja del entarimado en un restaurante mientras yo comía una ensalada de frutas. También vi a toda una «troupe» de ratas haciendo equilibrios sobre un alambre que se desviaba hasta un platanero. Recorrieron el alambre por lo menos veinte veces sin tropezar nunca. Lo hacían como artistas de circo. Me atrevo a proponerles a ustedes que pongan unos productos químicos anticonceptivos en los cebos. Los venenos de nada sirven (por razones malthusianas, pues si reducen algo la población de las ratas acaban fortaleciendo a las que quedan). Pero varios años de anticoncepcionismo podrían acabar con el problema de las ratas.

«Escribió» otras cartas y, a pesar de las horas que pasó al aire libre, aún le parecía estar pálido. Quizá le produjese esta impresión el espejo que había detrás de la puerta del cuarto de baño. Se contempló en ese espejo, donde vio también reflejada la verde masa de los árboles del jardín. No, no tenía buen aspecto. Pensó que la excitación en que había vivido los últimos días le habían debilitado. Además, le fastidiaba el intenso olor medicinal de los esparadrapos que llevaba pegados al pecho y que le hacían recordar que no estaba bien del todo. Después del segundo o tercer día, dejó de dormir en el piso de arriba. No quería echar de la casa las lechuzas ni dejar sin cobijo a las crías que vivían en los nidos. Ya era bastante desgracia tener aquellos diminutos esqueletos en la taza del váter. Se instaló en el piso bajo, llevándose con él unos cuantos artículos útiles: una vieja trinchera, un sombrero para la lluvia y las fuertes botas que se había comprado en Gokey's, de Saint Paul; magníficas botas, flexibles, fuertes y bonitas; había olvidado que las tenía. En el cuarto de los chismes hizo otros interesantes descubrimientos: fotografías de los «días felices», cajas con ropa, cartas de Madeleine, paquetes de matrices de cheques, participaciones de boda artísticamente impresas, con las letras en relieve, y un libro de recetas de cocina perteneciente a Phoebe Gersbach. En todas las fotografías aparecía él. Madeleine había dejado allí todas esas fotos y se había llevado las demás. Una conducta interesante la suya. Entre la ropa abandonada estaban los vestidos que se ponía ella durante el embarazo. En cuanto a los cheques, de los que había guardado Madeleine los resguardos los había ingresado en su cuenta. ¿Es que había estado ahorrando en secreto? Las participaciones de boda le hicieron reír. El señor y la señora Pontritter daban a su hija en matrimonio al señor Moses E. Herzog Ph. D. (Doctor en Filosofía).

En uno de los cuartos de los chismes, encontró una docena o así de libros rusos bajo una tiesa tela de pintor: Shestov, Rozanov... A él le gustaba bastante Rozanov, y sus libros, afortunadamente, estaban en inglés. Leyó unas cuantas páginas de *Solitaria*. Luego examinó los trastos que había dejado allí el pintor de la casa: cepillos, cubos con costra, trapos... Había varias latas de barniz, y Herzog pensó: «¿Y si pintase el pequeño piano?». Se lo podría enviar a June a Chicago. La nena tiene mucho sentido musical. Madeleine no tendrá más remedio que aceptarlo, cuando se lo mande con los portes pagados. No podrá devolvérmelo. El barniz verde le iba bien al piano, y Herzog se puso enseguida a trabajar, con gran entusiasmo, en la sala, utilizando los mejores pinceles que encontró. *Querido Rozanov...* Pintó con fruición la tapa del piano. Era un verde claro, hermoso, como las manzanas de verano. *Una estupenda verdad que dice usted, que no dice ninguno de los profetas, es que la vida privada está por encima de todo. Es más universal que la religión. El alma es pasión. «Yo soy el fuego que consume.» Es una alegría que el pensamiento le haga a uno un efecto tan tremendo. Un hombre bueno puede soportar que otro le hable de sí mismo. No se puede uno fiar de la gente que se aburre cuando alguien le cuenta sus penas. Dios me ha sacado brillo. Eso me gusta: Dios me ha sacado brillo.* No cabe duda de que este hombre es muy conmovedor aunque a veces resulta extremadamente basto y lleno de violentos prejuicios. El barniz le iba bien al piano, pero, probablemente, este necesitaría una segunda capa y quizá no quedase ya bastante para eso. Dejando la brocha, dejó la tapa del piano que se secara pensando cómo sacaría de allí el instrumento. No podía esperar que uno de los gigantescos camiones de mudanzas interestatales subiera hasta allí para encargarse del traslado. Tenía que encargar a Tuttle, del pueblo, que fuese a recogerlo con su pequeño camión. Le costarían los portes, con la facturación, unos cien dólares hasta Chicago, con entrega en el domicilio de Madeleine, pero había de hacer todo lo posible por su hijita y no tenía serias dificultades con el dinero. Will le había ofrecido lo que necesitase para pasar el verano.

Tenía que sacar agua de la cisterna. La bomba estaba demasiado mohosa. Intentó hacerla funcionar, pero solo consiguió cansarse. La cisterna estaba llena. Levantó la tapa con un hierro y metió un cubo. Hizo un resonante ¡plach! en el agua, al caer. El agua era estupenda, pero había que hervirla. Siempre había dentro de la cisterna algún bicho: una ardilla, alguna rata muerta en el fondo... pero cuando se sacaba el agua, venía pura y fresca.

Fue a sentarse debajo de los árboles. Sus árboles. Lo estaba pasando muy bien en esta su finca americana de veinte mil dólares, de soledad campesina. Pero no se sentía un terrateniente. En cuanto al precio, a los veinte mil dólares, la finca no valía más de tres o cuatro mil. Nadie quería esas viejas casas de campo en los bordes de los Berkshires, no situadas en la zona de moda donde había festivales de música y de danza modernas, cacerías con galgos y demás clases de esnobismos. En aquellas colinas ni siquiera se podía esquiar. Nadie iba por allí. Herzog tenía solo lejanos vecinos amables y chocheantes que se pasaban sus últimos años meciéndose en sus porches y viendo la televisión. El siglo XIX aún moría en este remoto rincón verde. Bueno, pero esto era de él, de Herzog, estos eran sus melocotoneros, sus catalpas, sus castaños... Allí estaban sus podridos sueños de paz. Era el patrimonio de sus hijos —rincón hundido de Massachusetts— para Marco; y para June el pianito que su solícito padre le pintaba de verde claro. Como tantas otras cosas en su vida, también aquella finca la remendaría, le pondría los parches necesarios. Pero, por lo menos, no se moriría allí, como había temido antes. En los veranos pasados, cuando cortaba la hierba, solía apoyarse, sudoroso, en la segadora mecánica y pensaba: «¿Y si me muriese de repente, de un ataque al corazón? ¿Dónde me pondrían? Quizá debiera tener elegido el sitio que yo prefiriese. ¿Debajo del abeto? Eso es demasiado cerca de la casa». Ahora pensaba que a Madeleine le hubiera gustado que hubiesen reducido el cadáver a cenizas. *Y estas explicaciones son insoportables, pero había que darlas. En el siglo XVII, los apasionados buscaban la verdad absoluta para que la humanidad pudiera transformar el mundo. Se hizo algo de práctico con el pensamiento. Lo mental se convirtió también en lo real. Y este alivio en la búsqueda del absoluto hizo a la vida más agradable. Solo había una reducida clase de intelectuales fanáticos, y de profesionales, que estaban dedicados por completo a cazar esos absolutos. Pero nuestras revoluciones, incluida la nuclear, nos devuelven la dimensión metafísica. Toda la actividad práctica ha llegado a su culminación en nuestro tiempo... Para el doctor Waldemar Zozo: Usted, señor, era el psiquiatra de la Armada que me examinó en Norfolk y me dijo que yo era insólitamente inmaturo. Ya lo sabía, pero la confirmación oficial me causó una profunda angustia. En cuanto a la angustia, no estaba yo inmaturo. Notaba en mí siglos de experiencia. En aquella ocasión lo tomé todo muy en serio. Lo cierto es que me licenciaron... por asmático y no por infantilismo. Me enamoré del Atlántico. ¡Oh inmenso mar reticulado, con montañas en el fondo! Pero la niebla del mar me paralizó la voz, lo cual era fatal para un oficial de comunicaciones. Y allí, en el cubículo donde usted trabajaba, estaba yo, desnudo y pálido, escuchando a los marineros en sus tareas del anochecer, y también escuchaba lo que me decía usted de mi carácter. Sentía el calor del Sur y estaba con la mayor compostura posible, pues no hubiera estado bien que me retorciese las manos. Las tenía, tranquilas, sobre los muslos.*

Impulsado primero por el odio y luego por puro interés, había seguido yo en los periódicos la carrera de usted. Su artículo «Inquietud existencial en el inconsciente», que era reciente, me fascinó. Era, en verdad, un trabajo de gran clase. Espero que no le importará que le hable en estos términos. Me hallo, realmente, en un estado mental de insólita libertad. «En sendas nunca holladas», como lo decía maravillosamente Walt Whitman. *«Escapado de la vida que anda exhibiéndose...»* ¡Qué plaga esta vida exhibicionista, qué plaga! *Cualquier ridículo hijo de Adán quiere destacarse de los demás, con todos sus tics nerviosos y manías, con toda la gloria de su fealdad autoadorada, enseñando los dientes en muecas, la nariz caballuna y la razón locamente retorcida, diciéndoles a los demás hombres: «Aquí estoy para dar testimonio; heme aquí para que me pongan como ejemplo».* ¡Pobre fantasma mareado...! *De todos modos, es verdad, como dice Whitman, que se ha escapado de la vida que se exhibe y que «le hablan lenguas aromáticas...».* Pero hay otro hecho interesante. *Le reconocí a usted la primavera pasada en el Museo de Arte Primitivo, de la calle Cincuenta y cuatro.* ¡Cómo me dolían los pies! Tuve que pedirle a Ramona que nos sentásemos. *Le dije a la dama con la que iba: «¿No es ese el doctor Waldemar Zozo?».* Ella también sabía quién era usted y me dio interesantes detalles: que era usted rico y coleccionista de antigüedades africanas, que la hija de usted es una cantante folclórica, y me dijo muchas cosas más. Me di cuenta de lo muy antipático que me era usted, de que aún le detestaba. Yo creía que le había perdonado. ¿Verdad que es interesante? Al verle a usted con su camisa blanca de cuello de tórtola y su chaqueta de esmoquin, el bigote eduardino, los labios humedecidos, el cabello negro que le tapa discretamente la calva, su estéril barriga y su culo de mono, reconocí con alegría cuánto le detestaba a usted. Pasados veintidós años, ¡me seguía produciendo asco!

Su mente dio uno de sus extraños brincos. Abrió su mugriento carnet de notas y, a la sombra quebrada de las ramitas de un cerezo silvestre, infestado de orugas, empezó a tomar notas para un poema. Iba a intentar una Ilíada de los Insectos para June. Esta no sabía leer pero quizá la madre permitiese a Lucas Asphalter que se llevara la niña al parque Jackson y le leyese el poema por entregas, tal como los fuera recibiendo. Luke sabía mucha historia natural. También le vendría bien esta epopeya de los insectos. Moses, pálido al emprender esta cordial tontería, miraba fijamente al suelo con sus ojos oscuros y, de pie, apoyado en el árbol, las manos detrás, con el librito de notas, mientras meditaba. Podía hacer que los troyanos fueran las hormigas. Los argivos podían ser esos bichitos que patinan sobre el agua —Luke se los podría enseñar a la niña a la orilla del lago—, donde habían puesto aquellas estúpidas cariátides. Helena sería una hermosa avispa. El viejo Príamo podía ser una cigarra que chupase la savia de las raíces. Y Aquiles, uno de esos impresionantes insectos de tremenda fuerza y aparatosa «cornamenta» a los que llaman ciervos volantes, pero de una vida breve a pesar de que era un semidiós.

Pero no tardó en abandonar su proyecto. No era una buena idea. Realmente, no lo era. Ante todo, porque él no tenía constancia para esa labor tan larga. Su estado de ánimo era ahora demasiado raro, con una mezcla de clarividencia y de *spleen*, *esprit de l'escalier*, con noble inspiración, ideas originales y, a la vez, hiperestesia y tendencia a ver cosas raras, unos bordes violeta en torno a los objetos más claros. Su mente era como aquella cisterna, agua pura y agradable encerrada bajo una tapa de hierro, pero no muy potable. No; más le valía entretenerse pintando el piano para mandárselo a la niña. ¡Hale, a coger la brocha verde y ponerla en movimiento con la vibrante garra de la imaginación! ¡Hale, a trabajar! Pero la primera capa no estaba seca todavía y tuvo que irse a pasear por el bosque comiéndose una rebanada de pan del paquete que llevaba en el bolsillo de su trinchera. Su hermano podía presentarse de un momento a otro. A Will —de eso no cabía duda— le había trastornado su aparición. Y yo debería poner un poco de cuidado para no fastidiar a la gente. Porque lo que yo deseaba, en realidad, es que tuvieran que cuidarme y debo reconocer que deseaba que Emmerich me encontrase enfermo. Pero no estoy dispuesto a fastidiar a la gente; soy una persona responsable, y esto mío no es más que un trastorno pasajero. Soy responsable ante mis hijos.

Paseó tranquilamente por el bosque. Las innumerables

hojas, vivas o muertas, verdes o secas, se movían con el vientecillo por entre los podridos raigones, el musgo y los hongos. Encontró una senda de cazadores y también un caminillo del venado. Se encontraba muy a gusto allí y con más calma. El silencio le daba energía; y le tonificaban el buen tiempo y la sensación de que se hallaba fácilmente contenido en lo que le rodeaba. *Dentro del hueco de Dios*, anotó, *y sordo para la definitiva multiplicidad de los hechos*, así como *ciego para las últimas distancias. A una distancia de dos billones años luz. Las Supernovae.*

> *El diario esplendor, hollado aquí*
> *En el infinito hueco de Dios.*

Y a Dios le escribió unas cuantas líneas.

Cuánto ha luchado mi mente para lograr algún sentido coherente. No lo he conseguido. Pero he querido hacer tu incógnita voluntad, tomándola, y tomándote a ti, sin símbolos. Todo lo que tiene un intenso significado. Sobre todo, si yo quedo fuera.

Volviendo de nuevo a las consideraciones prácticas, pensó que debía tener mucho cuidado al tratar a Will, y hablarle solo en los términos más concretos y sobre asuntos muy claros, como, por ejemplo, esta propiedad, y presentarse como una persona corriente. Si te las das de hombre complejo, te verás metido enseguida en líos, se dijo. Nadie podría ya aguantarte ese aspecto, ni siquiera tu hermano. Por eso, ¡ten cuidado con tus gestos! Ciertas expresiones sacan de quicio a la gente, y más que nada ese aire de sabiduría, que te valdría verte más solo que la una. ¡Te lo habrías merecido!

Se echó junto a los algarrobos florecidos con sus diminutas pero deliciosas florecillas. Sentía no haber disfrutado antes viéndolos. Se dijo que así como se hallaba, con los brazos cruzados bajo la cabeza y las piernas tendidas de cualquier forma, estaba lo mismo que cuando se tumbó en su pequeño y sucio sofá de Nueva York una semana antes. ¿Era posible que solo fuese una semana o, si acaso, cinco días? ¡Increíble! ¡Qué diferente se encontraba! Confiado, incluso feliz, estable a pesar de su excitación. Por supuesto, de nuevo vendrían los tragos amargos. Este reposo y bienestar solo constituía una pasajera diferencia en el extraño forro de seda entre la vida y el vacío. *La vida que me diste ha sido muy rara*, quería decirle a su madre, *y quizá la muerte que he de heredar resulte aún más curiosa. Más hondamente curiosa. A veces he deseado que me llegue pronto. Sí, la he esperado con ansia. Pero sigo del mismo lado de la eternidad que siempre. Del lado de acá. Y más vale así, pues todavía me quedan algunas cosas que hacer. Y espero que las haré silenciosamente. Desde luego, han desaparecido algunos de los objetivos que tenía yo en la vida*, pero tengo otros. *La vida en este mundo no puede ser tan solo una película.* Y en mí hay terribles fuerzas, incluidas la capacidad de admiración o de elogiar, energías, incluida la de amar, que me han sido muy perjudiciales, y que han hecho de mí un idiota porque no he sabido dominarlas. *Quizá, después de todo no sea yo tan idiota como crees tú y todos y como yo mismo he llegado a sospechar.* Por lo pronto, tengo que librarme de ciertos tormentos persistentes. Así, he de librarme de la hiperactividad de esta cara mía. Lo primero que debo hacer es ponerla al sol. *Quiero enviaros, a ti y a otras personas, mis más cordiales anhelos. Esta es la única manera de acercarme a lo que para mí es incomprensible. Solo puedo desearos que todo os vaya bien. Así que... ¡Paz!*

Durante los dos días siguientes —¿o fueron tres?— Herzog no hizo más que enviar estos mensajes suyos, y escribir canciones, salmos e impresiones, poniendo en palabras lo que muchas veces había pensado pero que, por no hallar la forma adecuada, o por lo que fuese, siempre había borrado. Cuando quería variar de ocupación, pasaba un rato pintando el pequeño piano o comiendo en la cocina pan con guisantes, o durmiendo en la hamaca. Luego se quedaba muy extrañado al comprobar cómo había empleado el tiempo. Miró el calendario y trató de averiguar la fecha contando en silencio noches y días. Su barba era, para él, mejor punto de referencia que su cerebro. Los pelos le informaban de que habían crecido durante cuatro días y pensó que debía afeitarse para cuando llegase Will.

Encendió el fuego y calentó un cacharro con agua; se enjabonó la cara con jabón de lavar la ropa. Bien afeitado, estaba muy pálido. Además, había adelgazado mucho. Apenas había guardado la maquinilla de afeitar cuando oyó el suave ruido de un motor en el caminillo que llegaba hasta la entrada de la casa. Salió para recibir a su hermano.

Will venía solo en su Cadillac. El cochazo subía lentamente por la colina rozándose la «barriga» en las rocas y empujando las altas cañas y hierbas. Will era un estupendo conductor. Era bajito pero nada tímido y no se preocuparía por unos arañazos en la carrocería. Por fin, llegado al sitio llano, ante la casa, el poderoso automóvil se detuvo bajo el olmo. William se apeó, e hizo unos visajes al darle el sol en la cara.

—¡Will! ¿Cómo estás? —Y Moses abrazó a su hermano.

—¿Cómo estás, Moses? ¿Te encuentras bien, de verdad? —Lo que Will nunca podía ocultar era cuánto le preocupaba su hermano.

—Acabo de afeitarme. Siempre estoy pálido recién afeitado, pero me encuentro bien. Puedes creerme.

—Estás más delgado. Quizá hayas perdido diez libras desde que te vi en Chicago. Es demasiado. ¿Cómo va la costilla?

—No me molesta en absoluto.

—¿Y la cabeza?

—Muy bien. He descansado mucho. ¿Dónde está Muriel? Creía que también vendría ella.

—Tomó el avión. Nos reuniremos en Boston.

Will había aprendido a dominarse. Como Herzog que era, sabía contenerse. Moses podía recordar que hubo un tiempo en que Will era muy exaltado, apasionado, explosivo, con rachas de pésimo humor y dado a tirar cosas por el aire cuando se irritaba. ¡Un momento! ¿Qué había tirado al suelo? Un cepillo. Sí, era el cepillo ruso para el calzado. Will lo había arrojado al suelo con tanta fuerza que se le arrancó la cubierta y los cosidos quedaron al aire, unos viejos hilos encerados. Pero de eso hacía mucho tiempo. Por lo menos treinta y cinco años. ¿Dónde había ido a parar la ira de Willie Herzog? ¿Qué había sido de la furia de mi querido hermano? Se había transformado en una calma muy prudente, en un humor tranquilo y, en parte (posiblemente), en cierta esclavitud. Las explosiones eran ya imposibles, y hubo oscuridad donde antes había luminosidad. Aquella fue sustituyendo a esta poquito a poco. Pero, no importaba. Solo con ver a Will, sentía Moses cómo se le removía en su alma el cariño que le tenía. Tenía Will aire cansado y le habían salido arrugas. Había estado conduciendo mucho tiempo y ahora necesitaba comer algo y reposar un poco. Aquel largo viaje lo había hecho porque su hermano Moses le preocupaba. Y había tenido un buen detalle no llevando con él a Muriel.

—¿Qué tal el viaje, Will? ¿Tienes hambre? ¿Quieres que abra una lata de atún de California?

—Tú eres el que parece no haber comido. Yo, en cambio, tomé algo por el camino.

—Bueno, ven y siéntate un rato. —Le condujo hasta donde estaban las sillas plegables—. Aquí se estaba muy bien cuando yo me encargué de esto.

—De modo que, ¿esta es la casa? No, no me quiero sentar. Gracias. Prefiero que demos una vuelta. Vamos a ver esto.

—Sí, esta es la famosa casa; la casa de la felicidad —dijo Moses, y enseguida añadió—: En realidad, *he sido* feliz aquí. No hay que ser ingrato.

—La casa parece bien construida.

—Desde el punto de vista de un contratista, es una casa terrible. Tiene unos cimientos que serían capaces de sostener el Empire State Building. Ya te enseñaré las vigas de castaño, cortadas a mano. Aquí no hay metal.

—Costará mucho la calefacción —dijo Will.

—No creas. Tiene calefacción eléctrica.

—De todos modos, me gustaría ser yo quien te vendiera la corriente. Para hacer una fortuna... Pero, en fin, es un sitio bonito. Los árboles están muy bien. ¿Cuántos acres tiene la finca?

—Cuarenta —dijo Moses—. Pero rodeados por otras fincas abandonadas. No hay un vecino en dos millas a la redonda.

—Ah... ¿Y conviene eso?

—Quiero decir que está muy aislada, que no fastidian los vecinos.

—¿Qué impuestos tienes?

—No pasa de ciento noventa.

—¿Y la hipoteca?

—No es muy grande. Los plazos y los intereses son unos doscientos cincuenta dólares al año.

—Está bien —dijo Will con gesto aprobatorio—. Pero, dime, Mose, ¿cuánto dinero has echado en este sitio?

—No he llegado a sumarlo bien todo, pero creo que han sido alrededor de los veinte mil dólares. Más de la mitad la he gastado en mejoras.

Will movió la cabeza arriba y abajo. Con los brazos cruzados, estaba mirando, con la cara un poco ladeada —también él tenía esta peculiaridad—, la estructura de la casa. Solo sus ojos revelaban que estaba calculando agudamente y que no soñaba. Moses vio sin la menor dificultad que su hermano estaba echando cuentas.

Se expresó para sí mismo en *yiddish*: «*In drerd aufn deck. Esto es el límite del No-hay-más-allá. El mismo borde del infierno*».

Por fin habló su hermano:

—Pues creo que la finca no está mal. Es una valiosa propiedad aunque la verdad es que el sitio resulta un poco raro. Ludeyville ni siquiera está en el mapa.

—Desde luego, en el mapa de Esso no está —concedió

Moses—. Pero, naturalmente, en el estado de Massachusetts se sabe dónde está.

Ambos hermanos se sonrieron levemente, sin mirarse.

—Vamos a ver la casa por dentro —dijo Will.

Moses le hizo recorrerla empezando por la cocina.

—Necesita ventilación. Ha estado muy cerrada.

—Sí, huele a rancia. Pero es una buena casa. El yeso está bien conservado —dijo Will.

—Se necesita un gato para librarse de los ratones del campo. Si no, invernan aquí. A mí me gustan pero es que lo mordisquean todo. Incluso las encuadernaciones de los libros. Les encanta la cola. Y la cera. La parafina. Las velas. Todas esas cosas.

Will le escuchaba con gran cortesía. No le planteaba rudamente los asuntos fundamentales, como habría hecho Shura. Will se comportaba con una gran delicadeza. Y también la tenía Helen. En cambio, Shura le habría soltado: «Vaya ocurrencia de haber enterrado en este viejo granero tantos dólares». Pero es que Shura era así. Sin embargo, Moses los quería a todos ellos.

—¿Y el agua? —preguntó Will.

—Viene hasta aquí de un manantial. Además, hay dos pozos viejos pero uno de ellos está inservible, por el queroseno. No sé quién dejó que se vaciara por un agujero que tenía y todo cayó en el pozo. Pero no importa. El abastecimiento de agua es excelente. La letrina está muy bien. Cabrían en ella veinte personas. No se necesitarían naranjos.

—¿Y eso qué significa? —preguntó Will.

—Es que, en Versalles, Luis XIV plantó naranjos para contrarrestar el mal olor de los excrementos de la Corte.

—Es estupendo ser tan culto, hermano —ironizó Will.

—Querrás decir, ser pedante —replicó Moses, el cual hablaba con mucha prudencia teniendo buen cuidado de dar una impresión de absoluta normalidad. Le parecía muy bien. Que lo estaba observando Will, que se había convertido en el más discreto y observador de los Herzog, era evidente. Pero

Moses se creía capaz de resistir perfectamente este escrutinio. Le perjudicaban sus mejillas recién afeitadas que le daban aquel aspecto enfermizo, y tampoco podían dar buena impresión la casa, con sus esqueletos en la taza del váter, los búhos en el dormitorio, el piano a medio pintar, los restos de comidas y toda su atmósfera de sitio de donde había huido el ama de casa; y además le perjudicaba su «inspirada» visita a Chicago. Debía de notarse mucho que estaba un poco raro, con los ojos dilatados por la excitación, y probablemente, se notaría que le latía el pulso a todo correr. Esto quizá se manifestase en la dilatación de sus pupilas. *Por qué ser un tipo tan emotivo... Pero lo soy. Sí, lo soy y a los perros viejos no se les puede enseñar. Yo soy así, y así continuaré siendo. ¿Para qué luchar contra ello, si soy así irremediablemente? Es mi inestabilidad la que me sirve de estabilizadora. No la organización, ni el valor, como les pasa a los demás. Comprendo que es penoso ser así, pero así soy y no tiene remedio. Situándome en esos términos —¡incluso yo!— puedo captar ciertas cosas. Quizá sea la única manera de comprenderlas. He de tocar el instrumento que me ha caído en suerte.*

—Veo que has estado pintando el piano —dijo Will.

—Sí, es para June. Un regalo. Una sorpresa.

—¡Cómo! —Will se reía—. ¿Tienes el plan de enviárselo desde aquí? Te van a cobrar por lo menos doscientos dólares por los portes. Además, tendrás que hacerlo afinar. ¿Realmente es tan bueno este piano?

—Madeleine lo compró en una subasta por veinticinco dólares.

—Hazme caso, Moses: te puedes comprar un buen piano en Chicago en una subasta y allí lo tendrá June enseguida. Hay muchos instrumentos como este. No merece la pena que te des todo este trabajo.

—¿Sí? Pero es que me gusta este color. En un color manzana, verde loro, o como quieras llamarlo, muy característico de aquí. —Moses miraba con fijeza su obra como si fuese una creación de artista. Estaba casi a punto de dejarse llevar por sus impulsos y podía salir con alguna de sus rarezas. Pero, en ninguna circunstancia se permitiría soltar ni una sola palabra que pudiera ser interpretada como una prueba de excentricidad. Ya estaban las cosas bastante mal como estaban. Apartó la mirada del piano y contempló las claras sombras del jardín prometiéndose a sí mismo ser tan claro como *aquello*. Nada que pudiera ser interpretado como irracional. Le dio la razón a su hermano en lo que decía sobre el piano—: Es verdad, lo mejor es comprar uno de ocasión allí mismo, en Chicago. En mi próximo viaje me ocuparé de eso.

—Lo que tienes con esta casa es una estupenda residencia de verano —dijo Will—. Un poco solitaria, es cierto. Pero muy bonita. Digo, si puedes limpiarla bien.

—Sí, aquí se puede estar muy bien. ¿Sabes? Podríamos hacer de esto el sitio de veraneo de toda nuestra familia. A Shura le encantaría veranear aquí, donde no hay carreras de caballos ni juegos de cartas, ni otros grandes industriales, ni fulanas. Un sitio ideal para él.

—No creas, hay carreras en la Feria de Barrington... No, no es una idea tan buena como crees. Pero podíamos transformar esta casa en un sanatorio o algo así.

—No merece la pena. ¿No podrías tú alquilársela a alguien?

Moses hizo una mueca, en silencio, mientras miraba irónicamente a Will.

—Muy bien, hermano. Y solo nos queda otra posibilidad: que la pongas a la venta. Desde luego, no puedes sacarle mucho dinero si te quedas con ella.

—¿Quién sabe si empiezo a trabajar en firme y gano mucho? A lo mejor, gano lo bastante para conservar esta casa.

—Sí, podrías muy bien ganarlo. —Will le hablaba cariñosamente.

—Vaya una situación en la que me he metido, ¿verdad, Will? Resulta raro en mí que yo esté con este problema. Quiero decir, que resulta raro en un Herzog. Ya veo que te preocupo...

Will, inquieto pero dominándose como siempre —aquella cara tan profundamente familiar y tan querida, el rostro que Moses amaba desde hacía más tiempo— le estaba mirando de una manera que no podía inducir a error.

—Claro que me preocupas —dijo por fin—; y también a Helen.

—Bueno, pues no debéis fastidiaros por mí. Desde luego, estoy ahora un poco raro, pero no mal. Si pudiera, te abriría mi corazón, pero no sabría hacerlo. No, no debes preocuparte por mí. ¡Por Dios, Will, estoy a punto de llorar! ¿Cómo es posible? Es solo cariño. Quizá sea aún más: quizá sea amor. Sí, probablemente es amor. No puedo evitarlo. No querría que pensaras mal de mí.

—¡Qué ocurrencia! ¿Por qué va a parecerme mal? —dijo Will en voz baja—. Yo también siento algo muy hondo por ti, hermano. Igual que te pasa a ti conmigo. El que yo sea contratista no quiere decir que sea incapaz de sentir como tú. No he venido aquí a fastidiarte. Moses, coge una silla que te noto cansado.

Moses se sentó en el viejo sofá que soltaba una nubecilla de polvo en cuanto lo tocaban.

—Me gustaría verte menos agitado, Moses. Tienes que comer y dormir. Probablemente, lo que te vendría bien sería que te atendiese un médico. Deberías pasarte unos días en una cura de reposo en algún hospital.

—Lo que me pasa es que estoy excitado pero no enfermo —dijo Moses—. No quiero que me traten como si no me anduviese bien la cabeza. Te agradezco que hayas venido. —Y allí estaba él, hundido en el sofá, esforzándose por no llorar. Le salía la voz muy débil.

—Tómate todo el tiempo que quieras —le dijo Will.

—Yo... —Había recuperado la voz y dijo con toda claridad—: Yo quiero dejar bien claro que, si acudo a ti, no es por debilidad ni porque sea incapaz de valerme solo. No me importa darme unos días de reposo en un hospital. Si Helen y tú decidís que eso es lo que hace falta, no veo objeción alguna.

Sábanas limpias, un buen baño y buena comida. Y mucho sueño. Todo eso puede ser muy agradable. Pero solo unos pocos días. El 16 tengo que visitar a Marco en el campamento. Es el día de los Padres y me está esperando.

—Muy bien —dijo Will—. Eso es muy justo.

—No hace mucho, cuando estaba en Nueva York, tenía fantasías en que me veía en un hospital.

—Eso no es fantasía sino un plan muy sensato. Lo que te hace más falta es un reposo controlado, atendido por los médicos. Incluso yo lo he pensado para mí mismo. Todos deberíamos hacerlo. Le pedí a mi médico que llamase a un hospital local. El de Pittsfield. —Se miró el reloj de pulsera.

En cuanto oyó esto último que decía su hermano, Moses se incorporó en el sofá. No le salían las palabras. Se limitó a hacer con la cabeza un gesto negativo. Y, al mirarlo, también cambió la expresión de Will. Pensó que debería haber sido más gradual y circunspecto y no pronunciar la palabra hospital tan fácilmente.

—No —dijo Moses moviendo enérgicamente la cabeza—. Decididamente, no.

Will seguía callado, y su gesto apenado era el de un hombre arrepentido de haber cometido un error táctico. Moses podía suponer fácilmente lo que Will le había dicho a Helen después de haberle sacado de la comisaría, y la consulta, llena de preocupación, que habían tenido los dos acerca de él. («¿Qué haremos? Pobre. Todo esto debe de estar volviéndole loco. Por lo menos, que tengamos una opinión profesional sobre él.») Helen tenía una gran fe en las opiniones profesionales. A Moses le había divertido siempre con cuánta seguridad hablaba de las «opiniones profesionales». De modo que habían hablado ya con el médico de Will para preguntarle si estaría dispuesto a arreglar algo discretamente en la zona del Berkshire.

—Yo creía que estábamos ya de acuerdo... —dijo Will.

—No, Will. Nada de hospitales. Sé que Helen y tú estáis haciendo lo que deben hacer unos buenos hermanos. Y te aseguro que me tienta ese reposo. Para un hombre como yo, es un plan tentador. «Reposo supervisado.»

—Entonces, ¿por qué no lo haces? Si te hubiera encontrado mejor, ni siquiera te habría hablado de esto —dijo Will—. Pero, mira cómo estás.

—Sí, de acuerdo —dijo Moses—. Pero, date cuenta de que precisamente ahora, cuando empiezo a estar normal, quieres entregarme a un psiquiatra. Porque, en lo que pensabais Helen y tú era en un psiquiatra, ¿verdad?

Will guardaba silencio, preguntándose a sí mismo qué actitud debía tomar. Luego, suspiró y dijo:

—¿Qué daño podría hacerte?

—Piensa si ha sido más raro que yo haya tenido esas esposas e hijos y me haya venido a vivir en un sitio como este o que Papá fuera un contrabandista de alcohol. Nunca creímos que estaba loco. —Moses empezó a sonreír—. ¿Te acuerdas, Will? Papá tenía aquellas etiquetas impresas: White Horse, Johnnie Walker, Haig and Haig, y nosotros nos sentábamos a la mesa con el tarro de goma de pegar, y venía él y decía: «Bueno, niños, ¿qué ponemos hoy?». Y nosotros gritábamos: «White Horse», u otra marca. Y la estufa de carbón estaba encendida. Caían ascuas en la ceniza como dientes rojos. Papá tenía aquellas preciosas botellas verdes. Hoy no hacen ya vidrio como aquel, ni aquellas formas tan bonitas. Mi favorita era la etiqueta de White Horse.

Will se reía bajito.

—Estaría muy bien ir al hospital —prosiguió Moses—. Pero sería un error hacer eso. Precisamente, es ahora cuando ya debo dejar de pensar en la maldición que me cayó encima. Sé muy bien lo que debo evitar. Pero, de pronto, me vería otra vez en la cama dándole vueltas a mi desgracia. Sería como si tuviera allí a Madeleine. No creas, ella ha llenado una cierta necesidad.

—¿A qué te refieres, Moses? —dijo Will, que se sentó junto a él en el sofá.

—Sí, una necesidad muy especial. No sé cuál. Ella trajo a

mi vida la ideología. Algo que tiene que ver con las catástrofes. Después de todo, vivimos en una época ideológica. Es posible que ella no quisiera convertir en padre a uno que le gustase de verdad.

Will se sonreía al oír cómo presentaba aquello Moses. Luego le preguntó:

—Bueno, pero ¿qué piensas hacer aquí ahora?

—Quizá siga viviendo en este sitio. No estoy lejos del campamento donde está Marco. Si Daisy me deja, traeré al chico el mes que viene. Lo que haré, si quieres llevarnos a mí y a mi bicicleta a Ludeyville, será pedir que me vuelvan a dar la corriente eléctrica y conecten otra vez el teléfono. Tuttle se ocupará de adecentar un poco la finca y la señora Tuttle limpiará y arreglará la casa. Eso es lo que haré. —Se levantó—. Daré otra vez el agua y compraré algunos alimentos. Ven, Will, llévame a ver a Tuttle.

—¿Quién es Tuttle?

—Es el que se encarga de todo. Es el espíritu supremo de Ludeyville. Un tipo muy alto. Parece muy tímido pero eso es un mérito en él porque es el buen demonio del bosque. Dentro de una hora habrá conseguido que tengamos luz aquí. Entiende de todo. Desde luego, lo cobra bien, pero con muchísima timidez.

Cuando Will paró el coche, apareció Tuttle junto a su alta y anticuada bomba de gasolina. Muy alto y delgado, con muchas arrugas, tenía el vello blanco en los antebrazos, llevaba una gorra de algodón pintado, y entre sus dientes postizos (para quitarse el hábito de fumar, según le había explicado una vez a Herzog) llevaba un mondadientes de plástico.

—Ya sabía que estaba usted en su casa, mister Herzog —dijo—. Bienvenido.

—¿Cómo se enteró usted?

—Vi el humo de su chimenea, y ya sabe usted que eso es lo primero.

—Sí. Y, ¿qué es lo segundo?

—Pues que una señora ha estado tratando de dar con usted por teléfono.

—¿Quién? —preguntó Will.

—Es una que está en una «party» que dan en Barrington. Dejó el número.

—¿Solo su número? ¿No dio el nombre? —dijo Herzog.

—La señorita Harmona o Armona, o algo así.

—Ramona —corrigió Herzog—. ¿Está en Barrington?

—¿Esperas a alguien? —le preguntó Will volviéndose hacia él en el asiento del automóvil.

—Solo te esperaba a ti.

Will quería saber más.

—¿Quién es esa mujer?

Sin ganas y con una mirada evasiva, Moses respondió a su hermano:

—Es una señora... una mujer. —Luego renunció a esta reticencia. ¿Por qué tenía que ponerse nervioso? Y añadió—: Esa mujer es una florista, una amiga mía de Nueva York.

—¿Vas a llamarla?

—Sí, claro. —Y Moses vio la cara pálida de la señora Tuttle en la oscuridad de la tienda—. Bueno, oiga usted —le dijo a Tuttle—, quiero abrir la casa. He de tener la corriente eléctrica. Y quizá la señora Tuttle pueda arreglarme aquello un poco. Hay que limpiar.

—Sí, por supuesto, creo que podrá hacerlo.

La señora Tuttle llevaba zapatos de tenis y por debajo del vestido le asomaba el borde de la camisa de noche. Tenía manchadas de tabaco las uñas, aunque las tenía arregladas. Había engordado mucho durante la ausencia de Herzog y este notó cuánto se había deformado la cara de aquella bonita mujer. Vio en sus ojos grises una extraña mirada lejana como si la grasa de su cuerpo ejerciese sobre ella un efecto de opio. Herzog sabía que esta mujer había escuchado por la conexión del teléfono, todas sus conversaciones con Madeleine. Seguramente, no se habría perdido ninguna de las cosas tan vergonzosas que Madeleine y él se habían dicho y había escuchado los gritos y los sollozos. Ahora estaba él allí para invitarla a trabajar en su casa, barrerle los suelos y hacerle la cama. La mujer sacó un cigarrillo con filtro, lo encendió como un hombre, miró a través del humo con sus transidos ojos grises, y dio su consentimiento:

—Bueno, creo que podré. De acuerdo. Precisamente es mi día libre en el motel de la carretera. Trabajo en él de doncella.

—¡Moses! —dijo Ramona por teléfono—. De modo que te han dado mi recado. Qué bien que estés en tu casita de campo. Ya sabes, todos me dicen aquí que cuando uno quiere que le hagan algo en Ludeyville, solo tiene que llamar a Tuttle.

—Oye, Ramona, ¿te llegó mi telegrama de Chicago?

—Sí, Moses. Fue un buen detalle. Pero ya me figuré que no te estarías por allí mucho tiempo y que pronto irías a parar a tu casa de campo. Yo aproveché que tenía que visitar a unos amigos en Barrington para venir por aquí.

—¿De verdad? —dijo Herzog—. ¿Qué día es hoy?

Ramona se rió:

—¡Qué típico eso de ti! No me extraña que hagas perder la cabeza a las mujeres. Pues te regalaré el oído: es sábado. Estoy aquí, en la casa de Myra y Eduardo Misseli.

—Ah, el violinista. Solamente lo conozco de vista, de verlo en el supermercado.

—Es un hombre muy agradable. ¿Sabes que está estudiando la fabricación de violines? Me he pasado en su taller toda la mañana. Y se me ocurrió que debía visitar la finca de Herzog.

—Mi hermano está aquí conmigo. Mi hermano Will.

—¡Ah, espléndido! —exclamó Ramona con su voz vibrante—. ¿Está viviendo ahí contigo, en la finca?

—No, está de paso.

—Me encantaría conocerlo. Los Misseli van a dar una pequeña fiesta en mi honor, esta noche después de cenar.

Will, que por fin se había apeado, estaba junto al teléfono, mirando a su hermano seriamente con sus ojos oscuros, como rogándole que no cometiese más errores. Y Moses pensó: No puedo prometerlo. Solo puedo decirle que, por ahora, no es mi intención ponerme en manos de Ramona ni de otra mujer. La mirada familiar de Will era inconfundible para Moses. Sabía que temía por él. Aquella luz marrón era más clara que las palabras.

—No, gracias —dijo Moses—. No quiero fiestas. Pero escucha, Ramona...

—¿Quieres que vaya para allá? Me parece tonto estarme aquí, al teléfono, hablando contigo en vez de vernos. Estás solo a ocho minutos.

—Pero es que yo tengo que ir a Barrington de todos modos, de compras y para que me den corriente y el teléfono.

—¿Es que te propones vivir tiempo en Ludeyville?

—Sí. Marco vendrá aquí conmigo. Espera un instante, Ramona. —Tapó con la mano el receptor y habló con su hermano—. Will, ¿puedes llevarme a Barrington? —Naturalmente, Will dijo que sí.

Pocos minutos después encontraron a Ramona. Con *shorts* y sandalias, esperaba junto a su Mercedes negro. Llevaba una blusa mexicana con botones que eran monedas. Le brillaba el cabello y estaba ruborizada. La emoción de aquellos momentos desequilibraba su autocontrol.

—Ramona —dijo Moses—. Este es mi hermano Will.

Will, aunque decidido a observarla bien, estuvo muy cortés. Tenía muy buenos modales. Y Moses le agradeció esa cortesía y agrado. Will la miraba con simpatía. Sonreía, pero no demasiado. Era evidente que Ramona le parecía tremendamente atractiva.

«Cualquiera diría que esperaba encontrarse con un perro», pensó Herzog.

—Pero, Moses, te has cortado afeitándote —le dijo Ramona—. Tienes toda la mandíbula arañada.

—Ah, ¿sí? —y se pasó la mano por la cara con una vaga preocupación.

424

—Se parece usted mucho a su hermano, mister Herzog —le dijo Ramona a Will—. Tiene usted la misma hermosa cabeza y esos ojos tiernos de color avellana. ¿No se queda usted con su hermano?

—No, voy de paso para Boston.

—Pues yo no podía quedarme en Nueva York. ¿Verdad que los Berkshires son maravillosos? ¡Tan verdes!

La belleza morena de Ramona hacía pensar en aquellas películas de los años veinte en cuyos carteles anunciadores, encima de unas cabezas morenas, se leía: «Los bandidos del amor». Desde luego, Ramona parecía una de aquellas figuras, con su aureola sexual y su buena planta. Pero también había en ella algo que resultaba intensamente conmovedor. Luchaba sin descanso. Y necesitaba de un extraordinario valor para sostener esta actitud combativa. ¡Qué duro resulta en este mundo ser una mujer que lleva sus asuntos con sus propias manos! Era el suyo un valor persistente aunque a ratos temblase. Como ahora, en que fingía buscar algo en su bolso porque le temblaban las mejillas. A la nariz de Moses llegó el perfume de los hombros de Ramona. Y, como casi siempre, oyó la profunda, cómica e idiota respuesta masculina a estos estímulos: *quack*. La progenitiva y lujuriosa reacción de lo hondo masculino: *Quack. Quack*.

—Entonces, ¿no vienes a la fiesta? —dijo Ramona—. Y ¿cuándo voy a ver tu casa?

—Es que me la están limpiando un poco —respondió Herzog.

—Entonces, ¿no podemos...? ¿Por qué no comemos los tres juntos; usted también, señor Herzog? Moses puede explicarle a usted qué buena *remoulade* de camarones sé hacer yo.

—Buena como ella sola. Nunca la comí mejor. Pero Will tiene que marcharse y tú, Ramona, estás de vacaciones; no está bien que te pongas a cocinar para tres. ¿Por qué no vienes a cenar tú conmigo?

—¡Ah! —exclamó Ramona, muy contenta—. ¿Quieres ser mi anfitrión?

—Y, ¿por qué no? Ya verás qué buen pescado te preparo.

Will miraba a su hermano y le dirigía una sonrisa vacilante.

—Maravilloso —dijo Ramona—. Llevaré una botella de vino.

—Nada de eso. Ven a las seis. Comerás a las siete y puedes volver para la hora de tu fiesta. Te sobrará tiempo.

Musicalmente (Moses no acababa de decidir si era a propósito). Ramona le dijo a Will:

—Bueno, mister Herzog, adiós, espero que volvamos a vernos. —Y, dirigiéndose hacia su Mercedes, le puso un momento la mano en el hombro a Moses—: Espero que la cena sea buena.

Quería que Will se diese cuenta de la intimidad que había entre los dos, y Moses no veía razón alguna para dar la impresión contraria. La besó.

—¿Tenemos que despedirnos también tú y yo aquí? —preguntó Moses a Will cuando ella se alejaba ya—. Puedo tomar un taxi para volver. No quiero que se te haga tarde.

—No, no; te llevaré a Ludeyville.

—Bueno, allí compraré pez espada para la cena. Y también limón, mantequilla y café.

Subían por la última cuesta antes de Ludeyville cuando Will preguntó:

—¿Te dejo en buenas manos, Mose?

—¿Quieres decir que si no hay peligro? Creo que puedes estar tranquilo. De verdad. Ramona no está mal.

—¿Mal? ¡Qué ocurrencia! ¡Es formidable! Pero también lo era Madeleine.

—Bueno, la verdad es que no me dejas «en manos» de nadie.

Con una tierna e irónica mirada, Will dijo, triste y cariñoso:

—Amén. Pero ¿qué hay de la ideología? ¿Tiene esta también ideología?

—Déjame aquí, frente a la casa de Tuttle. Pues sí, creo que

también Ramona tiene su ideología. Pero la de ella es sobre el sexo. Es bastante fanática en asuntos sexuales. Pero eso no me importa.

—A ver si me entero bien de las direcciones.

Tuttle, cuando los dos hermanos pasaron lentamente ante él, dijo:

—Creo que solo tardarán unos minutos en dar la corriente a su casa.

—Gracias... Ten, Will, toma un poco de este arborvitae para masticar. Tiene un sabor muy agradable.

—Espero que no decidas nada definitivo por ahora. No puedes permitirte cometer más errores.

—La he invitado a comer. Solo eso. Luego regresará a esa fiesta en casa de los Misseli. Y yo no iré con ella. Mañana es domingo. Ramona tiene un negocio en Nueva York y no puede quedarse fuera. Puedes estar tranquilo. Ni ella va a huir conmigo... ni yo con ella.

—Hermano, ejerces una extraña influencia sobre la gente —dijo Will—. Bueno, adiós. Quizá vengamos a verte Muriel y yo cuando vayamos al Oeste.

—Me encontrarás como estoy, sin haberme vuelto a casar.

—Si no te importase ni un comino, te podrías casar cuantas veces se te antojase. Podrías tener cinco mujeres más. Pero con esa intensidad con que lo haces todo... y ese talento que tienes para equivocarte en la elección...

—Will, te aseguro de que puedes irte tranquilo. Te digo... te prometo... De verdad, nada de matrimonio. No hay ni la menor probabilidad. Adiós, y gracias. En cuanto a la casa...

—Ya pensaré en eso. ¿Necesitas dinero?

—No.

—¿Estás seguro? ¿Me dices la verdad? Recuerda que estás hablando con tu hermano.

—Sé muy bien con quién estoy hablando. —Cogió a Will por los hombros y lo besó en la mejilla—. Adiós, Will, toma por la primera carretera a la derecha al salir del pueblo. Ya verás el letrero.

Cuando Will se marchó, Herzog esperó a la señora Tuttle junto al arborvitae y desde allí pudo contemplar a gusto el pueblo. *En todo el mundo, el modelo de la creación natural parece ser el océano. Desde luego, también las montañas tienen ese aspecto de hundirse en la inmensidad, esa brillantez, y el altanero color azul. E incluso, estos quebrados prados. Y ¿qué impide a esas casas de rojo ladrillo derrumbarse en ese oleaje de tierra sino su ranciedad, lo viejas que son? Me llega ese olor a través de sus puertas de tela metálica. El olor de las almas apuntala los muros. Porque, si no, las arrugas de los montes las harían derrumbarse.*

—Tiene usted una casa estupenda, mister Herzog —dijo la señora Tuttle cuando ya se acercaban en el automóvil, colina arriba—. Tiene que haberle costado a usted por lo menos un penique mejorarla. Es una vergüenza que no la viva usted más.

—Tenemos que limpiar la cocina, porque he de hacer una comida. Ya le buscaré a usted las escobas, las bayetas, y todo eso.

Estaba buscando en la oscura alacena cuando se encendieron las luces. Pensó que Tuttle era un hombre milagroso. Le pedí a eso de las dos que se ocupara de eso y no deben de ser más de las cuatro y media.

La señora Tuttle, con un cigarrillo en la boca, se ató a la cabeza un gran pañuelo. Por debajo del vestido asomaba el camisón de nailon de color melocotón. Casi le arrastraba por el suelo. En el sótano de piedra, encontró Herzog la palanca de la bomba del agua. Enseguida, oyó que salía el agua llenando el depósito. Puso en marcha el refrigerador, que tardaría algún tiempo en estar a punto. Entonces se le ocurrió enfriar las bebidas en la fuente. Después cogió la guadaña para despejar el patio y así Ramona vería mejor la casa. Pero apenas había cortado un poco de maleza cuando sintió que le dolían las costillas. Decididamente, no se sentía lo bastante bien para esa clase de trabajo. Se tumbó en la silla plegable, mirando al sur. En cuanto el sol perdió su fuerza, empezaron a cantar los tordos, y mientras con su canto a la vez dulce y fiero alejaban a los intrusos, empezaban los mirlos a reunirse en bandadas para la noche; y exactamente hacia la puesta del sol se alejarían de aquellos árboles oleada tras oleada y volarían seis o siete kilómetros de un tirón hasta llegar a sus nidos junto al agua.

El que Ramona fuese a llegar, le turbaba un poco, tenía que reconocerlo. Pero comerían y ella le ayudaría a fregar los platos y luego él la acompañaría al coche.

Nada haré por intervenir en las peculiaridades de la vida. Eso se hace muy bien sin necesidad de mi ayuda especial.

Ahora, por una parte de las colinas ya no había sol, y empezaron a ponerse de un color azul más intenso; por el otro lado estaban todavía blancas y verdes. Los pájaros alborotaban mucho.

De todos modos, ¿puedo pretender que tengo mucho donde elegir? Me miro y me veo el pecho, los muslos, los pies... la cabeza. O la siento. Sé muy bien que esta extraña organización ha de morir. Y por dentro, algo, algo, sí, la felicidad... «Me conmueves.» *No hay elección. Algo produce la intensidad; un sentimiento sagrado, lo mismo que los naranjos dan naranjas, y como la hierba es verde, o los pájaros dan calor. Unos corazones engendran más amor y otros menos, seguramente. Pero ¿significa esto algo? Hay quien dice que este producto de los corazones es el conocimiento.* «Je sens mon coeur et je connais les hommes.» *Pero su mente se apartó también de su francés. No, no puedo decir eso, pues mi rostro está ciego, mi mente es demasiado limitada y mis instintos tienen muy poco alcance. Pero ¿acaso nada significa esta intensidad? ¿Es una idiota alegría lo que hace a este animal, el más peculiar de todos los animales, exclamar algo? Y ¿es posible que esté convencido de que esta reacción es una prueba y un signo de eternidad?* «Me conmueves.» «Pero ¿qué quieres, Herzog?» *En fin, así es... no una cosa solitaria. Estoy bastante satisfecho de existir, de ser como está mandado y por todo el tiempo que pueda permanecer en esta vida.*

Luego pensó que encendería velas para cenar, puesto que a Ramona le gustaban. Seguramente, habría una o dos velas en la caja de los plomos.

Pero ahora ya tenía que sacar las botellas que había puesto a refrescar. Le gustó sentir el agudo frío del agua.

Cuando volvió del bosque, se dedicó a coger algunas flores para ponerlas en la mesa. Se preguntó si tenía un sacacorchos en el cajón. ¿Se lo habría llevado Madeleine a Chicago? En fin, Ramona tenía un sacacorchos en su Mercedes. Y este era un pensamiento absurdo. No había que preocuparse, pues bastaría con un clavo, en el peor caso. O se rompía el cuello de la botella, como hacían en las viejas películas, y al avío.

Mientras pensaba todo esto, llenó su sombrero con trozos de la enredadera, la que se enroscaba a la parra. Las espinas eran aún demasiado tiernas para herir. Junto a la cisterna había lirios amarillos. Tomó también algunos de estos, pero enseguida se ajaron.

De vuelta en el jardín sombrío, buscó unas peonías; quizá hubieran sobrevivido algunas. Pero entonces se le ocurrió que quizá estuviese cometiendo un error e, interrumpiendo su búsqueda, se puso a escuchar el ritmo de la escoba que manejaba la señora Tuttle. ¿Qué hacía él allí cogiendo flores? Era muy considerado por su parte, una adorable atención. Pero ¿cómo se interpretaría? (Sonrió levemente.) Lo que había de saber era lo que él iba a hacer y para eso no servían las flores. No; la verdad era que tampoco podían ser utilizadas contra él. De modo que no las tiró.

Volvió de nuevo su rostro moreno hacia la casa. Dio la vuelta en torno a esta y entró por la puerta principal, pensando qué otra prueba de su cordura podía dar, aparte de la de no querer ir al hospital. Quizá, dejar de escribir cartas. Sí, eso era lo que debía hacer o, mejor dicho, no hacer. Ya no escribiría más cartas «mentales». Fuera lo que fuese aquello que le había ocurrido en los meses anteriores, aquel hechizo parecía írsele pasando; sí, desde luego, ya no lo padecía.

Dejó el sombrero junto a él, el sombrero cargado de rosas, de lirios y de pedazos de enredadera, poniéndolo sobre el piano a medio pintar, y pasó a su estudio llevando las botellas de vino en una mano como unas mazas para hacer gimnasia.

Anduvo por encima de sus papeles tirados por el suelo, y se echó en el sofá Récamier. Tumbado, se estiró y respiró profundamente. Se quedó mirando la persiana de la ventana a la que la exuberante parra impedía que se cerrase y escuchó el rítmico golpeteo de la escoba con la que barría la señora Tuttle. Quería advertirle que debía rociar el suelo. Levantaba demasiado polvo. Le diría: «Eche un poco de agua, señora Tuttle. Hay agua en el fregadero». Pero, ahora no. En este momento, no tenía mensajes para nadie. Nada. Ni una sola palabra.